KB085815

2022

써니 행정법총론 소방 단원별 모의고사

박준철 편저

문제

소방단기 sobang.conects.com

도서
출판 **지금**

단원별(진도별) 구성으로 실전에 강한 총 10회 모의문제 엄선 출제
출제 가능성 높은 주요 논점들을 빠짐없이 완벽 반영
고득점 합격을 위한 수준별·유형별 다양한 문제 수록
모든 선택지에 관련 기출지문의 연계 학습으로 기출 회독 효과
모든 문항별 풍부하고 이해하기 쉬운 해설, 중요 내용에 별색 표기
모든 선택지를 옳은 지문화한 워크북을 마무리 교재로 최적 활용
최신 제·개정법령 및 판례, 출제경향의 완전 반영

Preface

공무원 대표 행정법 '써니 행정법' 명성 그대로, 소방 시험에 최적화한 『2022 써니 행정법총론 소방 단원별 모의고사』를 내놓습니다. 모의문제 풀이를 통해 실전 적용 능력을 기를 수 있는 '2022 써니 행정법 소방 단원별 문제풀이' 강의의 수업 교재를 이 한 권의 문제집으로 엮었습니다. 이때 거의 대부분의 문제들은 기출지문을 응용(변형)한 것으로, 현 수험 단계에서 반드시 풀어보아야 할 문제들을 정선하여 출제하였고, 현재의 자기 실력을 확인하고 약점을 보완할 수 있도록 총 10회 분량(총 200제)의 모의고사로 구성하였습니다. 이를 통해 어떤 키워드에 출제 포인트를 둘지, 어떤 판례에 방점을 찍어야 할지, 또 어떤 법조문에 밑줄을 그어야 할지 깊이 숙고하면서 문제 출제와 해설 집필에 심혈을 다하였음을 밝힙니다. 그리고 수험생의 효율적인 기억 강화를 위해 선택지마다 관련 기출지문을 연결하고 옳은 지문으로 재구성하는 등 다양한 학습 장치를 마련함으로써 문제집 그 이상의 학습 효과를 나타낼 수 있도록 구성하였습니다.

이 책의 구체적인 특징과 짜임새는 다음과 같습니다.

1. 다양한 수준별 · 유형별 모의문제 구성으로 실전 대비

이 책은 기본서 편제에 맞추어 <행정법통론>에서 시작하여 <행정작용법>, <행정절차, 행정공개>, <행정의 실효성 확보수단>의 단원을 거쳐 <행정구제>로 끝을 맺는 흐름을 설정하였습니다. 이에 먼저 8회 분량의 단원별 문제 구성을 한 후에, 앞선 회차에서 다루지 못했던 논점을 보완하고 출제 범위를 확장하여 2회 분량의 단원별 문제 구성을 추가하였습니다. 특히 9회 및 10회 모의고사에는 2022년 1월 15일에 시행된 제28기 소방간부후보생 선발시험 문제 중 소방 시험 대비로 알아야 할 문제를 선택지 또는 <기출 체크>에 반영함으로써 최신 출제경향에 만전을 기했습니다.

무엇보다 이 책은 단원별 · 수준별 · 유형별 모의문제 구성으로 보다 짜임새 있고 탄탄한 실전 학습을 도모합니다. 우선, 각 회별로 출제 범위를 제시함으로써 취약한 단원을 확인하고 기본서나 기출문제집을 통해 해당 내용을 다시 복습할 수 있도록 학습의 편의를 제공하였습니다. 또한 출제 가능성 높은 주요 논점들을 빠짐없이 반영하면서, 기본 문제부터 심화 문제에 이르기까지 수준별 문제들을 다양한 문제 유형으로 배치 · 구성하였습니다. 이에 문제의 난이도와 유형을 십분 고려하여 회별로 제한시간을 다르게 표기함으로써 실전 적응 능력을 키울 수 있도록 세심히 배려하였습니다.

2. <기출 체크>를 통한 기출 회독 효과

이 책은 각 선택지와 관련된 기출지문을 <기출 체크>에 수록하고 있습니다. 현재 풀고 있는 모의문제의 선택지가 실제 시험에서는 어떻게 문제화되었는지를 살펴봄과 동시에 그러한 기출문제를 ○×문제(또는 객관식 기출문제 형태)로 다시 풀어볼 수 있는 학습 장치입니다. 주요 시험의 기출문제를 출제 키워드 중심으로 면밀히 분석하여, 모의고사 선택지에 맞게 기출 ○× 문제(또는 객관식 기출문제) 형태로 배열하였기 때문에 주요 기출지문(기출문제)을 집중력 있게 한 번 더 회독하는 효과가 있습니다. 기출지문과 비교 학습하면서 문제의 함정을 들여다보고 문제의 오답을 쉽게 찾아낼 수 있는 전략적 <기출 체크> 영역입니다.

3. 실전 문제풀이와 학습 효율을 고려한 <문제 편>과 <해설 편>의 분권 구성

이 책은 학습 편의를 위해 <문제 편>과 <해설 편>, 두 권으로 최적 구성하였습니다. 우선, <문제 편>에서는 2021년에 출제된 소방 행정법총론 문제를 포함한 최신 기출문제까지 철저히 분석하여 새로운 논점을 추가하고 문제 구성에 변화를 주는 등 최신 출제경향에 부합하는 책이 되도록 심혈을 기울였습니다. 나아가 최근 제정된 행정기본법을 비롯하여 「공공기관의 정보공개에 관한 법률」, 지방자치법, 국세징수법, 국세기본법 등의 개정 내용도 반영함에 따라 문제를 통해 개정법을 확인하고자 하는 수험생들의 수요에 부응할 것으로 기대합니다.

또한 <해설 편>에서는 모든 문항별 풍부하고 이해하기 쉬운 해설을 수록하였으며, 효과적인 학습을 위해 다양한 학습 장치를 마련했습니다. 즉, 문제 해설에서 주요 내용은 밑줄을 그었고, 판례의 핵심 요지는 색글자로 나타냈으며, 최신 제 · 개정법령과 판례를 반영함은 물론 핵심 이론을 출제경향에 맞도록 수정 · 보완하였습니다.

이로써 <문제 편>에서는 실전처럼 모의고사를 치렀다는 효과를 주고, <해설 편>에서는 또 한 권의 책으로 구성한 확인 학습의 만족감을 드릴 것입니다.

4. <옳은 지문> 워크북을 통한 마무리 교재로도 최적 활용

이 책의 <해설 편>에는 부록 <옳은 지문> 워크북이 실려 있습니다. 총 200제(10회 모의고사)의 모든 선택지들을 <옳은 지문>화하였고, 그중 핵심 키워드는 색글자로 표현했습니다.

각 회별로 실전 모의고사처럼 문제부터 풀고, <기출 체크>를 통해 자기 학습을 다시 점검한 뒤, 문제 해설을 학습하면서 틀린 문제는 왜 틀렸는지, 맞은 문제는 그 근거가 무엇이었는지를 확인한 다음, 마지막으로 모든 선택지의 <옳은 지문>을 통해 핵심 내용을 집약 정리합니다. 이 <옳은 지문> 워크북을 정독 학습하는 것은, 곧 『2022 써니 행정법총론 소방 단원별 모의고사』를 압축하는 일이며, 시험장 노트를 만드는 일이라고 생각합니다. 충분히 활용하실 것을 당부 드립니다.

『2022 써니 행정법총론 소방 단원별 모의고사』는 문제풀이 능력을 극대화시키기 위해 많은 시간을 쏟고 숱한 노력을 기울여서 펴낸, 수험생 여러분을 위한 책입니다. <단원별 모의문제>를 풀면서 실전 감각을 키우고, <기출 체크>를 통해 주요 기출문제를 재확인하며, <옳은 지문> 워크북으로 최종 마무리한다면 최적의 학습 효과를 나타낼 수 있을 것입니다.

수험생 여러분의 합격을 진심으로 기원하면서 이만 글을 마칩니다.

2022년 2월
편저자 **박준철** 씀

Contents 이 책의 차례

해설

소방 단원별 모의고사 해설

부록 옳은 지문 워크북

써니

행정법총론
소방 단원별 모의고사

소방
단원별
모의고사

1~10회

01

☐☐☐

다음 중 옳은 것으로만 묶인 것은? (다툼이 있는 경우 판례에 의함)

㉮ 대법원은 계엄선포행위를 통치행위로 보는 전제에서 계엄선포나 확대가 국헌문란의 목적을 달성하기 위해 행해진 경우 법원은 그 자체가 범죄행위에 해당하는지에 대해서는 심사할 수 없다는 입장이다.

㉯ 통치행위의 주체는 통설에 따르면 사법부, 행정부, 입법부가 되나 통치행위의 판단주체는 판례에 의하면 사법부만이라고 본다.

㉰ 대통령의 긴급재정·경제명령은 통치행위에 해당하지만, 남북정상회담 개최 과정에서 재정경제부장관에게 신고하지 아니한 채 북한 측에 사업권의 대가 명목으로 송금한 행위는 통치행위로 볼 수 없다.

㉱ 헌법재판소는 통치행위의 개념 자체는 인정하면서 대통령의 행위라 하더라도 국민의 기본권침해와 직접 관련되는 경우에는 헌법재판소의 심판대상이 될 수 있다고 한다.

㉲ 대통령의 서훈 수여행위와 서훈 취소행위는 사법심사를 자제하여야 할 고도의 정치성을 띤 행위이므로 모두 통치행위에 해당한다.

① ㉮, ㉯
② ㉯, ㉱, ㉲
③ ㉰, ㉱
④ ㉰, ㉱, ㉲

✅ 기출체크

㉮ 관련 기출

1. 비상계엄의 선포와 그 확대행위가 국헌문란의 목적을 달성하기 위하여 행하여진 경우에는 법원은 그 자체가 범죄행위에 해당하는지의 여부에 관하여 심사할 수 있다. (○, ×) 2015 국가직 9급

2. 대법원은 대통령의 비상계엄선포 및 그 확대행위는 고도의 정치적·군사적 판단에서 나온 것이므로 계엄선포 자체가 범죄에 해당하는지 여부에 관하여도 판단할 수 없다고 하였다. (○, ×) 2009 관세사

3. 대통령의 비상계엄의 선포나 확대행위는 고도의 정치적·군사적 성격을 지니고 있는 행위라 할 것이므로, 그 계엄선포의 요건 구비 여부나 선포의 당·부당을 판단할 권한이 사법부에는 없다고 할 것이고, 비상계엄의 선포나 확대가 국헌문란의 목적을 달성하기 위하여 행하여진 경우에라도 법원은 그 자체가 범죄행위에 해당하는지의 여부에 관하여 심사할 수 없다. (○, ×) 2008 중앙선관위 9급

㉯ 관련 기출

4. 통치행위는 정부에 의해 이루어지는 것이 일반적이며, 국회에 의해 이루어질 수도 있다. (○, ×) 2018 소방직 9급

5. 통치행위의 주체는 통상 정부가 거론되나 국회와 사법부에 의한 통치행위를 인정하는 것이 일반적이다. (○, ×) 2013 서울시 7급

6. 통치행위의 개념을 인정한다고 하더라도 과도한 사법심사의 자제가 기본권을 보장하고 법치주의 이념을 구현하여야 할 법원의 책무를 태만히 하거나 포기하는 것이 되지 않도록 그 인정을 지극히 신중하게 하여야 하며, 그 판단은 오로지 사법부만에 의하여 이루어져야 한다. (○, ×) 2013 지방직 9급

㉰㉱ 관련 기출

7. 대통령의 긴급재정·경제명령은 국가긴급권의 일종으로서 고도의 정치적 결단에 의하여 발동되는 행위이고 그 결단을 존중하여야 할 필요성이 있는 행위라는 의미에서 이른바 통치행위에 속한다고 할 수 있으나, 그것이 국민의 기본권침해와 직접 관련되는 경우에는 당연히 헌법재판소의 심판대상이 된다. (○, ×) 2020 경행경채

8. 대통령의 긴급재정·경제명령은 국가긴급권의 일종으로서 고도의 정치적 결단에 의하여 발동되는 행위이다. (○, ×) 2020 군무원 9급

9. 남북정상회담의 개최과정에서 재정경제부장관에게 신고하지 아니하거나 통일부장관의 협력사업 승인을 얻지 아니한 채 북한 측에 사업권의 대가 명목으로 송금한 행위 자체는 헌법상 법치국가의 원리와 법 앞에 평등원칙 등에 비추어 볼 때 사법심사의 대상이 된다. (○, ×) 2020·2017 경행경채, 2018 경행경채 3차

10. 남북정상회담의 개최(는 통치행위이다) (○, ×) 2016 교육행정직 9급

㉲ 관련 기출

11. 대법원은 대통령의 서훈 취소행위를 통치행위로 보고 있다. (○, ×) 2020 경행경채, 2016 교육행정직 9급

정답 1. ○ 2. × 3. × 4. ○ 5. × 6. ○ 7. ○ 8. ○ 9. ○ 10. ○ 11. ×

02

법치행정의 원리에 관한 다음 기술 중 옳은 것은? (다툼이 있는 경우 판례에 의함)

① 법률우위의 원칙은 적극적으로 법률을 행정권의 발동요건으로 하는 데 대하여, 법률유보의 원칙은 소극적으로 법률에 위반하는 행정작용의 금지를 의미하는 것이다.

② 법률유보의 원칙은 '법률에 의한' 규율만을 뜻하는 것이 아니라 '법률에 근거한' 규율을 요청하는 것이므로 기본권제한의 형식이 반드시 법률의 형식일 필요는 없고 법률에 근거를 두면서 헌법 제75조가 요구하는 위임의 구체성과 명확성을 구비하기만 하면 위임입법에 의하여도 기본권제한을 할 수 있다.

③ 형식적 법치주의는 법의 내용이나 이념을 강조하는 것으로 포괄적 위임입법의 금지, 위헌법률심사제도, 행정재량의 통제강화, 특별행정법관계에서 법률유보원칙의 적용확대 등이 그 요소를 이루고 있다.

④ 지방의회의원에 대하여 유급보좌인력을 두는 것은 지방자치권과 관련된 것이므로 이는 개별 지방의회의 조례로써 규정할 사항에 해당하며 국회의 법률로써 규정하여야 할 입법사항이라고 볼 수는 없다.

✅ 기출체크

① 관련 기출

1. 법률의 우위원칙은 행정의 법률에의 구속성을 의미하는 적극적인 성격의 것인 반면에 법률유보의 원칙은 행정은 단순히 법률의 수권에 의하여 행해져야 한다는 소극적 성격의 것이다. (O, X)
   2013 국회속기직 9급

② 관련 기출

2. 기본권제한에 관한 법률유보의 원칙은 '법률에 근거한 규율'뿐만 아니라 '법률에 의한 규율'을 요청하는 것이므로, 기본권의 제한에는 법률의 근거가 필요할 뿐만 아니라 기본권제한의 형식도 법률의 형식일 것을 요한다. (O, X)
   2021 변호사

3. 헌법재판소 결정에 따를 때 기본권제한에 관한 법률유보원칙은 법률에 근거한 규율을 요청하는 것이므로 그 형식이 반드시 법률일 필요는 없더라도 법률상의 근거는 있어야 한다. (O, X)
   2019 서울시 9급

4. 기본권제한에 관한 법률유보원칙은 '법률에 근거한 규율'을 요청하는 것이 아니라 '법률에 의한 규율'을 요청하는 것이다. (O, X)
   2018 경행경채

5. 헌법재판소는 법률에 근거를 두면서 헌법 제75조가 요구하는 위임의 구체성과 명확성을 구비하는 경우에는 위임입법에 의하여도 기본권을 제한할 수 있다고 한다. (O, X)
   2017 국가직 9급

6. 헌법재판소는 법률유보의 형식에 대하여 반드시 법률에 의한 규율만이 아니라 법률에 근거한 규율이면 되기 때문에 기본권제한의 형식이 반드시 법률의 형식일 필요는 없다고 하였다. (O, X)
   2017 지방직(하) 9급

③ 관련 기출

7. 실질적 법치주의를 구현하기 위한 방법으로 옳지 않은 것은?
   2014 사회복지직 9급

   ① 법률의 위임에 의한 법규명령의 제정에 있어서 포괄적 위임금지
   ② 행정의 내부조직이나 특별행정법관계 내부에까지 법률유보 적용확대
   ③ 헌법재판소에 의한 위헌법률심사제
   ④ 행정의 탄력성과 합목적성을 달성하기 위한 행정입법권의 강화

④ 관련 기출

8. 지방의회의원에 대하여 유급보좌인력을 두는 것은 개별 지방의회의 조례로써 규정할 사항이 아니라 국회의 법률로써 규정하여야 할 입법사항이다. (O, X)
   2018 서울시 9급

9. 지방의회의원에 대하여 유급보좌인력을 두는 것은 지방의회의 조례로 규정할 사항이다. (O, X)
   2018 교육행정직 9급

10. 대법원은 지방의회의원에 대하여 유급보좌인력을 두는 것은 지방의회의원의 신분·지위 및 그 처우에 관한 현행 법령상의 제도에 중대한 변경을 초래하는 것으로서, 이는 개별 지방의회의 조례로써 규정할 사항이 아니라 국회의 법률로써 규정하여야 할 입법사항이라고 한다. (O, X)
    2017 국가직 9급

정답 1. X 2. X 3. O 4. X 5. O 6. O 7. ④ 8. O 9. X 10. O

03

법치국가 내지 법치행정의 원리(원칙)에 관한 설명 중 옳은 것은? (다툼이 있는 경우 판례에 의함)

① 공법상 계약과 행정지도에는 법률의 근거가 필요 없다고 보는 것이 일반적 견해이므로 비례의 원칙의 적용을 받지 않는다.

② 실질적 법치주의 원칙상 법률유보원칙에서 말하는 법률은 넓게 해석해야 하므로, 법률유보원칙에서 말하는 법률에는 국회의 의결을 거치지 않은 명령이나 관습법도 포함된다.

③ 토지 등 소유자가 도시환경정비사업을 시행하는 경우 사업시행인가 신청시 요구되는 토지 등 소유자의 동의 정족수를 정하는 것은 국민의 권리와 의무의 형성에 관한 기본적이고 본질적인 사항이라고 볼 수 없으므로 의회유보의 원칙이 지켜져야 할 영역이라고 보기는 어렵다.

④ 오늘날 '법률유보원칙'은 단순히 행정작용이 법률에 근거를 두기만 하면 충분한 것이 아니라, 국가공동체와 그 구성원에게 기본적이고도 중요한 의미를 갖는 영역, 특히 국민의 기본권실현에 관련된 영역에 있어서는 행정에 맡길 것이 아니라 국민의 대표자인 입법자가 그 본질적 사항에 대해서 스스로 결정하여야 한다는 요구, 즉 의회유보원칙까지 내포하는 것으로 이해되고 있다.

① 관련 기출

1. 일반적으로 공법상 계약은 법규에 저촉되지 않는 한 자유로이 체결할 수 있으며 법률의 근거도 필요하지 않다. (○, ×)
2017 서울시 7급

2. 다수설에 따르면 공법상 계약은 당사자의 자유로운 의사의 합치에 의하므로 원칙적으로 법률유보의 원칙이 적용되지 않는다고 본다. (○, ×)
2017 국가직 9급

3. 행정지도는 그 목적달성에 필요한 최소한도에 그쳐야 한다. (○, ×)
2020 소방직 9급

4. 행정지도는 작용법적 근거가 필요하지 않으므로, 비례원칙과 평등원칙에 구속되지 않는다. (○, ×)
2019 국가직 9급

5. 다수설에 따르면 행정지도에 관해서 개별법에 근거규정이 없는 경우 행정지도의 상대방인 국민에게 미치는 효력을 고려하여 행정지도를 할 수 없다고 본다. (○, ×)
2017 국가직 9급

② 관련 기출

6. 법률유보원칙에서 '법률의 유보'라고 하는 경우의 '법률'에는 국회에서 법률제정의 절차에 따라 만들어진 형식적 의미의 법률뿐만 아니라 국회의 의결을 거치지 않은 명령이나 불문법원으로서의 관습법이나 판례법도 포함된다. (○, ×)
2019 서울시 1회 7급

7. 관습법은 성문법령의 흠결을 보충하기 때문에 법률유보원칙에서 말하는 법률에 해당한다. (○, ×)
2016 서울시 9급

8. 법률유보의 원칙에 있어서 법률은 형식적 의미의 법률을 의미하므로 관습법은 포함되지 않는다. (○, ×)
2013 국회속기직 9급

③ 관련 기출

9. 토지 등 소유자가 도시환경정비사업을 시행하는 경우 사업시행인가 신청에 필요한 토지 등 소유자의 동의정족수를 토지 등 소유자가 자치적으로 정하여 운영하는 규약에 정하도록 한 것은 법률유보원칙에 위반된다. (○, ×)
2018 서울시 9급

10. 헌법재판소는 토지 등 소유자가 도시환경정비사업을 시행하는 경우, 사업시행인가 신청시 필요한 토지 등 소유자의 동의정족수를 정하는 것은 국민의 권리와 의무의 형성에 관한 기본적이고 본질적인 사항으로 법률유보 내지 의회유보의 원칙이 지켜져야 할 영역이라고 한다. (○, ×)
2017 국가직 9급

④ 관련 기출

11. 법률유보의 원칙은 단순히 행정작용이 법률에 근거를 두기만 하면 충분한 것이 아니라, 국가공동체와 그 구성원에게 기본적이고도 중요한 의미를 갖는 영역에 있어서는 행정에 맡길 것이 아니라 국민의 대표자인 입법자 스스로 그 본질적 사항에 대하여 결정하여야 한다는 요구까지 내포한다. (○, ×)
2021 변호사

12. 오늘날 법률유보원칙은 단순히 행정작용이 법률에 근거를 두기만 하면 충분한 것이 아니라, 국가공동체와 그 구성원에게 기본적이고도 중요한 의미를 갖는 영역, 특히 국민의 기본권실현과 관련된 영역에 있어서는 국민의 대표자인 입법자가 그 본질적 사항에 대해서 스스로 결정하여야 한다는 요구까지 내포하고 있다는 헌법재판소 결정과 가장 관계가 깊은 것은?
2014 서울시 9급

① 법률우위원칙　　　　② 의회유보원칙
③ 침해유보원칙　　　　④ 과잉금지원칙
⑤ 신뢰보호원칙

정답 1. ○　2. ○　3. ○　4. ×　5. ×　6. ×　7. ×　8. ○　9. ○　10. ○
11. ○　12. ②

04

법치주의에 관한 다음 기술 중 옳은 것은? (다툼이 있는 경우 판례에 의함)

① 국회가 형식적 법률로 직접 규정할 필요성은 규율대상이 국민의 기본권 및 기본적 의무와 관련한 중요성을 가질수록, 그에 관한 공개적 토론의 필요성 또는 상충하는 이익 사이의 조정 필요성이 클수록 더 증대된다고 볼 수는 없다.

② 중학교 의무교육의 실시 여부 자체라든가 그 연한은 교육제도의 수립에 있어서 본질적 내용으로서 국회입법에 유보되어 있어서 반드시 형식적 의미의 법률로 규정되어야 할 기본적 사항이므로 그 실시의 시기·범위 등 구체적인 실시에 필요한 세부사항에 관하여도 형식적 의미의 법률로 규정되어야 한다.

③ 병의 복무기간은 국방의무의 본질적 내용에 관한 것이어서 이는 반드시 법률로 정하여야 할 입법사항에 속한다.

④ 예산은 국회의 의결을 거쳐 제정되는 일종의 법규범이므로 국가기관뿐만 아니라 국민도 구속한다.

① 관련 기출

1. 국회가 형식적 법률로 직접 규율하여야 하는 필요성은 규율대상이 기본권 및 기본적 의무와 관련된 중요성을 가질수록, 그에 관한 공개적 토론의 필요성 또는 상충하는 이익 사이의 조정 필요성이 클수록 더 증대된다. (○, ×)
2019 국가직 9급

② 관련 기출

2. 헌법재판소는 중학교 의무교육 실시 여부 자체는 법률로 정하여야 하는 기본사항으로서 법률유보사항이나 그 실시의 시기·범위 등 구체적 실시에 필요한 세부사항은 법률유보사항이 아니라고 하였다. (○, ×)
2017 지방직(하) 9급

③ 관련 기출

3. 병의 복무기간은 국방의무의 본질적 내용에 관한 것이어서 반드시 법률로 정하여야 할 입법사항에 속한다. (○, ×)
2012 국회(속기·경위직) 9급

④ 관련 기출

4. 헌법재판소는 국회의 의결을 거쳐 확정되는 예산도 일종의 법규범이므로 법률과 마찬가지로 국가기관뿐만 아니라 국민도 구속한다고 본다. (○, ×)
2019 서울시 9급

5. 헌법재판소는 예산도 일종의 법규범이고, 법률과 마찬가지로 국회의 의결을 거쳐 제정되며, 국가기관뿐만 아니라 일반국민도 구속한다고 본다. 따라서 법률유보원칙에서 말하는 법률에는 예산도 포함된다. (○, ×)
2013 지방직 9급

정답 1. ○　2. ○　3. ○　4. ×　5. ×

05

□□□

행정법의 법원과 효력에 관한 다음 기술 중 옳지 않은 것은?
(다툼이 있는 경우 판례에 의함)

① 행정관습법은 성문법을 보충하는 효력을 가질 뿐이므로 성문법과 저촉되는 행정관습법은 인정될 수 없다.

② 학교급식을 위해 국내 우수농산물을 사용하는 자에게 식재료나 구입비의 일부를 지원하는 것 등을 내용으로 하는 지방자치단체의 조례안은 「1994년 관세 및 무역에 관한 일반협정(General Agreement on Tariffs and Trade 1994)」에 위반되므로 무효라는 것이 판례의 입장이다.

③ WTO 협정은 우리 정부가 가입한 조약으로서 행정법의 법원이 되므로 회원국 정부와의 반덤핑부과처분이 WTO 협정위반이라면 일반 사인도 직접 국내 법원에 회원국 정부를 상대로 그 처분의 취소를 구하는 소를 제기할 수 있다.

④ 비과세의 사실상태도 행정청의 묵시적 의사표시로 볼 수 있는 경우 국세행정의 관행이 되며 판례도 이른바 행정선례법을 인정하고 있다.

✔ 기출체크

① 관련 기출

1. 일반적으로 관습법은 성문법에 대하여 개폐적 효력을 가진다. (○, ×)　　　2018 교육행정직 9급

2. 관습법은 성문법의 결여시에 성문법을 보충하는 범위에서 효력을 갖는다. (○, ×)　　　2015 경행특채 2차

3. (행정법의) 불문법원으로 관습법, 조리 등이 있다. (○, ×)　　　2014 경행특채 1차

4. 행정관습법은 성문법의 규정이 불비된 경우에 그것을 보충하는 효력을 가질 뿐이므로 성문법과 저촉되는 행정관습법은 인정될 수 없다. (○, ×)　　　2011 국회(속기 · 경위직) 9급

② 관련 기출

5. 지방자치단체가 제정한 조례가 헌법에 의하여 체결 · 공포된 조약에 위반되는 경우 그 조례는 효력이 없다. (○, ×)　　　2021 국가직 9급

6. 학교급식을 위해 국내 우수농산물을 사용하는 자에게 식재료나 구입비의 일부를 지원하는 것 등을 내용으로 하는 지방자치단체의 조례안이 「1994년 관세 및 무역에 관한 일반협정」을 위반하여 위법한 이상, 그 조례안은 효력이 없다. (○, ×)　　　2020 국가직 7급

7. 「1994년 관세 및 무역에 관한 일반협정」에 위반되는 조례는 무효이다. (○, ×)　　　2017 교육행정직 9급

8. 지방자치단체가 제정한 조례가 「1994년 관세 및 무역에 관한 일반협정(General Agreement on Tariffs and Trade 1994)」이나 「정부조달에 관한 협정(Agreement on Government Procurement)」에 위반되는 경우, 그 조례는 무효이다. (○, ×)　　　2017 국가직 9급

9. 학교급식을 위해 국내 우수농산물을 사용하는 자에게 식재료나 구입비의 일부를 지원하는 것 등을 내용으로 하는 지방자치단체의 조례안은 「1994년 관세 및 무역에 관한 일반협정」에 위반되어 그 효력이 없다. (○, ×)　　　2014 경행특채 1차, 2011 지방직(상) 9급

③ 관련 기출

10. 국제법규도 행정법의 법원이므로, 사인이 제기한 취소소송에서 WTO 협정과 같은 국제협정 위반을 독립된 취소사유로 주장할 수 있다. (○, ×)　　　2019 서울시 9급

11. 회원국 정부의 반덤핑부과처분이 WTO 협정위반이라는 이유만으로 사인이 직접 국내 법원에 회원국 정부를 상대로 그 처분의 취소를 구하는 소를 제기할 수 있다. (○, ×)　　　2017 국가직(하) 9급

12. 사인(私人)은 반덤핑부과처분이 세계무역기구(WTO) 협정위반이라는 이유로 직접 국내 법원에 회원국 정부를 상대로 그 처분의 취소를 구하는 소를 제기할 수 있다. (○, ×)　　　2011 지방직(상) 9급

④ 관련 기출

13. 판례는 국세행정상 비과세의 관행을 일종의 행정선례법으로 인정하지 아니한다. (○, ×)　　　2014 지방직 9급

정답 1. × 　2. ○ 　3. ○ 　4. ○ 　5. ○ 　6. ○ 　7. ○ 　8. ○ 　9. ○ 　10. × 　11. × 　12. × 　13. ×

06

□□□

행정법의 효력과 관련한 다음 기술 중 옳은 것을 모두 고른 것은? (다툼이 있는 경우 판례에 의함)

㉮ 법령 등을 공포한 날부터 시행하는 경우에는 공포한 날을 시행일로 하고, 법령 등을 공포한 날부터 일정기간이 경과한 날부터 시행하는 경우 법령을 공포한 날을 첫날에 산입하되 그 기간의 말일이 토요일 또는 공휴일인 때에는 그 말일로 기간이 만료한다.

㉯ 국민의 권리제한, 의무부과와 직접 관련되는 법률, 대통령령, 총리령 및 부령은 긴급히 시행하여야 할 특별한 사유가 있는 경우를 제외하고는 공포일로부터 적어도 30일이 경과한 날로부터 시행되도록 하여야 한다.

㉰ 소급적용금지의 원칙은 아직 완성되지 아니하고 계속 진행 중인 사실에 대해 법령을 적용하는 부진정소급적용에도 적용되므로 과세연도 진행 중에 세율 등을 인상하는 세법을 제정하여 당해 연도에 적용하는 것은 허용되지 않는다.

㉱ 진정소급입법은 허용되지 아니하는 것이 원칙이나, 일반적으로 국민이 소급입법을 예상할 수 있었거나 법적 상태가 불확실하고 혼란스러워 보호할 만한 신뢰이익이 적은 경우에는 예외적으로 허용된다.

⑰ 부진정소급입법은 원칙적으로 허용되지만 소급효를 요구하는 공익상의 사유와 신뢰보호의 요청 사이의 교량과정에서 신뢰보호의 관점이 입법자의 형성권에 제한을 가하게 된다.

① ㉮, ㉯, ㉰   ② ㉯, ㉰, ㉱
③ ㉰, ㉱   ④ ㉱, ㉲

✅ 기출체크

㉮ 관련 기출

1. 법령 등을 공포한 날부터 시행하는 경우에는 공포한 날을 시행일로 한다. (O, X)   2021 행정사

2. 법령 등을 공포한 날부터 일정기간이 경과한 날부터 시행하는 경우 법령을 공포한 날을 첫날에 산입하지 아니한다. (O, X)
2021 행정사

3. 법령 등을 공포한 날부터 일정기간이 경과한 날부터 시행하는 경우 그 기간의 말일이 토요일 또는 공휴일인 때에는 그 말일로 기간이 만료한다. (O, X)   2021 행정사

㉯ 관련 기출

4. 국민의 권리제한 또는 의무부과와 직접 관련되는 법률, 대통령령, 총리령 및 부령은 긴급히 시행하여야 할 특별한 사유가 있는 경우를 제외하고는 공포일로부터 적어도 30일이 경과한 날부터 시행되도록 하여야 한다. (O, X)
2020 경행경채, 2020 국가직 7급, 2018 경행경채

5. 대통령령, 총리령 및 부령은 특별한 규정이 없는 한 공포한 날부터 14일이 경과함으로써 효력을 발생한다. (O, X)   2009 국가직 9급

㉰ 관련 기출

6. 소득세법이 개정되어 세율이 인상된 경우, 법 개정 전부터 개정법이 발효된 후에까지 걸쳐 있는 과세기간(1년)의 전체 소득에 대하여 인상된 세율을 적용하는 것은 재산권에 대한 소급적 박탈이 되므로 위법하다. (O, X)   2015 서울시 9급

7. 법령의 효력이 시행일 이전에 소급하지 않는다는 것은 시행일 이전에 이미 종결된 사실에 대하여 법령이 적용되지 않는다는 것을 의미하는 것이지, 시행일 이전부터 계속되는 사실에 대하여도 법령이 적용되지 않는다는 의미가 아니다. (O, X)   2015 사회복지직 9급

8. 법령의 소급적용금지의 원칙은 부진정소급적용에도 적용된다.
(O, X)   2012 사회복지직 9급

㉱ 관련 기출

9. 새로운 법령 등은 법령 등에 특별한 규정이 있는 경우를 제외하고는 그 법령 등의 효력발생 전에 완성되거나 종결된 사실관계 또는 법률관계에 대해서는 적용되지 아니한다. (O, X)
2021 지방직·서울시 7급

10. 진정소급입법이라 하더라도 예외적으로 국민이 소급입법을 예상할 수 있었거나 신뢰보호의 요청에 우선하는 심히 중대한 공익상의 사유가 소급입법을 정당화하는 경우 등에는 허용될 수 있다.
(O, X)   2020 국가직 7급

11. 개인의 신뢰보호의 요청에 우선하는 심히 중대한 공익상의 사유가 소급입법을 정당화하는 경우에는 예외적으로 진정소급입법이 허용된다. (O, X)   2016 교육행정직 9급

12. 일반적으로 국민이 소급입법을 예상할 수 있었거나 법적 상태가 불확실하고 혼란스러워 보호할 만한 신뢰이익이 적은 경우에도 진정소급입법이 허용되지 않는다. (O, X)   2015 사회복지직 9급

㉲ 관련 기출

13. 계속 중인 사실이나 그 이후에 발생한 요건사실에 대한 법률적용을 인정하는 부진정소급입법의 경우 개인의 신뢰보호와 법적 안정성을 내용으로 하는 법치국가원리에 의하여 허용되지 않는 것이 원칙이다. (O, X)   2021 국회직 8급

14. 부진정소급입법은 원칙적으로 허용되지만 소급효를 요구하는 공익상의 사유와 신뢰보호의 요청 사이의 형량과정에서 신뢰보호의 관점이 입법자의 형성권에 제한을 가하게 된다. (O, X)
2017 국가직 7급

정답 1. O 2. O 3. O 4. O 5. X 6. X 7. O 8. X 9. O 10. O
11. O 12. X 13. X 14. O

07   □□□

신뢰보호의 원칙에 관한 다음 기술 중 옳은 것은? (다툼이 있는 경우 판례에 의함)

① 선행조치가 법적 구속력을 가지지 않는 행위형식으로 행해진 경우에는 신뢰보호의 원칙이 적용될 수 없다.

② 신뢰보호의 원칙이 적용되기 위해서는 행정청의 선행조치를 믿은 것만으로 충분하며 그것을 믿고 사인이 어떤 처리를 하여야 하는 것은 아니다.

③ 수익적 행정처분에 하자가 있음을 이유로 처분청이 이를 취소하는 경우, 그 처분의 하자가 당사자의 사실은폐나 기타 사위의 방법에 의한 신청행위에 기인한 것이라면, 처분의 상대방은 그 처분에 의한 이익이 위법하게 취득되었음을 알아 그 취소가능성도 예상하고 있었다고 할 것이므로 행정청이 당사자의 신뢰이익을 고려하지 아니하였다고 하여도 재량권의 남용이 되지 아니한다.

④ 자동차운수사업법(현 「여객자동차 운수사업법」) 제31조 제1항 제5호 소정의 중대한 교통사고를 이유로 사고로부터 1년 10개월 후 사고택시에 대하여 한 운송사업면허의 취소는 신뢰보호원칙에 위반되는 위법한 처분이다.

✅ 기출체크

① 관련 기출

1. 신뢰보호의 원칙이 적용되기 위한 요건인 행정권의 행사에 관하여 신뢰를 주는 선행조치가 되기 위해서는 반드시 처분청 자신의 적극적인 언동이 있어야만 한다. (O, X)   2020 지방직·서울시 9급

2. 신뢰보호의 원칙에서 행정기관의 공적인 견해표명은 명시적이어야 하고 묵시적인 경우에는 인정되지 아니한다. (O, X)   2018 소방직 9급

3. 신뢰보호의 대상인 행정청의 선행조치에는 법적 행위만이 포함되며, 행정지도 등의 사실행위는 포함되지 아니한다. (○, ×)

2014 국회직 8급

4. 공적 견해표명의 존재 여부를 판단함에 있어 법적 구속력 있는 형식으로 표명되었는가 여부는 절대적인 기준이 되지 않는다. (○, ×)

2009 국회직 8급

② 관련 기출

5. 신뢰보호원칙이 적용되기 위해서는 개인이 행정청의 공적 견해표명을 신뢰하고 이에 기초하여 어떠한 행위를 하였어야 한다.
(○, ×)

2009 국회직 8급

6. 행정청의 선행조치에 대하여 상대방인 사인의 아무런 처리행위가 없었던 경우라도 정신적 신뢰를 이유로 신뢰보호를 요구할 수 있다. (○, ×)

2008 국회직 8급

7. 행정청의 선행조치와 무관하게 우연히 행해진 사인의 처리행위도 신뢰보호의 대상이 될 수 있다. (○, ×)

2008 국회직 8급

③ 관련 기출

8. 수익적 행정처분에 하자가 있음을 이유로 처분청이 이를 취소하는 경우, 그 처분의 하자가 당사자의 사실은폐나 기타 사위의 방법에 의한 신청행위에 기인한 것이라면, 처분의 상대방은 그 처분에 의한 이익이 위법하게 취득되었음을 알아 그 취소가능성도 예상하고 있었다고 할 것이므로 행정청이 당사자의 신뢰이익을 고려하지 아니하였다고 하여도 재량권의 남용이 되지 아니한다. (○, ×)

2021 경행경채

④ 관련 기출

9. 교통사고가 일어난 지 1년 10개월이 지난 뒤 그 교통사고를 일으킨 택시에 대하여 운송사업면허를 취소한 경우, 택시운송사업자로서는 자동차운수사업법(현 「여객자동차 운수사업법」)의 내용을 잘 알고 있어 교통사고를 낸 택시에 대하여 운송사업면허가 취소될 가능성을 예상할 수 있었으므로 별다른 행정조치가 없을 것으로 자신이 믿고 있었다 하여도 신뢰의 이익을 주장할 수는 없다.
(○, ×)

2013 국가직 9급

10. 택시운송사업자가 중대한 교통사고로 인하여 많은 사상자를 냈다면 사업면허가 취소될 것을 예상할 수 있었다 하더라도 1년 10개월이 지나 사업면허를 취소하였다면 위법하다. (○, ×) 2010 경행특채

정답 1. × 2. × 3. × 4. ○ 5. ○ 6. × 7. × 8. ○ 9. ○ 10. ×

08

□□□

행정법의 일반원칙에 관한 다음 기술 중 옳지 않은 것으로만 묶인 것은? (다툼이 있는 경우 판례에 의함)

㉮ 행정청의 확약 또는 공적 견해표명이 있은 후에 사실적·법률적 상태가 변경된 경우, 그와 같은 공적 견해표명이 당연히 실효되는 것은 아니며 행정청의 의사표시가 있어야 한다.

㉯ 문화관광부장관(현 문화체육관광부장관)의 지방자치단체장에 대한 회신은 사인의 신뢰이익을 보호하기 위한 공적 견해표명에 해당한다고 볼 수 있다.

㉰ 헌법재판소의 법률의 위헌결정은 법원과 그 밖의 국가기관 및 지방자치단체를 기속한다는 규정에 의해 헌법재판소의 위헌결정은 법원(法源)성이 있으므로, 위헌결정은 개인에 대하여 신뢰의 대상이 되는 공적인 견해를 표명한 것이라고 할 수 있다.

㉱ 대법원은 실권 또는 실효의 법리는 법의 일반원리인 신의성실의 원칙에 근거하는 것으로 보면서 이는 그 성질상 관리관계뿐만 아니라 권력관계에도 적용될 수 있다고 보고 있다.

㉲ 국가가 국민의 생명·신체의 안전에 대한 보호의무를 다하지 않았는지 여부를 헌법재판소가 심사할 때에는 국가가 이를 보호하기 위하여 적어도 적절하고 효율적인 최소한의 보호조치를 취하였는가 하는 '과소보호금지원칙'의 위반 여부를 기준으로 삼는다.

① ㉮, ㉯, ㉰   ② ㉮, ㉰, ㉱

③ ㉯, ㉰, ㉱   ④ ㉯, ㉱, ㉲

✅ **기출체크**

㉮ 관련 기출

1. 행정청의 확약 또는 공적인 의사표명이 있은 후에 사실적·법률적 상태가 변경되었다면, 그와 같은 확약 또는 공적인 의사표명은 행정청의 별다른 의사표시를 기다리지 않고 실효된다. (○, ×)

2020 국가직 9급

2. 행정청의 공적 견해표명이 있은 후에 사실적·법률적 상태가 변경되었을 때, 그와 같은 공적 견해표명이 실효되기 위하여서는 행정청의 의사표시가 있어야 한다. (○, ×) 2017 국회직 8급

㉯ 관련 기출

3. 판례에 의하면, 문화관광부장관(현 문화체육관광부장관)이 지방자치단체장에게 한 사업승인가능성에 대한 회신은 사업신청자인 민원인에 대한 공적 견해표명이다. (○, ×) 2012 경행특채

㉰ 관련 기출

4. 헌법재판소의 위헌결정은 행정청이 개인에 대하여 신뢰의 대상이 되는 공적인 견해를 표명한 것이라고 할 수 있으므로 그 결정에 관련한 개인의 행위에 대하여는 신뢰보호의 원칙이 적용된다.
(○, ×)

2019 지방직·교육행정직 9급

5. 헌법재판소의 위헌결정은 행정청이 개인에 대하여 신뢰의 대상이 되는 공적인 견해를 표명한 것이라고 할 수 없으므로 그 결정에 관련한 개인의 행위에 대하여는 신뢰보호의 원칙이 적용되지 아니한다. (○, ×)

2016 경행경채, 2014 국회직 8급

6. 헌법재판소의 위헌결정은 신뢰보호의 원칙의 적용요건 중의 하나인 '공적인 견해표명'에 해당한다. (○, ×) 2012 국회직 8급

7. 실권의 법리는 일반적으로 신뢰보호원칙의 적용영역의 하나로 설명되고 있으나, 판례는 신의성실원칙의 파생원칙으로 보고 있다.
(○, ×)　　　　　　　　　　　　　　　　　　　　2015 사회복지직 9급

8. 행정법상 기본원칙에 대한 설명으로 옳지 않은 것은? (다툼이 있는 경우 판례에 의함)　　　　　　　　　　　　　　　2014 국가직 9급

> (가) 어떤 행정목적을 달성하기 위한 수단은 그 목적달성에 유효·적절하고 또한 가능한 한 최소침해를 가져오는 것이어야 하며, 아울러 그 수단의 도입으로 인한 침해가 의도하는 공익을 능가하여서는 아니 된다.
> (나) 개별국민이 행정기관의 어떤 언동의 정당성 또는 존속성을 신뢰한 경우 그 신뢰가 보호받을 가치가 있는 한, 그러한 귀책사유 없는 신뢰는 보호되어야 한다.
> (다) 행정기관은 행정결정에 있어서 동종의 사안에 대하여 이전에 제3자에게 행한 결정과 동일한 결정을 상대방에게 하도록 스스로 구속당한다.
> (라) 권리자가 권리행사의 기회가 있음에도 불구하고 장기간에 걸쳐 그의 권리를 행사하지 아니할 것으로 믿을 만한 정당한 사유가 있는 경우, 새삼스럽게 그 권리를 행사하는 것이 신의성실의 원칙에 반한다면 그 권리행사는 허용되지 않는다.

① (가)원칙에 따라 노후된 건축물을 개수하여 붕괴위험을 충분히 방지할 수 있다면 스스로 원하지 않는다는 한도에서 철거명령을 내려서는 안 되는데, (가)원칙 중 필요성원칙이 적용된 결과이다.

② (나)원칙의 요건 중 귀책사유라 함은 행정청의 견해표명의 하자가 상대방 등 관계자의 사실은폐 등 부정행위에 기인한 것이거나 그러한 부정행위가 없다고 하더라도 하자가 있음을 알았거나 중대한 과실로 알지 못한 경우 등을 의미한다.

③ 재량권행사의 준칙인 규칙이 그 정한 바에 따라 되풀이 시행되어 행정관행이 이루어지면 평등의 원칙에 따라 행정기관은 그 상대방에 대한 관계에서 그 규칙에 따라야 할 자기구속을 당하게 되고, 그러한 경우에는 대외적인 구속력을 가지게 된다는 것이 판례의 입장이며, (다)원칙은 신뢰보호의 원칙과는 무관하다고 한다.

④ (라)원칙은 신의성실원칙에서 파생된 원칙으로서 공법관계 가운데 권력관계뿐 아니라 관리관계에도 적용되어야 함을 배제할 수는 없다.

9. 대법원은 실권의 법리를 신의성실의 원칙에 바탕을 둔 파생원칙으로 보았다. (○, ×)　　　　　　　　　　　　　　2010 지방직 9급

10. 국가가 국민의 생명·신체의 안전에 대한 보호의무를 다하지 않았는지 여부를 헌법재판소가 심사할 때에는 국가가 이를 보호하기 위하여 적어도 적절하고 효율적인 최소한의 보호조치를 취하였는가 하는 '과소보호금지원칙'의 위반 여부를 기준으로 삼는다.
(○, ×)　　　　　　　　　　　　　　　　　　　　2021 국가직 9급

11. 국가가 국민의 생명·신체의 안전에 대한 보호의무를 다하지 않았는지 여부에 대한 심사는 '과소보호금지원칙'의 위반 여부를 기준으로 삼는다. (○, ×)　　　　　　　　　2017 국가직 7급

정답 1. ○　2. ×　3. ×　4. ×　5. ○　6. ×　7. ○　8. ③　9. ○　10. ○　11. ○

09　　　　　　　　　　　　　　□□□

신뢰보호원칙에 관한 다음 기술 중 옳지 않은 것은? (다툼이 있는 경우 판례에 의함)

① 동일한 사유에 관하여 보다 무거운 면허취소처분을 하기 위하여 이미 행하여진 가벼운 면허정지처분을 취소하는 것은 선행처분에 대한 당사자의 신뢰 및 법적 안정성을 크게 저해하는 것이 되어 허용될 수 없다.

② 4년 동안 면허세를 부과할 수 있다는 사정을 알면서도 수출확대라는 공익상 필요에서 한 건도 부과한 일이 없었다면 과세관청이 비과세라는 선행조치를 한 것으로 볼 수 있다.

③ 폐기물처리업 사업계획에 대한 적정통보 중에는 토지에 대한 형질변경신청을 허가하는 취지의 공적 견해표명도 있다고 보아야 한다.

④ 정구장시설 설치의 도시계획결정을 청소년수련시설 설치의 도시계획으로 변경한 경우, 사업시행자로 지정받을 것을 예상하고 정구장 설계비용 등을 지출한 자의 신뢰이익을 침해한 것으로 볼 수는 없다.

✅ **기출체크**

> ① 관련 기출
> 1. 운전면허취소사유에 해당하는 음주운전을 적발한 경찰관의 소속 경찰서장이 사무착오로 위반자에게 운전면허정지처분을 한 상태에서 위반자의 주소지 관할 지방경찰청장(현 시·도경찰청장)이 위반자에게 운전면허취소처분을 한 것은 선행처분에 대한 당사자의 신뢰 및 법적 안정성을 저해하는 것으로 볼 수 없다. (○, ×)
> 　　　　　　　　　　　　　　　　　　　　　2018 경행경채
> 2. 동일한 사유에 관하여 보다 무거운 면허취소처분을 하기 위하여 이미 행하여진 가벼운 면허정지처분을 취소하는 것은 선행처분에 대한 당사자의 신뢰 및 법적 안정성을 크게 저해하는 것이 되어 허용될 수 없다. (○, ×)　　　　　　2017 국가직(하) 7급
> 3. 운전면허취소사유에 해당하는 음주운전을 적발한 경찰관의 소속 경찰서장이 사무착오로 위반자에게 운전면허정지처분을 한 상태에서 위반자의 주소지 관할 지방경찰청장(현 시·도경찰청장)이 위반자에게 운전면허취소처분을 한 것은 선행처분에 대한 당사자의 신뢰 및 법적 안정성을 저해하는 것으로서 허용될 수 없다.
> (○, ×)　　　　　　　　　　　　　　　　　2007 국가직 7급
>
> ② 관련 기출
> 4. • 사안 : X도지사는 부가가치세의 부과처분은 원가상승을 가져오고 원가상승은 수출경쟁력의 약화를 가져온다고 판단하여 4년 6개월 동안 부가가치세를 부과하지 않았다. 이에 따라 甲은 물품의 가격정책에 부가가치세를 고려하지 않았다. 그런데 최근에 도세가 잘 거두어지지 않자 X도지사는 세법에 따라 甲에게 4년분의 부가가치세를 부과하였다.
> • 검토의견 : X도지사의 부가가치세 부과처분은 신뢰보호원칙에 위반되어 위법하다. (○, ×)　　　　　2010 국회직 8급

5. 보세운송면허세의 부과근거이던 지방세법 시행령이 1973. 10. 1. 제정되어 1977. 9. 20.에 폐지될 때까지 4년 동안 그 면허세를 부과할 수 있는 정을 알면서도 과세관청이 수출확대라는 공익상 필요에서 한 건도 이를 부과한 일이 없었다면 납세자는 그것을 믿을 수밖에 없고 그로써 비과세의 관행이 이루어졌다고 보아도 무방하다. (O, X)　　　　　　　　　　　　　2007 국가직 7급

③ 관련 기출

6. 일반적으로 행정청이 폐기물처리업 사업계획에 대한 적정통보를 한 경우 이는 토지에 대한 형질변경신청을 허가하는 취지의 공적 견해표명까지도 포함한다. (O, X)　　　　　2021 국가직 9급

7. 폐기물처리업 사업계획에 대한 적정통보에는 당해 토지에 대한 형질변경신청을 허가하는 취지의 공적 견해표명이 있다고 볼 수 있다. (O, X)　　　　　　　　　　　　　　　2012 지방직(하) 7급

④ 관련 기출

8. 당초 정구장시설을 설치한다는 도시계획결정을 하였다가 정구장 대신 청소년수련시설을 설치한다는 도시계획변경결정 및 지적승인을 한 경우 당초의 도시계획결정만으로는 도시계획사업의 시행자 지정을 받게 된다는 공적 견해를 표명했다고 할 수 없다. (O, X)　　　　　　　　　　　　　　　　　　2019 국가직 7급

9. 당초 정구장시설을 설치한다는 도시계획결정을 하였다가 정구장 대신 청소년수련시설을 설치한다는 도시계획변경결정 및 지적승인을 한 경우, 당초의 도시계획결정에 따른 도시계획사업의 시행자로 지정받을 것을 예상하여 상당한 비용 등을 지출하였다면 정구장 대신 청소년수련시설을 설치한다는 내용의 도시계획변경결정 및 지적승인을 한 것은 신뢰이익을 침해한 것이다. (O, X)　　　　　　　　　　　　　　　　　　2018 경행경채 3차

10. 정구장시설 설치의 도시계획결정을 청소년수련시설 설치의 도시계획으로 변경한 경우, 사업시행자로 지정받을 것을 예상하고 정구장 설계비용 등을 지출한 자의 신뢰이익을 침해한 것으로 볼 수 없다. (O, X)　　　　　　　　　　　　　　　2012 지방직 7급

정답　1. X　2. O　3. O　4. O　5. O　6. X　7. X　8. O　9. X　10. O

10
☐☐☐

신뢰보호원칙에 관한 다음 기술 중 옳지 않은 것을 모두 고른 것은? (다툼이 있는 경우 판례에 의함)

㉮ 신뢰보호의 원칙은 행정청이 공적인 견해를 표명할 당시의 사정이 그대로 유지됨을 전제로 적용되는 것이 원칙이므로, 사후에 그와 같은 사정이 변경된 경우에는 특별한 사정이 없는 한 행정청이 그 견해표명에 반하는 처분을 하더라도 신뢰보호의 원칙에 위반된다고 할 수 없다.

㉯ 과세관청이 납세자에게 신뢰의 대상이 되는 공적인 견해표명을 하였다는 사실은 납세자가 입증하여야 한다.

㉰ 공익 또는 제3자의 정당한 이익을 현저히 해할 우려가 있는 경우가 아니어야 한다는 것은 신뢰보호원칙이 적용되기 위한 소극적 요건이므로 신뢰보호의 이익과 공익 또는 제3자의 이익이 상호 충돌하는 경우에는 공익 또는 제3자의 이익이 우선한다.

㉱ 대법원은 단순히 착오로 어떠한 처분을 계속한 경우에도 상당한 기간 동안 동일한 처분을 하였다는 객관적 사실이 존재한다면 처분청이 이를 추후에 변경하는 것은 위법하다고 판시한 바 있다.

㉲ 재건축조합에서 일단 내부규범이 정립되면 조합원들은 특별한 사정이 없는 한 그것이 존속하리라는 신뢰를 가지게 되므로, 내부규범을 변경할 경우 내부규범변경을 통해 달성하려는 이익이 종전 내부규범의 존속을 신뢰한 조합원들의 이익보다 우월해야 한다.

① ㉮, ㉯　　　　　② ㉯, ㉰
③ ㉰, ㉱　　　　　④ ㉱, ㉲

☑ 기출체크

㉮ 관련 기출

1. 신뢰보호의 원칙은 행정청이 공적인 견해를 표명할 당시의 사정이 그대로 유지됨을 전제로 적용되는 것이 원칙이므로, 사후에 그와 같은 사정이 변경된 경우에는 그 공적인 견해가 더 이상 개인에게 신뢰의 대상이 된다고 보기 어려운 만큼, 특별한 사정이 없는 한 행정청이 그 견해표명에 반하는 처분을 하더라도 신뢰보호의 원칙에 위반된다고 할 수 없다. (O, X)　　2021 변호사

㉰ 관련 기출

2. 선행조치의 상대방에 대한 신뢰보호의 이익과 제3자의 이익이 충돌하는 경우에는 신뢰보호원칙이 우선한다. (O, X)　2019 국회직 8급

3. 신뢰보호의 이익과 공익 또는 제3자의 이익이 상호 충돌하는 경우 신뢰보호의 이익이 우선한다. (O, X)　　2016 사회복지직 9급

4. 제3자의 정당한 이익까지 희생시키면서 신뢰보호원칙이 관철되어야 한다. (O, X)　　　　　　　　　　　　　2015 서울시 9급

5. '공익을 해할 우려가 있는 경우가 아니어야 함'은 신뢰보호원칙의 성립요건이지만, '제3자의 정당한 이익을 해할 우려가 있는 경우가 아니어야 함'은 신뢰보호원칙의 성립요건이 아니다. (O, X)　　2014 국회직 8급

6. 신뢰보호의 이익과 공익 또는 제3자의 이익이 상호 충돌하는 경우에는 이들 상호 간에 이익형량을 하여야 한다. (O, X)　　　　　　　　　　　　　　　　　　2012 사회복지직 9급

㉲ 관련 기출

7. 재건축조합에서 일단 내부규범이 정립되면 조합원들은 특별한 사정이 없는 한 그것이 존속하리라는 신뢰를 가지게 되므로, 내부규범을 변경할 경우 내부규범변경을 통해 달성하려는 이익이 종전 내부규범의 존속을 신뢰한 조합원들의 이익보다 우월해야 한다. (O, X)　　　　　　　　　　　　　　　　　　2021 국회직 8급

정답　1. O　2. X　3. X　4. X　5. X　6. O　7. O

11

행정법의 일반원칙에 관한 다음 기술 중 옳은 것은? (다툼이 있는 경우 판례에 의함)

① 관할관청이 위법한 직업능력개발훈련과정 인정제한처분을 하여 사업주로 하여금 제때 훈련과정 인정신청을 할 수 없도록 하였음에도, 인정제한처분에 대한 취소판결확정 후 사업주가 인정제한기간 내에 실제로 실시하였던 훈련에 관하여 비용지원신청을 한 경우에, 사전에 훈련과정인정을 받지 않았다는 이유만을 들어 훈련비용지원을 거부하는 것은 신의성실의 원칙에 반하지 않는다.

② 국세기본법의 취지에 따르면 과세관청이 비과세대상에 해당하는 것으로 잘못 알고 일단 비과세결정을 하였다면 그 후 과세표준과 세액의 탈루 또는 오류가 있는 것을 발견한 때라도, 이를 조사하여 다시 과세결정하는 것은 신의성실원칙에 위반된다.

③ 행정청의 공적 견해표명이 있었는지의 여부를 판단하는 데 있어 반드시 행정조직상의 형식적인 권한분장에 구애될 것이 아니라 담당자의 조직상의 지위와 임무, 당해 언동을 하게 된 구체적인 경위 및 그에 대한 상대방의 신뢰가능성에 비추어 실질에 의하여 판단하여야 한다.

④ 법률에 따른 개인의 행위가 단지 법률이 반사적으로 부여하는 기회의 활용을 넘어서 국가에 의하여 일정 방향으로 유인된 것이라도 특별히 보호가치가 있는 신뢰이익이 인정될 수 없다.

✔️ 기출체크

① 관련 기출
1. 관할관청이 위법한 직업능력개발훈련과정 인정제한처분을 하여 사업주로 하여금 제때 훈련과정인정신청을 할 수 없도록 하였음에도, 인정제한처분에 대한 취소판결확정 후 사업주가 인정제한기간 내에 실제로 실시하였던 훈련에 관하여 비용지원신청을 한 경우에, 사전에 훈련과정인정을 받지 않았다는 이유만을 들어 훈련비용지원을 거부하는 것은 신의성실의 원칙에 반하여 허용될 수 없다. (○, ×)   2021 국회직 8급

② 관련 기출
2. 과세관청이 비과세대상에 해당하는 것으로 잘못 알고 일단 비과세결정을 하였으나 그 후 과세표준과 세액의 탈루 또는 오류가 있는 것을 발견한 때에는, 이를 조사하여 결정할 수 있다. (○, ×)   2013 국가직 7급

③ 관련 기출
3. 행정청이 공적 견해를 표명하였는지를 판단할 때는 반드시 행정조직상의 형식적인 권한분장에 구애될 것은 아니다. (○, ×)   2021 국가직 7급, 2021 지방직 · 서울시 9급

4. 행정청의 공적 견해표명이 있었는지 여부를 판단하는 데 있어 반드시 행정조직상의 형식적인 권한분장에 구애될 것은 아니고 담당자의 조직상의 지위와 임무, 당해 언동을 하게 된 구체적인 경위 및 그에 대한 상대방의 신뢰가능성에 비추어 실질에 의하여 판단하여야 한다. (○, ×)   2020 국가직 9급, 2018 서울시 1회 7급

5. 신뢰보호의 원칙이 적용되기 위한 요건의 하나인 행정청의 공적 견해표명이 있었는지의 여부를 판단함에 있어서는 반드시 행정조직상의 형식적인 권한분장에 따라야 한다. (○, ×)   2017 국가직(하) 9급

④ 관련 기출
6. 법률에 따른 개인의 행위가 국가에 의하여 일정 방향으로 유인된 신뢰의 행사가 아니라 단지 법률이 부여한 기회를 활용한 것이라 하더라도, 신뢰보호의 이익이 인정된다. (○, ×)   2018 국가직 7급

7. 법령개정에 대한 신뢰와 관련하여, 법령에 따른 개인의 행위가 국가에 의하여 일정한 방향으로 유인된 경우에 특별히 보호가치가 있는 신뢰이익이 인정될 수 있다. (○, ×)   2016 지방직 9급

정답 1.○ 2.○ 3.○ 4.○ 5.× 6.× 7.○

12

다음 행정법의 일반원칙에 관한 기술 중 옳지 않은 것을 모두 고른 것은? (다툼이 있는 경우 판례에 의함)

㉮ 국 · 공립학교 채용시험에 국가유공자와 그 가족이 응시하는 경우 만점의 10퍼센트를 가산하도록 한 구 「국가유공자 등 예우 및 지원에 관한 법률」 및 「5 · 18 민주유공자 예우에 관한 법률」의 규정은 일반 응시자들의 평등권을 침해하지 않는다.

㉯ 지방의회의 조사 · 감사를 위해 채택된 증인의 불출석 등에 대한 과태료를 그 사회적 신분에 따라 차등부과할 것을 규정한 조례는 헌법상 평등원칙에 위배되어 무효라는 것이 판례의 입장이다.

㉰ 국립공원 관리권한을 가진 행정청이 실제의 공원구역과 다르게 경계측량 및 표지를 설치한 십수 년 후 착오를 발견하여 지형도를 수정한 조치는 신뢰보호의 원칙에 위배된다.

㉱ 토지거래계약의 허가과정에서 토지형질변경이 가능하다는 견해표명이 있었더라도 이는 행정청의 단순한 정보제공 내지는 일반적인 법률상담 차원에서 이루어진 것이라고 보아야 하므로 이를 행정청의 선행조치라고 볼 수는 없다.

⑩ 과세관청이 납세의무자에게 부가가치세 면세사업자
용 사업자등록증을 교부하였다고 하더라도 그가 영
위하는 사업에 관하여 부가가치세를 과세하지 아니
함을 시사하는 언동이나 공적인 견해를 표명한 것으
로 볼 수 없다.

① ㉮, ㉯, ㉰ ② ㉮, ㉰, ㉱

③ ㉯, ㉱, ⑩ ④ ㉰, ㉱, ⑩

✔ 기출체크

㉮ 관련 기출

1. 헌법재판소는 국·공립학교 채용시험에 국가유공자와 그 가족이
응시하는 경우 만점의 10퍼센트를 가산하도록 했던 구 「국가유공
자등 예우 및 지원에 관한 법률」 및 「5·18 민주유공자 예우에 관
한 법률」의 규정이 일반 응시자들의 평등권을 침해한다고 보았다.
(O, X)   2020 군무원 7급

2. 국가유공자 등과 그 가족에 대한 가산점제도는 입법정책상 전혀
허용될 수 없다. (O, X)   2012 국회(속기·경위직) 9급

㉯ 관련 기출

3. 지방의회의 감사 또는 조사를 위하여 출석요구를 받은 증인이 출
석하지 않을 경우 증인의 사회적 지위에 따라 과태료의 액수에 차
등을 두는 것을 내용으로 하는 조례안은 헌법에 규정된 평등의 원
칙에 위배된다고 볼 수 없다. (O, X)   2017 서울시 9급

4. 조례안이 지방의회의 조사를 위하여 출석요구를 받은 증인이 5급
이상 공무원인지 여부, 기관(법인)의 대표나 임원인지 여부 등 증인
의 사회적 신분에 따라 미리부터 과태료의 액수에 차등을 두고 있
는 것은 평등의 원칙에 위반되지 않는다. (O, X) 2016 국가직 7급

㉰ 관련 기출

5. 국립공원 관리권한을 가진 행정청이 실제의 공원구역과 다르게 경
계측량과 표지를 설치한 십수 년 후 착오를 발견하여 지형도를 수정
한 조치는 신뢰보호원칙에 위배된다. (O, X) 2015 사회복지직 9급

㉱ 관련 기출

6. 도시계획구역 내 생산녹지로 답(畓)인 토지에 대하여 종교회관 건
립을 이용목적으로 하는 토지거래계약의 허가를 받으면서 담당공무
원이 관련법규상 허용된다 하여 이를 신뢰하고 건축준비를 하였으
나, 그 후 토지형질변경허가신청을 불허가한 것은 신뢰보호원칙에
반한다. (O, X)   2018 경행경채 3차, 2016 경행경채, 2013 국가직 9급

7. 토지거래계약의 허가를 통하여서나 그 과정에서 그 소속공무원들
을 통하여 토지형질변경이 가능하다는 견해표명은 건축을 위한 토
지의 형질변경이 가능하다는 공적 견해표명을 한 것이라고 볼 여
지가 많다. (O, X)   2008 지방직 9급

8. 도시계획구역 내 생산녹지로 답(畓)인 토지에 대하여 종교회관 건
립을 이용목적으로 하는 토지거래계약의 허가를 받으면서 담당공
무원이 관련법규상 허용된다 하여 이를 신뢰하고 건축준비를 하였
으나 그 후 다른 사유를 들어 토지형질변경허가신청을 불허가한
것은 신뢰보호원칙에 반하지 않는다. (O, X)   2008 지방직 7급

⑩ 관련 기출

9. 과세관청이 납세의무자에게 부가가치세 면세사업자용 사업자등록

증을 교부하거나 고유번호를 부여하였다고 하더라도 그가 영위하
는 사업에 관하여 부가가치세를 과세하지 않겠다는 언동이나 공적
견해를 표명한 것으로 볼 수 없다. (O, X)   2017 지방직 7급

정답   1. O   2. X   3. X   4. X   5. X   6. O   7. O   8. X   9. O

13   □□□

**행정법의 일반원칙에 관한 다음 기술 중 옳은 것은? (다툼이
있는 경우 판례에 의함)**

① 비례의 원칙은 오늘날 급부행정의 영역에도 적용되는
원칙이다. 다만, 비례의 원칙을 명시적으로 규정한 헌법
규정은 없으므로 비례의 원칙을 위반한 행정행위는 위
법한 처분이 되나 비례의 원칙을 위반한 법령이 위헌적
인 법령이 되는 것은 아니다.

② 군사기밀 누설로 징계처분을 받은 피징계자가 징계처분
에 중대하고 명백한 흠이 있음을 알면서도 퇴직시에 지
급되는 퇴직금 등 급여를 지급받은 후 5년이 지나 비위
사실에 대한 공소시효가 완성되어 더 이상 형사소추를
당할 우려가 없게 되자 그 징계처분의 무효확인을 구하
는 소는 신의칙에 반한다.

③ 「개발이익환수에 관한 법률」에 정한 개발사업을 시행하
기 전에, 행정청이 민원예비심사에 대하여 관련부서 의
견으로 '저촉사항 없음'이라고 기재하였다면, 이후의 개
발부담금 부과처분에 관하여 신뢰보호의 원칙을 적용하
기 위한 요건인, 신뢰의 대상이 되는 공적인 견해표명을
한 것이라고 볼 수 있다.

④ 근로복지공단의 요양불승인처분에 대한 취소소송을 제기
하여 승소확정판결을 받은 근로자가 요양으로 인하여 취
업하지 못한 기간의 휴업급여를 청구한 경우, 그 휴업급여
청구권이 시효완성으로 소멸하였다는 근로복지공단의 항
변은 신의성실의 원칙에 반하지 않는다.

✔ 기출체크

① 관련 기출

1. (비례의 원칙은) 침해행정인가 급부행정인가를 가리지 아니하고
행정의 전 영역에 적용된다. (O, X)   2013 국가직 9급

2. 헌법재판소는 비례원칙을 위헌법률심사의 기준으로 삼고 있다.
(O, X)   2012 국가직 7급

3. 비례원칙에 위반한 처분은 위법한 것으로 항고소송의 대상이 된다.
(O, X)   2005 경기도 9급

4. 비례의 원칙은 우리 헌법 제37조 제2항에서 근거를 찾을 수 있다.
(O, X)   2005 관세사

② 관련 기출

5. 징계처분이 중대하고 명백한 하자 때문에 당연무효의 것이라면 징

계처분을 받은 자가 이를 용인하였다 하여 그 하자가 치유되는 것은 아니다. (○. ×) 2019 지방직·교육행정직 9급

6. 당연무효인 징계처분의 하자는 징계를 받은 자의 용인으로 치유된다. (○. ×) 2017 교육행정직 9급

7. 징계처분이 중대하고 명백한 하자로 인해 당연무효의 것이라도 징계처분을 받은 원고가 이를 용인하였다면 그 하자는 치유된다. (○. ×) 2016 지방직 9급

③ 관련 기출

8. 「개발이익환수에 관한 법률」에 정한 개발사업을 시행하기 전에, 행정청이 민원예비심사에 대하여 관련부서 의견으로 '저촉사항 없음'이라고 기재한 것은 공적인 견해표명에 해당한다. (○. ×)
2021 국가직 7급, 2016 경행경채, 2013 국가직 9급

9. 「개발이익환수에 관한 법률」에 정한 개발사업을 시행하기 전에, 행정청이 민원예비심사에 대하여 관련부서 의견으로 '저촉사항 없음'이라고 기재하였다는 사정만으로 신뢰의 대상이 되는 공적인 견해표명을 한 것이라고는 보기 어렵다. (○. ×) 2010 국가직 9급

④ 관련 기출

10. 근로복지공단의 요양불승인처분의 적법 여부는 사실상 근로자의 휴업급여청구권 발생의 전제가 된다고 볼 수 있는 점 등에 비추어, 근로자가 요양불승인에 대한 취소소송의 판결확정시까지 근로복지공단에 휴업급여를 청구하지 않았던 것에 대한 근로복지공단의 소멸시효 항변은 신의성실의 원칙에 반하여 허용될 수 없다. (○. ×) 2021 국회직 8급

정답 1. ○ 2. ○ 3. ○ 4. ○ 5. ○ 6. × 7. × 8. × 9. ○ 10. ○

14

□□□

행정법관계에 관한 다음 기술 중 옳지 않은 것은? (다툼이 있으면 판례에 의함)

① 「국가를 당사자로 하는 계약에 관한 법률」상 국가가 당사자가 되는 공공계약은 국가가 사경제의 주체로서 상대방과 대등한 위치에서 체결하는 사법상의 계약에 해당한다.

② 지방자치단체가 학교법인이 설립한 사립중학교에 의무교육대상자에 대한 교육을 위탁한 때에 그 학교법인과 해당 사립중학교에 재학 중인 학생의 재학관계는 기본적으로 사법상 계약에 따른 법률관계이다.

③ 사립학교 교원과 학교법인의 관계를 공법상의 권력관계라고 볼 수 없으므로 사립학교 교원에 대한 학교법인의 해임처분을 취소소송의 대상이 되는 행정청의 처분으로 볼 수 없다.

④ 세무조사가 과세자료의 수집 또는 신고내용의 정확성 검증이라는 본연의 목적이 아니라 부정한 목적을 위하여 행하여진 것이라 하더라도, 이러한 세무조사에 의하여 수집된 과세자료를 기초로 한 과세처분이 정당한 세액의 범위 내에 있는 한 위법하다고 볼 수는 없다.

15

행정상 법률관계에 관한 다음 기술 중 옳은 것은? (다툼이 있는 경우 판례에 의함)

① 지방자치단체에 근무하는 청원경찰의 근무관계는 사법관계로서 민사소송의 대상이 된다.

② 농지개량조합과 그 직원의 관계는 사법상의 근로계약관계로서 그 조합의 직원에 대한 징계처분의 취소를 구하는 소송은 민사소송사항에 속한다.

③ 사립학교법인에 대한 중학교 의무교육의 위탁관계는 공법적 관계로 볼 수는 없고, 대등한 당사자 사이의 자유로운 의사를 전제로 하는 사법적 관계로 보아야 한다.

④ 구 예산회계법상 입찰보증금의 국고귀속조치는 국가가 사법상 재산권의 주체로서 행위하는 것이므로 이에 관한 분쟁은 민사소송의 대상이 된다.

☑ 기출체크

① 관련 기출

1. 국가나 지방자치단체에 근무하는 청원경찰은 국가공무원법이나 지방공무원법상의 공무원은 아니므로 그 근무관계는 사법상의 고용계약관계로 볼 수 있다. (○, ×)　　　2020 군무원 7급

2. 국가나 지방자치단체에 근무하는 청원경찰의 징계처분에 대한 소송(은 행정소송법상의 행정소송에 해당한다) (○, ×)　　2018 지방직 9급

3. 국가나 지방자치단체에 근무하는 청원경찰의 근무관계(는 공법관계로 인정된다) (○, ×)　　　2016 경행경채

4. 지방자치단체에 근무하는 청원경찰의 근무관계(는 판례에 따를 때, 사법관계에 해당한다) (○, ×)　　　2015 서울시 9급

② 관련 기출

5. 농지개량조합의 직원에 대한 징계처분은 처분성이 인정된다. (○, ×)　　　2017 사회복지직 9급

6. 농지개량조합의 직원에 대한 징계처분(은 판례에 따를 때, 사법관계에 해당한다) (○, ×)　　　2015 서울시 9급

7. 농지개량조합과 그 직원의 관계는 공법상 특별권력관계이다. (○, ×)　　2015 경행특채 1차, 2013 지방직(하) 7급, 2008 국가직 9급

③ 관련 기출

8. 초·중등교육법상 사립중학교에 대한 중학교 의무교육의 위탁관계는 사법관계에 속한다. (○, ×)　　2020 국회직 8급, 2018 교육행정직 9급

④ 관련 기출

9. 구 예산회계법상 입찰보증금의 국고귀속조치는 국가가 사법상의 재산권의 주체로서 행위하는 것이다. (○, ×)　　2020 군무원 7급

10. 입찰보증금의 국고귀속조치는 국가가 사법상의 재산권의 주체로서 행위하는 것이지, 공권력을 행사하는 것이거나 공권력작용과 일체성을 가진 것이 아니라 할 것이다. (○, ×)
2020 지방직·서울시 9급

11. 구 예산회계법에 따른 입찰보증금의 국고귀속조치는 국가가 공법상의 재산권의 주체로서 행위하는 것으로 그 행위는 공법행위에 속한다. (○, ×)　　　2020 국가직 7급

---

12. 구 예산회계법상 입찰보증금의 국고귀속조치는 국가가 공권력을 행사하는 것이라는 점에서, 이를 다투는 소송은 행정소송에 해당한다. (○, ×)　　　2019 국가직 9급

13. 구 예산회계법상 입찰보증금의 국고귀속조치(는 공법관계이다) (○, ×)　　　2017 교육행정직 9급

정답　1. ×　2. ○　3. ○　4. ×　5. ○　6. ×　7. ○　8. ×　9. ○　10. ○
　　　11. ×　12. ×　13. ×

16

시효와 관련한 다음 기술 중 옳지 않은 것은? (다툼이 있는 경우 판례에 의함)

① 변상금 부과처분에 대한 취소소송이 진행 중이라도 권리행사에 법률상의 장애사유가 있는 경우에 해당한다고 볼 수 없으므로 그 처분에 대한 취소소송이 진행되는 동안에도 그 부과권의 소멸시효가 중단되지 않는다는 것이 판례의 입장이다.

② 납입고지가 있으면 시효중단의 효력은 발생하지만 그 납입고지에 의한 부과처분이 취소되면 시효중단의 효력도 소멸된다.

③ 국세징수법상 세무공무원이 체납자의 재산을 압류하기 위해 수색을 하였으나 압류할 목적물이 없어 압류를 실행하지 못한 경우에도 시효중단의 효력은 발생한다.

④ 국유재산도 취득시효의 대상이 되는 경우가 있다.

☑ 기출체크

① 관련 기출

1. 변상금 부과처분에 대한 취소소송이 진행 중이면 변상금부과권의 권리행사에 법률상의 장애사유가 있는 경우에 해당하므로 그 부과권의 소멸시효는 진행되지 않는다. (○, ×)　　2017 국가직(하) 9급

2. 국유재산법상 변상금 부과처분에 대한 취소소송이 진행되는 동안에도 그 부과권의 소멸시효가 진행된다. (○, ×)
2011 국가직 7급, 2008 지방직 7급

3. 행정행위의 위법 여부에 대하여 취소소송이 이미 진행 중인 경우 처분청은 위법을 이유로 그 행정행위를 직권취소할 수 없다. (○, ×)
2019 국가직 7급

4. 취소소송의 진행 중에는 직권취소할 수 없다. (○, ×)
2013 서울시 7급

② 관련 기출

5. 납입고지에 의한 소멸시효의 중단은 그 납입고지에 의한 부과처분이 추후 취소되면 효력이 상실된다. (○, ×)　　　2016 지방직 9급

6. 법령의 규정에 의한 납입고지에 의한 시효중단의 효력은 그 납입고지에 의한 부과처분이 취소되면 상실된다. (○, ×)　2011 국가직 7급

7. (구)예산회계법에 따른 소정의 납입고지에 의한 부과처분이 추후 취소되면 그 납입고지의 시효중단의 효력은 상실된다. (○, ×)
2008 지방직 7급

8. 세무공무원이 국세징수법 제26조에 의하여 체납자의 가옥·선박·창고 기타의 장소를 수색하였으나 압류할 목적물을 찾아내지 못하여 압류를 실행하지 못하고 수색조서를 작성하는 데 그친 경우에도 소멸시효중단의 효력이 있다. (○, ×)　　2016 경행경채

9. 국세징수법상 세무공무원이 체납자의 재산을 압류하기 위해 수색을 하였으나 압류할 목적물이 없어 압류를 실행하지 못한 경우에도 시효중단의 효력은 발생한다. (○, ×)　　2008 지방직 7급

10. 행정재산이 본래의 용도에 제공되지 않는 상태에 놓여 있다는 사실만으로도 관리청의 이에 대한 공용폐지의 의사표시가 있었다고 볼 수 있다. (○, ×)　　2021 국가직 7급

11. 국유재산법상 일반재산은 취득시효의 대상이 될 수 없다. (○, ×)　　2016 지방직 9급, 2016 교육행정직 9급

12. 구 국유재산법 제5조 제2항이 잡종재산에 대하여까지 시효취득을 배제하고 있는 것은 국가만을 우대하여 합리적 사유 없이 국가와 사인을 차별하는 것이므로 평등원칙에 위반된다. (○, ×)　　2011 국회직 8급

정답　1. ×　2. ○　3. ×　4. ×　5. ×　6. ×　7. ×　8. ○　9. ○　10. ×　11. ×　12. ○

---

3. (행정법관계에서) 기간의 계산에 있어서 기간의 초일(初日)은 원칙상 산입하여 계산한다. (○, ×)　　2016 교육행정직 9급

4. 원래의 행정재산이 공용폐지되어 취득시효의 대상이 된다는 입증책임은 시효취득을 주장하는 자에게 있다. (○, ×)　　2014 지방직 7급

5. 조세에 관한 소멸시효가 완성된 후에 부과된 조세부과처분은 위법한 처분이지만 당연무효라고 볼 수는 없다. (○, ×)　　2016 지방직 9급

6. 소멸시효 완성 후에 부과된 조세부과처분은 납세의무 없는 자에 대하여 부과처분을 한 것으로서 그와 같은 하자는 중대하고 명백하여 그 처분의 효력은 당연무효이다. (○, ×)　　2016 경행경채

7. 조세채권의 소멸시효기간이 완성된 후에 부과된 과세처분은 무효이다. (○, ×)　　2011 국가직 7급

8. 수도법에 의하여 지방자치단체인 수도사업자가 그 수돗물의 공급을 받는 자에게 하는 수도료 부과·징수와 이에 따른 수도료 납부관계는 공법상의 권리·의무관계이므로, 이에 관한 분쟁은 행정소송의 대상이다. (○, ×)　　2019 국가직 9급

정답　1. ○　2. ○　3. ×　4. ○　5. ×　6. ○　7. ○　8. ○

17

행정법관계에 관한 다음 기술 중 옳은 것은? (다툼이 있는 경우 판례에 의함)

① 행정에 관한 기간의 계산에 관하여는 행정기본법 또는 다른 법령 등에 특별한 규정이 있는 경우를 제외하고는 민법을 준용하므로 초일을 산입하여 기산한다.

② 원래의 행정재산이 공용폐지되어 취득시효의 대상이 된다는 입증책임은 시효취득을 주장하는 자에게 있다.

③ 소멸시효 완성 후에 부과된 부과처분은 납세의무 없는 자에 대하여 부과처분을 한 것으로서 위법하나 당연무효라고 보기는 어렵다.

④ 수도법에 의하여 지방자치단체인 수도사업자가 그 수돗물의 공급을 받는 자에게 하는 수도료 부과·징수와 이에 따른 수도료 납부관계는 사법상의 권리·의무관계이므로, 이에 관한 분쟁은 민사소송의 대상이다.

✅ 기출체크

① 관련 기출

1. 행정에 관한 기간의 계산에 관하여는 행정기본법 또는 다른 법령 등에 특별한 규정이 있는 경우를 제외하고는 민법을 준용한다. (○, ×)　　2021 국가직 7급

2. 행정법관계에서 기간의 계산에 관하여 특별한 규정이 없으면 민법의 기간계산에 관한 규정이 적용된다. (○, ×)　　2016 국가직 9급

18

사인의 공법행위에 관한 다음 기술 중 옳지 않은 것을 모두 고른 것은? (다툼이 있는 경우 판례에 의함)

㉮ 사인의 공법행위도 공법행위라는 점에서 행정행위와 동일하므로 부관을 붙일 수 있으나 대리에 관한 민법규정이 유추적용될 수는 없다.

㉯ 공무원이 감사기관이나 상급관청 등의 강박에 의하여 사직서를 제출한 경우라 하더라도 사인의 공법행위에는 민법의 의사표시에 관한 규정은 적용되지 않으므로 사직서제출은 유효하다는 것이 판례의 입장이다.

㉰ 민법상 비진의의사표시의 무효에 관한 규정은 사인의 공법행위에도 적용되므로 일괄사표의 제출과 선별수리의 형식으로 공무원의 면직처분이 이루어졌다면 이러한 의원면직처분은 아무런 효력이 없다.

㉱ 사인의 공법행위는 상대방에게 도달하기 전에는 철회할 수 있으나 상대방에게 도달한 후에는 철회할 수 없다.

① ㉮, ㉯, ㉰, ㉱　　② ㉮, ㉯, ㉱

③ ㉯, ㉰　　④ ㉰, ㉱

㉮ 관련 기출

1. 사인의 공법행위에는 원칙적으로 부관을 붙일 수 있다. (O, ×)
2010 국가직 7급

2. (사인의 공법행위에는) 공법적 효과가 발생되기 때문에 부관을 붙일 수 있음이 원칙이다. (O, ×)
2009 관세사

3. 사인의 공법행위에는 부관을 붙일 수 없는 것이 원칙이다. (O, ×)
2003 관세사

4. 명문의 금지규정이 있거나 일신전속적인 행위는 대리가 허용될 수 없으나, 그렇지 않은 사인의 공법행위는 대리에 관한 민법규정이 유추적용될 수 있다. (O, ×)
2014 국가직 7급

㉯ 관련 기출

5. 사직서의 제출이 감사기관이나 상급관청 등의 강박에 의한 경우, 그 정도가 의사결정의 자유를 제한하는 정도에 그친다면 그 성질에 반하지 아니하는 한 의사표시에 관한 민법 제110조의 사기나 강박에 의한 의사표시 규정을 준용하여 그 효력을 따져보아야 할 것이다. (O, ×)
2019 경행경채 2차

6. 권고사직의 형식을 취하고 있더라도 사직의 권고가 공무원의 의사결정의 자유를 박탈할 정도의 강박에 해당하는 경우에는 당해 권고사직은 무효이다. (O, ×)
2014 국가직 7급

㉰ 관련 기출

7. 사인의 공법행위에 적용되는 일반규정은 없으며, 특별한 규정이 없는 한 민법상 비진의의사표시의 무효에 관한 규정은 사인의 공법행위에 적용된다. (O, ×)
2021 지방직·서울시 7급

8. 1980년의 공직자숙정계획의 일환으로 일괄사표의 제출과 선별수리의 형식으로 공무원에 대한 의원면직처분이 이루어진 경우, 비진의의사표시의 무효에 관한 민법 제107조 제1항 단서 규정을 적용하여 그 의원면직처분을 당연무효라고 주장할 수 있다. (O, ×)
2019 경행경채 2차

9. 판례에 의하면 민법상 비진의의사표시의 무효에 관한 규정은 그 성질상 영업재개신고나 사직의 의사표시와 같은 사인의 공법행위에 적용된다. (O, ×)
2016 서울시 9급

10. 사직원 제출자의 내심의 의사가 사직할 뜻이 없었더라도 민법상 비진의의사표시의 무효에 관한 규정이 적용되지 않으므로 그 사직원을 받아들인 의원면직처분을 당연무효라 볼 수는 없다. (O, ×)
2016 지방직 7급

11. 민법의 비진의의사표시의 무효에 관한 규정은 그 성질상 영업재개신고나 사직의 의사표시와 같은 사인의 공법행위에는 적용되지 않는다. (O, ×)
2015 지방직 7급

㉱ 관련 기출

12. 사인의 공법상 행위는 명문으로 금지되거나 성질상 불가능한 경우가 아닌 한 그에 따른 행정행위가 행하여질 때까지 자유로이 철회할 수 있다. (O, ×)
2021 지방직·서울시 7급

13. 공무원이 한 사직 의사표시의 철회나 취소는 그에 터잡은 의원면직처분이 있을 때까지 할 수 있는 것이고, 일단 면직처분이 있고 난 이후에는 철회나 취소할 여지가 없다. (O, ×)
2019 경행경채 2차

14. 사인의 공법상 행위는 명문으로 금지되거나 성질상 불가능한 경우가 아닌 한, 그에 의거한 행정행위가 행하여질 때까지는 자유로이 철회나 보정이 가능하다. (O, ×)
2014 지방직 9급

15. 공무원의 사직의 의사표시는 상대방에게 도달한 후에는 철회할 수 없다. (O, ×)
2014 국가직 7급

정답 1. × 2. × 3. O 4. O 5. O 6. O 7. × 8. × 9. × 10. O 11. O 12. O 13. O 14. O 15. ×

19
□□□

사인의 공법행위에 관한 다음 설명 중 옳은 것은? (다툼이 있는 경우 판례에 의함)

① 행정절차법상의 신고의 경우 부적법한 신고가 있더라도 행정청이 이를 수리하면 신고의 법적 효과가 발생함이 원칙이다.

② 수리를 요하는 신고에서 수리란 신고를 유효한 것으로 판단하고 법령에 의하여 처리할 의사로 이를 수령하는 행위로서, 자기완결적 신고와 달리 수리를 요하는 신고에서는 수리행위에 신고필증 교부 등 행위가 필요하다.

③ 「체육시설의 설치·이용에 관한 법률」 제20조, 제27조에 의한 영업양수신고나 문화체육관광부령으로 정하는 체육시설업의 시설기준에 따른 필수시설인수신고를 수리하는 관계행정청의 행위는 항고소송의 대상이 되는 행정처분이 아니다.

④ 구 유통산업발전법상 대형마트로 등록된 대규모점포의 개설 등록은 이른바 '수리를 요하는 신고'로서 행정처분에 해당한다.

① 관련 기출

1. 축산물위생관리법상 축산물판매업에 대한 부적법한 신고가 있었으나, 관할행정청이 이를 수리한 경우(에는 신고의 효과가 발생하지 않는다) (O, ×)
2017 국가직(하) 7급

2. 판례는 자기완결적 신고에서 부적법한 신고에 대하여 행정청이 일단 수리하였다면, 그 후의 영업행위는 무신고영업행위에는 해당하지 않는다고 한다. (O, ×)
2013 국회속기직 9급

3. 수리를 요하지 않는 신고의 경우 신고의 적법 여부나 수리 여부와는 관계없이 신고서가 접수기관에 도달하면 신고의무가 이행된 것으로 본다. (O, ×)
2013 국회직 8급

4. (수리를 요하지 않는 신고의 경우) 요건을 갖추지 못한 부적법한 신고라도 행정청이 이를 수리한 경우에는 신고의 법적 효력이 발생한다. (O, ×)
2008 국회직 8급

② 관련 기출

5. 수리란 신고를 유효한 것으로 판단하고 법령에 의하여 처리할 의사로 이를 수령하는 적극적 행위이므로 수리행위에는 신고필증의 교부와 같은 행정청의 행위가 수반되어야 한다. (O, ×)
2019 사회복지직 9급

6. 수리를 요하는 신고의 경우, 수리행위에 신고필증 교부 등 행위가 꼭 필요한 것은 아니다. (O, X) 　2018 지방직 7급

7. 수리를 요하는 신고의 경우, 수리행위에 신고필증의 교부가 필수적이므로 신고필증 교부의 거부는 행정소송법상 처분으로 볼 수 있다. (O, X) 　2017 국가직(하) 9급

③ 관련 기출

8. 구 관광진흥법에 의한 지위승계신고를 수리하는 허가관청의 행위는 사실적인 행위에 불과하여 항고소송의 대상이 되지 않는다. (O, X) 　2021 지방직·서울시 9급

9. 영업양도에 따른 지위승계신고를 수리하는 허가관청의 행위는 영업허가자의 변경이라는 법률효과를 발생시키는 행위로서 항고소송의 대상이 될 수 있다. (O, X) 　2013 국가직 7급

④ 관련 기출

10. 구 유통산업발전법은 기존의 대규모점포의 등록된 유형 구분을 전제로 '대형마트로 등록된 대규모점포' 일체를 규제 대상으로 삼고자 하는 것이 그 입법취지이므로 대규모점포의 개설 등록은 이른바 '수리를 요하는 신고'로서 행정처분에 해당한다. (O, X) 　2019 국회직 8급

11. 유통산업발전법상 대규모점포의 개설 등록은 이른바 '수리를 요하는 신고'로서 행정처분에 해당한다. (O, X) 　2019 지방직 7급, 2018 지방직 7급

정답　1. O　2. X　3. X　4. X　5. X　6. O　7. X　8. X　9. O　10. O
　　　11. O

20

다음 사인의 공법행위로서의 신고에 대한 설명 중 옳지 않은 것을 모두 고른 것은? (다툼이 있는 경우 판례에 의함)

> ㉮ 의료법에 따른 의원개설신고에 대하여 신고필증의 교부가 없었다면 의원개설신고의 효력을 부정할 수밖에 없다.
> ㉯ 법령 등에서 행정청에 대하여 일정한 사항을 통지함으로써 의무가 끝나는 신고는 그 기재사항에 흠이 없고, 필요한 구비서류가 첨부되어 있으며, 기타 법령 등에 규정된 형식상의 요건에 적합할 때에는 신고서가 접수기관에 도달된 때에 신고의 의무가 이행된 것으로 본다.
> ㉰ 주민등록법상 전입신고는 수리를 요하는 신고로서, 전입신고를 수리함으로써 당해 지방자치단체에 미치는 영향 등과 같은 사유 등은 주민등록전입신고의 수리 여부를 심사하는 단계에서 고려하여야 한다.
> ㉱ 건축법상 착공신고에 대한 행정청의 반려행위는 항고소송의 대상이 되는 처분이다.

> ㉲ 자기완결적 신고의 경우 적법한 신고가 있었지만 행정청이 수리를 하지 아니한 경우에 신고의 대상이 되는 행위를 하였다면 행정벌의 대상이 된다.
> ㉳ 신청에 형식적 요건의 하자가 있었다면 그 하자의 보완이 가능함에도 보완을 요구하지 않고 바로 거부하였다고 하여 그 거부가 위법한 것은 아니다.

① ㉮, ㉯, ㉰, ㉳　　　② ㉮, ㉰, ㉲, ㉳
③ ㉯, ㉰, ㉱, ㉲　　　④ ㉯, ㉱, ㉲, ㉳

기출체크

㉮ 관련 기출

1. 구 의료법 시행규칙 제22조 제3항에 의하면 의원개설신고서를 수리한 행정관청이 소정의 신고필증을 교부하도록 되어 있기 때문에 이와 같은 신고필증의 교부가 없으면 개설신고의 효력이 없다. (O, X) 　2019 지방직·교육행정직 9급

2. 의료법에 따른 의원개설신고에 대하여 신고필증의 교부가 없더라도 의원개설신고의 효력을 부정할 수는 없다. (O, X) 　2015 지방직 7급

3. 의료법상 의원·치과의원 개설신고의 경우 그 신고필증의 교부행위는 신고사실의 확인행위에 해당한다. (O, X) 　2012 국가직 9급

㉯ 관련 기출

4. 행정절차법은 '법령 등에서 행정청에 일정한 사항을 통지함으로써 의무가 끝나는 신고'에 대하여 '그 밖에 법령 등에 규정된 형식상의 요건에 적합할 것'을 그 신고의무 이행요건의 하나로 정하고 있다. (O, X) 　2020 지방직·서울시 9급

5. 법령 등에서 행정청에 일정한 사항을 통지함으로써 의무가 끝나는 신고를 규정하고 있는 경우 신고가 본법(행정절차법) 제40조 제2항 각 호의 요건을 갖춘 경우에는 신고서가 접수기관에 발송된 때에 신고의무가 이행된 것으로 본다. (O, X) 　2017 국가직 9급

6. 법령 등에서 행정청에 대하여 일정한 사항을 통지함으로써 의무가 끝나는 신고를 규정하고 있는 경우에는 법령상 요건을 갖춘 적법한 신고서를 발송하였을 때에 신고의 의무가 이행된 것으로 본다. (O, X) 　2016 국가직 9급

7. 행정절차법상 신고요건으로는 신고서의 기재사항에 흠이 없고 필요한 구비서류가 첨부되어 있어야 하며, 신고의 기재사항은 그 진실함이 입증되어야 한다. (O, X) 　2014 국가직 9급

8. 법령 등에서 행정청에 대하여 일정한 사항을 통지함으로써 의무가 끝나는 신고는 그 기재사항에 흠이 없고, 필요한 구비서류가 첨부되어 있으며, 기타 법령 등에 규정된 형식상의 요건에 적합할 때에는 신고서가 접수기관에 도달된 때에 신고의 의무가 이행된 것으로 본다. (O, X) 　2015 국회직 8급, 2010 지방직 7급

㉰ 관련 기출

9. 주민등록의 신고는 행정청에 도달하기만 하면 신고로서의 효력이 발생하는 것이 아니라 행정청이 수리한 경우에 비로소 신고의 효력이 발생한다. (O, X) 　2020 국가직 9급

10. 부동산투기나 이주대책 요구 등을 방지할 목적으로 주민등록전입신고를 거부하는 것은 주민등록법의 입법목적과 취지 등에 비추어 허용될 수 없다. (O, X) 　2019 지방직·교육행정직 9급

11. 행정청은 전입신고자가 거주의 목적 이외에 다른 이해관계를 가지고 있는지 여부를 심사하여 주민등록법상 주민등록전입신고의 수리를 거부할 수 있다. (○, ×) 2017 사회복지직 9급

12. 주민등록전입신고의 수리 여부와 관련하여서는, 전입신고자가 거주의 목적 외에 다른 이해관계에 관한 의도를 가지고 있었는지 여부, 무허가건축물의 관리, 전입신고를 수리함으로써 당해 지방자치단체에 미치는 영향 등도 고려하여야 한다. (○, ×)
2017 지방직 7급

13. 주민등록전입신고는 수리를 요하는 신고에 해당하지만, 이를 수리하는 행정청은 거주의 목적에 대한 판단 이외에 부동산투기 목적 등의 공익상의 이유를 들어 주민등록전입신고의 수리를 거부할 수는 없다. (○, ×) 2016 국가직 9급

㉣ 관련 기출

14. 건축법상의 착공신고의 경우에는 신고 그 자체로서 법적 절차가 완료되어 행정청의 처분이 개입될 여지가 없으므로, 행정청의 착공신고 반려행위는 항고소송의 대상인 처분에 해당하지 않는다. (○, ×) 2020 국가직 9급

15. 건축법상 착공신고가 반려될 경우 당사자에게 그 반려행위를 다툴 실익이 없는 것이므로 착공신고 반려행위의 처분성이 인정되지 않는다. (○, ×) 2017 지방직 9급

㉤ 관련 기출

16. 자기완결적 신고가 행정절차법상 요건을 갖춘 경우에는 신고서가 접수기관에 도달된 때에 신고의무가 이행된 것으로 본다.
(○, ×) 2014 경행특채 2차

17. 甲은 관할행정청에 법령상 요건을 갖춘 적법한 신고를 하였다. 수리를 요하지 않는 신고라면, 甲의 신고의 수리가 거부된 경우 당해 신고대상인 행위를 하더라도 행정벌의 대상이 되지 않는다.
(○, ×) 2011 국회(속기 · 경위직) 9급

㉥ 관련 기출

18. (자영업에 종사하는 甲은 일정요건의 자영업자에게는 보조금을 지급하도록 한 법령에 근거하여 관할행정청에 보조금 지급을 신청하였으나 1차 거부되었고, 이후 다시 동일한 보조금을 신청하였다) 甲의 신청에 형식적 요건의 하자가 있었다면 그 하자의 보완이 가능함에도 보완을 요구하지 않고 바로 거부하였다고 하여 그 거부가 위법한 것은 아니다. (○, ×) 2020 지방직 · 서울시 7급

정답 1. × 2. ○ 3. ○ 4. ○ 5. × 6. × 7. × 8. ○ 9. ○ 10. ○
11. × 12. × 13. ○ 14. × 15. × 16. ○ 17. ○ 18. ×

01

☐☐☐

행정입법에 관한 다음 기술 중 옳은 것을 모두 고른 것은? (다툼이 있는 경우 판례에 의함)

㉮ 법률이 행정규칙 형식으로 입법위임을 하는 경우에는 행정규칙의 특성상 포괄위임금지의 원칙은 인정되지 않는다.

㉯ 고시가 비록 법령에 근거를 둔 것이더라도 규정내용이 법령의 위임범위를 벗어난 것일 경우에는 법규명령으로서의 대외적 구속력을 인정할 여지는 없다.

㉰ 법규명령과 행정규칙은 양자 모두 그 제정에 법률의 근거가 필요하다는 점에서는 공통점이 있다.

㉱ 상위법령에서 세부사항 등을 시행규칙으로 정하도록 위임하였음에도 이를 고시 등 행정규칙으로 정한 경우 대외적 구속력을 인정할 수 있다.

㉲ 전결(專決)과 같은 행정권한의 내부위임은 법령상 처분권자인 행정관청이 내부적인 사무처리의 편의를 도모하기 위하여 그의 보조기관 또는 하급 행정관청으로 하여금 그의 권한을 사실상 행사하게 하는 것으로서 법률의 위임이 있어야 허용된다.

㉳ 구 청소년보호법 시행령 제40조 [별표 6]의 위반행위의 종별에 따른 과징금처분기준에서 정한 과징금 수액은 정액이 아니고 최고한도액이다.

① ㉮, ㉯, ㉰
② ㉮, ㉰, ㉱
③ ㉯, ㉲
④ ㉯, ㉳

✅ 기출체크

㉮ 관련 기출
1. 법령보충적 행정규칙은 법령의 수권에 의하여 인정되고, 그 수권은 포괄위임금지의 원칙상 구체적·개별적으로 한정된 사항에 대하여 행해져야 한다. (○, ×) 2019 국가직 7급
2. 행정규칙형식의 법규명령은 통상적인 법규명령과는 달리 포괄적 위임금지의 원칙에 구속받지 아니한다. (○, ×) 2009 지방직 9급

㉯ 관련 기출
3. 고시가 비록 법령에 근거를 둔 것이더라도 규정내용이 법령의 위임범위를 벗어난 것일 경우에는 법규명령으로서의 대외적 구속력을 인정할 여지는 없다. (○, ×) 2021 국가직 7급, 2019 서울시 2회 7급, 2016 국회직 8급

4. 행정각부의 장이 정하는 특정 고시가 비록 법령에 근거를 둔 것이더라도 규정내용이 법령의 위임범위를 벗어난 것일 경우 대외적 구속력을 인정할 수 있다. (○, ×) 2020 지방직·서울시 9급
5. 법령에 근거를 둔 고시는 상위법령의 위임범위를 벗어난 경우에도 법규명령으로서 기능한다. (○, ×) 2018 서울시 9급

㉰ 관련 기출
6. 행정규칙은 법적 근거를 요한다. (○, ×) 2014 경행특채 1차
7. 행정규칙의 제정을 위해서는 행정의 법률적합성의 원칙상 위임입법금지의 원칙에 따라 법률적 근거가 필요하다. (○, ×) 2008 지방직 9급
8. 행정규칙은 하급기관의 권한행사를 지휘하는 것이므로 상급기관이 갖는 포괄적인 감독권에 근거하여 발할 수 있다. (○, ×) 2005 대구시 9급

㉱ 관련 기출
9. 상위법령에서 세부사항 등을 시행규칙으로 정하도록 위임하였음에도 이를 고시 등 행정규칙으로 정하였다면 대외적 구속력을 가지는 법규명령으로서 효력이 인정될 수 없다. (○, ×) 2020 지방직·서울시 7급, 2017 서울시 7급, 2016 지방직 9급
10. 상위법령에서 세부사항 등을 시행규칙으로 정하도록 위임하였으나, 이를 고시 등 행정규칙으로 정하였더라도 이는 대외적 구속력을 가지는 법규명령으로서 효력이 인정된다. (○, ×) 2019 지방직·교육행정직 9급

㉲ 관련 기출
11. 행정관청 내부의 사무처리규정에 불과한 전결규정에 위반하여 원래의 전결권자 아닌 보조기관 등이 처분권자인 행정관청의 이름으로 행정처분을 한 경우, 그 처분은 권한 없는 자에 의하여 행하여진 것으로 무효이다. (○, ×) 2020 국가직 9급, 2019 서울시 2회 7급, 2014 지방직 7급

㉳ 관련 기출
12. 과징금 부과처분의 기준을 규정하고 있는 구 청소년보호법 시행령 제40조 [별표 6]은 행정규칙의 성질을 갖는다. (○, ×) 2018 지방직 9급
13. 구 청소년보호법의 위임에 따른 동법 시행령상의 위반행위의 종별에 따른 과징금처분기준은 법규명령이다. (○, ×) 2017 지방직(하) 9급

정답 1. ○ 2. × 3. ○ 4. × 5. × 6. × 7. × 8. ○ 9. ○ 10. × 11. × 12. × 13. ○

02

법규명령에 대한 다음 기술 중 옳은 것으로만 모두 묶인 것은?
(다툼이 있는 경우 판례에 의함)

㉮ 법규명령 중 위임명령은 새로운 법규사항을 정할 수 있는 반면 집행명령은 새로운 법규사항을 규정할 수 없다는 점에서 차이가 있지만, 양자 모두 그 제정을 위해서는 개별 법률에 수권규정이 있어야 한다는 점에서는 공통점이 있다.

㉯ 헌법이 인정하고 있는 위임입법의 형식은 예시적인 것이므로, 입법자에게 상세한 규율이 불가능한 것으로 보이는 영역이라면 행정부에 필요한 보충을 할 책임이 인정되고 극히 전문적인 식견에 좌우되는 영역에서는 행정규칙에 대한 위임입법이 제한적으로 인정될 수 있다.

㉰ 시행령은 모법인 법률에 의하여 위임받은 사항이나 법률이 규정한 범위 내에서 법률을 현실적으로 집행하는 데 필요한 세부적인 사항만을 규정할 수 있을 뿐, 법률에 의한 위임이 없는 한 법률이 규정한 개인의 권리·의무에 관한 내용을 변경·보충하거나 법률에 규정되지 아니한 새로운 내용을 규정할 수는 없다.

㉱ 법령의 위임이 없음에도 법령에 규정된 처분요건에 해당하는 사항을 부령에서 변경하여 규정한 경우에는 그 부령의 규정은 행정청 내부의 사무처리기준 등을 정한 것으로서 행정조직 내에서 적용되는 행정명령의 성격을 지닐 뿐 국민에 대한 대외적 구속력은 없다.

㉲ 하위법령의 규정이 상위법령의 규정에 저촉되는지 명백하지 않지만 하위법령의 의미를 상위법령에 합치되는 것으로 해석하는 것이 가능한 경우, 하위법령이 상위법령에 위반된다는 이유로 단순히 무효를 선언할 것은 아니다.

① ㉮, ㉯, ㉰
② ㉯, ㉰, ㉱, ㉲
③ ㉰, ㉱, ㉲
④ ㉱, ㉲

✔ 기출체크

㉮ 관련 기출

1. 집행명령은 상위법령의 집행을 위해 필요한 사항을 규정한 것으로 법규명령에 해당하지만 법률의 수권 없이 제정할 수 있다. (○, ×)
   2020 국가직 7급

2. 집행명령은 상위법령의 집행에 필요한 세칙을 정하는 범위 내에서만 가능하고 새로운 국민의 권리·의무를 정할 수 없다. (○, ×)
   2019 지방직·교육행정직 9급

3. 상위법령의 시행에 관하여 필요한 절차 및 형식에 관한 사항을 규정하는 집행명령은 상위법령의 명시적 수권이 없는 경우에도 발할 수 있다. (○, ×)
   2015 서울시 9급

4. 집행명령은 새로운 법규사항을 규정하지 않으므로 법령의 수권 없이 제정될 수 있다. (○, ×)
   2012 사회복지직 9급

5. 위임명령은 새로운 법규사항을 정할 수 있으나 집행명령은 상위법령의 집행에 필요한 절차나 형식을 정하는 데 그쳐야 하며 새로운 법규사항을 정할 수 없다. (○, ×)
   2010 지방직 9급

㉯ 관련 기출

6. 헌법이 인정하고 있는 위임입법의 형식은 예시적인 것으로 보아야 할 것이고, 법률이 행정규칙에 위임하더라도 그 행정규칙은 위임된 사항만을 규율할 수 있으므로 국회입법의 원칙과 상치되지 않는다. (○, ×)
   2021 경행경채, 2020 군무원 9급

7. 헌법이 인정하고 있는 위임입법의 형식은 예시적인 것이다. (○, ×)
   2019 서울시 9급

8. 위임입법의 형태로 대통령령, 총리령 또는 부령 등을 열거하고 있는 헌법규정은 예시규정이다. (○, ×)
   2018 교육행정직 9급

9. 헌법재판소 판례에 의하면, 헌법상 위임입법의 형식은 열거적이기 때문에, 국민의 권리·의무에 관한 사항을 고시 등 행정규칙으로 정하도록 위임한 법률조항은 위헌이다. (○, ×)
   2016 서울시 9급

10. 헌법재판소는 국회입법에 의한 수권이 입법기관이 아닌 행정기관에게 법률 등으로 구체적인 범위를 정하여 위임한 사항에 관하여는 당해 행정기관에게 법정립의 권한이 부여된다고 보고 있다. (○, ×)
    2013 국회직 8급

㉰ 관련 기출

11. 시행령은 모법인 법률에 의하여 위임받은 사항이나 법률이 규정한 범위 내에서 법률을 현실적으로 집행하는 데 필요한 세부적인 사항만을 규정할 수 있을 뿐, 법률에 의한 위임이 없는 한 법률이 규정한 개인의 권리·의무에 관한 내용을 변경·보충하거나 법률에 규정되지 아니한 새로운 내용을 규정할 수는 없다. (○, ×)
    2021 변호사

㉱ 관련 기출

12. 법령의 위임이 없음에도 법령에 규정된 처분요건에 해당하는 사항을 부령에서 변경하여 규정한 경우에 처분의 적법 여부는 그러한 부령에서 정한 요건을 기준으로 판단하여야 한다. (○, ×)
    2021 지방직·서울시 7급

13. 법령의 위임이 없음에도 법령에 규정된 처분요건에 해당하는 사항을 부령에서 변경하여 규정한 경우에는 그 부령의 규정은 행정청 내부의 사무처리기준 등을 정한 것으로서 행정조직 내에서 적용되는 행정명령의 성격을 지닐 뿐 국민에 대한 대외적 구속력은 없다. (○, ×)
    2021 국회직 8급, 2020 군무원 7급

14. 법령의 위임이 없음에도 법령에 규정된 처분요건에 해당하는 사항을 부령에서 변경하여 규정한 경우에는 그 부령의 규정은 행정명령의 성격을 지닐 뿐 국민에 대한 대외적 구속력은 없다. (○, ×)
2020 국가직 9급, 2017 서울시 7급

15. 상위법령의 위임이 없음에도 상위법령에 규정된 처분요건에 해당하는 사항을 하위부령에서 변경하여 규정한 경우 대외적 구속력을 인정할 수 있다. (○, ×)
2020 지방직·서울시 9급

16. 법령의 위임이 없음에도 법령에 규정된 처분요건에 해당하는 사항을 부령에서 변경하여 규정한 경우에는 그 부령의 규정은 행정청 내부의 사무처리기준 등을 정한 것으로서 행정조직 내에서 적용되는 행정명령의 성격을 지닌다. (○, ×) 2019 사회복지직 9급

⑩ 관련 기출

17. 하위법령의 규정이 상위법령의 규정에 저촉되는지 명백하지 않지만 하위법령의 의미를 상위법령에 합치되는 것으로 해석하는 것이 가능한 경우, 하위법령이 상위법령에 위반된다는 이유로 쉽게 무효를 선언할 것은 아니다. (○, ×) 2021 소방간부

18. 어느 시행령의 규정이 모법에 저촉되는지가 명백하지 않은 경우에는 모법과 시행령의 다른 규정들과 그 입법취지, 연혁 등을 종합적으로 살펴 모법에 합치된다는 해석도 가능한 경우라면 그 규정을 모법위반으로 무효라고 선언해서는 안 된다. (○, ×)
2021 지방직·서울시 7급

정답 1.○ 2.○ 3.○ 4.○ 5.○ 6.○ 7.○ 8.○ 9.× 10.○
11.○ 12.× 13.○ 14.○ 15.× 16.○ 17.○ 18.○

03 □□□

위임명령의 한계에 관한 다음 기술 중 옳지 않은 것을 모두 고른 것은? (다툼이 있는 경우 판례에 의함)

⑦ 법률이 행정부가 아니거나 행정부에 속하지 않는 공법적 기관의 정관에 자치법적 사항을 위임한 경우에는 포괄적인 위임입법의 금지는 원칙적으로 적용되지 않는다.

⑭ 포괄위임금지와 관련하여 위임의 구체성의 정도는 규율대상의 성격에 따라 달라질 수 있는바, 기본권침해영역에서는 구체성이 완화되고 급부영역에서는 구체성이 강화될 수 있다.

⑮ 법규명령이 법률에서 위임받은 사항에 관하여 대강을 정하고 그중의 특정사항에 대하여 범위를 정하여 하위법령에 다시 위임하는 것은 허용된다.

⑯ 일단 법률에 근거하여 유효하게 성립한 법규명령은 나중에 위임법률이 개정되어 그 근거가 없어지면 소급하여 무효가 된다.

⑰ 법률의 위임에 따라 효력을 갖는 법규명령이 위임의 근거가 없어 무효였더라도 나중에 위임명령의 근거 법령이 제정되어 위임의 근거가 부여되었다면 위임명령의 하자는 치유되므로 당해 법규명령은 처음부터 유효한 법규명령으로 취급된다.

① ⑦, ⑭, ⑮   ② ⑦, ⑭, ⑯

③ ⑭, ⑯, ⑰   ④ ⑮, ⑯, ⑰

☑ 기출체크

⑦ 관련 기출

1. 법률이 공법적 단체 등의 정관에 자치법적 사항을 위임한 경우에는 헌법 제75조가 정하는 포괄적인 위임입법의 금지는 원칙적으로 적용되지 않지만, 그 사항이 국민의 권리·의무에 관련되는 것일 경우에는 적어도 국민의 권리·의무에 관한 기본적이고 본질적인 사항은 국회가 정하여야 한다. (○, ×) 2021 국가직 9급

2. 법률이 행정부가 아니거나 행정부에 속하지 않는 공법적 기관의 정관에 자치법적 사항을 위임한 경우에는 포괄적인 위임입법의 금지는 원칙적으로 적용되지 않는다. (○, ×) 2021 변호사

3. 법률이 공법적 단체 등의 정관에 자치법적 사항을 위임한 경우에도 헌법 제75조가 정하는 포괄적인 위임입법의 금지는 원칙적으로 적용된다. (○, ×) 2020 군무원 7급

4. 헌법재판소는 법률이 공법적 단체 등의 정관에 자치법적 사항을 위임하는 경우에는 의회유보원칙이 적용될 여지가 없다고 한다. (○, ×) 2019 서울시 9급

5. 법률이 공법적 단체 등의 정관에 자치법적 사항을 위임한 경우에는 헌법 제75조가 정하는 포괄적인 위임입법의 금지는 원칙적으로 적용되지 않는다고 봄이 상당하다. (○, ×) 2017 서울시 7급

⑭ 관련 기출

6. 처벌법규나 조세법규는 다른 법규보다 구체성과 명확성의 요구가 강화되어야 한다. (○, ×) 2014 국가직 9급

7. 일반적인 급부행정법규는 처벌법규나 조세법규의 경우보다 그 위임의 요건과 범위가 더 엄격하게 제한적으로 규정되어야 한다. (○, ×) 2011 사회복지직 9급

8. 급부행정영역상의 위임입법에 있어서는 기본권침해영역보다 구체성의 요구가 다소 약화되어도 무방하다. (○, ×) 2011 지방직(상) 9급

⑮ 관련 기출

9. 법률에서 위임받은 사항에 관하여 대강을 정하고 그중의 특정사항을 범위를 정하여 하위법령에 다시 위임하는 경우에는 재위임이 허용된다. 이러한 법리는 조례가 지방자치법에 따라 주민의 권리제한 또는 의무부과에 관한 사항을 법률로부터 위임받은 후, 이를 다시 지방자치단체장이 정하는 '규칙'이나 '고시' 등에 재위임하는 경우에도 마찬가지이다. (○, ×) 2021 국가직 9급

10. 위임명령이 법률에서 위임받은 사항에 관하여 대강을 정하고 그 중 특정사항을 범위를 정하여 하위법령에 다시 위임하는 것은 허용된다. (○, ×) 2021 변호사

11. 법률에서 위임받은 사항을 전혀 규정하지 않고 재위임하는 것은 허용되지 않는다. (○, ×) 2017 경행경채

12. 법률에서 위임받은 사항을 하위법규명령에 다시 위임하기 위해서는 위임받은 사항의 대강을 정하고 그중 특정사항을 범위를 정하여 하위의 법규명령에 다시 위임하는 경우에만 재위임이 허용된다. (○, ×) 　　　　　　　　　　　　　　2014 국가직 9급

13. 행정의 효율성을 도모하기 위해 법률에서 위임받은 사항을 전혀 규정하지 않고 하위의 법규명령에 재위임하는 것도 가능하다. (○, ×) 　　　　　　　　　　　　　2014 서울시 9급

㉾㉿ 관련 기출

14. 법률의 위임에 따라 효력을 갖는 법규명령의 경우에 위임의 근거가 없어 무효였더라도 나중에 법개정으로 위임의 근거가 다시 부여된 경우에는 이전부터 소급하여 유효한 법규명령이 있었던 것으로 본다. (○, ×) 　　　　　　　　　2021 국가직 7급

15. 법규명령이 위임의 근거가 없어 무효였더라도 나중에 법개정으로 위임의 근거가 부여되면, 법규명령 제정 당시로 소급하여 유효한 법규명령이 된다. (○, ×) 　　　　　　2021 지방직·서울시 9급

16. 일반적으로 법률의 위임에 따라 효력을 갖는 법규명령의 경우, 위임의 근거가 없어 무효라고 하더라도 나중에 법률개정을 통해 위임의 근거가 부여되었다면 그때부터는 유효한 법규명령으로 볼 수 있다. (○, ×) 　　　2021 경행경채, 2017 경행경채

17. 법규명령이 위임의 근거가 없어 무효였더라도 나중에 법개정으로 위임의 근거가 부여되면 그때부터는 유효한 법규명령으로 볼 수 있다. (○, ×) 　　　　　　　　2019 사회복지직 9급

18. 구법의 위임에 의한 유효한 법규명령이 법개정으로 위임의 근거가 없어지게 되면 그때부터 무효인 법규명령이 되므로, 어떤 법령의 위임근거 유무에 따른 유효 여부를 심사하려면 법개정의 전·후에 걸쳐 모두 심사하여야만 그 법규명령의 시기에 따른 유효·무효를 판단할 수 있다. (○, ×) 　　　　　　2010 국가직 7급

정답　1. ○　2. ○　3. ×　4. ×　5. ○　6. ○　7. ×　8. ○　9. ○　10. ○
　　　11. ○　12. ○　13. ×　14. ×　15. ×　16. ○　17. ○　18. ○

04

□□□

법규명령의 한계에 대한 내용으로 옳은 것을 모두 고른 것은? (다툼이 있는 경우 판례에 의함)

㉮ 범죄구성요건을 행정입법에 위임하는 것은 죄형법정주의원칙에 반하므로 허용되지 않는다.

㉯ 위임입법의 한계인 예측가능성의 유무를 판단할 때에는 관련 법조항 전체를 유기적·체계적으로 종합판단할 것이 아니라 당해 위임조항 자체에서 하위법령으로 규정될 내용 및 범위의 기본사항이 구체적으로 규정되어 있음을 기준으로 한다.

㉰ 법규명령의 위임근거가 되는 법률에 대해 위헌결정이 선고된 경우라도 법적 안정성의 요청상 그 위임에 근거하여 제정된 법규명령이 당연히 효력을 상실

하는 것이라고는 볼 수 없고 별도의 폐지행위가 있어야 한다.

㉱ 일반적으로 시행령이 헌법이나 법률에 위반된다는 사정은 그 시행령의 규정을 위헌 또는 위법하여 무효라고 선언한 대법원의 판결이 선고되지 않은 상태에서도 그 시행령 규정의 위헌 내지 위법 여부가 객관적으로 명백하다고 할 수 있으므로, 이러한 시행령에 근거한 행정처분의 하자는 무효사유에 해당한다.

㉲ 집행명령은 근거가 된 상위법령이 단순히 개정됨에 그친 경우 그 개정법령과 성질상 모순·저촉되지 아니하고 개정된 상위법령의 시행에 필요한 사항을 규정하고 있는 이상 그 개정법령의 시행을 위한 집행명령이 제정·발효될 때까지는 효력을 유지한다.

① ㉮, ㉯, ㉰, ㉲　　　　② ㉯, ㉰, ㉱

③ ㉰, ㉱, ㉲　　　　　　④ ㉲

✅ **기출체크**

㉮ 관련 기출

1. 특히 긴급한 필요가 있거나 미리 법률로 자세히 정할 수 없는 부득이한 사정이 있어 법률에 형벌의 종류·상한·폭을 명확히 규정하더라도, 행정형벌에 대한 위임입법은 허용되지 않는다. (○, ×) 　　　　　　　　2019 국가직 9급

2. 형벌규정의 위임은 구성요건을 예측할 수 있도록 구체적으로 정하고 형벌의 종류와 상한과 폭 등을 명확히 규정하는 것을 전제로 위임입법이 허용된다. (○, ×) 　　　　　2014 서울시 9급

3. 형사처벌에 관한 위임입법의 경우, 수권법률이 구성요건의 점에서는 처벌대상인 행위가 어떠한 것인지 이를 예측할 수 있을 정도로 구체적으로 정하고, 형벌의 점에서는 형벌의 종류 및 그 상한과 폭을 명확히 규정하는 것을 전제로 한다. (○, ×)　2013 지방직(하) 7급

4. 처벌규정의 위임은 죄형법정주의로 인하여 어떠한 경우에도 허용되지 않는다. (○, ×) 　　　　　　　2011 지방직(하) 7급

5. 근거법률의 벌칙에서 형벌의 종류와 상한을 정하고 그 범위 내에서 구체적인 것을 명령으로 정하게 하는 것은 허용되지 아니한다. (○, ×) 　　　　　　　　　2014 지방직 9급

㉯ 관련 기출

6. 위임입법의 한계인 예측가능성은 법률에서 이미 하위법규에 규정될 내용 및 범위의 기본사항이 구체적으로 규정되어 있어서 누구라도 당해 법률로부터 하위법규에 규정될 내용의 대강을 예측할 수 있으면 족하다. (○, ×) 　　2012 국회(속기·경위직) 9급

7. 수권법률의 예측가능성 유무를 판단함에 있어서는 수권규정과 이와 관계된 조항, 수권법률 전체의 취지, 입법목적의 유기적·체계적 해석 등을 통하여 종합 판단하여야 한다. (○, ×) 　　　　　　　　2011 사회복지직 9급

8. 위임명령에 규정될 내용 및 범위의 기본사항은 구체적으로 규정되어 있어서 누구라도 당해 법령으로부터 위임명령에 규정될 내용의 대강을 예측할 수 있어야 한다. (○, ×) 　　　2004 입법고시

ⓒ 관련 기출

9. 법규명령의 위임근거가 되는 법률에 대하여 위헌결정이 선고되더라도 그 위임에 근거하여 제정된 법규명령은 별도의 폐지행위가 있어야 효력을 상실한다. (○, ×)
2021 지방직·서울시 9급

10. 법규명령의 위임의 근거가 되는 법률에 대하여 위헌결정이 선고되면 그 위임규정에 근거하여 제정된 법규명령도 원칙적으로 효력을 상실한다. (○, ×)
2020 군무원 7급, 2014 지방직 7급

11. 법규명령의 위임근거가 되는 법률에 대하여 위헌결정이 선고되더라도 그 법규명령은 특별한 규정이 없는 한 별도의 폐지행위가 있어야 효력을 상실한다. (○, ×)
2008 지방직(하) 7급

ⓔ 관련 기출

12. 시행령의 규정을 위헌 또는 위법하여 무효라고 선언한 대법원의 판결이 선고되지 아니한 상태에서는, 그 시행령 규정의 위헌 내지 위법 여부가 해석상 다툼의 여지가 없을 정도로 명백하였다고 인정되지 아니하는 이상 그 시행령에 근거한 행정처분의 하자는 취소사유에 해당할 뿐 무효사유가 되지 아니한다. (○, ×)
2021 국회직 8급

13. 헌법 제107조에 따른 구체적 규범통제의 결과 처분의 근거가 된 명령이 위법하다는 대법원의 판결이 난 경우, 일반적으로 당해 처분의 하자는 중대·명백설에 따라 취소사유에 해당한다고 보아야 한다. (○, ×)
2019 경행경채 2차

14. 조례가 법률 등 상위법령에 위배되면 비록 그 조례를 무효라고 선언한 대법원의 판결이 선고되지 않았더라도 그 조례에 근거한 행정처분은 당연무효가 된다. (○, ×)
2018 국회직 8급

15. 하자 있는 법규명령은 무효이며 따라서 위헌·위법의 법규명령에 근거한 행정행위도 중대·명백설에 따라 무효가 된다. (○, ×)
2006 관세사

ⓜ 관련 기출

16. 상위법령의 시행을 위하여 제정한 집행명령은 그 상위법령이 개정되더라도 개정법령과 성질상 모순·저촉되지 않는 이상 여전히 그 효력을 가진다. (○, ×)
2017 국회직 8급

17. 집행명령은 상위법령이 개정되더라도 개정법령과 성질상 모순·저촉되지 아니하고 개정된 상위법령의 시행에 필요한 사항을 규정하고 있는 이상, 개정법령의 시행을 위한 집행명령이 제정·발효될 때까지는 여전히 그 효력을 유지한다. (○, ×)
2019 지방직·교육행정직 9급

18. 근거법령인 상위법령이 개정됨에 그친 경우 개정법령의 시행을 위한 집행명령이 제정·발효될 때까지 여전히 그 효력을 유지하는 것은 아니다. (○, ×)
2015 경행특채 1차

19. 상위법령의 시행에 필요한 세부적 사항을 정하기 위하여 행정관청이 일반적 직권에 의하여 제정하는 이른바 집행명령은 근거법령인 상위법령이 폐지되면 특별한 규정이 없는 이상 실효된다. (○, ×)
2011 국회직 8급

20. 법규명령의 근거법령이 소멸된 경우에는 법규명령도 소멸함이 원칙이나, 근거법령이 개정됨에 그친 경우에는 집행명령은 여전히 효력을 유지할 수 있다. (○, ×)
2009 국가직 9급

정답 1. × 2. ○ 3. ○ 4. × 5. × 6. ○ 7. ○ 8. ○ 9. × 10. ○
11. × 12. ○ 13. ○ 14. × 15. × 16. ○ 17. ○ 18. × 19. ○
20. ○

행정입법에 대한 한계 및 통제에 관한 다음 설명 중 옳은 것을 모두 고른 것은? (다툼이 있는 경우 판례에 의함)

ⓐ 대법원판결에 의하여 법규명령이 헌법 또는 법률에 위반된다는 것이 확정된 경우에 대법원은 그 사유를 법무부장관에게 통보하여야 한다.

ⓑ 재량준칙이 헌법소원의 대상이 될 수 있는지에 관해 헌법재판소는 재량준칙이 되풀이 시행되어 관행이 이룩되어 행정기관이 그 규칙에 따라야 할 자기구속을 당하게 되는 경우라도 재량준칙은 법규명령과 달리 헌법소원의 대상이 될 수 없다고 한다.

ⓒ 조례가 집행행위의 개입 없이도 그 자체로서 직접 국민의 구체적인 권리·의무나 법적 이익에 영향을 미치는 등의 법률상 효과를 발생시키는 경우에는 조례 그 자체에 대해서도 항고소송을 제기할 수 있다.

ⓓ 헌법 제107조에 따른 구체적 규범통제의 결과 처분의 근거가 된 명령이 위법하다는 대법원의 판결이 난 경우, 그 명령은 당해 사건에 한하여 적용되지 않는 것이 아니라 일반적으로 효력이 상실된다.

ⓔ 헌법재판소는 대법원규칙인 구 법무사법 시행규칙에 대해, 법규명령이 별도의 집행행위를 기다리지 않고 직접 기본권을 침해하는 것일 때에는 헌법 제107조 제2항의 명령·규칙에 대한 대법원의 최종심사권에도 불구하고 헌법소원심판의 대상이 된다고 한다.

① ⓐ, ⓑ, ⓒ　　② ⓐ, ⓒ
③ ⓑ, ⓓ　　④ ⓒ, ⓔ

✔ 기출체크

ⓐ 관련 기출

1. 명령 등이 헌법이나 법률에 위반되어 대법원에서 무효라고 선언하여도 당해 사건에만 적용이 배제될 뿐 형식적으로는 존재하므로 판결확정 후 대법원은 행정안전부장관에게 통보하도록 하고 있다. (○, ×)
2018 소방직 9급

2. 행정소송법 제6조에 의하면 행정소송에 대한 대법원판결에 의하여 명령·규칙이 헌법 또는 법률에 위반된다는 것이 확정된 경우에는 대법원은 지체 없이 그 사유를 법무부장관에게 통보하여야 한다. (○, ×)
2017 경행경채

3. 행정소송에 대한 대법원판결에 의하여 총리령이 법률에 위반된다는 것이 확정된 경우에는 대법원은 지체 없이 그 사유를 국무총리에게 통보하여야 한다. (○, ×)
2016 국가직 7급

4. 행정소송에 대한 대법원판결에 의하여 명령·규칙이 헌법 또는 법률에 위반된다는 것이 확정된 경우에는 대법원은 지체 없이 그 사유를 행정안전부장관에게 통보하여야 하고, 그 통보를 받은 행정안전부장관은 지체 없이 이를 관보에 게재하여야 한다. (○, ×)

2014 지방직 7급

④ 관련 기출

5. 재량권행사의 준칙인 행정규칙이 그 정한 바에 따라 되풀이 시행되어 행정관행이 형성되어 행정기관이 그 상대방에 대한 관계에서 그 행정규칙에 따라야 할 자기구속을 당하게 되는 경우에는 그 행정규칙은 헌법소원의 심판대상이 될 수도 있다. (○, ×)

2020 국가직 9급

6. 고시가 상위법령과 결합하여 대외적 구속력을 갖고 국민의 기본권을 침해하는 법규명령으로 기능하는 경우 헌법소원의 대상이 된다. (○, ×)

2020 국가직 7급

7. 법령보충규칙에 해당하는 고시의 관계규정에 의하여 직접 기본권 침해를 받는다고 하여도 이에 대하여 바로 헌법재판소법 제68조 제1항에 의한 헌법소원심판을 청구할 수 없다. (○, ×)

2018 지방직 7급

8. 헌법재판소 판례에 의하면, 재량준칙인 행정규칙도 행정의 자기구속의 법리에 의거하여 헌법소원심판의 대상이 될 수 있다. (○, ×)

2016 서울시 9급

9. 행정규칙이 재량권행사의 준칙으로서 반복적으로 시행됨으로써 평등원칙이나 신뢰보호원칙에 따라 행정기관이 그 규칙에 따라야 할 자기구속을 당하게 되는 경우에는 그 행정규칙은 대외적인 구속력을 갖게 되어 헌법소원의 대상이 된다. (○, ×) 2008 국가직 7급

⑤ 관련 기출

10. 조례가 집행행위의 개입 없이도 그 자체로서 직접 국민의 구체적인 권리·의무나 법적 이익에 영향을 미치는 등의 법률상 효과를 발생하는 경우 그 조례는 항고소송의 대상이 되는 행정처분에 해당한다. (○, ×) 2021 소방직 9급, 2017 국회직 8급

11. 조례가 집행행위의 개입 없이 직접 국민의 구체적 권리·의무에 영향을 미치는 등의 효과를 발생하면 그 조례는 항고소송의 대상이 된다. (○, ×) 2018 서울시 2회 7급

⑥ 관련 기출

12. 법원의 위헌·위법결정을 받은 법규명령은 원칙적으로 당해 사건에 한하여 그 적용이 거부된다. (○, ×) 2008 지방직 7급

⑦ 관련 기출

13. 헌법재판소는 법규명령이 재판의 전제가 됨이 없이 직접 개인의 기본권을 침해하는 경우에는 헌법소원의 대상이 된다고 하였다. (○, ×) 2011 사회복지직 9급

14. 헌법 제107조 제2항이 규정한 명령·규칙에 대한 최종심사권은 대법원에 있기 때문에 명령·규칙 그 자체에 의하여 직접 기본권이 침해되었을지라도 헌법소원심판을 청구하는 것은 불가능하다는 것이 헌법재판소의 입장이다. (○, ×) 2011 경행특채

15. 명령·규칙에 대한 최종심사권을 대법원에 부여하고 있는 헌법 제107조와 관련하여 헌법재판소는 헌법재판소에 의한 법규명령에 대한 통제를 허용하고 있다. (○, ×) 2011 지방직(하) 7급

16. 헌법 제107조 제2항에서 명령·규칙에 대한 위헌심사권을 법원에 부여하고 있기 때문에, 헌법재판소는 이에 대한 위헌심사권을 행사할 수 없다는 것이 헌법재판소의 입장이다. (○, ×)

2009 국가직 9급

정답 1. ○ 2. × 3. × 4. ○ 5. ○ 6. ○ 7. × 8. ○ 9. ○ 10. ○
11. ○ 12. ○ 13. ○ 14. × 15. ○ 16. ×

06

□□□

행정입법부작위에 관한 다음 기술 중 옳지 않은 것을 모두 고른 것은? (다툼이 있는 경우 판례에 의함)

㉮ 행정입법부작위에 대해서는 행정소송법상 부작위위법확인소송을 제기하여 구제받을 수 있다.

㉯ 행정입법부작위는 행정소송의 대상이 되므로 헌법소원의 보충성의 원칙에 의해 헌법소원의 대상이 될 수는 없다.

㉰ 입법자가 불충분하게 규율한 이른바 부진정입법부작위에 대하여 헌법소원을 제기하려면 그것이 평등의 원칙에 위배된다는 등 헌법위반을 내세워 적극적인 헌법소원을 제기하여야 하며, 이 경우에는 헌법재판소법 소정의 제소기간을 준수할 필요는 없다.

㉱ 구 군법무관임용법 제5조 제3항과 「군법무관임용 등에 관한 법률」 제6조에서 군법무관의 보수의 구체적 내용을 시행령에 위임했음에도 불구하고 행정부가 정당한 이유 없이 시행령을 제정하지 않은 경우, 법규명령을 제정하지 않은 부작위에 대해 국가배상법상의 손해배상청구를 할 수 있다.

① ㉮, ㉯, ㉰   ② ㉯, ㉰, ㉱

③ ㉯, ㉱   ④ ㉰, ㉱

✔ 기출체크

㉮ 관련 기출

1. 행정입법의 부작위는 그 자체로서 국민의 구체적인 권리·의무에 직접적인 변동을 초래하는 것이어서 행정소송의 대상이 된다. (○, ×) 2020 경행경채

2. 행정소송은 구체적 사건에 대한 법률상 분쟁을 법에 의하여 해결함으로써 법적 안정을 기하자는 것이므로, 추상적인 법령에 관한 제정의 여부 등은 부작위위법확인소송의 대상이 될 수 없다. (○, ×) 2020 변호사

3. 행정입법부작위는 행정소송법상 부작위위법확인소송의 대상이 되지 않는다. (○, ×) 2018 지방직 7급

4. 행정입법부작위에 대해서는 당사자의 신청이 있는 경우에 한하여 부작위위법확인소송의 대상이 된다. (○, ×) *2017 지방직 9급*

5. 치과전문의 시험실시를 위한 시행규칙 규정의 제정 미비로 인해 치과전문의 자격을 갖지 못한 사람은 부작위위법확인소송을 통하여 구제받을 수 있다. (○, ×) *2017 지방직(하) 9급*

④ 관련 기출

6. 헌법재판소는 적극적 행정입법은 물론 행정입법의 부작위에 대하여서도 헌법소원심판의 대상성을 인정한다. (○, ×) *2016 국회직 8급*

7. 행정입법에 대해서 헌법재판소는 헌법소원을 통하여 통제할 수 있으나 시행명령을 제정할 의무가 있음에도 명령제정을 거부하거나 입법부작위가 있는 경우에는 헌법소원의 대상이 되지 않는다. (○, ×) *2012 경행특채*

8. 판례는 행정입법부작위에 대하여 헌법소원을 인정하고 있지 않다. (○, ×) *2010 지방직 9급*

㉱ 관련 기출

9. 입법자가 불충분하게 규율한 이른바 부진정입법부작위에 대하여 헌법소원을 제기하려면 그것이 평등의 원칙에 위배된다는 등 헌법위반을 내세워 적극적인 헌법소원을 제기하여야 하며, 이 경우에는 기본권침해상태가 계속되고 있으므로 헌법재판소법 소정의 제소기간을 준수할 필요는 없다. (○, ×) *2020 변호사*

10. 입법의 내용·범위·절차 등의 결함을 이유로 헌법소원을 제기하려면 결함이 있는 당해 입법규정 그 자체를 대상으로 하여 그것이 평등의 원칙에 위배된다는 등 헌법위반을 내세워 적극적인 헌법소원을 제기하여야 하며, 이 경우에는 헌법재판소법 소정의 제소기간을 준수하여야 한다. (○, ×) *2017 서울시 7급*

㉯ 관련 기출

11. 입법자가 법률로써 특정한 사항을 시행령으로 정하도록 위임했음에도 불구하고 행정부가 정당한 이유 없이 이를 이행하지 않는다면 권력분립의 원칙과 법치국가 내지 법치행정의 원칙에 위배되는 것으로서 위헌성이 인정되나 이는 헌법소원을 통한 구제의 대상이 될 뿐이고 국가배상의 대상이 되는 것은 아니다. (○, ×) *2021 국회직 8급*

12. 대통령령의 입법부작위에 대한 국가배상책임은 인정되지 않는다. (○, ×) *2021 지방직·서울시 9급*

13. 입법부가 법률로써 행정부에게 특정한 사항을 위임했음에도 불구하고, 행정부가 정당한 이유 없이 법률에서 위임한 시행령을 제정하지 않은 것은 그 법률에서 인정된 권리를 침해하는 불법행위가 될 수 있다. (○, ×) *2020 경행경채*

14. 행정입법부작위로 인하여 손해가 발생한 경우에 국가배상청구가 인정될 수 있다. (○, ×) *2015 서울시 7급*

정답 1. × 2. ○ 3. ○ 4. × 5. × 6. ○ 7. × 8. × 9. × 10. ○
11. × 12. × 13. ○ 14. ○

다음 중 옳지 않은 것을 모두 고른 것은? (다툼이 있는 경우 판례에 의함)

㉮ 유료직업소개사업의 허가갱신은 허가취득자에게 종전의 지위를 계속 유지시키는 효과를 갖는 것에 불과하고 갱신 후에는 갱신 전의 법위반사항을 불문에 부치는 효과를 발생하는 것이 아니므로 일단 갱신이 있은 후에도 갱신 전의 법위반사실을 근거로 허가를 취소할 수 있다.

㉯ 종전 허가의 유효기간이 지난 후에 한 허가기간연장 신청은 종전의 허가처분과는 별도의 새로운 허가를 내용으로 하는 행정처분을 구하는 것이라고 보아야 한다.

㉰ 채석허가를 받은 자로부터 영업양수 후 명의변경신고 이전에 양도인의 법위반사유를 이유로 채석허가가 취소된 경우, 양수인은 수허가자의 지위를 사실상 양수받았다고 하더라도 그 처분의 취소를 구할 법률상 이익을 가지지 않는다.

㉱ 식품위생법상의 영업자지위승계신고를 수리하는 경우, 영업시설을 인수하여 영업자의 지위를 승계한 자에 대하여 사전통지를 하고, 그에게 의견제출의 기회를 주어야 한다.

㉲ 법이 과징금 부과처분에 대한 임의적 감경규정을 두었다면 감경 여부는 행정청의 재량에 속한다고 할 것이나, 행정청이 감경사유가 있음에도 이를 전혀 고려하지 않았거나 감경사유에 해당하지 않는다고 오인한 나머지 과징금을 감경하지 않았다면 그 과징금 부과처분은 재량권을 일탈하거나 남용한 위법한 처분으로 보아야 한다.

① ㉮, ㉯, ㉰   ② ㉯, ㉱

③ ㉰, ㉲   ④ ㉰, ㉲

✅ **기출체크**

㉮ 관련 기출

1. 유료직업소개사업의 허가갱신은 허가취득자에게 종전의 지위를 계속 유지시키는 효과를 갖는 것이며 갱신 후에는 갱신 전의 법위반사항을 불문에 부치는 효과를 발생하는 것이므로, 갱신이 있은 후에는 갱신 전의 법위반사실을 근거로 허가를 취소할 수 없다. (○, ×) *2017 경행경채*

2. 허가의 갱신은 허가취득자에게 종전의 지위를 계속 유지시키는 효과를 갖게 하는 것으로 갱신 후라도 갱신 전 법위반사실을 근거로 허가를 취소할 수 있다. (○, ×) *2017 국가직 7급*

3. 유료직업소개사업의 허가갱신 후에도 갱신 전 법위반사실을 근거로 허가를 취소할 수 있다. (○, ×) *2017 교육행정직 9급*

ⓝ 관련 기출

4. 허가의 유효기간이 지난 후에 그 허가의 기간연장이 신청된 경우, 허가권자는 특별한 사정이 없는 한 유효기간을 연장해 주어야 한다. (○, ×) 2016 지방직 9급

5. 갱신신청 없이 유효기간이 지나면 주된 행정행위는 효력이 상실되므로 갱신기간이 지나 신청한 경우에는 기간연장신청이 아니라 새로운 허가신청으로 보아야 하며 허가요건의 충족 여부를 새로이 판단하여야 한다. (○, ×) 2015 국회직 8급

6. 허가기간이 연장되기 위하여는 그 종기가 도래하기 전에 그 허가기간의 연장에 관한 신청이 있어야 하며, 만일 그러한 연장신청이 없는 상태에서 허가기간이 만료하였다면 그 허가의 효력은 상실된다. (○, ×) 2014 경행특채 1차

ⓓ 관련 기출

7. (甲은 식품위생법 제37조 제1항에 따라 허가를 받아 식품조사처리업 영업을 하고 있던 중 乙과 영업양도계약을 체결하였다. 당해 계약은 하자 있는 계약이었음에도 불구하고, 乙은 같은 법 제39조에 따라 식품의약품안전처장에게 영업자지위승계신고를 하였다) 식품의약품안전처장이 乙의 신고를 수리하기 전에 甲의 영업허가처분이 취소된 경우, 乙이 甲에 대한 영업허가취소처분의 취소를 구하는 소송을 제기할 법률상 이익은 없다. (○, ×) 2018 지방직 9급

8. 법령상 채석허가를 받은 자의 명의변경제도를 두고 있는 경우, 명의변경신고를 할 수 있는 양수인은 관할행정청이 양도인의 허가를 취소하는 처분에 대해 취소를 구할 법률상 이익이 인정된다. (○, ×) 2013 국가직 7급

ⓔ 관련 기출

9. 행정청이 (구)식품위생법 규정에 의하여 영업자지위승계신고를 수리하는 처분은 종전의 영업자의 권익을 제한하는 처분에 해당하므로, 행정청은 이를 처리함에 있어 종전의 영업자에 대하여 처분의 사전통지, 의견청취 등 행정절차법상의 처분절차를 거쳐야 한다. (○, ×) 2021 소방직 9급

10. 행정청이 구 식품위생법상의 영업자지위승계신고 수리처분을 하는 경우, 행정청은 종전의 영업자에 대하여 행정절차법 소정의 행정절차를 실시하여야 한다. (○, ×) 2020 국가직 9급

11. 행정절차법상 사전통지의 상대방인 당사자는 행정청의 처분에 대하여 직접 그 상대가 되는 자를 의미하므로, 식품위생법상의 영업자지위승계신고를 수리하는 행정청은 영업자지위를 이전한 종전의 영업자에 대하여 사전통지를 할 필요가 없다. (○, ×) 2018 국가직 9급

12. (갑(甲)은 식품위생법상 식품접객업 영업허가를 받아 영업을 하던 중, 자신의 영업을 을(乙)에게 양도하기로 계약을 체결하였고, 을(乙)은 같은 법이 정한 바에 따라 영업자지위승계신고를 하였다) 관할행정청이 신고를 수리하기 위해서는 갑(甲)에 대해 행정절차법상 불이익처분절차를 거쳐야 한다. (○, ×) 2015 국가직 7급

ⓕ 관련 기출

13. 법이 과징금 부과처분에 대한 임의적 감경규정을 두었다면 감경 여부는 행정청의 재량에 속한다고 할 것이나, 행정청이 감경사유가 있음에도 이를 전혀 고려하지 않거나 감경사유에 해당하지 않는다고 오인한 나머지 과징금을 감경하지 않았다면 그 과징금 부과처분은 재량권을 일탈하거나 남용한 위법한 처분으로 보아야 한다. (○, ×) 2020 소방직 9급

14. 제재처분에 대한 임의적 감경규정이 있는 경우 감경 여부는 행정청의 재량에 속하므로 존재하는 감경사유를 고려하지 않았거나 일부 누락시켰다 하더라도 이를 위법하다고 할 수 없다. (○, ×) 2015 국회직 8급

15. 법령에 과징금의 임의적 감경사유가 있음에도 감경사유에 해당하지 않는다고 오인하여 과징금을 감경하지 않은 경우, 그 과징금 부과처분은 재량권을 일탈·남용한 위법한 처분이 아니다. (○, ×) 2014 지방직 7급

정답 1. × 2. ○ 3. ○ 4. × 5. ○ 6. ○ 7. × 8. ○ 9. ○ 10. ○ 11. × 12. ○ 13. ○ 14. × 15. ×

08 □□□

행정행위에 관한 다음 기술 중 옳은 것을 모두 고른 것은? (다툼이 있는 경우 판례에 의함)

㉮ 교도소장이 수형자의 서신을 검열하는 행위는 행정행위로서 항고소송의 대상이 되는 처분에 해당한다.

㉯ 통설에 따르면 행정행위는 공법적 효과를 가져오는 행위이므로 공법상 계약도 행정행위에는 해당하나, 다만 항고소송의 대상이 되는 처분은 아니라고 본다.

㉰ 상급기관이 하급기관에 대해 직무명령을 발령한 것은 상대방에 대한 법적인 효과를 발생시킨다는 점에서 행정행위이다.

㉱ 서울지방경찰청장(현 서울경찰청장)이 횡단보도를 설치하여 보행자 통행방법을 규제한 것은 불특정 다수를 그 대상으로 한다는 점에서 행정행위라고 볼 수 없다.

㉲ 국토교통부장관의 국립공원지정처분에 따라 공원관리청 경계측량 및 표지를 설치한 행위는 구체적 사실에 관한 행위로서 행정행위이다.

㉳ 시(市)에서 파손된 도로의 보수공사를 한 것은 구체적 사실에 관한 행위로서 행정행위이다.

㉴ 이른바 재량권은 행정행위에서 인정되는 것일 뿐 다른 행정작용에서는 인정되기 어렵다는 것이 통설의 입장이다.

㉵ 세무당국이 A회사에 대하여 甲과의 주류거래를 일정기간 중지하여 줄 것을 요청한 행위는 법적인 효과를 발생시키지는 않으나 특정의 상대방에 대한 개별적 조치로서 행정행위라는 것이 일반적 견해이다.

㉗ 행정청이 특정인에게 어업권과 같은 사권의 성질을 가지는 권리를 설정하였다면 이는 공법적 행위가 아니므로 행정행위가 아니다.

㉘ 법률행위적 행정행위란 행정청의 의사표시(효과의사) 이외의 정신작용(판단, 인식 등)을 구성요소로 하고 행위자의 의사와는 무관하게 법규가 정한 바에 따라 법적 효과가 발생하는 행위를 의미한다.

① ㉮, ㉢, ㉣, ㉛
② ㉯, ㉶, ㉗, ㉘
③ ㉰, ㉷, ㉘
④ 없음

✅ 기출체크

㉮ 관련 기출

1. 수형자의 서신을 교도소장이 검열하는 행위(는 항고소송의 대상이 되는 처분에 해당하는 사실행위이다) (○, ×) 2017 지방직(하) 9급

2. 교도소장 X의 서신검열행위는 강학상 행정행위에 해당한다. (○, ×) 2011 지방직 9급

㉯ 관련 기출

3. 행정행위는 행정주체가 행하는 구체적 사실에 관한 법집행작용이므로 공법상 계약, 공법상 합동행위도 행정행위에 포함된다. (○, ×) 2016 서울시 9급

㉢ 관련 기출

4. 부하 공무원에 대한 상관의 개별적인 직무명령은 행정행위가 아니다. (○, ×) 2015 서울시 9급

㉣ 관련 기출

5. 횡단보도를 설치하여 보행자 통행방법 등을 규제하는 것은 특정사항에 대하여 의무의 부담을 명하는 행위이고, 이는 국민의 권리·의무에 직접 관계가 있는 행위로서 행정처분이다. (○, ×) 2021 경행경채

6. 지방경찰청장(현 시·도경찰청장)의 횡단보도 설치행위(는 판례상 항고소송의 대상으로 인정된다) (○, ×) 2020 지방직·서울시 9급

7. 지방경찰청장(현 시·도경찰청장)의 횡단보도 설치행위는 국민의 구체적인 권리·의무에 직접적인 변동을 초래하지 않으므로 행정소송법상 처분에 해당하지 않는다. (○, ×) 2017 사회복지직 9급

8. 구체적 사실을 규율하는 경우라도 불특정 다수인을 상대방으로 하는 처분이라면 행정행위가 아니다. (○, ×) 2016 서울시 9급

9. 특정 장소에의 통행금지와 같은 불특정 다수인에 대한 규율행위는 행정행위에 해당한다. (○, ×) 2009 관세사

㉤ 관련 기출

10. 건설부장관(현 국토교통부장관)이 행한 국립공원지정처분에 따른 경계측량 및 표지의 설치 등은 처분이 아니다. (○, ×) 2021 소방직 9급

11. 구 공무원법에 의해 건설부장관이 행한 국립공원지정처분에 따라 공원관리청이 행한 경계측량 및 표지의 설치(는 항고소송의 대상이 되는 처분에 해당하는 사실행위이다) (○, ×) 2017 지방직(하) 9급

12. 권한 있는 장관이 행한 국립공원지정처분에 따라 공원관리청이 행한 경계측량 및 표지의 설치는 행정처분이다. (○, ×) 2014 국가직 9급

㉥ 관련 기출

13. 행정행위는 법적 행위이므로, 행정청이 도로를 보수하는 행위는 행정행위가 아니다. (○, ×) 2015 교육행정직 9급

㉦ 관련 기출

14. 행정계획에는 행정청의 재량이 인정되지 않는다. (○, ×) 2015 교육행정직 9급

15. 지방전문직 공무원 채용계약에서 정한 채용기간이 만료한 경우 채용계약을 갱신하거나 채용기간을 연장할 것인지 여부는 지방자치단체장의 재량에 맡겨져 있다. (○, ×) 2015 지방직 9급

16. 오늘날 행정행위 이외의 행정작용형식에서도 행정행위와 마찬가지로 행정청의 재량 여부가 문제된다. (○, ×) 2010 국회속기직 9급

㉧ 관련 기출

17. 세무당국이 주류제조회사에 대하여 특정 업체와의 주류거래를 일정기간 중지하여 줄 것을 요청한 행위는 권고적 성격의 행위로서 행정처분이라고 볼 수 없다. (○, ×) 2019 국가직 9급

18. 행정지도는 법적 효과의 발생을 목적으로 하는 의사표시이다. (○, ×) 2018 교육행정직 9급

19. 행정지도는 다음의 어느 것에 해당하는가? 2013 서울시 9급
① 사실행위 ② 행정입법 ③ 행정행위
④ 법적 행위 ⑤ 실력행사

20. 행정지도는 그 자체로는 아무런 법적 효과도 발생하지 않는다. (○, ×) 2004 전북 9급

㉨ 관련 기출

21. 행정행위는 공법상의 행위이므로, 행정청이 특정인에게 어업권과 같이 사권의 성질을 가지는 권리를 설정하는 행위는 행정행위가 아니다. (○, ×) 2015 교육행정직 9급

22. 행정행위가 공법상의 행위라는 것은 그 행위의 근거가 공법적이라는 것이지, 행위의 효과까지 공법적이라는 것을 의미하는 것은 아니다. (○, ×) 2014 국회직 8급

정답 1. ○ 2. × 3. × 4. ○ 5. ○ 6. ○ 7. × 8. × 9. ○ 10. ○ 11. × 12. × 13. ○ 14. × 15. ○ 16. ○ 17. ○ 18. × 19. ① 20. ○ 21. × 22. ○

다음 행정행위의 내용에 관한 기술 중 옳은 것을 모두 고른 것은? (다툼이 있는 경우 판례에 의함)

㉮ 개발제한구역 내의 건축허가와 같은 허가는 이른바 예방적 금지의 해제에 해당하는 것으로, 금지의 해제라는 점에서는 도로교통법상의 운전면허와 같은 행위와 동일하다고 볼 수 있다.

㉯ 공사중지명령에 대하여 그 명령의 상대방이 해제를 구하기 위해서는 명령의 내용 자체로 또는 성질상으로 명령 이후에 원인사유가 해소되었음이 인정되어야 한다.

㉰ 한의사면허는 상대방에게 일정한 지위를 부여하는 특허로서 형성적 행위에 해당하므로 한약조제시험을 통하여 약사에게 한약조제권을 인정함으로써 한의사들의 영업상 이익이 감소된다면 이는 법률상의 이익침해에 해당한다고 볼 수 있다.

㉱ 주류판매업면허는 강학상의 특허로 해석되므로 주세법에 열거된 면허제한사유에 해당하지 아니하더라도 면허관청으로서는 공익상의 필요를 들어 임의로 그 면허를 거부할 수 있다.

㉲ 다수설에 의하면 법령에 명문의 규정이 없는 한 수정인가를 할 수 없다.

① ㉮, ㉯, ㉰ 　② ㉯, ㉱
③ ㉯, ㉲ 　④ ㉰, ㉱, ㉲

✅ **기출체크**

㉮ 관련 기출
1. (甲은 개발제한구역 내의 토지에 건축물을 건축하기 위하여 건축허가를 신청하였다) 甲의 허가신청이 관련법령의 요건을 모두 충족한 경우에는 관할행정청은 허가를 하여야 하며, 관련법령상 제한사유 이외의 사유를 들어 허가를 거부할 수 없다. (○, ×)
　　　　　　　　　　　　　　　　　　　　2019 국가직 7급
2. 지방경찰청장(현 시·도경찰청장)이 운전면허시험에 합격한 사람에게 발급하는 운전면허(는 강학상 특허이다) (○, ×)
　　　　　　　　　　　　　　　　　　　　2019 서울시 9급
3. 구 도시계획법상의 개발제한구역 내에서의 건축물 용도변경에 대한 허가는 예외적 허가로서 재량행위에 해당한다. (○, ×)
　　　　　　　　　　　　　　　　　　　　2018 국가직 7급
4. (예외적 허가는) 금지의 해제라는 점에서 허가와 차이가 없다. (○, ×)
　　　　　　　　　　　　　　　　　　　　2010 국가직 7급
5. (예외적 허가는) 억제적 금지를 전제로 한다. (○, ×)
　　　　　　　　　　　　　　　　　　　　2010 국가직 7급

㉰ 관련 기출
6. 한의사들이 가지는 한약조제권을 한약조제시험을 통하여 약사에게도 인정함으로써 감소하게 되는 한의사들의 영업상 이익은 법률에 의하여 보호되는 이익이라 볼 수 없다. (○, ×)　2021 군무원 9급
7. 한의사면허는 경찰금지를 해제하는 명령적 행위인 강학상 허가에 해당한다. (○, ×)　　　　　　　　　　　2020 경행경채

8. 행정행위와 이에 대한 분류 또는 설명으로 가장 옳지 않은 것은?
　　　　　　　　　　　　　　　　　　　　2018 서울시 9급
　① 한의사면허 : 진료행위를 할 수 있는 능력을 설정하는 설권행위
　② 행정재산에 대한 사용허가 : 특정인에게 행정재산을 사용할 권리를 설정하여 주는 행위
　③ 재개발조합설립에 대한 인가 : 공법인의 지위를 부여하는 설권적 처분
　④ 재개발조합의 사업시행계획 인가 : 조합의 행위에 대한 보충행위
9. 한약조제시험을 통하여 약사에게 한약조제권을 인정함으로써 한의사들의 영업상 이익이 감소되었다고 하더라도 이러한 이익은 사실상의 이익에 불과하다. (○, ×)　　　　　2017 사회복지직 9급

㉱ 관련 기출
10. 주류판매업면허는 강학상의 허가로 해석되므로 주세법에 열거된 면허제한사유에 해당하지 아니하는 한 면허관청으로서는 임의로 그 면허를 거부할 수 없다. (○, ×)　　　2014 지방직 9급

㉲ 관련 기출
11. 법규정이 없더라도 행정주체가 출원의 내용을 수정하여 인가할 수 있다고 봄이 일반적이다. (○, ×)　　　　2008 지방직 7급

정답 1. × 2. × 3. ○ 4. ○ 5. ○ 6. ○ 7. × 8. ① 9. ○ 10. ○ 11. ×

행정행위에 관한 기술 중 옳지 않은 것은? (다툼이 있는 경우 판례에 의함)

① 허가의 효과는 허가를 한 행정청의 관할구역 내에서만 미치는 것이 원칙이지만 허가의 성질상 관할구역 외에까지 그 효과가 미치는 경우도 있다.

② 법령이 규정하는 산림훼손 금지 또는 제한지역에 해당하는 경우는 물론 금지 또는 제한지역에 해당하지 않더라도 허가관청은 산림훼손허가신청 대상토지의 현상과 위치 및 주위의 상황 등을 고려하여 국토 및 자연의 유지와 환경의 보전 등 중대한 공익상 필요가 있다고 인정될 때에는 허가를 거부할 수 있고, 다만 그 사유가 법령에 명문으로 규정되어 있어야 한다.

③ 건축허가권자는 건축허가신청이 건축법 등 관계법규에서 정하는 어떠한 제한에 배치되지 않는 이상 당연히 같은 법조에서 정하는 건축허가를 하여야 하고, 중대한 공익상의 필요가 없는데도 관계법령에서 정하는 제한사유 이외의 사유를 들어 요건을 갖춘 자에 대한 허가를 거부할 수는 없다.

④ 일반적으로 행정처분에 효력기간이 정하여져 있는 경우에는 그 기간의 경과로 그 행정처분의 효력은 상실되고, 다만 허가에 붙은 기한이 그 허가된 사업의 성질상 부당하게 짧은 경우에는 이를 그 허가 자체의 존속기간이 아니라 그 허가조건의 존속기간으로 볼 수 있다.

① 관련 기출

1. 허가의 효과는 당해 허가행정청의 관할구역 내에서만 미치는 것이 원칙이지만 법령의 규정이 있거나 허가의 성질상 관할구역에 국한시킬 것이 아닌 경우에는 관할구역 외에까지 그 효과가 미치게 된다. (○, ×)
2007 국회직 8급

② 관련 기출

2. 환경의 보전 등 중대한 공익상 필요가 있다고 인정되더라도 법규에 명문의 근거가 없다면 산림훼손기간연장허가를 거부할 수 없다. (○, ×)
2019 사회복지직 9급

3. 구 산림법령이 규정하는 산림훼손 금지 또는 제한지역에 해당하지 않더라도 환경의 보존 등 중대한 공익상 필요가 인정되는 경우, 허가관청은 법규상 명문의 근거가 없어도 산림훼손허가신청을 거부할 수 있다. (○, ×)
2018 지방직 7급

4. 법규에 명문의 근거가 없음에도 환경보전이라는 중대한 공익상의 이유로 산림훼손허가를 거부하는 것은 법률유보의 원칙에 비추어 허용되지 않는다. (○, ×)
2017 국가직 7급

5. 산림형질변경허가의 경우 중대한 공익상 필요가 있다고 인정되는 때에는 그 허가를 거부할 수 있으며, 다만 그 경우 별도로 명문의 근거가 있어야 한다. (○, ×)
2015 국회직 8급

③ 관련 기출

6. 건축허가권자는 중대한 공익상의 필요가 없음에도 관계법령에서 정하는 제한사유 이외의 사유를 들어 건축허가 요건을 갖춘 자에 대한 허가를 거부할 수 있다. (○, ×)
2019 국가직 9급

7. 건축허가는 원칙상 기속행위이지만 중대한 공익상 필요가 있는 경우 예외적으로 건축허가를 거부할 수 있다. (○, ×)
2019 서울시 1회 7급

④ 관련 기출

8. 허가에 붙은 기한이 그 허가된 사업의 성질상 부당하게 짧아 그 기한을 허가조건의 존속기간으로 볼 수 있는 경우에 허가기간이 연장되기 위하여는 그 종기가 도래하기 전에 그 허가기간의 연장에 관한 신청이 있어야 한다. (○, ×)
2020 국가직 9급

9. 허가에 붙은 기한이 그 허가된 사업의 성질상 부당하게 짧은 경우에 그 기한은 허가조건의 존속기간이 아니라 허가 자체의 존속기간으로 보아야 한다. (○, ×)
2018 지방직 9급

10. 허가 또는 특허에 붙은 기한이 그 허가 또는 특허된 사업의 성질상 부당하게 짧은 기한을 정한 경우에 있어서는 그 기한은 그 허가 또는 특허의 조건의 존속기한을 정한 것이다. (○, ×)
2015 국회직 8급

정답 1. ○ 2. × 3. ○ 4. × 5. × 6. × 7. ○ 8. ○ 9. × 10. ○

11 □□□

행정행위에 관한 다음 기술 중 옳은 것을 모두 고른 것은? (다툼이 있는 경우 판례에 의함)

㉮ 회사가 분할된 경우 기존회사의 책임은 신설회사에 승계되므로 원칙적으로 신설회사에 대하여 분할하는 회사의 분할 전 법 위반행위를 이유로 과징금을 부과할 수 있다.

㉯ 양도인의 위법행위로 양도인에게 이미 제재처분이 내려진 경우에 영업정지 등 그 제재처분의 효력은, 제재사유의 승계 여부와는 달리 양수인에게 당연히 이전되는 것은 아니다.

㉰ 개인택시운송사업의 양도·양수가 있고 그에 대한 인가가 있은 후라면 행정청은 그 양도·양수 이전에 있었던 양도인에 대한 운송사업면허취소사유를 들어 양수인의 운송사업면허를 취소할 수는 없다.

㉱ 허가의 대상은 법률행위뿐만 아니라 사실행위도 될 수 있다는 점에서 인가의 대상이 법률행위에 한정되는 점과 구별된다.

㉲ 식품위생법에 의하여 허가영업의 양도에 따른 지위승계신고를 수리하는 허가관청의 행위는 사업허가자의 변경이라는 법률효과를 발생시키는 행위이다.

㉳ 사업양도·양수에 따른 지위승계신고가 수리된 경우 사업의 양도·양수가 무효라도 허가관청을 상대로 신고수리처분의 무효확인을 구할 수는 없다.

㉴ 민법상 재단법인의 정관변경에 대한 주무관청의 허가는 법률상 표현이 허가로 되어 있기는 하나, 그 성질은 법률행위의 효력을 보충해 주는 것이지 일반적 금지를 해제하는 것은 아니다.

① ㉮, ㉯, ㉰   ② ㉯, ㉰, ㉱

③ ㉰, ㉲, ㉳   ④ ㉱, ㉲, ㉴

기출체크

⑦ 관련 기출

1. 회사분할시 분할 전 회사에 대한 제재사유가 신설회사에 대하여 승계되지 않으므로 회사의 분할 전 법 위반행위를 이유로 과징금을 부과하는 것은 허용되지 않는다. (○, ×) 2017 서울시 9급

⑪ 관련 기출

2. 양도인의 위법행위로 양도인에게 이미 제재처분이 내려진 경우에 영업정지 등 그 제재처분의 효력은 양수인에게 당연히 이전된다. (○, ×) 2017 서울시 9급

⑭ 관련 기출

3. 개인택시운송사업의 양도·양수에 대한 인가가 있은 후에 그 양도·양수 이전에 있었던 양도인에 대한 운송사업면허 취소사유를 들어 양수인의 사업면허를 취소할 수 있다. (○, ×) 2020 국가직 7급

4. (甲은 관할행정청에 「여객자동차 운수사업법」에 따른 개인택시운송사업면허를 신청하였다) 甲이 개인택시운송사업면허를 받았다가 이를 乙에게 양도하였고 운송사업의 양도·양수에 대한 인가를 받은 이후에는 양도·양수 이전에 있었던 甲의 운송사업면허 취소사유를 이유로 乙의 운송사업면허를 취소할 수 없다. (○, ×) 2017 지방직 9급

5. 행정청은 개인택시운송사업의 양도·양수에 대한 인가가 있은 후에는 그 양도·양수 이전에 있었던 양도인에 대한 운송사업면허 취소사유를 들어 양수인의 운송사업면허를 취소할 수 없다. (○, ×) 2014 국가직 7급, 2012 국회(속기·경위직) 9급

⑭ 관련 기출

6. 인가의 대상이 되는 기본행위는 법률적 행위일 수도 있고, 사실행위일 수도 있다. (○, ×) 2017 국가직(하) 9급

7. 허가의 대상은 사실행위뿐만 아니라 법률행위일 경우도 있다. (○, ×) 2005 관세사

⑭ 관련 기출

8. 식품위생법에 의한 영업양도에 따른 지위승계신고를 수리하는 허가관청의 행위는 단순히 양도·양수인 사이에 이미 발생한 사법상의 사업양도의 법률효과에 의하여 양수인이 그 영업을 승계하였다는 사실의 신고를 접수하는 행위에 그치는 것이 아니라, 영업허가자의 변경이라는 법률효과를 발생시키는 행위이다. (○, ×) 2019 지방직·교육행정직 9급

9. 구 식품위생법 제25조 제1항, 제3항에 의한 영업양도에 따른 지위승계신고는 허가관청의 수리를 요하는 신고에 해당한다. (○, ×) 2018 경행경채 3차

⑭ 관련 기출

10. 사업의 양도행위가 무효임을 주장하는 양도자는 양도·양수행위의 무효를 구함이 없이 사업양도·양수에 따른 허가관청의 지위승계신고수리처분의 무효확인을 구할 법률상 이익은 없다. (○, ×) 2020 국회직 8급

11. 사업양도·양수에 따른 허가관청의 지위승계신고의 수리에 있어서, 그 수리대상인 사업양도·양수가 무효임을 이유로 막바로 행정소송으로 그 신고수리처분의 무효확인을 구할 법률상 이익은 없다. (○, ×) 2017 국가직 7급

12. 사업의 양도행위가 무효라고 주장하는 자가 민사쟁송으로 양도·양수행위의 무효를 구함이 없이 사업양도·양수에 따른 허가관청의 지위승계신고수리처분의 무효확인을 구할 경우, 그 법률상 이익이 있다. (○, ×) 2017 국가직(하) 7급

13. 甲은 식품위생법상 영업허가를 받아 영업을 하는 자로서 자신의 영업을 乙에게 양도하였고, 乙은 관련법령에 따라 관할행정청에 영업자지위승계신고를 하였다. 이에 대한 설명으로 옳지 않은 것은? (다툼이 있는 경우 판례에 의함) 2014 사회복지직 9급
   ① 관할행정청이 乙의 신고를 수리하려면 행정절차법에 따라 甲에 대해 처분의 사전통지를 하고 의견제출의 기회를 주어야 한다.
   ② 관할행정청은 乙의 신고가 수리된 후에는 위해식품판매를 이유로 甲에 대해 진행 중이던 제재처분절차를 乙에 대해 계속할 수 없다.
   ③ 영업양도계약이 적법하게 이루어졌더라도 아직 乙의 신고가 수리되기 전이라면 관할행정청의 영업허가취소처분의 상대방은 甲이 된다.
   ④ 영업양도계약이 무효임에도 불구하고 관할행정청이 乙의 신고를 수리하였다면 甲은 영업양도의 무효를 이유로 신고수리에 대해 무효확인소송을 제기할 수 있다.

⑭ 관련 기출

14. 민법 제45조와 제46조에서 말하는 재단법인의 정관변경 '허가'는 그 성질에 있어 일반적 금지를 해제하는 것으로 허가에 해당한다. (○, ×) 2020 경행경채

15. 재단법인의 정관변경에 대한 행정청의 허가(는 다른 법률행위를 보충하여 그 법적 효력을 완성시키는 행위에 해당한다) (○, ×) 2019 국가직 9급

16. 재단법인의 정관변경허가(는 강학상 예외적 승인에 해당한다) (○, ×) 2015 국가직 9급

17. 재단법인의 정관변경허가는 그 법적 성격을 인가라고 보아야 한다. (○, ×) 2006 국회직 8급

정답 1. ○ 2. ○ 3. ○ 4. × 5. × 6. × 7. ○ 8. ○ 9. ○ 10. × 11. × 12. ○ 13. ② 14. × 15. ○ 16. × 17. ○

행정행위에 관한 다음 기술 중 옳은 것을 모두 고른 것은? (다툼이 있는 경우 판례에 의함)

⑦ 일반소매인으로 지정되어 영업을 하고 있는 기존업자의 신규 일반소매인에 대한 이익은 법률상 보호되는 이익이 아니라 반사적 이익에 불과하다.

㉯ 신청과 다른 내용의 허가는 그 효력을 인정할 수 없으므로 개축허가신청에 대하여 행정청이 착오로 대수선 및 용도변경허가를 하였다면 그 효력을 인정할 수 없다.

㉰ 상업지역에서의 유흥주점영업허가는 학교환경위생정화구역 내에서의 유흥주점영업허가와 달리 기속행위로 볼 수 있다.

㉱ 허가를 받아야 할 행위를 허가를 받지 않고 행한 경우라면 그러한 행위는 강제집행이나 행정벌의 대상이 되며 그 행위의 효력도 무효가 됨이 원칙이다.

㉲ 허가는 원칙적으로 신청을 요하나 신청이 없는 허가 또는 수정허가가 가능한 반면, 인가는 반드시 신청을 요하고 신청이 없는 인가나 수정인가는 불가능하다.

㉳ 사립학교법상 관할관청의 임원취임승인행위는 학교법인의 임원선임행위의 법률상 효력을 완성하게 하는 법률행위로 인가에 해당한다.

㉴ 강학상 인가는 기본행위에 대한 법률상의 효력을 완성시키는 보충행위로서, 그 기본이 되는 행위에 하자가 있을 때에는 그에 대한 인가가 있었다 하여도 기본행위가 유효한 것으로 될 수 없다.

① ⑦, ㉯, ㉱, ㉲ ② ㉯, ㉰, ㉳
③ ㉰, ㉲, ㉳, ㉴ ④ ㉱, ㉲, ㉳

✅ 기출체크

⑦ 관련 기출

1. 담배사업법은 일반소매인 사이에서는 그 영업소 간에 100m 이상의 거리를 유지하도록 하는 '일반소매인의 영업소 간에 거리제한' 규정을 두어 일반소매인 간의 과당경쟁으로 인한 불합리한 경영을 방지하고 있다. 한편 동법은 일반소매인과 구내소매인의 영업소 간에는 거리제한규정을 두지 않고, 동일 시설물 내 2개소 이상의 장소에 구내소매인을 지정할 수 있도록 규정하고 있다. 甲은 A시 시장으로부터 담배사업법상 담배 일반소매인으로서 지정을 받아 영업을 하고 있다. 이에 대한 설명으로 옳은 것만을 <보기>에서 모두 고른 것은? (주어진 조건 이외의 다른 조건은 고려하지 않으며, 다툼이 있는 경우 판례에 의함) *2020 국회직 8급*

㉠ 甲의 영업소에서 70m 떨어진 장소에 乙이 담배 일반소매인으로 지정을 받은 경우, 甲은 乙의 일반소매인 지정의 취소를 구할 원고적격이 있다.

㉡ 甲의 영업소에서 30m 떨어진 장소에 丙이 담배 구내소매인으로 지정을 받은 경우 甲이 원고로서 제기한 丙의 구내소매인 지정에 대한 취소를 구하는 소는 적법하고, 甲은 수소법원에 丙의 구내소매인 지정에 대한 집행정지 신청을 할 수 있다.

㉢ 丁이 담배 일반소매인으로 지정을 받은 장소가 甲의 영업소에서 120m 떨어진 곳이자 丙이 담배 구내소매인으로 지정을 받은 곳에서 50m 떨어져 있다면, 甲과 丙이 공동소송으로 제기한 丁의 일반소매인 지정에 대한 취소소송에서 甲과 丙은 각각 원고적격이 있다.

① ㉠ ② ㉡ ③ ㉢
④ ㉠, ㉡ ⑤ ㉠, ㉢

2. 일반소매인으로 지정되어 영업을 하고 있는 기존업자의 신규 일반소매인에 대한 이익은 법률상 보호되는 이익이다. (O, X)
2016 사회복지직 9급

3. 영업소 간 거리제한규정을 위배하여 한 담배 일반소매인 지정처분에 대한 취소소송에서 기존의 일반소매인(은 판례가 원고적격이 있다고 본 경우이다) (O, X) *2012 국회직 8급*

4. 담배 일반소매인으로 지정되어 있는 기존업자가 신규 담배 구내소매인 지정처분을 다투는 경우 원고적격이 있다. (O, X)
2014 서울시 9급

㉯ 관련 기출

5. 개축허가신청에 대해 착오로 행한 용도변경허가는 무효가 아니다. (O, X) *2011 국가직 7급*

6. 대법원 판례에 의하면 허가신청과 다른 내용의 허가는 효력이 없다. (O, X) *2005 관세사*

㉰ 관련 기출

7. 다음 (가)그룹과 (나)그룹에 대한 설명으로 옳지 않은 것은? (다툼이 있는 경우 판례에 의함) *2012 국가직 9급*

(가)	• 주거지역 내의 건축허가 • 상가지역 내의 유흥주점업 허가
(나)	• 개발제한구역 내의 건축허가 • 학교환경위생정화구역 내의 유흥주점업 허가

	(가)그룹	(나)그룹
①	예방적 금지의 해제	억제적 금지의 해제
②	허가	예외적 승인
③	법률행위적 행정행위	준법률행위적 행정행위
④	기속행위	재량행위

㉱ 관련 기출

8. 허가는 행위의 유효요건이므로 허가를 받아야 할 행위를 허가받지 아니하고 행한 경우, 그 행위는 행정강제나 행정벌의 대상은 되지 않고 무효로 되는 것이 원칙이다. (O, X) *2014 사회복지직 9급*

9. 허가를 받지 않고 행한 영업행위는 행정상 강제집행이나 처벌의 대상은 되지만, 행위 자체의 법률적 효력은 영향을 받지 않는 것이 원칙이다. (○, ×)
2011 국가직 9급

㉣ 관련 기출

10. 인가는 보충적 행위이므로 신청을 전제로 한다. (○, ×)
2014 서울시 9급

11. 신청 없는 인가는 인정되지 아니한다. (○, ×)
2009 국회속기직 9급

㉤ 관련 기출

12. 다음 중 특허에 해당하지 않는 것은? (다툼이 있는 경우 판례에 의함)
2020 소방직 9급
① 귀화허가
② 공무원임명
③ 개인택시운송사업면허
④ 사립학교법인 이사의 선임행위

13. 관할청의 구 사립학교법에 따른 학교법인의 이사장 등 임원취임 승인행위(는 강학상 특허이다) (○, ×)
2019 서울시 9급

14. 사립학교법상 학교법인의 이사장, 이사 등 임원에 대한 임원취임 승인행위가 강학상 인가의 대표적인 예이다. (○, ×)
2019 국회직 8급, 2014 서울시 9급

15. 사립학교법 제20조 제2항에 의한 학교법인의 임원에 대한 감독청의 취임승인은 학교법인의 임원선임행위를 보충하여 그 법률상의 효력을 완성하게 하는 보충적 행정행위로서 성질상 기본행위를 떠나 승인처분 그 자체만으로는 법률상 아무런 효과도 발생할 수 없다. (○, ×)
2018 국회직 8급

㉥ 관련 기출

16. 재단법인의 정관변경결의에 하자가 있더라도, 그에 대한 인가가 있었다면 기본행위인 정관변경결의는 유효한 것으로 된다. (○, ×)
2021 국가직 7급

17. 재단법인의 정관변경시 정관변경결의의 하자가 있는 경우에 주무부장관의 인가가 있다고 하여도 정관변경결의가 유효한 것으로 될 수 없다. (○, ×)
2020 국회직 8급

정답 1.① 2.○ 3.○ 4.× 5.○ 6.× 7.③ 8.× 9.○ 10.○ 11.○ 12.④ 13.× 14.○ 15.○ 16.× 17.○

허가 및 인가와 관련된 다음 내용 중 옳지 않은 것을 모두 고른 것은? (다툼이 있는 경우 판례에 의함)

㉠ 허가 등의 행정처분은 원칙적으로 처분시의 법령과 허가기준에 의하여 처리되어야 하지만 건축허가신청 후 건축허가기준에 관한 관계법령이 신청인에게 불리하게 개정된 경우는 당사자의 신뢰를 보호하기 위해 신청시 법령에서 정한 기준에 의하여 건축허가 여부를 결정한다.

㉡ 건축허가는 일반적으로 기속행위이나 토지의 형질변경행위를 수반하는 건축허가처럼 기속행위인 허가가 재량행위인 허가를 포함하는 경우에는 그 한도 내에서 재량행위가 된다.

㉢ 구 도로법 제50조 제1항에 의하여 접도구역으로 지정된 지역 안에 있는 건물에 관하여 같은 법 제4·5항에 의하여 도로관리청으로부터 개축허가를 받았다면 구 건축법 제5조 제1항에 의한 건축허가를 다시 받을 필요는 없다.

㉣ 비록 자기 비용과 노력으로 건물을 신축한 자라 하더라도 행정행위인 건축허가가 타인의 명의로 되어 있다면 그 타인이 건물의 소유권을 취득한다.

㉤ 행정청이 「도시 및 주거환경정비법」 등 관련법령에 근거하여 행하는 조합설립인가처분은 단순히 사인들의 조합설립행위에 대한 보충행위로서의 성질을 갖는 것에 그치는 것이 아니라 법령상 요건을 갖출 경우 「도시 및 주거환경정비법」상 주택재건축사업을 시행할 수 있는 권한을 갖는 행정주체(공법인)로서의 지위를 부여하는 일종의 설권적 처분의 성격을 갖는다고 보아야 한다.

㉥ 「도시 및 주거환경정비법」상 도시환경정비사업조합이 수립한 사업시행계획인가는 행정청이 타자의 법률행위를 동의로써 보충하여 그 행위의 효력을 완성시켜 주는 행위이다.

㉦ 「도시 및 주거환경정비법」상 주택재건축조합에 대해 조합설립인가처분이 행하여진 후에는, 조합설립결의의 하자를 이유로 조합설립의 무효를 주장하려면 조합설립인가처분의 취소 또는 무효확인을 구하는 소송으로 다투어야 하며, 따로 조합설립결의의 하자를 다투는 확인의 소를 제기할 수 없다.

⑨ 주택재건축정비사업조합을 상대로 관리처분계획안에 대한 조합총회결의의 효력을 다투는 소송은 행정소송법상 당사자소송에 해당한다.
㉒ 관리처분계획에 대한 관할행정청의 인가·고시 이후 관리처분계획에 대한 조합총회결의의 하자를 다투고자 하는 경우에는 관리처분계획을 항고소송으로 다투어야 한다.

① ㉮, ㉰, ㉲
② ㉯, ㉰, ㉲, ㉳
③ ㉰, ㉲, ㉳, ㉷, ㉙
④ ㉳, ㉴, ㉷, ㉙, ㉒

✅ **기출체크**

㉮ 관련 기출
1. 허가의 신청 후 법령의 개정으로 허가기준이 변경된 경우에는 신청할 당시의 법령이 아닌 행정행위 발령 당시의 법령을 기준으로 허가 여부를 판단하는 것이 원칙이다. (O, X) 2021 소방직 9급
2. 허가 등의 행정처분은 원칙적으로 처분시의 법령과 허가기준에 의하여 처리되어야 하고 허가신청 당시의 기준에 따라야 하는 것은 아니며, 비록 허가신청 후 허가기준이 변경되었다 하더라도 그 허가관청이 허가신청을 수리하고도 정당한 이유 없이 그 처리를 늦추어 그 사이에 허가기준이 변경된 것이 아닌 이상 변경된 허가기준에 따라서 처분을 하여야 한다. (O, X) 2020 군무원 7급
3. (甲은 강학상 허가에 해당하는 식품위생법상 영업허가를 신청하였다) 甲이 허가를 신청한 이후 관계법령이 개정되어 허가요건을 충족하지 못하게 된 경우, 행정청이 허가신청을 수리하고도 정당한 이유 없이 그 처리를 늦추어 그 사이에 허가기준이 변경된 것이 아닌 이상 甲에게는 불허가처분을 하여야 한다. (O, X) 2019 지방직·교육행정직 9급
4. 허가 등의 행정처분은 원칙적으로 허가신청시의 법령과 허가기준에 의하여 처리되어야 한다. (O, X) 2019 서울시 2회 7급
5. 건축허가신청 후 건축허가기준에 관한 관계법령 및 조례의 규정이 신청인에게 불리하게 개정된 경우, 당사자의 신뢰를 보호하기 위해 처분시가 아닌 신청시 법령에서 정한 기준에 의하여 건축허가 여부를 결정하는 것이 원칙이다. (O, X) 2018 지방직 9급

㉯ 관련 기출
6. 「국토의 계획 및 이용에 관한 법률」상 토지의 형질변경허가는 그 금지요건이 불확정개념으로 규정되어 있으므로, 동법상 지정된 도시지역 안에서 토지의 형질변경행위를 수반하는 건축법상의 건축허가는 재량행위이다. (O, X) 2021 국가직 7급
7. 「국토의 계획 및 이용에 관한 법률」상 용도지역 안에서 토지의 형질변경행위를 수반하는 건축허가는 재량행위에 속한다. (O, X) 2020 경행경채
8. 「국토의 계획 및 이용에 관한 법률」에 의해 지정된 도시지역 안에서 토지의 형질변경행위를 수반하는 건축허가는 재량행위에 속한다. (O, X) 2019 국가직 9급
9. 토지의 형질변경행위를 수반하는 건축허가는 건축법에 의한 건축허가와 「국토의 계획 및 이용에 관한 법률」에 의한 개발행위허가의 성질을 아울러 갖게 되므로 재량행위에 해당한다. (O, X) 2019 사회복지직 9급

10. 「국토의 계획 및 이용에 관한 법률」의 규정에 의한 토지의 형질변경허가는 그 금지요건이 불확정개념으로 규정되어 있어 그 금지요건에 해당하는지 여부를 판단함에 있어서 행정청에게 재량권이 부여되어 있다고 할 것이므로 재량행위에 속한다. (O, X) 2019 사회복지직 9급

㉰ 관련 기출
11. (허가의 경우) 특별한 규정이 없는 한 관계법상의 금지가 해제될 뿐이고, 타법상의 제한까지 해제되는 것은 아니다. (O, X) 2015 경행특채 2차
12. 도로법과 건축법에서 각 규정하고 있는 건축허가는 그 허가권자의 허가를 받도록 한 목적, 허가의 기준, 허가 후의 감독에 있어서 동일하므로 도로법에 의하여 도로관리청인 도지사로부터 개축허가를 받았다면 건축법에 의하여 시장 또는 군수의 허가를 다시 받을 필요는 없다. (O, X) 2012 국회(속기·경위직) 9급
13. 접도구역 안에서 건축을 하기 위해서는 건축허가청으로부터 건축법상 건축허가를 받는 것으로 충분하다. (O, X) 2006 국가직 7급

㉱ 관련 기출
14. 건축허가는 수허가자에게 어떤 새로운 권리나 능력을 부여하는 것이 아니다. (O, X) 2019 사회복지직 9급
15. 건축허가시 건축허가서에 건축주로 기재된 자는 당연히 그 건물의 소유권을 취득하며, 건축 중인 건물의 소유자와 건축허가의 건축주는 일치하여야 한다. (O, X) 2014 지방직 9급

㉲ 관련 기출
16. 행정청이 「도시 및 주거환경정비법」 등 관련법령에 근거하여 행하는 조합설립인가처분은 단순히 사인들의 조합설립행위에 대한 보충행위로서의 성질을 갖는 것에 그치고 법령상 요건을 갖출 경우 「도시 및 주거환경정비법」상 주택재건축사업을 시행할 수 있는 권한을 갖는 행정주체(공법인)로서의 지위를 부여하는 일종의 설권적 처분의 성격을 갖지 않는다. (O, X) 2020 군무원 7급
17. 「도시 및 주거환경정비법」에 따른 주택재건축사업조합의 설립인가(는 행정행위 중 강학상 특허에 해당한다) (O, X) 2018 경행경채
18. 「도시 및 주거환경정비법」상 주택재건축정비사업조합의 설립인가(는 특정인에 대하여 새로운 권리·능력 또는 포괄적 법률관계를 설정하는 행위이다) (O, X) 2017 국가직 7급
19. 주택재개발조합설립추진위원회의 구성을 승인하는 처분은 보충행위로서 강학상 인가이다. (O, X) 2016 국회직 8급

㉳ 관련 기출
20. 다음 중 강학상 인가에 해당하는 것을 모두 고른 것은? (다툼이 있는 경우 판례에 의함) 2016 지방직 9급

> ㉠ 재단법인 정관변경허가
> ㉡ 주택재건축정비사업조합 설립인가
> ㉢ 건축물 준공검사처분
> ㉣ 주택재건축정비사업조합의 사업시행인가

① ㉠, ㉡
② ㉠, ㉣
③ ㉡, ㉣
④ ㉢, ㉣

21. 도시환경정비사업조합이 수립한 사업시행계획을 인가하는 행정청의 행위는 사업시행계획에 대한 법률상의 효력을 완성시키는 보충행위에 해당한다. (O, X) 2016 국회직 8급

⊕ 관련 기출
22. 행정청이 「도시 및 주거환경정비법」 등 관련법령에 근거하여 행하는 조합설립인가처분은 강학상 인가처분으로서 그 조합설립결의에 하자가 있다면 조합설립결의에 대한 무효확인을 구하여야 한다. (O, ×)   2017 국가직 9급

⊕ 관련 기출

22. 행정청이 「도시 및 주거환경정비법」 등 관련법령에 근거하여 행하는 조합설립인가처분은 강학상 인가처분으로서 그 조합설립결의에 하자가 있다면 조합설립결의에 대한 무효확인을 구하여야 한다. (O, ×)   2017 국가직 9급

23. 주택재건축조합설립인가 후 주택재건축조합설립결의의 하자를 이유로 조합설립인가처분의 무효확인을 구하기 위해서는 직접 항고소송의 방법으로 확인을 구할 수 없으며, 조합설립결의부분에 대한 효력 유무를 민사소송으로 다툰 후 인가의 무효확인을 구해야 한다. (O, ×)   2017 서울시 7급

24. 조합설립결의에 하자가 있었으나 조합설립인가처분이 이루어진 경우에는 조합설립결의의 하자를 당사자소송으로 다툴 것이고 조합설립인가처분에 대해 항고소송을 제기할 수 없다. (O, ×)   2016 국회직 8급

25. 재개발조합설립인가신청에 대하여 행정청의 조합설립인가처분이 있은 이후에 조합설립동의에 하자가 있음을 이유로 재개발조합설립의 효력을 부정하려면 조합설립동의의 효력을 소의 대상으로 하여야 한다. (O, ×)   2013 국가직 7급

⊕ 관련 기출

26. 「도시 및 주거환경정비법」상의 주택재건축정비사업조합을 상대로 관리처분계획안에 대한 조합총회결의의 무효확인을 구하는 소는 공법관계이므로 당사자소송을 제기하여야 한다. (O, ×)   2021 소방직 9급

27. 주택재개발정비사업을 위한 관리처분계획이 조합원 총회에서 승인되었으나 아직 관할행정청의 인가 전이라면 조합원은 해당 총회결의에 대해서 당사자소송으로 다툴 수 있다. (O, ×)   2020 국회직 8급

28. 「도시 및 주거환경정비법」상 관리처분계획안에 대한 조합총회결의의 효력을 다투는 소송(은 판례가 민사소송의 대상이라고 판단하고 있다) (O, ×)   2018 서울시 9급

29. 「도시 및 주거환경정비법」상의 주택재건축정비사업조합을 상대로 관리처분계획안에 대한 조합총회결의의 효력을 다투기 위해선 항고소송을 제기하여야 한다. (O, ×)   2011 국가직 7급

⊕ 관련 기출

30. 「도시 및 주거환경정비법」상 관리처분계획에 대한 인가는 강학상 인가의 성격을 갖고 있으므로 관리처분계획에 대한 인가가 있더라도 관리처분계획안에 대한 총회결의에 하자가 있다면 민사소송으로 총회결의의 하자를 다투어야 한다. (O, ×)   2020 지방직 · 서울시 9급

31. 「도시 및 주거환경정비법」상의 주택재건축정비사업조합이 수립한 관리처분계획에 대하여 관할행정청의 인가 · 고시가 있은 후에 제기하는 관리처분계획에 대한 소송(은 판례에 따를 때 당사자소송에 해당한다) (O, ×)   2015 서울시 9급

정답 1. O 2. O 3. O 4. × 5. × 6. O 7. O 8. O 9. O 10. O
11. O 12. × 13. × 14. O 15. × 16. × 17. O 18. O 19. O
20. ② 21. O 22. × 23. × 24. × 25. × 26. O 27. O 28. ×
29. × 30. × 31. ×

행정행위의 분류에 관한 다음 설명 중 옳은 것을 모두 고른 것은? (다툼이 있는 경우 판례에 의함)

⑦ 특허청장의 상표사용권설정등록행위는 강학상 특허에 해당한다.

⑭ 친일반민족행위자재산조사위원회가 행한 친일재산에 대한 국가귀속결정은 일정한 사실을 증명하는 공증행위에 해당한다.

⑪ 법무부장관의 귀화허가는 외국인에게 대한민국 국적을 부여함으로써 국민으로서의 법적 지위를 포괄적으로 설정하는 강학상 특허에 해당한다.

⑭ 소득세부과를 위한 소득금액결정은 준법률행위적 행정행위인 확인행위에 해당한다.

⑯ 공유수면의 점용 · 사용 허가는 허가 상대방에게 제한을 해제하여 공유수면이용권을 부여하는 처분으로 강학상 허가에 해당한다.

⑭ 토지거래허가는 토지거래허가구역 내의 토지거래를 일반적으로 금지시키고 특정한 경우에 예외적으로 토지거래계약을 체결할 수 있는 자격을 부여하는 점에서 강학상 예외적 허가에 해당한다.

⑭ 관세법상 보세구역의 설영특허는 보세구역의 설치, 경영에 관한 권리를 설정하는 이른바 공기업의 특허로서 그 특허의 부여 여부는 행정청의 자유재량에 속한다.

① ⑦, ⑭, ⑪   ② ⑭, ⑯, ⑭

③ ⑪, ⑭, ⑭   ④ ⑪, ⑭, ⑭

✓ 기출체크

⑦ 관련 기출
1. 상표사용권설정등록행위(는 강학상 공증행위에 해당한다) (O, ×)
                    2017 지방직(하) 9급

⑭ 관련 기출
2. 친일반민족행위자재산조사위원회의 친일재산 국가귀속결정은 문제된 재산이 친일재산에 해당한다는 사실을 확인하는 준법률행위적 행정행위이다. (O, ×)   2019 서울시 2회 7급
3. 친일반민족행위자재산조사위원회의 친일재산 국가귀속결정은 법률행위적 행정행위이다. (O, ×)   2017 교육행정직 9급
4. 친일반민족행위자재산조사위원회의 국가귀속결정은 친일재산을 국가의 소유로 귀속시키는 형성행위이다. (O, ×)   2017 사회복지직 9급

⑪ 관련 기출
5. 귀화허가는 강학상 허가에 해당하므로, 귀화신청인이 귀화요건을 갖추어서 귀화허가를 신청한 경우에 법무부장관은 귀화허가를 해주어야 한다. (O, ×)   2021 국가직 7급

6. 귀화허가는 외국인에게 대한민국 국적을 부여함으로써 국민으로서의 법적 지위를 포괄적으로 설정하는 행위에 해당하므로 법무부장관은 귀화신청인이 국적법 소정의 귀화요건을 모두 갖춘 경우에는 관계법령에서 정하는 제한사유 외에 공익상의 이유로 귀화허가를 거부할 수 없다. (O, X)　　　　　2017 국가직(하) 9급

7. 법률에서 정한 귀화요건을 갖춘 신청에 대한 법무부장관의 귀화허가는 재량행위로 볼 수 있다. (O, X)　　　　2014 경행특채 1차

8. 법률에서 정한 귀화요건을 갖춘 귀화신청인에 대한 법무부장관의 귀화허가는 기속행위로 본다. (O, X)　　　　2012 지방직 9급

㉩ 관련 기출

9. 조세부과를 위한 소득금액의 결정(은 행정행위의 효과가 행정청의 의사와 무관하게 직접 법규범에 의하여 발생하는 행정행위에 해당한다) (O, X)　　　　　2009 관세사

㉪ 관련 기출

10. 「공유수면 관리 및 매립에 관한 법률」에 따른 공유수면의 점용·사용허가는 특정인에게 공유수면이용권이라는 독점적 권리를 설정하여 주는 처분으로 원칙적으로 행정청의 재량행위에 속한다. (O, X)　　　　2021 군무원 7급

11. (공유수면사용에 대한 허가)행위는 법률관계의 존부를 확인하는 행위이다. (O, X)　　　　2019 소방직 9급

12. 공유수면점용허가는 특정인에게 공유수면이용권이라는 독점적 권리를 설정하여 주는 처분으로서 그 처분의 여부 및 내용의 결정은 원칙적으로 행정청의 재량에 속한다. (O, X)　　　　2015 서울시 7급

㉫ 관련 기출

13. 토지거래허가제에서의 토지거래허가는 유동적 무효상태에 있는 법률행위의 효력을 완성시켜 주는 인가적 성질을 띤 것이라고 보는 것이 타당하다. (O, X)　　　　2019 경행경채 2차

14. 토지거래계약허가는 규제지역 내 토지거래의 자유를 일반적으로 금지하고 일정한 요건을 갖춘 경우에만 그 금지를 해제하여 계약체결의 자유를 회복시켜 주는 성질의 것이다. (O, X)　　　　2018 교육행정직 9급

15. 토지거래허가구역 내에 있는 토지에 관한 토지거래계약허가는 학문상 인가의 성질을 갖는다. (O, X)　　　　2013 국가직 7급

㉬ 관련 기출

16. 관세법상 보세구역의 설영특허는 보세구역의 설치·경영에 관한 권리를 설정하는 이른바 공기업의 특허로서 그 특허의 부여 여부는 행정청의 자유재량에 속한다. (O, X)　　　　2020 군무원 7급

17. 관세법 소정의 보세구역 설영특허는 공기업의 특허로서 그 특허의 부여 여부는 행정청의 자유재량에 속하고, 설영특허에 특허기간이 부가된 경우 그 기간의 갱신 여부도 행정청의 자유재량에 속한다. (O, X)　　　　2015 사회복지직 9급

18. 특허보세구역을 설치하고자 하는 자는 관세법에 의하여 세관장의 특허를 받아야 한다. 세관장의 특허행위는 행정법학상 형성적 행위로 분류된다. (O, X)　　　　2009 관세사

정답 1. O 2. O 3. X 4. X 5. X 6. X 7. O 8. X 9. O 10. O
11. X 12. O 13. O 14. X 15. O 16. O 17. O 18. O

15

☐☐☐

다음 중 모두 동일한 행정행위로만 연결된 것은?

① 광업허가 - 건축허가 - 구 수도권대기환경특별법 제14조 제1항에서 정한 대기오염물질 총량관리사업장 설치의 허가 또는 변경허가

② 하천점용허가 - 어업면허 - 발명특허

③ 행정재산에 대한 사용허가 - 공무원 임용 - 국립의료원 부설주차장에 관한 위탁관리용역운영계약

④ 토지 등 소유자들이 조합을 따로 설립하지 않고 직접 시행하는 도시환경정비사업에서 사업시행인가 - 행려병자의 유류품처분 - 강제징수절차에서 압류재산의 공매처분

☑ 기출체크

① 관련 기출

1. 구 「수도권 대기환경개선에 관한 특별법」상 대기오염물질 총량관리사업장 설치의 허가(는 강학상 특허이다) (O, X)　　　　2019 서울시 9급

② 관련 기출

2. 하천법상 하천의 점용허가는 일반인에게 하천이용권이라는 권리를 설정하여 주는 허가에 해당한다. (O, X)　　　　2020 경행경채

3. 하천점용허가는 성질상 일반적 금지의 해제에 불과하여 허가의 일정한 요건을 갖춘 경우 기속적으로 판단하여야 한다. (O, X)　　　　2018 지방직 9급

4. 공증행위는 특정한 사실 또는 법률관계의 존재를 공적으로 증명하는 행위로서 발명특허가 이에 해당한다. (O, X)　　　　2011 국회직 8급

5. 같은 성질의 행정행위끼리 연결되지 아니한 것은?　　　2009 국가직 9급
　① 어업면허 - 하천점용허가
　② 교과서의 검정 - 국가시험합격자 결정
　③ 발명의 특허 - 광업허가
　④ 귀화허가 - 공유수면매립면허

③ 관련 기출

6. 행정재산에 대한 사용허가는 특정인에게 행정재산을 사용할 권리를 설정하여 주는 행위이다. (O, X)　　　　2018 서울시 9급

7. 국립의료원 부설주차장 위탁관리용역운영계약은 공법상 계약에 해당한다. (O, X)　　　　2018 교육행정직 9급, 2016 국가직 9급

④ 관련 기출

8. 「도시 및 주거환경정비법」상 토지 등 소유자들이 조합을 따로 설립하지 않고 직접 시행하는 도시환경정비사업시행인가(는 특정인에 대하여 새로운 권리·능력 또는 포괄적 법률관계를 설정하는 행위이다) (O, X)　　　　2017 국가직 7급

9. 「도시 및 주거환경정비법」에 따른 토지 등 소유자에 대한 사업시행인가처분은 사업시행계획에 대한 보충행위로서의 성질을 가지는 것이 아니라 정비사업 시행권한을 가지는 행정주체로서의 지위를 부여하는 일종의 설권적 처분의 성격을 가진다. (O, X)　　　　2016 국회직 8급

10. 준법률행위적 행정행위가 아닌 것은? 2014 사회복지직 9급
① 발명특허
② 교과서의 검정
③ 도로구역의 결정
④ 행려병자의 유류품처분

16

☐☐☐

인·허가 의제에 관하여 옳지 않은 설명을 모두 고른 것은?
(다툼이 있는 경우 판례에 의함)

> ㉮ A허가에 대해 B허가가 의제되는 것으로 규정된 경우, A불허가처분을 하면서 B불허가사유를 들고 있으면 A불허가처분과 별개로 B불허가처분도 존재한다.
> ㉯ 허가에 타법상의 인·허가가 의제되는 경우, 의제된 인·허가는 통상적인 인·허가와 동일한 효력을 가질 수 없으므로 '부분 인·허가 의제'가 허용되는 경우라도 그에 대한 쟁송취소는 허용될 수 없다.
> ㉰ 인·허가 의제는 관계기관의 권한행사에 제약을 가할 수 있으므로 법령상 명문의 근거규정을 필요로 한다.
> ㉱ 주된 인·허가에 의해 의제되는 인·허가는 원칙적으로 주된 인·허가로 인한 사업을 시행하는 데 필요한 범위 내에서만 그 효력이 유지되는 것이므로, 주된 인·허가로 인한 사업이 완료된 이후에는 효력이 없다.

① ㉮, ㉯   ② ㉮, ㉱
③ ㉯, ㉰   ④ ㉰, ㉱

✔ 기출체크

㉮ 관련 기출
1. 주된 인·허가인 건축불허가처분을 하면서 그 처분사유로 의제되는 인·허가에 해당하는 형질변경불허가사유를 들고 있다면, 그 건축불허가처분을 받은 자는 형질변경불허가처분에 관해서도 쟁송을 제기하여 다툴 수 있다. (○, ×) 2016 서울시 7급
2. 주된 인·허가거부처분을 하면서 의제되는 인·허가거부사유를 제시한 경우, 의제되는 인·허가거부를 다투려는 자는 주된 인·허가거부 외에 별도로 의제되는 인·허가거부에 대한 쟁송을 제기해야 한다. (○, ×) 2016 지방직 7급

3. 건축법에는 건축허가를 받으면 「국토의 계획 및 이용에 관한 법률」에 의한 토지의 형질변경허가도 받은 것으로 보는 조항이 있다. 이 조항의 적용을 받는 甲이 토지의 형질을 변경하여 건축물을 건축하고자 건축허가신청을 하였다. 이에 대한 설명으로 옳은 것은? (다툼이 있는 경우 판례에 의함) 2015 국가직 9급
① 甲은 건축허가절차 외에 형질변경허가절차를 별도로 거쳐야 한다.
② 건축불허가처분을 하면서 건축불허가사유 외에 형질변경불허가사유를 들고 있는 경우, 甲은 건축불허가처분취소청구소송에서 형질변경불허가사유에 대하여도 다툴 수 있다.
③ 건축불허가처분을 하면서 건축불허가사유 외에 형질변경불허가사유를 들고 있는 경우, 그 건축불허가처분 외에 별개로 형질변경불허가처분이 존재한다.
④ 甲이 건축불허가처분에 관한 쟁송과는 별개로 형질변경불허가처분취소소송을 제기하지 아니한 경우 형질변경불허가사유에 관하여 불가쟁력이 발생한다.

㉯ 관련 기출
4. 어떠한 허가처분에 대하여 타법상의 인·허가가 의제된 경우, 의제된 인·허가는 통상적인 인·허가와 동일한 효력을 갖는 것은 아니므로 '부분 인·허가 의제'가 허용되는 경우에도 의제된 인·허가에 대한 쟁송취소는 허용되지 않는다. (○, ×) 2020 국가직 9급
5. (A군수는 甲에게 중소기업창업지원법 관련규정에 따라 농지의 전용허가 등이 의제되는 사업계획을 승인하는 처분을 하였다) 사업계획의 승인을 받은 甲이 농지의 전용허가와 관련한 명령을 불이행하는 경우, 甲에 대해 사업계획에 대한 승인의 효력은 유지하면서 의제된 농지의 전용허가만을 철회할 수 있다. (○, ×) 2020 변호사
6. 주택건설사업계획승인처분에 따라 의제된 지구단위계획결정에 하자가 있음을 다투고자 하는 경우, 의제된 지구단위계획결정이 아니라 주택건설사업계획승인처분을 항고소송의 대상으로 삼아야 한다. (○, ×) 2019 서울시 2회 7급

㉰ 관련 기출
7. 인·허가 의제는 행정청의 소관사항과 관련하여 권한행사의 변경을 가져오므로 법령의 근거를 필요로 한다. (○, ×) 2018 국가직 7급
8. (인·허가 의제는) 반드시 법률에 명시적인 근거가 있어야 하는 것은 아니다. (○, ×) 2016 서울시 7급
9. 인·허가 의제는 의제되는 행위에 대하여 본래적으로 권한을 갖는 행정기관의 권한행사를 보충하는 것이므로 법령의 근거가 없는 경우에도 인정된다. (○, ×) 2014 지방직 9급

㉱ 관련 기출
10. 주된 인·허가에 의해 의제되는 인·허가는 원칙적으로 주된 인·허가로 인한 사업을 시행하는 데 필요한 범위 내에서만 그 효력이 유지되는 것은 아니므로, 주된 인·허가로 인한 사업이 완료된 이후에도 효력이 있다. (○, ×) 2016 지방직 7급

17

행정행위의 부관에 관한 설명으로 옳은 것을 모두 고른 것은? (다툼이 있는 경우에는 판례에 의함)

> ㉮ 수익적 행정처분에 있어서는 부담을 부가하기 이전에 상대방과 협의하여 부담의 내용을 협약의 형식으로 미리 정한 다음 행정처분을 하면서 이를 부가할 수 있다.
>
> ㉯ 행정처분과 실제적 관련성이 없어 부관으로 붙일 수 없는 부담이라도 이러한 내용으로 사법상 계약의 형식으로 행정처분의 상대방에게 부과하는 것은 허용된다.
>
> ㉰ 부관의 사후변경은 사정변경으로 당초에 부담을 부가한 목적을 달성할 수 없게 되었다는 점을 들어 행해질 수는 없다.
>
> ㉱ 정지조건부 영업허가와 부담부 영업허가의 경우, 조건의 성취 전 또는 부담을 불이행한 상태에서 영업을 하였다면 그러한 영업은 무허가영업이 된다.
>
> ㉲ 부담부 행정행위에 있어서 처분의 상대방이 부담을 이행하지 아니한 경우에 당해 부담부 행정행위의 효과는 해제조건부 행정행위에 있어서 해제조건이 성취된 경우의 효과와 동일하다.
>
> ㉳ 재량행위더라도 수익적 행위에 부관을 붙이기 위해서는 특별한 법적 근거가 있어야 한다.
>
> ㉴ 수익적 행정행위에 대한 철회권유보의 부관은 그 유보된 사유가 발생하여 철회권이 행사된 경우 상대방이 신뢰보호원칙을 원용하는 것을 제한한다는 데 실익이 있다.
>
> ㉵ 철회권유보의 경우 유보된 사유가 발생하였더라도 철회권을 행사함에 있어서는 이익형량에 따른 제한을 받게 된다.

① ㉮, ㉯, ㉰, ㉱ ② ㉮, ㉴, ㉵

③ ㉰, ㉱, ㉲, ㉳ ④ ㉰, ㉲, ㉴

✅ **기출체크**

㉮ 관련 기출

1. 부담은 행정청이 행정처분을 하면서 일방적으로 부가하는 것이 일반적이므로 상대방과 협의하여 협약의 형식으로 미리 정한 다음 행정처분을 하면서 이를 부가하는 경우 부담으로 볼 수 없다. (○, ✕) 2021 군무원 9급

2. (A행정청은 甲에게 처분을 하면서 법령에 근거 없이 일정 토지를 기부채납하도록 하는 부담을 붙였다) A행정청이 처분 이전에 甲과 협의하여 기부채납에 관한 내용을 협약의 형식으로 미리 정한 다음에 부담을 붙이는 것도 허용된다. (○, ✕) 2021 국회직 8급

3. 수익적 행정처분에 있어서는 부담을 부가하기 이전에 상대방과 협의하여 부담의 내용을 협약의 형식으로 미리 정한 다음 행정처분을 하면서 이를 부가할 수 있다. (○, ✕) 2021 소방간부

4. 부담은 행정청이 행정행위를 하면서 일방적으로 부가할 수도 있지만 부담을 부가하기 이전에 상대방과 협의하여 부담의 내용을 협약의 형식으로 미리 정한 다음 행정행위를 하면서 부가할 수도 있다. (○, ✕) 2021 소방직 9급

5. 행정청이 부담을 부가하기 이전에 상대방과 협의하여 부담의 내용을 협약의 형식으로 미리 정한 경우에는 행정처분을 하면서 이를 부담으로 부가할 수 없다. (○, ✕) 2020 지방직·서울시 9급

㉯ 관련 기출

6. 처분과 실제적 관련성이 없어 부관으로 붙일 수 없는 부담이라도 사법상 계약의 형식으로 처분의 상대방에게 부과할 수 있다. (○, ✕) 2021 지방직·서울시 9급

7. 행정처분과 부관 사이에 실제적 관련성이 있다고 볼 수 없는 경우, 공무원이 공법상의 제한을 회피할 목적으로 행정처분의 상대방과 사이에 사법상 계약을 체결하는 형식을 취하였더라도 법치행정의 원리에 반하는 것으로서 위법하다고 볼 수 없다. (○, ✕) 2021 국가직 9급

8. 행정처분과 실제적 관련성이 없어 부관으로 붙일 수 없는 부담이라고 하더라도 행정처분의 상대방에게 사법상 계약의 형식으로 이를 부과할 수 있다. (○, ✕) 2020 국가직 9급

9. 행정처분과 부관 사이에 실제적 관련성이 있다고 볼 수 없는 경우 공무원이 공법상의 제한을 회피할 목적으로 행정처분의 상대방과 사이에 사법상 계약을 체결하는 형식을 취하였다면 이는 법치행정의 원리에 반하는 것으로서 위법하다. (○, ✕) 2020 경행경채, 2019 국가직 7급

10. 부당결부금지원칙에 위반하여 허용되지 않는 부관을 행정처분과 상대방 사이의 사법상 계약의 형식으로 체결하는 것은 허용되지 않는다. (○, ✕) 2019 서울시 9급

㉰ 관련 기출

11. 행정청은 부관을 붙일 수 있는 처분이 당사자의 동의가 있는 경우에는 그 처분을 한 후에도 부관을 새로 붙이거나 종전의 부관을 변경할 수 있다. (○, ✕) 2021 국가직 7급

12. 면허발급 당시에 붙이는 부관뿐만 아니라 면허발급 이후에 붙이는 부관도 법률에 명문규정이 있거나 변경이 미리 유보되어 있는 경우 또는 상대방의 동의가 있는 경우 등에는 특별한 사정이 없는 한 허용된다. (○, ✕) 2021 경행경채

13. 부관의 사후변경은, 법률에 명문의 규정이 있거나 그 변경이 미리 유보되어 있는 경우 또는 상대방의 동의가 있는 경우에 한하여 허용되는 것이 원칙이지만, 사정변경으로 인하여 당초에 부담을 부가한 목적을 달성할 수 없게 된 경우에도 그 목적달성에 필요한 범위 내에서 예외적으로 허용된다. (○, ✕) 2021 군무원 9급, 2018 서울시 2회 7급, 2017 국가직(하) 9급

14. (A행정청은 甲에게 처분을 하면서 법령에 근거 없이 일정 토지를 기부채납하도록 하는 부담을 붙였다) 사정변경으로 인하여 당초에 부담을 부가한 목적을 달성할 수 없게 된 경우에는 A행정청은 甲의 동의가 없더라도 그 목적달성에 필요한 범위 내에서 부담을 변경할 수 있다. (○, ✕) 2021 국회직 8급

15. 사정변경으로 인하여 당초에 부담을 부가한 목적을 달성할 수 없게 된 경우에도 부관의 사후변경은 그 목적달성에 필요한 범위 내에서 예외적으로 허용된다는 것이 판례의 태도이다. (○, ×)
2020 소방직 9급

㉣ 관련 기출
16. 부담부 행정행위의 경우 부담에서 부과하고 있는 의무의 이행이 있어야 비로소 주된 행정행위의 효력이 발생한다. (○, ×)
2017 지방직 9급

17. 부담부 행정행위는 부담을 이행하여야 주된 행정행위의 효력이 발생한다. (○, ×)
2015 서울시 9급

㉤ 관련 기출
18. 부담부 행정행위에 있어서 처분의 상대방이 부담을 이행하지 아니한 경우에 당해 부담부 행정행위는 당연히 효력을 상실하게 된다. (○, ×)
2019 서울시 1회 7급

19. 부담에 의해 부과된 의무의 불이행으로 부담부 행정행위가 당연히 효력을 상실하는 것은 아니며, 당해 의무불이행은 부담부 행정행위의 취소(철회)사유가 될 뿐이다. (○, ×) 2015 지방직 9급

20. 부담을 불이행하면 주된 행정행위의 효력이 당연히 소멸한다. (○, ×)
2015 교육행정직 9급

21. 해제조건부 행정행위는 조건사실의 성취에 의하여 당연히 효력이 소멸된다. (○, ×)
2015 사회복지직 9급

㉥ 관련 기출
22. 재량행위에는 법령상의 제한에 근거한 것이 아니라 하더라도 공익상 필요에 의하여 부관을 붙일 수 있다. (○, ×) 2018 지방직 9급

23. 행정행위의 부관은 법령에 명시적 근거가 있는 경우에만 부가할 수 있다. (○, ×)
2017 지방직 9급

㉦ 관련 기출
24. 철회권이 유보된 경우에도 철회의 제한이론인 이익형량의 원칙이 적용되나, 행정행위의 계속성에 대한 상대방의 신뢰는 유보된 철회사유에 대해서는 인정되지 않는다. (○, ×) 2017 지방직(하) 9급

25. 철회권이 유보된 경우일지라도 행정행위의 상대방은 당해 행정행위 철회시 신뢰보호의 원칙을 원용하여 손실보상을 청구할 수 있다. (○, ×)
2011 국가직 9급

26. 철회권이 유보된 경우 상대방은 이후의 철회가능성을 예견하고 있으므로 원칙적으로 신뢰보호원칙에 근거하여 철회의 제한을 주장할 수 없다. (○, ×)
2007 국가직 7급

㉧ 관련 기출
27. 철회권이 유보된 경우의 철회에는 이익형량의 원칙이 적용되지 않는다. (○, ×)
2019 소방직 9급

28. 행정행위의 부관으로 철회권의 유보가 되어 있는 경우라 하더라도 그 철회권의 행사에 대해서는 행정행위의 철회의 제한에 관한 일반원리가 적용된다. (○, ×)
2013 국가직 9급

29. 행정청은 철회권이 유보되어 있는 경우에도 행정행위의 철회에 관한 일반원칙을 준수하여야 한다. (○, ×)
2013 서울시 7급

30. 철회권이 유보된 경우라도 철회권의 행사는 그 자체만으로는 정당화되지 않고 그 외에 철회의 일반적 요건이 충족되어야 한다. (○, ×)
2012 사회복지직 9급

정답 1. × 2. ○ 3. ○ 4. ○ 5. × 6. × 7. × 8. × 9. ○ 10. ○
11. ○ 12. ○ 13. ○ 14. ○ 15. ○ 16. × 17. × 18. × 19. ○
20. × 21. ○ 22. ○ 23. × 24. ○ 25. × 26. ○ 27. × 28. ○
29. ○ 30. ○

행정행위의 부관에 관한 다음 설명 중 옳은 것을 모두 고른 것은? (다툼이 있는 경우에는 판례에 의함)

㉮ 조건과 부담의 구별과 관련해서, 구별이 쉽지 않을 때는 당사자에게 유리하도록 조건으로 추정한다.

㉯ 행정행위의 효력의 발생 또는 소멸을 장래 도래가 확실한 사실에 의존시키는 것을 기한이라고 하며 이러한 기한 중 종기가 도래한 효과는 해제조건이 성취된 경우의 효과와 동일하지 않다.

㉰ 행정청이 종교단체에 대하여 기본재산전환인가를 함에 있어 인가조건을 부가하고 그 불이행시 인가를 취소할 수 있도록 한 경우 그 인가조건의 의미는 철회권유보이다.

㉱ 지방국토관리청장이 일부 공유수면매립지를 국가 또는 지방자치단체에 귀속처분한 것은 법률효과의 일부를 배제하는 부관을 붙인 것이므로 이러한 행정행위의 부관은 독립하여 행정쟁송대상이 될 수 없다.

㉲ 부담부 행정행위에 있어서 처분의 상대방이 부담을 이행하지 아니한 경우에 당해 부담부 행정행위는 당연히 효력을 상실하게 된다.

① ㉮, ㉯   ② ㉯, ㉰
③ ㉰, ㉱   ④ ㉱, ㉲

✅ 기출체크

㉮ 관련 기출
1. 부담과 조건의 구별이 명확하지 않은 경우에는 부담으로 보는 것이 행정행위의 상대방에게 유리하다고 본다. (○, ×) 2020 소방직 9급

2. 부담과 조건의 구분이 명확하지 않을 경우, 조건이 당사자에게 부담보다 유리하기 때문에 원칙적으로 조건으로 추정해야 한다. (○, ×)
2015 사회복지직 9급

㉯ 관련 기출
3. 행정행위의 부관의 유형 중에서 장래의 불확실한 사실에 의해서 행정행위의 효력을 소멸시키는 것은 해제조건이다. (○, ×)
2020 소방직 9급

4. 기한이란 행정행위 효력의 발생·소멸을 장래에 발생 여부가 확실한 사실에 종속시키는 부관을 말한다. (○, ×)   2020 경행경채

5. '기한'은 행정행위의 시간상의 효력범위를 정하는 점에서 조건과 같으나, 확정기한이든 불확정기한이든 그 도래가 확실하다는 점에서 조건과 구별된다. (○, ×)   2012 국회(속기·경위직) 9급

6. 기한이 도래함으로써 행정행위의 효력이 발생하는 기한을 시기라 하고, 기한이 도래함으로써 행정행위가 효력을 상실하는 기한을 종기라 한다. (○, ×)   2005 서울시 9급

ⓓ 관련 기출

7. 행정청이 종교단체에 대하여 기본재산전환인가를 함에 있어 인가
조건을 부가하고 그 불이행시 인가를 취소할 수 있도록 한 경우,
인가조건의 의미는 인가처분에 대한 철회권을 유보한 것이다.
(O, X) 2018·2014 지방직 7급

8. 행정청이 종교단체에 대하여 기본재산전환인가를 함에 있어 인가
조건을 부가하고 그 불이행시 인가를 취소할 수 있도록 한 경우, 그
부관은 철회권의 유보라고 볼 수 있다. (O, X) 2011 국회직 8급

ⓔ 관련 기출

9. 지방국토관리청장이 일부 공유수면매립지에 대하여 한 국가 또는
직할시(현 광역시) 귀속처분은 법률효과의 일부배제에 해당하는
것으로 행정행위의 부관의 유형으로 볼 수 없다는 것이 판례의 태
도이다. (O, X) 2020 소방직 9급

10. 공유수면매립준공인가처분을 하면서 매립지 일부에 대하여 한 국
가 및 지방자치단체에의 귀속처분은 부관 중 부담에 해당하므로
독립하여 행정소송대상이 될 수 있다. (O, X)
2019 지방직·교육행정직 9급

11. 공유수면매립준공인가처분 중 매립지 일부에 대하여 한 국가 및
지방자치단체에의 귀속처분은 독립하여 행정소송의 대상이 될 수
있다. (O, X) 2016 국가직 7급

12. 매립면허를 받은 자의 매립지에 대한 소유권취득을 규정한 구 공
유수면매립법의 규정에도 불구하고 행정청이 공유수면매립준공
인가 중 일부 공유수면매립지에 대하여 한 국가귀속처분은 독립
하여 행정소송의 대상이 된다. (O, X) 2014 지방직 9급

ⓕ 관련 기출

13. 부담에 의해 부과된 의무의 불이행으로 부담부 행정행위가 당연
히 효력을 상실하는 것은 아니며, 당해 의무불이행은 부담부 행
정행위의 취소(철회)사유가 될 뿐이다. (O, X) 2015 지방직 9급

14. 부담부 행정처분에 있어서 처분의 상대방이 부담을 이행하지 아
니한 경우 처분행정청은 부담불이행을 이유로 당해 처분을 철회
할 수 있다. (O, X) 2010 경행특채

정답 1. O 2. X 3. O 4. O 5. O 6. O 7. O 8. O 9. X 10. X
11. X 12. X 13. O 14. O

19

☐☐☐

다음 행정행위의 부관에 관한 기술 중 옳은 것을 모두 고른 것은? (다툼이 있는 경우 판례에 의함)

㉮ 건축허가를 하면서 일정 토지를 기부채납하도록 한
허가조건은 기속행위 내지 기속적 재량행위인 건축
허가에 붙인 부담이거나 또는 법령상 아무런 근거가
없는 부관이므로 취소사유로 보아야 한다.

㉯ 수익적 행정처분의 경우 부관으로서 부담을 붙이기
위해 반드시 법령에 근거규정이 있어야 한다.

ⓒ 행정처분에 붙인 부담인 부관에 제소기간 도과로 불
가쟁력이 생긴 경우라면 그 부담의 이행으로 한 사
법상 법률행위의 효력을 다툴 수는 없다.

㉣ 행정처분에 붙인 부담이 무효가 되더라도 그 부담의
이행으로 한 사법상 법률행위가 항상 무효가 되는
것은 아니다.

㉤ 공유재산에 대한 40년간의 사용허가신청에 대해 행
정청이 20년간 사용허가한 경우에 사용허가기간에
대해서 독립하여 행정소송을 제기할 수 있다.

㉥ 행정행위의 부관 중 행정행위에 부수하여 그 상대방
에게 일정한 의무를 부과하는 행정청의 의사표시인
부담은 그 자체만으로 행정소송의 대상이 될 수 있다.

㉦ 처분 당시 법령을 기준으로 처분에 부가된 부담이
적법하였더라도, 처분 후 부담의 전제가 된 주된 행
정처분의 근거법령이 개정됨으로써 행정청이 더 이
상 부관을 붙일 수 없게 되었다면 그때부터 부담의
효력은 소멸한다.

① ㉮, ㉯, ㉣   ② ㉯, ㉢, ㉤

③ ㉢, ㉥, ㉦   ④ ㉣, ㉥

✅ 기출체크

㉮ 관련 기출

1. 행정청은 처분에 재량이 없는 경우에는 법률에 근거가 있는 경우
에 부관을 붙일 수 있다. (O, X)
2021 국가직 7급, 2021 지방직·서울시 9급

2. 건축허가를 하면서 일정 토지를 기부채납하도록 하는 내용의 허가
조건은 부관을 붙일 수 없는 기속행위 내지 기속적 재량행위인 건
축허가에 붙인 부담이거나 또는 법령상 아무런 근거가 없는 부관
이어서 무효이다. (O, X) 2021 군무원 9급

3. (A행정청은 甲에게 처분을 하면서 법령에 근거 없이 일정 토지를
기부채납하도록 하는 부담을 붙였다) 처분이 기속행위라면 甲은
기부채납 부담을 이행할 의무가 없다. (O, X) 2021 국회직 8급

4. 건축허가를 하면서 일정 토지를 기부채납하도록 하는 내용의 허가
조건을 붙였다면 원칙상 취소사유로 보아야 한다. (O, X)
2020 소방직 9급

㉯ 관련 기출

5. 수익적 행정처분인 재량행위를 하면서 침익적 성격의 부관을 부가
하는 행위(는 행정청이 별도의 법령상의 근거 없이도 할 수 있다)
(O, X) 2019 지방직 7급

6. 수익적 행정행위에 있어서는 법령에 특별한 근거규정이 없다고 하
더라도 그 부관으로서 부담을 붙일 수 있다. (O, X)
2015 경행특채 2차

7. 수익적 행정처분에 있어서도 원칙적으로 법령에 특별한 근거규정
이 있어야만 그 부관으로서 부담을 붙일 수 있다. (O, X)
2014 서울시 7급

8. 수익적 행정행위의 경우에도 법령에 근거가 있어야만 부관을 붙일 수 있다. (○, ×)
2008 지방직(하) 7급

④ 관련 기출
9. 행정처분에 붙인 부담인 부관이 제소기간 도과로 불가쟁력이 생긴 경우에는 그 부담의 이행으로 한 사법상 법률행위의 효력을 다툴 수 없다. (○, ×)
2021 국가직 7급

10. 부담의 이행으로서 하게 된 사법상 매매 등의 법률행위는 부담을 붙인 행정처분과는 별개의 법률행위이므로, 그 부담의 불가쟁력의 문제와는 별도로 법률행위가 사회질서위반이나 강행규정에 위반되는지 여부 등을 따져보아 그 법률행위의 유효 여부를 판단하여야 한다. (○, ×)
2021 국가직 9급, 2020 경행경채

11. 행정처분에 붙은 부담인 부관이 불가쟁력이 생겼다 하더라도, 당해 부담이 당연무효가 아닌 이상 그 부담의 이행으로서 하게 된 매매 등 사법상 법률행위의 효력을 민사소송으로 다툴 수는 없다. (○, ×)
2016 지방직 7급

④ 관련 기출
12. 행정처분에 붙인 부담인 부관이 무효가 되면 그 부담의 이행으로 한 사법상 법률행위도 당연히 무효가 되는 것은 아니다. (○, ×)
2021 국가직 7급

13. 무효인 부담이 붙은 행정행위의 상대방이 그 부담의 이행으로 사법상 법률행위를 한 경우에 그 사법상 법률행위 자체가 당연무효로 되는 것은 아니다. (○, ×)
2017 사회복지직 9급

14. 기부채납인 부담이 위법하면 부담의 이행으로 행해진 사법(私法)상 매매 등도 당연히 위법하게 된다. (○, ×)
2016 교육행정직 9급

15. 기속행위 행정처분에 부담인 부관을 붙인 경우 그 부관은 무효이므로 그 처분을 받은 사람이 그 부담의 이행으로서 하게 된 증여의 의사표시 자체도 당연히 무효가 된다. (○, ×)
2019 서울시 2회 7급

⑩⑪ 관련 기출
16. 행정재산에 대한 사용·수익허가에서 공유재산의 관리청이 정한 사용·수익허가의 기간에 대해서는 독립하여 행정소송을 제기할 수 없다. (○, ×)
2021 지방직·서울시 9급

17. (A행정청은 甲에게 처분을 하면서 법령에 근거 없이 일정 토지를 기부채납하도록 하는 부담을 붙였다) 甲은 기부채납을 하도록 하는 부담에 대해서만 취소소송을 제기하여 다툴 수 있다. (○, ×)
2021 국회직 8급

18. 기부채납받은 행정재산에 대한 사용·수익허가에서 공유재산의 관리청이 정한 사용·수익허가의 기간은 그 허가의 효력을 제한하기 위한 행정행위의 부관으로서, 이러한 사용·수익허가의 기간에 대해서는 독립하여 행정소송을 제기할 수 있다. (○, ×)
2020 지방직·서울시 9급

④ 관련 기출
19. 행정청이 수익적 행정처분을 하면서 부가한 부담의 위법 여부는 처분 당시 법령을 기준으로 판단하여야 한다. (○, ×) 2021 경행경채

20. 부담이 처분 당시 법령을 기준으로 적법하다면 처분 후 부담의 전제가 된 주된 처분의 근거법령이 개정됨으로써 행정청이 더 이상 부관을 붙일 수 없게 되었다 하더라도 곧바로 그 효력이 소멸하게 되는 것은 아니다. (○, ×)
2021 지방직·서울시 9급

21. 행정청이 수익적 행정처분을 하면서 사전에 상대방과 체결한 협약상의 의무를 부담으로 부가하였는데, 부담의 전제가 된 주된

행정처분의 근거법령이 개정되어 부관을 붙일 수 없게 된 경우에는 곧바로 협약의 효력이 소멸한다. (○, ×)
2020 국가직 9급, 2018 서울시 9급

22. 다음 사례에 대한 판례의 입장으로 옳지 않은 것은? 2017 국가직 9급

> 고속국도 관리청이 고속도로 부지와 접도구역에 송유관 매설을 허가하면서 상대방인 甲과 체결한 협약에 따라 송유관 시설을 이전하게 될 경우 그 비용을 甲이 부담하도록 하였는데, 그 후 도로법 시행규칙이 개정되어 접도구역에는 관리청의 허가 없이도 송유관을 매설할 수 있게 되었다.

① 협약에 따라 송유관 시설을 이전하게 될 경우 그 비용을 甲이 부담하도록 한 것은 행정행위의 부관 중 부담에 해당한다.
② 甲과의 협약이 없더라도 고속국도 관리청은 송유관매설허가를 하면서 일방적으로 송유관 이전시 그 비용을 甲이 부담한다는 내용의 부관을 부가할 수 있다.
③ 도로법 시행규칙의 개정 이후에도 위 협약에 포함된 부관은 부당결부금지의 원칙에 반하지 않는다.
④ 도로법 시행규칙의 개정으로 접도구역에는 관리청의 허가 없이도 송유관을 매설할 수 있게 되었기 때문에 위 협약 중 접도구역에 대한 부분은 효력이 소멸된다.

정답 1.○ 2.○ 3.○ 4.× 5.○ 6.○ 7.× 8.× 9.× 10.○
11.× 12.○ 13.○ 14.× 15.○ 16.○ 17.○ 18.× 19.○
20.○ 21.× 22.④

20
□□□

부관에 관한 다음 기술 중 옳지 않은 것은? (다툼이 있는 경우 판례에 의함)

① 그 내용상 장기계속성이 예정되는 행정행위에 부당하게 짧은 기한을 정한 경우 이는 허가 자체의 존속기간에 해당한다.
② 주택사업계획승인을 하면서 주택사업과는 아무런 관련이 없는 토지를 기부채납하도록 하는 부관을 붙인 경우 부관에 대해서만 독립하여 소송대상으로 삼아 취소소송을 제기하여 부관을 취소하여 달라고 요구할 수 있는바, 이러한 소송유형을 진정일부취소소송이라고 한다.
③ 기부채납받은 공원시설의 사용·수익허가에서 그 허가기간은 행정행위의 본질적 요소에 해당한다고 볼 것이어서, 부관인 허가기간에 위법사유가 있다면 이로써 허가 전부가 위법하게 된다.
④ 행정청이 특정 개발사업의 시행자를 지정하는 처분을 하면서 상대방에게 지정처분의 취소에 대한 소권을 포기하도록 하는 내용의 부관을 붙이는 것은 허용될 수 없다.

① 관련 기출

1. 허가에 붙은 기한이 그 허가된 사업의 성질상 부당하게 짧은 경우에는 이를 그 허가조건의 존속기간으로 보아야 한다. (○, ×)
2019 서울시 2회 7급

2. 허가에 붙은 기한이 그 허가된 사업의 성질상 부당하게 짧은 경우에는 이를 그 허가 자체의 존속기간이 아니라 그 허가조건의 존속기간으로 보고 그 기한이 도래함으로써 그 조건의 개정을 고려한다. (○, ×)
2015 국가직 9급

3. 허가에 붙은 기한이 그 허가된 사업의 성질상 부당하게 짧은 경우에는 이를 허가 자체의 존속기간이 아니라 허가조건의 존속기간으로 보아 그 기한이 도래함으로써 그 조건의 개정을 고려한다는 뜻으로 해석할 수 있다. (○, ×)
2014 지방직 9급

② 관련 기출

4. 부담의 경우에는 다른 부관과는 달리 행정행위의 불가분적인 요소가 아니고 그 존속이 본체인 행정행위의 존재를 전제로 하는 것일 뿐이므로 부담 그 자체로서 행정쟁송의 대상이 될 수 있다.
(○, ×)
2017 국가직(하) 9급

5. 행정행위의 부관 중 조건이나 기한은 독립하여 행정소송의 대상이 될 수 없으나, 부담은 독립하여 행정소송의 대상이 될 수 있다.
(○, ×)
2017 지방직(하) 9급

6. 형식상 부관부 행위 전체를 소송의 대상으로 하면서 내용상 일부, 즉 부관만의 취소를 구하는 소송형태는 진정일부취소소송이다.
(○, ×)
2014 경행특채 1차

③ 관련 기출

7. 도로점용허가의 점용기간은 행정행위의 본질적인 요소에 해당한다고 볼 것이어서 부관인 점용기간을 정함에 있어서 위법사유가 있다면 이로써 도로점용허가처분 전부가 위법하게 된다. (○, ×)
2019 지방직 · 교육행정직 9급

8. 공유재산의 관리청이 기부채납된 행정재산에 대하여 행하는 사용 · 수익허가의 경우, 부관인 사용 · 수익허가의 기간에 위법사유가 있다면 허가 전부가 위법하게 된다. (○, ×)
2017 지방직 9급

9. 기부채납받은 공원시설의 사용 · 수익허가에서 그 허가기간은 행정행위의 본질적 요소에 해당하므로, 부관인 허가기간에 위법사유가 있다면 이로써 공원시설의 사용 · 수익허가 전부가 위법하게 된다.
(○, ×)
2016 사회복지직 9급

④ 관련 기출

10. 처분을 하면서 처분과 관련한 소의 제기를 금지하는 내용의 부제소특약을 부관으로 붙이는 것은 허용되지 않는다. (○, ×)
2019 서울시 9급

11. 개인적 공권은 사권처럼 자유롭게 포기할 수 있는 것이 원칙이다.
(○, ×)
2017 교육행정직 9급

12. 행정소송에 있어서의 소권은 개인의 국가에 대한 공권이므로 당사자의 합의로써 이를 포기할 수 없다. (○, ×)
2017 경행경채

13. 행정청이 특정 개발사업의 시행자를 지정하는 처분을 하면서 상대방에게 지정처분의 취소에 대한 소권을 포기하도록 하는 내용의 부관을 붙이는 것은 단지 부제소특약만을 덧붙이는 것이어서 허용된다. (○, ×)
2017 국회직 8급

14. 행정청이 처분을 하면서 부제소(不提訴)특약의 부관을 붙인 것은 당사자가 임의로 처분할 수 없는 공법상 권리관계를 대상으로 하여 사인의 국가에 대한 소권을 당사자의 합의로 포기하는 것으로 허용될 수 없다. (○, ×)
2013 지방직(하) 7급

정답 1. ○ 2. ○ 3. ○ 4. ○ 5. ○ 6. × 7. ○ 8. ○ 9. ○ 10. ○
11. × 12. ○ 13. × 14. ○

01

☐☐☐

다음 행정법령의 적용문제에 관한 기술 중 옳지 않은 것은? (다툼이 있는 경우 판례에 의함)

① 새로운 법령 등은 법령 등에 특별한 규정이 있는 경우를 제외하고는 그 법령 등의 효력발생 전에 완성되거나 종결된 사실관계 또는 법률관계에 대해서는 적용되지 아니한다.

② 당사자의 신청에 따른 처분은 법령 등에 특별한 규정이 있거나 처분 당시의 법령 등을 적용하기 곤란한 특별한 사정이 있는 경우를 제외하고는 처분 당시의 법령 등에 따른다.

③ 법령 등을 위반한 행위의 성립과 이에 대한 제재처분은 법령 등에 특별한 규정이 있는 경우를 제외하고는 법령 등을 위반한 행위 당시의 법령 등에 따른다.

④ 법령 등을 위반한 행위 후 법령 등의 변경에 의하여 제재처분기준이 가벼워진 경우에도 특별한 규정이 없는 한, 법령 등을 위반한 행위 당시의 법령 등에 따른다.

✅ 기출체크

① 관련 기출

1. 경과규정 등의 특별규정 없이 법령이 변경된 경우, 그 변경 전에 발생한 사항에 대하여 적용할 법령은 개정 후의 신 법령이다.
(O, X) 　　　　　　　　　　　　　　　 2014 국가직 9급

2. 법령이 변경된 경우 신 법령이 피적용자에게 유리하여 이를 적용하도록 하는 경과규정을 두는 등의 특별한 규정이 없는 한 그 변경 전에 발생한 사항에 대하여는 변경 후의 신 법령이 아니라 변경 전의 구 법령이 적용되어야 한다. (O, X) 　　　 2012 지방직(하) 9급

② 관련 기출

3. 행정처분은 그 근거법령이 개정된 경우에도 경과규정에서 달리 정함이 없는 한, 처분 당시 시행되는 개정법령과 그에 정한 기준에 의하는 것이 원칙이다. (O, X) 　　　　　　　 2014 지방직 7급

③④ 관련 기출

4. 법령을 위반한 행위의 성립과 이에 대한 제재처분은 법령에 특별한 규정이 있는 경우를 제외하고는 법령을 위반한 행위 당시의 법령에 따른다. (O, X) 　　　　　　　　　　　　 2021 군무원 7급

5. 법령을 위반한 행위 후 법령의 변경에 의하여 그 행위가 법령을 위반한 행위에 해당하지 아니하는 경우에도 해당 법령에 특별한 규정이 없는 경우 변경 이전의 법령을 적용한다. (O, X)
2021 군무원 7급

6. 행정법규 위반자에 대한 제재처분을 하기 전에 처분의 기준이 행위시보다 불리하게 개정되었고 개정법에 경과규정을 두는 등의 특별한 규정이 없다면, 행위시의 법령을 적용하여야 한다. (O, X)
2015 서울시 9급

정답 1. X 2. O 3. O 4. O 5. X 6. O

02

☐☐☐

행정행위의 요건과 효력에 관한 다음 기술 중 옳지 않은 것은 모두 몇 개인가? (다툼이 있는 경우 판례에 의함)

㉮ 영업허가취소처분에 대하여 일단 불가쟁력이 발생한 이후에는 처분청은 그 취소처분을 다시 직권취소할 수 없으며 상대방도 행정상 손해배상청구소송을 제기할 수 없다.

㉯ 공정력이란 행정행위의 위법이 중대·명백하여 당연무효가 아닌 한 권한 있는 기관에 의해 취소되기까지는 행정의 상대방이나 이해관계자에게 적법하게 추정되는 힘을 말한다.

㉰ 행정처분의 위법을 전제로 행정주체에 손해배상을 청구하기 위해서는 미리 당해 행정처분의 취소판결이 있어야만 가능하다.

㉱ 불가쟁력은 상대방 및 이해관계인이 대상이고 불가변력은 처분청 등 행정기관이 대상이라는 점, 불가쟁력은 절차법적 효력이고 불가변력은 실체법적 효력이라는 점에서 양자는 구별된다고 할 수 있다.

㉲ 행정처분이 불복기간의 경과로 인하여 불가쟁력이 발생하면 그 처분의 기초가 된 사실관계나 법률적 판단이 확정되는 것이므로 당사자는 이와 모순되는 주장을 할 수 없게 된다.

㉳ 행정처분의 효력발생요건으로서의 도달이란 상대방이 그 내용을 현실적으로 알 것을 그 요건으로 한다.

㉴ 우편법 등 관계규정의 취지에 비추어 볼 때 우편물이 보통우편 또는 등기취급의 방법으로 발송된 경우 반송되는 등의 특별한 사정이 없는 한 그 무렵 수취인에게 배달되었다고 추정된다.

⑨ 등기에 의한 우편송달의 경우라면 수취인이 주민등록지에 실제로 거주하지 않는 등의 특별한 사정이 있더라도 우편물의 도달사실을 처분청이 입증할 필요는 없다.

㉔ 정보통신망을 이용한 송달은 송달받을 자가 동의하는 경우에 한하며, 이 경우 행정청은 송달받을 자의 전자우편주소 등을 지정하여야 한다.

㉕ 정보통신망 등 전자적 방식에 의한 송달의 경우에는 송달받을 자가 지정한 컴퓨터에 입력된 때에 도달된 것으로 본다.

㉖ 망인에 대한 서훈취소는 유족에 대한 것이 아니므로 유족에 대한 통지에 의해서만 성립하여 효력이 발생한다고 볼 수 없고, 그 결정이 처분권자의 의사에 따라 상당한 방법으로 대외적으로 표시됨으로써 행정행위로서 성립하여 효력이 발생한다고 봄이 타당하다.

① 7개 ② 8개
③ 9개 ④ 10개

✔ 기출체크

㉮ 관련 기출
1. 취소사유 있는 영업정지처분에 대한 취소소송의 제소기간이 도과한 경우 처분의 상대방은 국가배상청구소송을 제기하여 재산상 손해의 배상을 구할 수 있다. (O, ×) 2019 서울시 9급
2. 위법한 행정행위에 대하여 불가력력이 발생한 이후에도 당해 행정행위의 위법을 이유로 직권취소할 수 있다. (O, ×) 2016 국가직 9급
3. 위법한 처분에 대해 불가쟁력이 발생한 이후에도 불가력력이 발생하지 않은 이상, 당해 처분은 처분의 위법성을 이유로 직권취소될 수 있다. (O, ×) 2014 지방직 9급
4. 불가쟁력이 발생한 행정행위에서 해당 처분이 취소되지 않아도 국가는 손해를 배상할 책임이 있다. (O, ×) 2008 지방직 9급

㉯ 관련 기출
5. 공정력의 근거를 적법성의 추정으로 보아 행정행위의 적법성은 피고인 행정청이 아니라 원고 측에 입증책임이 있다. (O, ×) 2021 군무원 7급
6. 공정력이란 행정행위의 위법이 중대·명백하여 당연무효가 아닌 한 권한 있는 기관에 의해 취소되기까지는 행정의 상대방이나 이해관계자에게 적법하게 통용되는 힘을 말한다. (O, ×) 2020 국회직 8급
7. 공정력은 입증책임의 분배와 직접적인 관련이 있다. (O, ×) 2012 사회복지직 9급
8. 행정행위는 비록 흠이 있더라도 중대하고 명백하여 당연무효가 아닌 한 권한 있는 기관에 의해 취소될 때까지 잠정적으로 유효하게 통용되는 힘을 가진다. (O, ×) 2009 국가직 9급
9. 공정력은 취소소송에 있어 입증책임의 소재까지 영향을 미치는 것으로 볼 수 없다. (O, ×) 2007 국가직 9급

㉰ 관련 기출
10. 행정처분이 위법임을 이유로 국가배상을 청구하기 위한 전제로서 그 처분이 취소되어야만 하는 것은 아니다. (O, ×) 2019 국가직 9급
11. 위법한 행정행위에 대한 국가배상소송이 제기된 경우, 민사법원은 해당 행정행위가 취소되어야만 그 위법 여부를 심리·판단하여 배상을 명할 수 있다. (O, ×) 2018 교육행정직 9급
12. 판례에 의하면 사전에 당해 행정처분의 취소판결이 있어야만 그 행정처분의 위법을 이유로 한 손해배상청구를 할 수 있는 것은 아니다. (O, ×) 2016 사회복지직 9급

㉱ 관련 기출
13. 불가쟁력은 행정행위의 상대방이나 이해관계인에 대하여 발생하는 효력이다. (O, ×) 2018 교육행정직 9급
14. 일정한 불복기간이 경과하거나 쟁송수단을 다 거친 후에는 더 이상 행정행위를 다툴 수 없게 되는 효력을 행정행위의 불가변력이라 한다. (O, ×) 2015 서울시 9급

㉲ 관련 기출
15. 행정처분이나 행정심판 재결이 불복기간의 경과로 인하여 확정될 경우 확정력은 처분으로 인하여 법률상 이익을 침해받은 자가 처분이나 재결의 효력을 더 이상 다툴 수 없다는 의미에서 판결에 있어서와 같은 기판력이 인정된다. (O, ×) 2018 지방직 7급
16. 일반적으로 행정심판 재결이 불복기간의 경과로 확정될 경우에는, 그 처분의 기초가 된 사실관계나 법률적 판단이 확정되고 당사자들이나 법원이 이에 기속되어 모순되는 주장이나 판단을 할 수 없다. (O, ×) 2017 경행경채
17. 일반적으로 행정처분이 불복기간의 경과로 인하여 확정될 경우 그 확정력에는 판결과 같은 기판력이 인정되지 아니한다. (O, ×) 2014 지방직 7급

㉳ 관련 기출
18. 처분의 통지는 행정처분을 상대방에게 표시하는 것으로서 상대방이 인식할 수 있는 상태에 둠으로써 족하고, 객관적으로 보아 행정처분으로 인식할 수 있도록 고지하면 된다. (O, ×) 2018 국가직 9급
19. 행정행위의 효력발생요건으로서의 도달은 상대방이 그 내용을 현실적으로 알 필요까지는 없고, 다만 알 수 있는 상태에 놓여짐으로써 충분하다. (O, ×) 2017 서울시 9급
20. 대법원 판례에 의하면 도달의 효력은 송달받을 자가 현실적으로 그 내용을 알 것을 요건으로 한다. (O, ×) 2005 관세사

㉴ 관련 기출
21. 내용증명우편이나 등기우편과는 달리, 보통우편의 방법으로 발송된 경우 송달의 효력을 주장하는 측에서 증거에 의하여 이를 입증하여야 한다. (O, ×) 2020 경행경채
22. 보통우편에 의한 송달과 달리 등기우편에 의한 송달은 반송 등 기타 특별한 사유가 없는 한 배달된 것으로 추정된다. (O, ×) 2020 국회직 8급
23. 처분서를 보통우편의 방법으로 발송한 경우에는 그 우편물이 상당한 기간 내에 도달하였다고 추정할 수 없다. (O, ×) 2018 국가직 9급
24. 판례는 내용증명우편이나 등기우편과는 달리 보통우편의 방법으로 발송되었다는 사실만으로는 그 우편물이 상당한 기간 내에 도달하였다고 추정할 수 없고, 송달의 효력을 주장하는 측에서 증거에 의하여 이를 입증하여야 한다고 본다. (O, ×) 2017 서울시 9급

25. 보통우편의 방법으로 발송된 경우 반송되지 않았다면 상당 기간 내에 도달하였다고 추정할 수 있다. (O, X)　2014 서울시 9급

㉕ 관련 기출

26. 실제로 거주하지 않더라도 전입신고가 되어 있는 곳에 송달한 것은 위법하지 않다. (O, X)　2020 국회직 8급

27. 등기에 의한 우편송달의 경우라도 수취인이 주민등록지에 실제로 거주하지 않는 경우에는 우편물의 도달사실을 처분청이 입증해야 한다. (O, X)　2018 국가직 9급

㉗ 관련 기출

28. 정보통신망을 이용한 송달은 송달받을 자가 동의하는 경우에만 한다. (O, X)　2018 교육행정직 9급, 2014 서울시 9급

29. (행정절차법상) 정보통신망을 이용한 송달을 할 경우 행정청은 송달받을 자의 동의를 얻어 송달받을 전자우편주소 등을 지정하여야 한다. (O, X)　2017 국가직(하) 7급

㉙ 관련 기출

30. 정보통신망을 이용한 송달의 경우 전자문서가 송달받을 자가 지정한 컴퓨터 등에 입력된 때에 도달된 것으로 본다. (O, X)
2020 국회직 8급

31. 송달은 다른 법령 등에 특별한 규정이 있는 경우를 제외하고는 해당 문서가 송달받을 자에게 도달됨으로써 그 효력이 발생한다. (O, X)　2015 서울시 7급

32. 행정처분의 송달은 민법상 도달주의가 아니라 행정절차법 제15조에 의한 발신주의를 취한다. (O, X)　2012 지방직 9급

33. 정보통신망을 이용하여 전자문서로 송달하는 경우에는 송달받을 자가 지정한 컴퓨터에서 확인한 때에 도달된 것으로 본다.
(O, X)　2008 국가직 9급

㉞ 관련 기출

34. 망인(亡人)에게 수여된 서훈을 취소하는 경우, 그 유족은 서훈취소처분의 상대방이 되지 않는다. (O, X)　2019 서울시 2회 7급

35. 서훈은 서훈대상자의 특별한 공적에 의하여 수여되는 고도의 일신전속적 성격을 가지는 것이므로, 망인에게 수여된 서훈이 취소된 경우 그 유족은 서훈취소처분의 상대방이 되지 아니한다.
(O, X)　2018 지방직 7급

36. 망인에 대한 서훈취소는 유족에 대한 것이 아니므로 유족에 대한 통지에 의해서만 성립하여 효력이 발생한다고 볼 수 없고, 그 결정이 처분권자의 의사에 따라 상당한 방법으로 대외적으로 표시됨으로써 행정행위로서 성립하여 효력이 발생한다고 봄이 타당하다.
(O, X)　2017 지방직(하) 9급

정답　1. O　2. O　3. O　4. O　5. X　6. X　7. X　8. O　9. O　10. O
11. X　12. O　13. O　14. X　15. X　16. X　17. O　18. O　19. O
20. X　21. O　22. O　23. O　24. O　25. X　26. X　27. O　28. O
29. X　30. O　31. O　32. X　33. X　34. O　35. O　36. O

03

판례에 따를 때 무효인 처분을 모두 고른 것은?

㉠ 적법한 권한위임 없이 세관출장소장에 의하여 행하여진 관세부과처분

㉡ 내부위임을 받은 행정기관이 자신의 이름으로 행정처분을 한 경우

㉢ 임면권자가 아닌 국가정보원장이 5급 이상의 국가정보원 직원에 대하여 한 의원면직처분

㉣ 행정청이 사전환경성검토협의를 거쳐야 할 대상사업에 관하여 법의 해석을 잘못한 나머지 세부용도지역이 지정되지 않은 개발사업부지에 대하여 사전환경성검토협의를 할지 여부를 결정하는 절차를 생략한 채 행한 승인 등의 처분

㉤ 행정청이 어느 법률관계나 사실관계에 대하여 그 법률의 규정을 적용할 수 없다는 법리가 명백히 밝혀지지 아니하여 그 해석에 다툼의 여지가 있는 때에 행정관청이 이를 잘못 해석하여 행한 행정처분

㉥ 체납자 등에 대한 공매통지 없이 한 공매처분

㉦ 구 주민등록법 제17조의2에 규정한 최고·공고의 절차를 거치지 아니하고 행한 주민등록말소처분

① ㉠, ㉡　　　　② ㉡
③ ㉢, ㉣, ㉥　　④ ㉤, ㉦

✅ **기출체크**

㉠ 관련 기출

1. 적법한 권한위임 없이 세관출장소장에 의하여 행하여진 관세부과처분은 그 하자가 중대하기는 하지만 객관적으로 명백하다고 할 수 없어 당연무효는 아니다. (O, X)　2019 지방직·교육행정직 9급

2. 적법한 권한위임 없이 세관출장소장이 한 관세부과처분은 당연무효이다. (O, X)　2017 교육행정직 9급

3. 적법한 권한위임 없이 세관출장소장에 의하여 행하여진 관세부과처분(은 무효사유에 해당한다) (O, X)
2015 지방직 9급, 2011 국회직 8급

4. 무권한은 중대·명백한 하자이므로 항상 무효사유라는 것이 판례의 입장이다. (O, X)　2015 서울시 9급

㉡ 관련 기출

5. 대법원은 내부위임을 받은 수임기관이 자신의 이름으로 처분을 한 경우 당해 처분을 무권한의 행위로서 무효로 보고 있다. (O, X)
2013 국회직 8급

㉢ 관련 기출

6. 무권한의 행위는 원칙적으로 무효라고 할 것이므로, 5급 이상의 국가정보원 직원에 대해 임면권자인 대통령이 아닌 국가정보원장이 행한 의원면직처분은 당연무효에 해당한다. (O, X)
2018 지방직 9급

7. 임면권자가 아닌 행정청이 소속 공무원에 대하여 행한 의원면직처분은 권한유월의 행위로서 무권한의 행위이므로 당연무효이다. (O, X)
2015 지방직 7급

㉟ 관련 기출

8. 행정처분의 대상이 되는 법률관계나 사실관계가 있는 것으로 오인할 만한 객관적인 사정이 있고 사실관계를 정확히 조사하여야만 그 대상이 되는지 여부가 밝혀질 수 있는 경우에는 비록 그 하자가 중대하더라도 명백하지 않아 무효로 볼 수 없다. (O, X)
2021 소방직 9급

9. 법률관계나 사실관계에 대하여 그 법률의 규정을 적용할 수 없다는 법리가 명백히 밝혀지지 아니하여 그 해석에 다툼의 여지가 있는 경우에, 행정관청이 이를 잘못 해석하여 행정처분을 하였다면 그 처분의 하자는 객관적으로 명백하다고 볼 것이나, 중대한 것은 아니므로 이를 이유로 무효를 주장할 수는 없다. (O, X)
2020 소방직 9급

㉠ 관련 기출

10. 국세징수법상 공매통지는 국가의 강제력에 의하여 진행되는 공매절차에서 체납자 등의 권리 내지 재산상 이익을 보호하기 위하여 법률로 규정한 절차적 요건에 해당하기 때문에 그 통지를 하지 아니한 채 공매처분을 한 경우에는 그 공매처분은 당연무효이다. (O, X)
2020 경행경채

11. 국세징수법상 체납자에 대한 공매통지는 국가의 강제력에 의하여 진행되는 공매에서 체납자의 권리 내지 재산상의 이익을 보호하기 위하여 법률로 규정한 절차적 요건으로, 이를 이행하지 않은 경우 그 공매처분은 위법하다. (O, X)
2017 국가직 7급

12. 과세관청의 체납자 등에 대한 공매통지는 국가의 강제력에 의하여 진행되는 공매절차에서 체납자 등의 권리 내지 재산상 이익을 보호하기 위하여 법률로 규정한 절차적 요건에 해당하지만, 그 통지를 하지 아니한 채 공매처분을 하였다 하여도 그 공매처분이 당연무효로 되는 것은 아니다. (O, X)
2016 지방직 9급

㉤ 관련 기출

13. 주민등록법상 최고·공고절차가 생략된 주민등록말소처분(은 무효인 행정처분에 해당된다) (O, X)
2014 사회복지직 9급

14. 주민등록말소처분이 주민등록법에 규정한 최고·공고의 절차를 거치지 아니하였다 하더라도 그러한 하자는 중대하고 명백한 것이라고 할 수 없어 처분의 당연무효사유에 해당하지 않는다. (O, X)
2011 지방직(상) 9급

정답 1. O 2. X 3. X 4. X 5. O 6. X 7. X 8. O 9. X 10. X
11. O 12. O 13. X 14. O

04

행정행위의 효력과 하자와 관련한 다음 기술 중 옳지 않은 것은 모두 몇 개인가? (다툼이 있는 경우 판례에 의함)

㉮ 행정처분이 당연무효가 되기 위해서는 하자가 중대하고 객관적으로 명백한 것이어야 하는바, 하자가 중대하고도 명백한 것인가의 여부를 판별함에 있어서는 그 법규의 목적·의미·기능 등을 목적론적으로 고찰함과 동시에 구체적 사안 자체의 특수성에 관하여도 합리적으로 고찰함을 요한다.

㉯ 구 학교보건법상 학교환경위생정화구역의 금지행위 및 시설의 해제 여부에 관한 행정처분을 함에 있어 학교환경위생정화위원회의 심의를 누락한 행정처분은 무효이다.

㉰ 과세관청이 과세예고통지 후 과세전적부심사청구나 그에 대한 결정이 있기 전에 과세처분을 한 경우, 원칙적으로 절차상 하자가 중대·명백하여 과세처분은 무효가 된다.

㉱ 지방경찰청장(현 시·도경찰청장) 명의로 하여야 할 운전면허정지처분을 단속경찰관이 자신의 이름으로 한 것은, 권한 없는 자에 의하여 행하여진 점에서 무효인 처분에 해당한다.

㉲ 어떤 법률에 의하여 행정청으로부터 시정명령을 받은 자가 이를 위반한 경우 그 때문에 그 법률에서 정한 처벌을 하기 위하여는 그 시정명령은 적법한 것이라야 한다.

㉳ 연령미달의 결격자가 이를 속이고 운전면허를 교부받아 운전 중 적발되어 기소된 경우 형사법원은 운전면허처분의 효력을 부인하고 무면허운전죄로 판단할 수 없다.

㉴ 무효인 행정행위에는 공정력, 불가쟁력이 인정되지 않는다.

㉵ 하자 있는 수입승인에 기초하여 수입면허를 받고 물품을 통관한 경우, 당해 수입면허가 당연무효가 아닌 이상 무면허수입죄가 성립되지 않는다.

㉶ 과세처분의 하자가 단지 취소할 수 있는 정도에 불과할 때에는 과세관청이 이를 스스로 취소하거나 행정쟁송절차에 의하여 취소되지 않는 한 그로 인한 조세의 납부가 부당이득이 된다고 할 수 없다.

㉷ 취소사유 있는 과세처분에 의하여 세금을 납부한 자는 과세처분취소소송을 제기하지 않은 채 곧바로 부당이득반환청구소송을 제기하더라도 납부한 금액을 반환받을 수 있다.

㉚ 위법한 행정처분으로 인해 피해를 입은 자가 제기한 국가배상청구소송에서 민사법원은 행정행위의 위법성 여부를 확인하여 배상청구를 인용할 수 있다.

① 1개　　　　② 2개
③ 3개　　　　④ 4개

✅ 기출체크

㉮ 관련 기출

1. 하자 있는 행정처분이 당연무효가 되기 위하여는 그 하자가 법규의 중요한 부분을 위반한 중대한 것으로서 객관적으로 명백한 것이어야 하며 하자가 중대하고 명백한 것인지 여부를 판별함에 있어서는 구체적 사안 자체의 특수성은 고려함이 없이 법규의 목적, 의미, 기능 등을 목적론적으로 고찰함을 요한다. (○, ×)
2015 서울시 7급

㉯ 관련 기출

2. 구 학교보건법상 학교환경위생정화구역에서의 금지행위 및 시설의 해제 여부에 관한 행정처분을 함에 있어 학교환경위생정화위원회의 심의절차를 누락한 행정처분은 무효이다. (○, ×)
2017 지방식(하) 9급

3. 학교보건법에 따른 학교환경위생정화구역 내에서의 금지행위 및 해제 여부에 관한 행정처분을 하면서 학교환경위생정화위원회의심의절차를 누락한 것은 당연무효사유이다. (○, ×)　2016 국회직 8급

4. 구 학교보건법상 학교환경위생정화구역에서의 금지행위 및 시설의 해제 여부에 관한 행정처분을 하면서 학교환경위생정화위원회의 심의를 누락한 흠은 행정처분을 위법하게 하는 취소사유가 된다. (○, ×)
2013 지방직 9급 변형

㉰ 관련 기출

5. 과세관청이 과세예고 통지 후 과세전적부심사청구나 그에 대한 결정이 있기 전에 과세처분을 한 경우, 특별한 사정이 없는 한 그 과세처분은 절차상 하자가 중대·명백하여 당연무효이다. (○, ×)
2019 국가직 7급

6. 과세관청이 과세예고 통지 후 과세전적부심사청구나 그에 대한 결정이 있기 전에 국세부과처분을 한 경우, 특별한 사정이 없는 한 그 하자가 중대·명백하다고 볼 수 없어 당연무효가 아닌 취소사유에 해당한다. (○, ×)
2018 국가직 7급

㉱ 관련 기출

7. 음주운전을 단속한 경찰관 명의로 행한 운전면허정지처분은 무효이다. (○, ×)
2015 경행특채 2차

8. 음주운전을 단속한 경찰관 명의로 행한 운전면허정지처분은 취소사유에 해당한다. (○, ×)
2012 경행특채

9. 음주운전 단속경찰관이 자신의 명의로 운전면허행정처분통지서를 작성·교부하여 행한 운전면허정지처분은 위법하며, 취소의 원인이 된다. (○, ×)
2012 지방직(하) 7급

㉲㉳ 관련 기출

10. 건축법상 위법건축물에 내려진 시정명령을 이행하지 않아 명령위반죄로 기소된 경우 형사법원은 이를 판단할 수 있다. (○, ×)
2020 국회직 8급

11. 연령미달의 결격자 甲이 타인(자신의 형)의 이름으로 운전면허시험에 응시, 합격하여 교부받은 운전면허라 하더라도 당연무효는 아니고, 당해 면허가 취소되지 않는 한 유효하므로, 甲의 운전행위는 무면허운전죄에 해당하지 않는다. (○, ×)　2019 경행경채 2차

12. 「개발제한구역의 지정 및 관리에 관한 특별조치법」에 따라 행정청으로부터 시정명령을 받은 자가 이를 이행하지 않은 경우, 당해 시정명령이 위법한 것으로 인정되는 한 죄가 성립하지 않는다. (○, ×)
2019 경행경채 2차

㉴ 관련 기출

13. 환경영향평가를 거쳐야 함에도 불구하고 환경영향평가를 거치지 않고 개발사업승인을 한 처분에 대해서는 처분이 있은 후 1년이 도과한 경우라도 불가쟁력이 발생하지 않는다. (○, ×)
2020 국회직 8급

14. 구성요건적 효력은 행정행위의 유·무효를 불문하고 인정되는 구속력이다. (○, ×)
2015 교육행정직 9급

15. 무효인 행정행위에는 불가쟁력은 인정되지만 공정력은 인정되지 않는다. (○, ×)
2012 지방직(하) 9급

㉵ 관련 기출

16. 물품을 수입하고자 하는 자가 일단 세관장에게 수입신고를 하여 그 면허를 받고 물품을 통관한 경우에는, 세관장의 수입면허가 중대하고도 명백한 하자가 있는 행정행위이어서 당연무효가 아닌 한 관세법 제181조 소정의 무면허수입죄가 성립될 수 없다. (○, ×)
2013 국가직 9급

17. 세관장의 수입면허에 중대하고 명백한 하자가 있는 경우가 아닌 한, 무면허수입죄는 성립되지 않는다. (○, ×)　2010 국가직 7급

18. 부정한 방법으로 받은 수입승인서를 함께 제출하여 수입면허를 받았다고 하더라도, 그 수입면허가 당연무효인 것으로 인정되지 않는 한 관세법 소정의 무면허수입죄가 성립될 수 없는 것이다. (○, ×)
2008 국가직 9급

㉶㉷ 관련 기출

19. 행정처분이 아무리 위법하다고 하여도 그 하자가 중대하고 명백하여 당연무효라고 보아야 할 사유가 있는 경우를 제외하고는 아무도 그 하자를 이유로 무단히 그 효과를 부정하지 못한다. (○, ×)
2021 지방직·서울시 9급

20. 행정처분이 아무리 위법하다고 하여도 당연무효인 사유가 있는 경우를 제외하고는 아무도 그 하자를 이유로 무단히 그 효과를 부정하지 못한다. (○, ×)
2021 군무원 7급

21. 국민이 조세부과처분의 위법을 이유로 이미 납부한 세금의 반환을 청구하는 민사소송을 제기한 경우, 과세처분의 하자가 단지 취소할 수 있는 정도에 불과하더라도, 당해 민사법원은 위법한 과세처분의 효력을 직접 상실시켜 납부된 세금의 반환을 명할 수 있다. (○, ×)
2019 경행경채 2차

정답 1. × 2. × 3. × 4. ○ 5. ○ 6. × 7. ○ 8. × 9. × 10. ○
　　 11. ○ 12. ○ 13. ○ 14. × 15. × 16. ○ 17. ○ 18. ○ 19. ○
　　 20. ○ 21. ×

행정행위의 효력과 하자에 관한 다음 기술 중 옳은 것은 모두 몇 개인가? (다툼이 있는 경우 판례에 의함)

㉮ 세액산출근거가 누락된 납세고지서(현 납부고지서)에 의한 과세처분이 있었다 하더라도 상고심의 계류 중에 세액산출근거의 통지가 있었다면 이로써 과세처분의 하자는 치유되었다는 것이 판례의 입장이다.

㉯ 경찰공무원에 대한 징계위원회의 심의과정에 감경사유에 해당하는 공적 사항이 제시되지 아니한 경우 그 징계양정이 결과적으로 적정한지와 상관없이 이는 관계법령이 정한 징계절차를 지키지 않은 것으로서 위법하다.

㉰ 하자 있는 행정행위의 치유는 행정행위의 무용한 반복을 피하고 당사자의 법적 안정성을 위해 원칙적으로 허용되나, 국민의 권리나 이익을 침해하지 않는 범위 내에서 인정된다.

㉱ 국세 등의 부과 및 징수처분에 대한 부당이득반환청구사건에서 행정처분의 하자가 단순한 취소사유에 그칠 때에는 법원은 그 행정처분의 효력을 부인할 수 없다.

㉲ 불가쟁력이 발생한 행정행위로 손해를 입은 국민은 국가배상청구를 할 수 있다.

㉳ 불가쟁력이 발생한 행정행위에서 해당 처분이 취소되지 않아도 국가는 손해를 배상할 책임이 있다.

㉴ 무효인 과세처분에 근거하여 세금을 납부한 경우 부당이득반환청구의 소로써 직접 위법상태의 제거를 구할 수 있는지 여부와 관계없이 행정소송법 제35조에 규정된 '무효확인을 구할 법률상 이익'을 가진다.

① 4개 ② 5개
③ 6개 ④ 7개

✓ 기출체크

㉮ 관련 기출
1. 세액산출근거가 누락된 납세고지서(현 납부고지서)에 의한 과세처분에 대하여 상고심 계류 중 세액산출근거의 통지가 행하여지면 당해 과세처분의 하자는 치유된다. (○, ×) 2017 국가직(하) 7급
2. 하자의 치유는 늦어도 행정처분에 대한 불복 여부의 결정 및 불복신청을 할 수 있는 상당한 기간 내에 해야 하므로, 소가 제기된 이후에는 하자의 치유가 인정될 수 없다. (○, ×) 2014 사회복지직 9급
3. 이유제시 하자의 치유는 늦어도 처분에 대한 불복 여부의 결정 및 불복신청에 편의를 줄 수 있는 상당한 기간 내에 하여야 한다는 것이 판례의 입장이다. (○, ×) 2013 경행특채

4. 판례에 의하면 하자의 치유는 사실심변론종결시까지 가능하다. (○, ×) 2009 국회직 8급

㉯ 관련 기출
5. 징계위원회의 심의과정에 반드시 제출되어야 하는 공적 사항이 제시되지 않은 상태에서 결정한 징계처분은 징계양정이 결과적으로 적정한 경우에는 법령이 정한 징계절차를 지키지 않은 것으로서 위법하다고 할 수 없다. (○, ×) 2018 서울시 1회 7급

㉰ 관련 기출
6. 하자 있는 행정행위의 치유는 원칙적으로 허용되나, 국민의 권리나 이익을 침해하지 않는 범위 내에서 인정된다. (○, ×) 2020 소방직 9급
7. 하자 있는 행정행위의 치유는 행정행위의 성질이나 법치주의의 관점에서 볼 때 원칙적으로 허용될 수 없는 것이고, 예외적으로 행정행위의 무용한 반복을 피하고 당사자의 법적 안정성을 위해 이를 허용하는 때에도 국민의 권리나 이익을 침해하지 않는 범위에서 구체적 사정에 따라 합목적적으로 인정하여야 한다. (○, ×) 2018 서울시 2회 7급
8. 다음은 하자의 치유에 대한 대법원의 판결(1992. 5. 8, 91누13274)이다. ( )에 들어갈 문구로 가장 적절한 것은? 2013 경행특채

하자 있는 행정행위의 치유는 행정행위의 성질이나 법치주의의 관점에서 볼 때 원칙적으로 허용될 수 없는 것이고, 예외적으로 행정행위의 무용한 반복을 피하고 ( )을/를 위해 이를 허용하는 때에도 국민의 권리나 이익을 침해하지 않는 범위에서 구체적 사정에 따라 합목적적으로 인정하여야 할 것이다.

① 당사자의 법적 안정성 ② 공익상 긴급한 필요
③ 행정의 투명성 증진 ④ 국민의 수인가능성 확보

㉱ 관련 기출
9. 조세과오납에 따른 부당이득반환청구사안에서 민사법원은 사전통지 및 의견제출절차를 거치지 않은 하자를 이유로 행정행위의 효력을 부인할 수 있다. (○, ×) 2020 국회직 8급
10. 과세처분에 취소할 수 있는 위법사유가 있다 하더라도 그 과세처분은 그것이 적법하게 취소되기 전까지는 유효하다 할 것이므로, 민사소송절차에서 그 과세처분의 효력을 부인할 수 없다. (○, ×) 2018 국회직 8급
11. 판례에 의할 때, 무효가 아닌 위법한 조세부과처분에 의하여 국세를 이미 납부한 개인이 제기한 부당이득반환청구사건에서 법원은 청구를 인용하여야 한다. (○, ×) 2012 경행특채

㉲㉳ 관련 기출
12. 불가쟁력이 생긴 경우에도 국가배상청구를 할 수 있다. (○, ×) 2021 소방직 9급
13. 민사법원은 국가배상청구소송에서 선결문제로 행정처분의 위법 여부를 판단할 수 없다. (○, ×) 2014 지방직 9급

㉴ 관련 기출
14. 무효확인소송에서 '무효확인을 구할 법률상 이익'이 있는지를 판단할 때, 행정처분의 무효를 전제로 한 이행소송 등과 같은 직접적인 구제수단이 있는지를 먼저 따질 필요는 없다. (○, ×) 2020 국가직 7급

15. 행정처분의 근거법률에 의하여 보호되는 직접적·구체적인 이익이 있는 경우에는 행정소송법 제35조에 규정된 '무효확인을 구할 법률상 이익'이 있다고 보아야 하며, 이와 별도로 무효확인소송의 보충성이 요구되는 것은 아니므로 행정처분의 무효를 전제로 한 이행소송 등과 같은 직접적인 구제수단이 있는지 여부를 따질 필요가 없다. (○, ×)　　　　　　　　　　　　2017 국회직 8급

16. 무효확인소송은 즉시확정의 이익이 있는 경우에만 보충적으로 허용된다는 것이 판례의 입장이다. (○, ×)　　　2015 교육행정직 9급

17. 무효확인소송은 보충성이 요구되므로 '무효확인을 구할 법률상 이익'이 있는지를 판단할 때 행정처분의 무효를 전제로 한 이행소송 등과 같은 직접적인 구제수단이 있는지 여부를 살펴보아야 한다. (○, ×)　　　　　　　　　　　　2014 경행특채 2차

정답　1. ×　2. ○　3. ○　4. ×　5. ×　6. ×　7. ×　8. ①　9. ×　10. ○
　　　11. ×　12. ○　13. ×　14. ○　15. ○　16. ×　17. ×

06　□□□

법률의 위헌결정과 관련한 다음 기술 중 옳지 않은 것은? (다툼이 있는 경우 판례에 의함)

① 법률에 근거하여 행정청이 행정처분을 한 후에 헌법재판소가 그 법률을 위헌으로 결정하였다면 결과적으로 그 행정처분은 하자가 있는 것이 된다고 할 것이나, 특별한 사정이 없는 한 이러한 하자는 위 행정처분의 취소사유에 해당할 뿐 당연무효사유는 아니라고 봄이 상당하다.

② 취소소송의 제기기간을 경과하여 확정력이 발생한 행정처분에는 위헌결정의 소급효가 미치지 않는다.

③ 조세부과의 근거가 되었던 법률규정이 위헌으로 선언된 이후, 조세채권의 집행을 위한 새로운 체납처분(현 강제징수)에 착수하거나 이를 속행하더라도 위법하지 않다.

④ 처분의 근거가 되었던 법률규정에 대하여 위헌결정이 내려진 후 행한 처분의 집행행위는 당연무효이다.

✅ 기출체크

① 관련 기출
1. 법률의 위헌 여부가 명백하지 않은 상태라도 이후 해당 법률에 위헌이 선언되었다면 위헌판결의 기속력에 의해 그 법률에 근거한 행정처분의 하자는 무효사유이다. (○, ×)　　2020 국회직 8급

2. 행정처분 이후에 처분의 근거법령에 대하여 헌법재판소 또는 대법원이 위헌 또는 위법하다는 결정을 하게 되면, 당해 처분은 법적 근거가 없는 처분으로 하자 있는 처분이고 그 하자는 중대한 것으로 당연무효이다. (○, ×)　　　2019 사회복지직 9급

② 관련 기출
3. 처분이 있은 날로부터 1년이 도과한 처분으로서 당연무효에 해당하는 하자가 없는 경우, 그 처분의 근거법령이 위헌결정되었다면 원칙적으로 소급효가 미친다. (○, ×)　　　2020 국회직 8급

---

4. 취소소송의 제기기간을 경과하여 불가쟁력이 발생한 행정처분에도 위헌결정의 소급효가 미친다. (○, ×)　　2017 서울시 7급

5. 대법원은 처분이 있은 후에 근거법률이 위헌으로 결정된 경우, 그 처분은 법률의 근거가 없이 행하여진 것과 마찬가지의 하자가 인정되므로 불가쟁력이 발생하였다 하더라도 위헌결정의 소급효가 미친다고 보았다. (○, ×)　　　2012 국가직 7급

③ 관련 기출
6. 위헌법률에 기한 행정처분의 집행이나 집행력을 유지하기 위한 행위는 위헌결정의 기속력에 위반되어 허용되지 않는다. (○, ×)　　　　　　　　　　　　2018 경행경채

7. 과세처분 이후에 그 근거법률이 위헌결정을 받았으나 이미 과세처분의 불가쟁력이 발생한 경우, 당해 과세처분에 대한 조세채권의 집행을 위한 체납처분(현 강제징수)의 속행은 적법하다. (○, ×)　　　　　　　　　　　　2017 지방직 9급

8. 행정처분이 있은 후에 집행단계에서 그 처분의 근거된 법률이 위헌으로 결정되는 경우 그 처분의 집행이나 집행력을 유지하기 위한 행위는 위헌결정의 기속력에 위반되어 허용되지 않는다. (○, ×)　　　　　　　　　　　　2013 국가직 9급

④ 관련 기출
9. 과세처분 이후 조세부과의 근거가 되었던 법률규정에 대하여 위헌결정이 내려진 경우, 위헌결정 이후 그 조세채권의 집행을 위한 체납처분은 당연무효이다. (○, ×)　　2021 지방직·서울시 7급

10. 과세처분 이후 조세부과의 근거가 되었던 법률 규정에 대해서만 위헌결정이 내려진 경우, 그 과세처분과는 별개의 후속 행정처분인 체납처분은 위법하다고 볼 수 없다. (○, ×)　　2021 소방간부

정답　1. ×　2. ×　3. ×　4. ×　5. ×　6. ○　7. ×　8. ○　9. ○　10. ×

07　□□□

행정행위의 효력과 하자에 관한 다음 기술 중 옳지 않은 것은 모두 몇 개인가? (다툼이 있는 경우 판례에 의함)

㉮ 환경영향평가법상 환경영향평가를 실시하여야 할 사업에 대하여 환경영향평가를 거치지 않고 행한 승인처분은 무효이다.

㉯ 행정청이 사전에 교통영향평가를 거치지 아니한 채 '건축허가 전까지 교통영향평가 심의필증을 교부받을 것'을 부관으로 붙여서 한 '실시계획변경 승인 및 공사시행변경 인가처분'은 중대하고 명백한 흠이 있어 무효이다.

㉰ 담당 소방공무원이 행정처분인 소방시설불량사항에 관한 시정보완명령을 구술로 고지한 것은 행정절차법 제24조를 위반한 것으로 하자가 중대하고 명백하여 당연무효이다.

㉭ 제소기간이 이미 도과하여 불가쟁력이 생긴 행정처
분에 대하여는 개별법규에서 그 변경을 요구할 신청
권을 규정하고 있거나 관계법령의 해석상 그러한 신
청권이 인정될 수 있는 등 특별한 사정이 없는 한 국
민에게 그 행정처분의 변경을 구할 신청권이 있다
할 수 없다.

㉮ 산업재해요양보상급여취소처분이 불복기간의 경과
로 인해 확정되면 요양급여청구권 없음이 확정되므
로 다시 요양급여를 청구할 수 없다.

㉯ 불가변력은 당해 행정행위에 대하여서만 인정되는
것이고, 동종의 행정행위라 하더라도 그 대상을 달
리할 때에는 인정되지 않는다.

㉰ 민사소송에 있어서 어느 행정처분의 당연무효 여부
가 선결문제로 되는 때에는 이를 판단하여 당연무효
임을 전제로 판결할 수 있고 반드시 행정소송 등의
절차에 의하여 그 취소나 무효확인을 받아야 하는
것은 아니다.

㉱ 판례에 따르면 행정행위의 집행력은 행정행위의 성
질상 당연히 내재하는 효력으로서 별도의 법적 근거
를 요하지 않는다.

① 없음   ② 1개
③ 2개   ④ 3개

✔ 기출체크

행정행위의 하자와 하자치유에 관한 다음 기술 중 옳은 것을 모두 고른 것은? (다툼이 있는 경우 판례에 의함)

㉮ 면허의 취소처분에 있어 취소처분의 근거와 위반사실의 적시를 빠뜨린 하자는 피처분자가 처분 당시 그 취지를 알고 있었거나 그 후 알게 되었더라도 치유될 수 없다.

㉯ 노선여객자동차운송사업의 사업계획변경인가처분에 관한 하자가 행정처분의 내용에 관한 것인 경우라면 하자의 치유를 인정할 수 없다.

㉰ 세액산출근거가 기재되지 아니한 납세고지서(현 납부고지서)에 의한 부과처분이라면 상대방이 그 후 부과된 세금을 자진납부하였더라도 그 위법성이 치유되는 것은 아니다.

㉱ 행정행위의 하자가 치유되면 당해 행정행위는 처분 당시부터가 아니라 치유시부터 하자가 없는 적법한 행정행위로 효력을 발생한다.

㉲ 행정청이 식품위생법상 청문절차를 이행함에 있어 청문서 도달기간을 다소라도 어겼다면, 영업자가 이의를 제기하지 아니한 채 청문일에 출석하여 의견을 진술하고 변명하는 등 방어의 기회를 충분히 가졌더라도 이는 절차상 하자가 있는 것으로 그 처분은 위법하다.

㉳ 재건축주택조합설립인가처분 당시 동의율을 충족하지 못한 하자는 후에 추가동의서가 제출되었다는 사정만으로 치유될 수 없다.

㉴ 소멸시효 완성 후에 부과된 조세부과처분은 납세의무 없는 자에 대하여 부과처분을 한 것으로서 그와 같은 하자는 중대하고 명백하여 그 처분의 효력은 당연무효이다.

㉵ 부동산을 양도한 사실이 없음에도 세무당국이 부동산을 양도한 것으로 오인하여 양도소득세를 부과하였다면 그 부과처분은 착오에 의한 행정처분으로서 그 표시된 내용에 중대하고 명백한 하자가 있어 당연무효이다.

㉶ 위법하게 구성된 폐기물처리시설 입지선정위원회가 의결을 한 경우, 그에 터잡아 이루어진 폐기물처리시설 입지결정처분의 하자는 무효사유로 본다.

① ㉮, ㉯, ㉱, ㉳, ㉵
② ㉮, ㉯, ㉰, ㉳, ㉴, ㉵, ㉶
③ ㉯, ㉰, ㉱, ㉲, ㉴
④ ㉰, ㉱, ㉲, ㉳, ㉴, ㉵, ㉶

✅ 기출체크

㉮ 관련 기출

1. 면허의 취소처분에는 그 근거가 되는 법령이나 취소권유보의 부관 등을 명시하여야 함은 물론 처분을 받은 자가 어떠한 위반사실에 대하여 당해 처분이 있었는지를 알 수 있을 정도로 사실을 적시할 것을 요하지만, 이와 같은 취소처분의 근거와 위반사실의 적시를 빠뜨린 하자는 피처분자가 처분 당시 그 취지를 알고 있었거나 그 후 알게 되었다면 그 하자는 치유될 수 있다. (○, ×)
2020 지방직·서울시 7급

㉯ 관련 기출

2. 처분의 하자가 그 내용에 관한 것인 경우, 판례는 소제기 이후에도 하자의 치유가 가능한 것으로 본다. (○, ×)　2019 서울시 1회 7급
3. 행정행위의 내용상의 하자에 대해서는 하자의 치유가 인정되지 않는다. (○, ×)　2017 국가직(하) 9급
4. 행정행위의 내용상의 하자는 치유의 대상이 될 수 있으나, 형식이나 절차상의 하자에 대해서는 치유가 인정되지 않는다. (○, ×)
2016 국가직 9급

㉰ 관련 기출

5. 세액산출근거가 기재되지 아니한 납세고지서에 의한 부과처분은 그 후 부과된 세금을 자진납부하였다거나 또는 조세채권의 소멸시효기간이 만료되었다 하여 하자가 치유되는 것이라고는 할 수 없다. (○, ×)　2021 지방직·서울시 9급
6. 납세의무자가 부과된 세금을 자진납부하였다고 하더라도 세액산출근거 등의 기재사항이 누락된 납세고지서(현 납부고지서)에 의한 과세처분의 하자는 치유되지 않는다. (○, ×)　2017 국가직(하) 9급
7. 과세처분을 하면서 장기간 세액산출근거를 부기하지 아니한 경우에 납세자가 자진납부하였다면 처분의 위법성은 치유된다. (○, ×)　2013 국가직 7급

㉱ 관련 기출

8. 행정행위의 하자가 치유되면 당해 행정행위는 처분 당시부터 하자가 없는 적법한 행정행위로 효력을 발생한다. (○, ×)
2019 서울시 1회 7급

㉲ 관련 기출

9. 행정청이 식품위생법상의 청문절차를 이행함에 있어 청문서 도달기간을 다소 어겼지만 영업자가 이의하지 아니한 채 청문일에 출석하여 의견을 진술하고 변명하는 등 방어의 기회를 충분히 가졌다면 청문서 도달기간을 준수하지 아니한 하자는 치유되었다고 본다. (○, ×)　2020 국가직 9급
10. 행정청이 처분의 근거법률상 청문절차를 이행하는 과정에서 청문서 도달기간을 다소 어겼지만 당사자가 이의를 제기하지 않고 청문일에 출석하여 의견진술과 변명의 기회를 충분히 가졌다면 청문서 도달기간 미준수의 하자는 치유된 것으로 본다. (○, ×)　2020 국회직 8급
11. 행정청이 청문서 도달기간을 다소 어겼다 하더라도 당사자가 이에 대하여 이의하지 아니한 채 스스로 청문일에 출석하여 방어의 기회를 충분히 가졌다면 청문서 도달기간을 준수하지 아니한 하자는 치유된다. (○, ×)　2016 지방직 9급, 2014 사회복지직 9급

㉳ 관련 기출

12. 「도시 및 주거환경정비법」상 주택재건축사업의 추진위원회가 조합을 설립하고자 하는 때에는 토지소유자 등이 일정 수 이상 동

의하여야 하는데, 조합설립인가처분이 이러한 요건을 충족하지 못한 상태에서 이루어졌다면 그러한 처분은 위법하고, 토지소유자 등의 추가동의서가 추후에 제출되어 법정요건을 갖추었다 할지라도 설립인가처분의 위법성이 치유되는 것은 아니다. (O, X)

2020 소방직 9급

13. 토지소유자 등의 동의율을 충족하지 못했다는 주택재건축정비사업조합설립인가처분 당시의 하자는 후에 토지소유자 등의 추가동의서가 제출되었다면 치유된다. (O, X)   2016 지방직 9급

㉓ 관련 기출

14. 구 「폐기물처리시설 설치촉진 및 주변지역 지원 등에 관한 법률」상 입지선정위원회가 동법 시행령의 규정에 위배하여 군수와 주민대표가 선정·추천한 전문가를 포함시키지 않은 채 임의로 구성되어 의결을 한 경우에, 이에 터잡아 이루어진 폐기물처리시설입지결정처분은 당연무효가 된다. (O, X)   2019 국가직 7급

15. 구 폐기물처리시설 설치촉진 및 주변지역 지원 등에 관한 법령상 입지선정위원회는 일정 수 이상의 주민대표 등을 참여시키도록 하고 있음에도 불구하고 이에 위배하여 군수와 주민대표가 선정·추천한 전문가를 포함시키지 않은 채 입지선정위원회를 임의로 구성하여 의결한 경우 이에 따른 폐기물처리시설입지결정처분의 하자는 무효사유에 해당한다. (O, X)   2017 국가직(하) 7급

16. 폐기물처리시설입지선정위원회가 관계법규정에 위배하여 군수와 주민대표가 선정·추천한 전문가를 포함시키지 않은 채 임의로 구성되어 의결한 경우, 그에 터잡아 이루어진 폐기물처리시설입지결정처분(은 판례에 의할 때 무효사유에 해당된다) (O, X)   2011 국회직 8급

정답 1. X 2. X 3. O 4. X 5. O 6. O 7. X 8. O 9. O 10. O
11. O 12. O 13. X 14. O 15. O 16. O

---

09   ◻◻◻

행정행위의 하자에 관한 다음 기술 중 옳은 것은 모두 몇 개인가? (다툼이 있는 경우 판례에 의함)

㉮ 국가재정법령에 규정된 예비타당성조사를 실시하지 아니한 하자가 있다면 그 후 수립된 하천공사시행계획 및 각 실시계획승인처분은 위법하게 된다.

㉯ 징계처분의 하자가 중대하고 명백하기 때문에 당연무효라 할지라도 징계처분을 받은 자가 이를 용인하였다면 그 흠은 치유된다는 것이 판례의 입장이다.

㉰ 계고처분의 후속절차인 대집행에 위법이 있다고 하더라도 그와 같은 후속절차에 위법성이 있다는 점을 들어 선행절차인 계고처분이 부적법하다는 사유로 삼을 수는 없다.

㉱ 적법하게 건축된 건축물에 대한 철거명령을 전제로 행하여진 후행행위인 건축물철거 대집행계고처분은 당연무효라 할 수 없다.

㉲ 대집행의 계고, 대집행영장에 의한 통지, 대집행의 실행, 대집행비용의 납부명령은 동일한 행정목적을 달성하기 위하여 일련의 절차로 연속하여 행하여지는 것으로서, 서로 결합하여 하나의 법률효과를 발생시키는 것이다.

㉳ 「일제강점하 반민족행위 진상규명에 관한 특별법」에 따른 친일반민족행위자 결정과 「독립유공자 예우에 관한 법률」에 의한 법적용 배제결정은 판례가 행정행위의 하자의 승계를 인정한다.

㉴ 도시·군계획시설결정과 실시계획인가는 서로 결합하여 도시·군계획시설사업의 실시라는 하나의 법적 효과를 완성하므로, 도시·군계획시설결정의 하자는 실시계획인가에 승계된다.

㉵ 병역법상 보충역편입처분과 공익근무요원소집처분이 각각 단계적으로 별개의 법률효과를 발생하는 독립된 행정처분이 아니므로, 불가쟁력이 생긴 보충역편입처분의 위법을 이유로 공익근무요원소집처분의 효력을 다툴 수 있다.

① 2개   ② 3개
③ 4개   ④ 5개

✅ **기출체크**

㉮ 관련 기출

1. 예산의 편성에 절차적 하자가 있으면 그 예산을 집행하는 처분은 위법하게 된다. (O, X)   2016 국회직 8급

㉯ 관련 기출

2. 징계처분이 중대하고 명백한 하자 때문에 당연무효의 것이라면 징계처분을 받은 자가 이를 용인하였다 하여 그 하자가 치유되는 것은 아니다. (O, X)   2019 지방직·교육행정직 9급

3. 당연무효인 징계처분의 하자는 징계를 받은 자의 용인으로 치유된다. (O, X)   2017 교육행정직 9급

4. 하자의 치유는 취소할 수 있는 행정행위에 대하여서만 인정된다. (O, X)   2016 국회직 8급

㉰ 관련 기출

5. 계고처분의 후속절차인 대집행에 위법이 있다 하더라도 선행절차인 계고처분이 부적법하게 되는 것은 아니다. (O, X)   2018 경행경채 3차

6. 선행행위의 하자를 이유로 후행행위를 다투는 경우뿐만 아니라 후행행위의 하자를 이유로 선행행위를 다투는 것도 하자의 승계이다. (O, X)   2017 지방직(하) 9급

7. 하자의 승계문제는 선행 행정행위에 하자가 존재하고, 그 하자가 무효가 아닌 취소사유인 경우에 문제가 되는 것이다. (O, X)   2017 경행경채

8. 하자의 승계는 통상 선행행위에 존재하는 취소사유에 해당하는 하자를 이유로 후행행위를 다투는 경우에 문제된다. (○, ×)

2016 사회복지직 9급

⑭ 관련 기출

9. 적법한 건축물에 대한 철거명령은 그 하자가 중대하고 명백하여 당연무효이고, 그 후행행위인 건축물철거 대집행계고 역시 당연무효이다. (○, ×) 2021 경행경채, 2019 서울시 1회 7급

10. (단계적으로 진행되는 행정행위에서) 선행행위가 무효인 경우에는 후행행위도 당연히 무효이다. (○, ×) 2019 소방직 9급

11. 건축물에 대한 철거명령의 하자가 중대·명백하다면 그 후행행위인 건축물철거 대집행계고처분 역시 당연무효이다. (○, ×)

2017 서울시 7급

12. 철거명령이 당연무효인 경우에는 그에 근거한 후행행위인 건축물철거 대집행계고처분도 당연무효이다. (○, ×) 2016 국가직 9급

⑮ 관련 기출

13. 행정대집행에서의 계고와 대집행영장의 통지(는 판례가 행정행위의 하자의 승계를 인정한다) (○, ×) 2017 서울시 9급

14. 대집행에 있어서 선행처분인 계고처분이 하자가 있는 위법한 처분이라면 후행처분인 대집행영장발부통보처분의 취소를 청구하는 소송에서 청구원인으로 선행처분인 계고처분이 위법한 것이기 때문에 그 계고처분을 전제로 행하여진 대집행영장발부통보처분도 위법한 것이라는 주장을 할 수 있다. (○, ×) 2017 경행경채

15. 행정대집행에 있어 대집행계고, 대집행영장에 의한 통지, 대집행실행, 비용징수의 일련의 절차 중 대집행계고와 대집행영장에 의한 통지 간에는 하자의 승계가 인정되나, 대집행계고와 비용징수 간에는 하자의 승계가 인정되지 않는다. (○, ×) 2017 국가직(하) 7급

⑯ 관련 기출

16. 친일반민족행위자로 결정한 최종발표와 그에 따라 그 유가족에 대하여 한 「독립유공자 예우에 관한 법률」 적용배제자 결정은 별개의 법률효과를 목적으로 하는 처분이다. (○, ×) 2018 지방직 9급

17. 다음 중 하자승계가 인정되는 것은 모두 몇 개인가? (다툼이 있으면 판례에 의함) 2015 경행특채 2차

> ㉠ 공무원의 직위해제처분과 면직처분
> ㉡ 안경사시험합격무효처분과 안경사면허취소처분
> ㉢ 대집행의 계고처분과 대집행의 비용징수처분
> ㉣ 과세처분과 체납처분(현 강제징수)
> ㉤ 「일제강점하 친일반민족행위 진상규명에 관한 특별법」에 따른 친일반민족행위자 결정과 「독립유공자 예우에 관한 법률」에 의한 법적용대상으로부터의 배제결정

① 1개   ② 2개   ③ 3개   ④ 4개

⑰ 관련 기출

18. 「국토의 계획 및 이용에 관한 법률」상 도시·군계획시설결정과 실시계획인가는 동일한 법률효과를 목적으로 하는 것이므로 선행처분인 도시·군계획시설결정의 하자는 실시계획인가에 승계된다. (○, ×) 2018 국가직 9급

⑱ 관련 기출

19. 보충역편입처분에 하자가 있다고 할지라도 그것이 중대하고 명백하지 않는 한, 그 하자를 이유로 공익근무요원소집처분의 효력을 다툴 수 없다. (○, ×) 2021 소방직 9급

20. (구)병역법상 보충역편입처분과 공익근무요원소집처분 (간에는 하자의 승계를 인정한다) (○, ×) 2015 경행특채 1차, 2010 경행특채

정답 1. × 2. ○ 3. × 4. ○ 5. ○ 6. × 7. ○ 8. ○ 9. ○ 10. ○ 11. ○ 12. ○ 13. ○ 14. ○ 15. × 16. ○ 17. ③(㉡㉢㉤) 18. × 19. ○ 20. ×

10

□□□

다음 중 우리 판례가 하자의 승계를 인정한 것을 모두 고른 것은?

> ㉮ 귀속재산의 임대처분과 후행매각처분
> ㉯ 재개발사업인정과 수용재결
> ㉰ 「도시 및 주거환경정비법」상 사업시행계획과 관리처분계획
> ㉱ 개별공시지가결정과 과세처분
> ㉲ 구 「부동산 가격공시 및 감정평가에 관한 법률」상 표준지공시지가의 결정과 보상금 산정을 위한 수용재결

① ㉮, ㉯   ② ㉮, ㉱, ㉲
③ ㉯, ㉰   ④ ㉰, ㉱, ㉲

✔ 기출체크

㉮ 관련 기출
1. 귀속재산의 임대처분과 후행매각처분(은 하자의 승계가 인정되는 경우에 해당한다) (○, ×) 2018 서울시 1회 7급

㉯ 관련 기출
2. 사업인정단계에서 하자를 다투지 아니하여 이미 쟁송기간이 도과한 수용재결단계에서는 사업인정이 당연무효라고 볼 만한 사정이 없다면 사업인정의 위법을 이유로 수용재결의 취소를 구할 수 없다. (○, ×) 2021 경행경채

3. 선행 사업인정과 후행 수용재결 사이에는 하자가 승계된다. (○, ×) 2016 국회직 8급

4. (甲의 토지는 공익사업의 대상지역으로 「공익사업을 위한 토지 등의 취득 및 보상에 관한 법률」에 따라 사업인정절차를 거쳐 甲의 토지에 대한 수용재결이 있었다) 위 사업인정에 취소사유인 위법이 있는 경우 사업인정의 하자는 후행처분인 수용재결에 승계되지 않는다. (○, ×) 2016 서울시 7급

5. 재개발사업시행인가처분과 토지수용재결처분(의 사이에 하자승계를 인정한다) (○, ×) 2012 경행특채 변형

㉰ 관련 기출
6. 「도시 및 주거환경정비법」상 사업시행계획에 관한 취소사유인 하자는 관리처분계획에 승계되지 않는다. (○, ×) 2018 국가직 9급

㉱ 관련 기출
7. 선행행위와 후행행위가 서로 독립하여 별개의 법률효과를 목적으

로 하는 경우라도 선행행위의 불가쟁력이나 구속력이 그로 인하여 불이익을 입는 자에게 수인한도를 넘는 가혹함을 가져오고 그 결과가 예측가능한 것이 아닌 때에는 하자의 승계를 인정할 수 있다. (○, ×) 2017 지방직 9급

8. 대법원은 관계인의 수인한도를 넘어 불이익을 강요하는 경우에는 과세처분의 위법사유로서 개별공시지가결정의 위법을 주장할 수 있다고 판시한 바 있다. (○, ×) 2008 국가직 9급

⑩ 관련 기출

9. 구「부동산 가격공시 및 감정평가에 관한 법률」상 선행처분인 표준지공시지가의 결정에 하자가 있는 경우에 그 하자는 보상금 산정을 위한 수용재결에 승계된다. (○, ×) 2018 국가직 9급

10. 수용보상금의 증액을 구하는 소송에서, 선행처분으로서 그 수용대상 토지가격 산정의 기초가 된 비교표준지공시지가결정의 위법을 독립한 사유로 주장할 수 없다. (○, ×) 2017 경행경채

11. 표준지공시지가결정과 수용재결 사이에는 하자의 승계를 인정할 수 없다. (○, ×) 2012 지방직(하) 7급

12. 표준지공시지가결정이 위법한 경우 수용대상 토지가격 산정의 기초가 된 비교표준지공시지가결정의 위법을 독립된 사유로 주장할 수 있다. (○, ×) 2010 지방직 9급

정답 1. ○ 2. ○ 3. × 4. ○ 5. × 6. ○ 7. ○ 8. ○ 9. ○ 10. ×
       11. × 12. ○

11
☐☐☐

행정행위의 폐지에 관한 다음 <사례>에 관한 기술 중 옳은 것을 모두 고른 것은? (다툼이 있는 경우 판례에 의함)

<사례>
甲은 자신의 사옥을 A시에 신축하는 과정에서 A시 지구단위변경계획에 의하여 건물부지에 접한 대로의 도로변이 차량출입금지구간으로 설정됨에 따라 그 반대편에 위치한 A시 소유의 도로에 지하주차장 진입통로를 건설하기 위하여 A시의 시장 乙에게 위 도로의 지상 및 지하 부분에 대한 도로점용허가를 신청하였고, 乙은 甲에게 도로점용허가를 하였다. 그 후 乙은 현재까지 甲으로부터 도로점용료를 징수해오고 있다.

㉮ 위 도로점용허가는 甲에게 공물사용권을 설정하는 설권행위로서 재량행위이다.

㉯ 행정처분을 한 처분청은 그 처분에 하자가 있는 경우에 스스로 이를 직권으로 취소할 수 있으므로, 이해관계인에게는 처분청에 대하여 그 취소를 요구할 신청권이 있다.

㉰ 乙의 도로점용허가가 甲의 점용목적에 필요한 범위를 넘어 과도하게 이루어진 경우, 이는 위법한 점용허가로서 乙은 甲에 대한 도로점용허가 전부를 취소하여야 하며 도로점용허가 중 특별사용의 필요가 없는 부분에 대해서만 직권취소할 수 없다.

㉱ 행정행위의 직권취소는 별개의 행정행위에 의하여 원행정행위의 효력을 소멸시키는 것인 데 반하여, 행정행위의 실효는 일정한 사유의 발생에 따라 기존의 행정행위의 효력이 당연히 소멸하는 것이다.

㉲ 乙이 도로점용허가 중 특별사용의 필요가 없는 부분을 소급적으로 직권취소하였더라도, 이미 징수한 점용료 중 취소된 부분의 점용면적에 해당하는 점용료를 반환하여야 하는 것은 아니다.

㉳ 도로관리청이 도로점용허가를 함에 있어서 특별사용의 필요가 없는 부분을 도로점용허가의 점용장소 및 점용면적으로 포함한 흠이 있고 그로 인하여 점용료 부과처분에도 흠이 있게 된 경우, 흠 있는 부분에 해당하는 점용료를 감액하는 것은 당초 처분 자체를 일부취소하는 변경처분이 아니라 흠의 치유에 해당한다.

① ㉮, ㉯, ㉰   ② ㉮, ㉱
③ ㉯, ㉰, ㉲   ④ ㉱, ㉳

✔ 기출체크

㉮ 관련 기출
1. 도로법에 따른 도로점용허가(는 행정행위 중 강학상 특허에 해당한다) (○, ×) 2018 경행경채

㉯ 관련 기출
2. 행정처분을 한 처분청은 그 처분에 하자가 있는 경우에는 원칙적으로 별도의 법적 근거가 없더라도 스스로 이를 직권으로 취소할 수 있고, 이러한 경우 이해관계인에게는 처분청에 대하여 그 취소를 요구할 신청권이 부여된 것으로 볼 수 있다. (○, ×) 2017 국가직 9급

3. 행정청이 직권취소를 할 수 있다는 사정만으로 이해관계인인 제3자에게 행정청에 대한 직권취소청구권이 부여된 것으로 볼 수 없다. (○, ×) 2015 국회직 8급

4. 법령에 근거가 없어도 직권취소를 할 수 있다는 사정이 있으면, 이해관계인에게 처분청에 대하여 그 취소를 요구할 신청권이 부여된 것으로 볼 수 있다. (○, ×) 2011 지방직(상) 9급

㉱ 관련 기출
5. 행정행위의 직권취소는 별개의 행정행위에 의하여 원행정행위의 효력을 소멸시키는 것인 데 반하여, 행정행위의 실효는 일정한 사유의 발생에 따라 당연히 기존의 행정행위의 효력이 소멸하는 것이다. (○, ×) 2007 국가직 7급

6. 다음 ㉠, ㉡, ㉢에 해당하는 용어가 바르게 나열된 것은?

2014 서울시 7급

> ㉠ 하자 없이 성립한 행정행위에 대해 그의 효력을 존속시킬 수 없는 새로운 사정이 발생하였음을 이유로 장래에 향하여 그의 효력을 소멸시키는 행정행위
> ㉡ 일단 유효하게 성립한 행정행위를 하자가 있음을 이유로 또는 부당함을 이유로 행정청이 그 효력을 소멸시키는 행정행위
> ㉢ 하자 없이 적법하게 성립한 행정행위가 일정한 사실의 발생에 의하여 당연히 그 효력이 소멸되는 것

	㉠	㉡	㉢		㉠	㉡	㉢
①	철회	실효	취소	②	철회	취소	실효
③	실효	취소	철회	④	실효	철회	취소
⑤	취소	실효	철회				

㉮ 관련 기출

7. 도로관리청이 도로점용허가를 함에 있어서 특별사용의 필요가 없는 부분을 도로점용허가의 점용장소 및 점용면적으로 포함한 흠이 있고 그로 인하여 점용료 부과처분에도 흠이 있게 된 경우, 흠 있는 부분에 해당하는 점용료를 감액하는 것은 당초 처분 자체를 일부취소하는 변경처분이 아니라 흠의 치유에 해당한다. (O, X)

2020 경행경채

정답 1. O 2. X 3. O 4. X 5. O 6. ② 7. X

---

12 ☐☐☐

행정행위의 취소와 철회에 관한 다음 기술 중 옳지 않은 것을 모두 고른 것은? (다툼이 있는 경우 판례에 의함)

> ㉮ 처분청은 행정처분에 하자가 있는 경우에 별도의 법적 근거가 없더라도 <u>스스로</u> 이를 취소할 수 있지만 수익적 행정처분의 경우에는 해당 법률에 취소에 관한 별도의 법적 근거가 요구된다.
> ㉯ 수익적 행정처분을 취소 또는 철회하는 경우, 취소 등의 사유가 있다면 그 처분으로 인하여 공익상의 필요보다 상대방이 받게 되는 불이익 등이 막대한 경우라도 처분 자체가 위법하다고 볼 수는 없다.
> ㉰ 행정청은 행정소송이 계속되고 있는 때에는 직권으로 해당 처분을 변경할 수 없다.
> ㉱ 광업권취소처분 후 취소처분을 취소하여 원래의 광업권을 복구시키는 조처는, 광업권취소처분 후 광업권설정의 선출원이 있는지 여부를 불문하고 적법하다.
> ㉲ 판례는 과세관청은 부과의 취소를 다시 취소함으로써 원부과처분을 다시 소생시킬 수는 없으며 납세의무자에게 종전의 과세대상에 대한 납부의무를 지우

려면 다시 법률에서 정한 부과절차에 좇아 동일한 내용의 새로운 처분을 하여야 한다고 본다.

> ㉳ 행정청은 위법 또는 부당한 처분의 전부나 일부를 소급하여 취소할 수 있다. 다만, 당사자의 신뢰를 보호할 가치가 있는 등 정당한 사유가 있는 경우에는 장래를 향하여 취소할 수 있다.
> ㉴ 행정청이 청문을 거쳐야 하는 처분을 하면서 청문절차를 거치지 않는 경우에는 그 처분은 위법하지만 당연무효인 것은 아니다.
> ㉵ 감독청은 법령에 특별한 근거가 없더라도 철회권자가 될 수 있다.
> ㉶ 영업허가취소처분의 취소를 구하는 소송에서 취소판결을 받은 경우 해당 영업허가취소처분은 처분시에 소급하여 효력을 잃게 되므로 그 영업허가취소처분 이후의 영업행위는 무허가영업으로 볼 수 없다.

① ㉮, ㉯, ㉰, ㉱, ㉵   ② ㉮, ㉰, ㉱, ㉲, ㉳
③ ㉮, ㉲, ㉳, ㉵, ㉶   ④ ㉯, ㉰, ㉱, ㉴, ㉵

✔ **기출체크**

㉮ 관련 기출

1. 처분청은 처분의 성립에 하자가 있는 경우 별도의 법적 근거가 없더라도 직권으로 이를 취소할 수 있다. (O, X)

2021 지방직 · 서울시 9급

2. 처분청은 행정처분에 하자가 있는 경우에 별도의 법적 근거가 없더라도 스스로 이를 취소할 수 있는데, 다만 수익적 행정처분의 경우에는 해당 법률에 취소에 관한 별도의 법적 근거가 요구된다. (O, X)

2021 변호사

3. 행정처분을 한 처분청은 그 처분의 성립에 하자가 있는 경우 이를 취소할 별도의 법적 근거가 없다고 하더라도 직권으로 이를 취소할 수 있다. (O, X)

2020 국가직 9급, 2017 국가직(하) 9급

㉯ 관련 기출

4. 행정행위를 한 처분청은 사정변경이 생겼거나 또는 중대한 공익상의 필요가 발생한 경우에는 그 효력을 상실케 하는 별개의 행정행위로 이를 철회할 수 있다고 할 것이나, 기득권을 침해하는 경우에는 기득권의 침해를 정당화할 만한 중대한 공익상의 필요 또는 제3자의 이익보호의 필요가 있는 때에 한하여 상대방이 받는 불이익과 비교 · 교량하여 철회하여야 한다. (O, X)

2017 국가직 9급

5. 수익적 행정처분을 취소 또는 철회하는 경우에는 이미 부여된 그 국민의 기득권을 침해하는 것이 되므로 그 처분으로 인하여 공익상의 필요보다 상대방이 받게 되는 불이익 등이 막대한 경우에는 재량권의 한계를 일탈한 것으로서 그 자체가 위법하다. (O, X)

2016 서울시 7급

6. 수익적 행정행위를 직권취소하는 경우 그 취소권의 행사로 인하여 공익상의 필요보다 상대방이 받게 되는 불이익 등이 막대한 경우에는 재량권의 한계를 일탈한 것으로서 그 자체가 위법하다. (O, X)

2015 국가직 9급

ⓓ 관련 기출

7. 행정청은 행정소송이 계속되고 있는 때에는 직권으로 해당 처분을 변경할 수 없다. (○, ×)　　　　　2021 행정사

8. 변상금 부과처분에 대한 취소소송이 진행 중이라도 처분청은 위법한 처분을 스스로 취소하고 그 하자를 보완하여 다시 적법한 부과처분을 할 수 있다. (○, ×)　　　2018 서울시 1회 7급

9. 변상금 부과처분에 대한 취소소송이 진행 중이라도 그 부과권자는 위법한 처분을 스스로 취소하고 그 하자를 보완하여 다시 적법한 부과처분을 할 수도 있다. (○, ×)　　　2017 국가직 9급

10. 취소소송이 진행 중이라도 처분권자는 위법한 처분을 스스로 취소하고 그 하자를 보완하여 다시 적법한 처분을 할 수 있다. (○, ×)　　　　　2015 국가직 7급

ⓔ 관련 기출

11. 광업권 허가에 대한 취소처분을 한 후 적법한 광업권설정의 선출원이 있는 경우에는 취소처분을 취소하여 광업권을 복구시키는 조처는 위법하다. (○, ×)　　　2018 국회직 8급

12. 광업권취소처분 후 광업권설정의 선출원이 있는 경우에도 취소처분을 취소하여 광업권을 복구시키는 조처는 적법하다. (○, ×)　　　　　　　2014 서울시 7급

ⓕ 관련 기출

13. 과세관청은 과세처분의 취소처분이 당연무효의 하자가 없는 한 이를 다시 취소함으로써 원과세처분을 소생시킬 수 있으며 새로이 법률에서 정한 절차에 따라 동일한 내용의 처분을 다시 할 필요는 없다. (○, ×)　　　2021 경행경채

14. 과세관청은 과세처분의 취소를 다시 취소함으로써 이미 효력을 상실한 과세처분을 소생시킬 수 있다. (○, ×)　　　　　2021 지방직 · 서울시 9급

15. 과세관청은 세금부과처분을 취소한 처분에 취소원인인 하자가 있다는 이유로 취소처분을 다시 취소함으로써 원부과처분을 소생시킬 수 있다. (○, ×)　　　2020 지방직 · 서울시 7급

16. 국세기본법상 상속세 부과처분의 취소에 하자가 있는 경우, 부과의 취소의 취소에 대하여는 법률이 명문으로 그 취소요건이나 그에 대한 불복절차에 대하여 따로 규정을 두고 있지 않더라도 과세관청은 부과의 취소를 다시 취소함으로써 원부과처분을 소생시킬 수 있다. (○, ×)　　　2018 지방직 9급

ⓖ 관련 기출

17. 행정절차법상 청문절차를 거쳐야 하는 처분임에도 청문절차를 결여한 처분(은 무효인 행정행위이다) (○, ×)　　　2017 지방직 7급

18. 법률상 청문을 요하는 행정처분의 경우 청문절차를 결여한 하자는 취소사유에 해당한다. (○, ×)　　　2016 교육행정직 9급

19. 행정청이 침해적 행정처분을 하기 전에 청문을 실시해야 하는 경우 청문을 결여한 처분은 위법한 처분으로서 취소사유에 해당한다. (○, ×)　　　2014 국회직 8급

ⓗ 관련 기출

20. 명문의 규정을 불문하고 처분청과 감독청은 철회권을 가진다. (○, ×)　　　　　2018 서울시 1회 7급

21. 행정처분의 철회권을 가진 기관은?　　　2013 서울시 9급
　① 감사원　　　　　　② 상급의 감독청
　③ 권한을 위임한 행정청　④ 당해 행정처분을 한 행정청
　⑤ 고등법원

22. 甲은 A구청장으로부터 식품위생법 관련규정에 따라 적법하게 유흥접객업 영업허가를 받아 영업을 시작하였다. 영업을 시작한 지 1년이 지난 후에 甲의 영업장을 포함한 일부 지역이 새로이 적법한 절차에 따라 학교환경위생정화구역으로 설정되었다. A구청장은 甲의 영업이 관할 학교환경위생정화위원회의 심의에 따라 금지되는 행위로 결정되었다는 이유로 청문을 거친 후에 甲의 영업허가를 취소하였다. 甲은 A구청장의 취소처분이 위법하다고 주장하면서 영업허가취소처분에 대하여 취소소송을 제기하였다. 이에 대한 설명으로 옳지 않은 것은? (다툼이 있는 경우 판례에 의함)　　　2011 국가직 9급

　① A구청장의 甲에 대한 영업허가취소는 적법하게 성립한 행정행위를 후발적인 사유의 발생을 이유로 그 효력을 소멸시키는 강학상 철회에 해당한다.

　② A구청장은 甲에 대한 영업허가의 허가권자로서 이에 대한 철회권도 갖고 있다.

　③ A구청장은 甲의 영업허가를 철회함에 있어 그 근거가 되는 법령이나 취소권유보의 부관 등을 명시하여야 하나, 피처분자가 처분 당시 그 취지를 알고 있었다거나 그 후 알게 된 경우에는 생략할 수 있다.

　④ 甲에 대한 영업허가를 철회하기 위해서는 중대한 공익상의 필요가 있어야 한다.

ⓘ 관련 기출

23. 취소판결의 효력은 원칙적으로 소급적이므로, 취소판결에 의해 취소된 영업허가취소처분 이후의 영업행위는 무허가영업에 해당하지 않는다. (○, ×)　　　2020 국가직 9급

24. 영업허가취소처분이 청문절차를 거치지 않았다 하여 행정심판에서 취소되었더라도 그 허가취소처분 이후 취소재결시까지 영업했던 행위는 무허가영업에 해당한다. (○, ×)　　　2019 국가직 9급

25. 영업허가취소처분이 나중에 항고소송을 통해 취소되었다면 그 영업허가취소처분 이후의 영업행위를 무허가영업이라 할 수 없다. (○, ×)　　　2019 지방직 7급

26. (甲이 관할행정청으로부터 영업허가취소처분을 받았고, 이에 대해 취소소송을 제기하여 취소판결이 확정된 경우) 甲이 영업허가취소처분이 있은 후 취소판결 이전에 영업행위를 하였더라도 이는 무허가영업에 해당하지 않는다. (○, ×)　　　2016 국회직 8급

27. 영업허가취소처분이 행정쟁송에 의하여 취소되었다면, 영업허가취소 이후에 행한 영업에 대하여 무허가영업으로 처벌할 수 없다. (○, ×)　　　2016 지방직 7급

정답 1. ○　2. ×　3. ○　4. ○　5. ○　6. ○　7. ×　8. ○　9. ○　10. ○
　11. ○　12. ×　13. ×　14. ×　15. ×　16. ×　17. ×　18. ○　19. ○
　20. ×　21. ④　22. ③　23. ○　24. ×　25. ○　26. ○　27. ○

13

행정행위의 취소와 철회 및 실효에 관한 다음 기술 중 옳은 것은 모두 몇 개인가? (다툼이 있는 경우 판례에 의함)

> ㉮ 국고보조조림결정에서 정한 조건에 일부만 위반했더라도 이는 상대방이 조건을 위반한 경우이므로 그 보조조림결정 전부를 취소하여야 함이 원칙이다.
>
> ㉯ 국민연금법상 연금지급결정을 취소하는 처분과 그 처분에 기초하여 잘못 지급된 급여액에 해당하는 금액을 환수하는 처분이 적법한지를 판단하는 경우 연금지급결정을 취소하는 처분이 적법하다면 환수처분도 적법하다고 판단하여야 한다.
>
> ㉰ 신청에 의한 영업허가처분을 받은 자가 그 영업을 자진폐업한 경우 행정청의 특별한 의사표시 없이도 영업허가는 당연히 실효된다.
>
> ㉱ 수익적 행정처분의 취소제한에 관한 법리는 처분청이 수익적 행정처분을 직권으로 취소하는 경우뿐만 아니라 쟁송취소의 경우에도 적용된다.
>
> ㉲ 권한 없는 행정기관이 한 당연무효인 행정처분의 취소권자는 당해 행정처분을 할 수 있는 적법한 권한을 가지는 행정청이 된다.
>
> ㉳ 행정행위에 하자가 있다면 하자가 이미 치유되었거나 다른 적법한 행위로 전환된 경우에도 원칙적으로 취소의 대상이 된다.
>
> ㉴ 운전면허취소처분에 대한 취소소송에서 취소판결이 확정되었더라도 운전면허취소처분 이후의 운전행위는 무면허운전에 해당한다.
>
> ㉵ 행정청이 의료법인의 이사에 대한 이사취임승인취소처분을 직권으로 취소한 경우, 그로 인하여 이사의 지위는 소급하여 회복된다.

① 없음 ② 1개
③ 2개 ④ 3개

✔️ 기출체크

㉮ 관련 기출
1. 국고보조조림결정에서 정한 조건에 일부만 위반한 경우 그 보조조림결정의 전부를 취소한 것은 위법하다고 한 판례가 있다. (O, X)
2010 국회직 8급

㉯ 관련 기출
2. 국민연금법상 연금지급결정을 취소하는 처분과 그 처분에 기초하여 잘못 지급된 급여액에 해당하는 금액을 환수하는 처분이 적법한지를 판단하는 경우 비교·교량할 각 사정이 상이하다고는 할 수 없으므로, 연금지급결정을 취소하는 처분이 적법하다면 환수처분도 적법하다고 판단하여야 한다. (O, X)
2019 국가직 7급

3. 출생연월일 정정으로 특례노령연금 수급요건을 충족하지 못하게 된 자에 대하여 지급결정을 소급적으로 직권취소하고, 이미 지급된 급여를 환수하는 처분은 위법하다. (O, X) 2018 서울시 2회 7급

㉰ 관련 기출
4. 신청에 의한 허가처분을 받은 자가 그 영업을 폐업한 경우에는 그 허가도 당연히 실효된다고 할 것이고, 이 경우 허가행정청의 허가취소처분은 허가가 실효되었음을 확인하는 것에 불과하다. (O, X)
2007 국가직 7급

㉱ 관련 기출
5. 수익적 행정처분에 대한 취소권 등의 행사는 기득권의 침해를 정당화할 만한 중대한 공익상의 필요 또는 제3자의 이익보호의 필요가 있는 때에 한하여 허용될 수 있다는 법리는, 처분청이 수익적 행정처분을 직권으로 취소·철회하는 경우에 적용되는 법리일 뿐 쟁송취소의 경우에는 적용되지 않는다. (O, X) 2021 경행경채

㉲ 관련 기출
6. 권한 없는 행정기관이 한 당연무효인 행정처분을 취소할 수 있는 권한은 당해 행정처분을 한 처분청에게 속하고, 당해 행정처분을 할 수 있는 적법한 권한을 가지는 행정청에게 그 취소권이 귀속되는 것이 아니다. (O, X) 2019 지방직·교육행정직 9급
7. 판례는 권한 없는 행정기관이 한 당연무효의 행정처분을 취소할 수 있는 권한은 당해 행정처분을 한 처분청에게 속한다고 하였다. (O, X) 2008 관세사

㉳ 관련 기출
8. 행정행위의 위법이 치유된 경우에는 그 위법을 이유로 당해 행정행위를 직권취소할 수 없다. (O, X) 2016 국가직 9급
9. 행정행위에 하자가 있으나 하자가 이미 치유되었거나 다른 적법한 행위로 전환된 경우에는 취소의 대상이 되지 않는다. (O, X)
2011 사회복지직 9급

㉴ 관련 기출
10. 운전면허취소처분에 대한 취소소송에서 취소판결이 확정되었다면 운전면허취소처분 이후의 운전행위를 무면허운전이라 할 수는 없다. (O, X) 2020 국가직 7급
11. 〔택배업을 하는 갑(甲)이 관련법규에 대한 이해가 부족한 경찰관의 법리오인으로 인하여 30일의 운전면허정지처분을 받아 생업에 상당한 지장을 받게 되었다〕 만약 갑(甲)이 면허정지기간 중에 운전하다가 무면허운전으로 처벌받았을 경우, 그 후에 면허정지처분에 대해 취소판결이 내려졌다 하더라도 그 면허정지기간 중의 운전은 여전히 무면허운전에 해당한다. (O, X) 2011 국가직 7급
12. 운전면허취소처분을 받은 후 자동차를 운전하였으나 위 취소처분이 행정쟁송절차에 의하여 취소된 경우, 행정행위에 인정되는 공정력에도 불구하고 무면허운전이 성립되지 않는다. (O, X)
2008 지방직(하) 7급

㉵ 관련 기출
13. 행정청이 의료법인의 이사에 대한 이사취임승인취소처분을 직권으로 취소하면 이사의 지위가 소급하여 회복된다. (O, X)
2017 국가직 9급
14. 행정청이 의료법인의 이사에 대한 이사취임승인취소처분을 직권으로 취소한 경우에는 이사가 소급하여 이사의 지위를 회복하게 된다. (O, X) 2014 서울시 7급

정답 1. O 2. X 3. X 4. O 5. O 6. O 7. O 8. O 9. O 10. O 11. X 12. O 13. O 14. O

14

다음 중 행정행위의 폐지 및 실효와 관련하여 옳은 내용은 모두 몇 개인가? (다수설과 판례에 의함)

⑦ 처분청은 사정변경 등의 사유가 있더라도 철회권을 규정하고 있는 조문이 없다면 처분을 철회할 수 없다.

④ 부담적 행정행위의 철회도 수익적 행정행위의 철회에서와 같은 제한을 받는다.

⑤ 행정청이 철회사유가 있음을 알면서도 장기간 철회권을 행사하지 않은 경우에는 실권의 법리에 의해 철회권의 행사가 제한된다.

⑥ 수익적 행정행위를 철회함에 있어서 행정절차법상의 처분절차를 준수할 필요는 없다.

⑩ 행정행위의 취소와 철회는 모두 그 효과가 소급한다는 점에서는 공통되나, 행정행위의 취소사유는 행정행위의 성립 당시에 존재하였던 하자를 말하고 철회사유는 행정행위가 성립된 이후에 새로이 발생한 사유라는 점에서 구별된다.

⑪ 건축주가 토지소유자로부터 토지사용승낙서를 받아 그 토지 위에 건축물을 건축하는 건축허가를 받았다가 착공에 앞서 건축주의 귀책사유로 해당 토지를 사용할 권리를 상실한 경우, 토지소유자의 건축허가 철회신청을 거부한 행위는 항고소송의 대상이 된다.

⑭ 건축허가를 받은 자가 건축허가가 취소되기 전에 공사에 착수한 경우, 착수기간이 지났다는 이유로 허가권자가 구 건축법 제11조 제7항에 따라 건축허가를 원칙적으로는 취소할 수 없다.

⑩ 영유아보육법 제30조 제5항에 따라 평가인증을 철회하는 처분을 하는 경우 별도의 법적 근거가 없다면 평가인증의 효력을 과거로 소급하여 상실시킬 수 없다.

⑳ 산업재해보상보험법상 각종 보험급여 지급결정을 변경 또는 취소하는 처분이 적법한 경우, 그에 터잡은 징수처분도 적법하다고 판단해야 한다.

㉒ 종전의 결혼예식장영업을 자진폐업한 경우라도 다시 예식장영업허가신청을 하였다면 소멸한 종전의 영업허가권이 당연히 되살아난다.

① 2개
② 3개
③ 4개
④ 5개

✓ **기출체크**

⑦ **관련 기출**

1. 행정행위를 한 처분청은 비록 처분 당시에 별다른 하자가 없었고, 처분 후에 이를 철회할 별도의 법적 근거가 없더라도 원래의 처분을 존속시킬 필요가 없게 된 중대한 공익상 필요가 발생한 경우에도 그 효력을 상실케 하는 별개의 행정행위로 이를 철회할 수 없다. (O, X) *2021 군무원 9급*

2. 행정행위를 한 처분청은 비록 처분 당시에 별다른 하자가 없었고, 처분 후에 이를 철회할 별도의 법적 근거가 없더라도 원래의 처분을 존속시킬 필요가 없게 된 사정변경이 생겼다는 이유만으로 그 효력을 상실케 하는 별개의 행정행위로 이를 철회하는 것은 허용되지 않는다. (O, X) *2021 군무원 9급*

3. 철회권이 유보된 경우라도 수익적 행정행위의 철회에 있어서는 반드시 법적 근거가 필요하다. (O, X) *2016 서울시 9급*

④ **관련 기출**

4. 부담적 행정행위의 철회는 원칙적으로 자유롭지 않다고 본다. (O, X) *2011 국가직 7급*

5. 행정행위의 철회가 제한되는 경우에 해당하는 것은? (다툼이 있는 경우 판례에 의함) *2015 서울시 9급*
   ① 행정행위에 수반되는 법정의무 또는 부관에 의한 의무 등을 위반하거나 불이행한 경우
   ② 수익적 행정처분의 경우
   ③ 사실관계나 법적 상황의 변경으로 인한 행정행위의 존속이 공익상 중대한 장애가 된 경우
   ④ 당사자의 신청이나 동의가 있는 경우

⑤ **관련 기출**

6. 행정청이 철회사유가 있음을 알면서도 장기간 철회권을 행사하지 않은 경우 실권의 법리에 의하여 철회권행사가 제한된다. (O, X) *2009 국회직 8급*

⑥ **관련 기출**

7. 수익적 행정행위의 철회는 특별한 다른 규정이 없는 한 행정절차법상의 절차에 따라 행해져야 한다. (O, X) *2021 지방직·서울시 9급*

8. 철회 자체가 행정행위의 성질을 가지는 것은 아니어서 행정절차법상 처분절차를 적용하여야 하는 것은 아니나, 신뢰보호원칙이나 비례원칙과 같은 행정법의 일반원칙은 준수해야 한다. (O, X) *2018 서울시 9급*

9. 수익적 행정행위의 철회의 경우에 행정절차법상의 사전통지나 의견청취절차를 거쳐야 한다. (O, X) *2004 관세사*

⑩ **관련 기출**

10. 행정행위의 취소사유는 행정행위의 성립 당시에 존재하였던 하자를 말하고, 철회사유는 행정행위가 성립된 이후에 새로이 발생한 것으로서 행정행위의 효력을 존속시킬 수 없는 사유를 말한다. (O, X) *2017 경행경채*

11. 철회는 적법요건을 구비하여 완전히 효력을 발하고 있는 행정행위를 사후적으로 그 행위의 효력의 전부 또는 일부를 장래에 향해 소멸시키는 행정처분이다. (O, X) *2013 경행특채*

⑪ **관련 기출**

12. 건축주가 토지소유자로부터 토지사용승낙서를 받아 그 토지 위에 건축물을 건축하는 건축허가를 받았다가 착공하기 전에 건축주의 귀책사유로 그 토지사용권을 상실한 경우 토지소유자는 건축허가

의 철회를 신청할 수 있고, 그 신청을 거부한 행위는 항고소송의
대상이 된다. (○, ×)
2020 변호사

13. 건축주가 토지소유자로부터 토지사용승낙서를 받아 그 토지 위에
건축물을 건축하는 건축허가를 받았다가 착공에 앞서 건축주의
귀책사유로 해당 토지를 사용할 권리를 상실한 경우, 토지소유자
의 건축허가 철회신청을 거부한 행위는 항고소송의 대상이 된다.
(○, ×)
2019 지방직 · 교육행정직 9급

④ 관련 기출

14. 건축허가를 받은 자가 법정 착수기간이 지나 공사에 착수한 경
우, 허가권자는 착수기간이 지났음을 이유로 건축허가를 취소하
여야 한다. (○, ×)
2018 국회직 8급

⑩ 관련 기출

15. 보건복지부장관이 어린이집에 대한 평가인증이 이루어진 이후에
새로이 발생한 사유를 들어 영유아보육법 제30조 제5항에 따라
평가인증을 철회하는 처분을 하면서도, 그 평가인증의 효력을 과
거로 소급하여 상실시키기 위해서는, 특별한 사정이 없는 한 영
유아보육법 제30조 제5항과는 별도의 법적 근거가 필요하다.
(○, ×)
2020 지방직 · 서울시 7급

16. 甲은 영유아보육법에 따라 보건복지부장관의 평가인증을 받아
어린이집을 설치 · 운영하고 있다. 甲은 어린이집을 운영하면서
부정한 방법으로 보조금을 교부받아 사용하였고, 보건복지부장관
은 이를 근거로 관련법령에 따라 평가인증을 취소하였다. 이에
대한 설명으로 옳은 것은? (다툼이 있는 경우 판례에 의함)
2019 국가직 9급
　① 평가인증의 취소는 강학상 취소에 해당하며, 행정청이 평가인
증취소처분을 하면서 별도의 법적 근거 없이도 평가인증의
효력을 취소사유발생일로 소급하여 상실시킬 수 있다.
　② 평가인증의 취소는 강학상 철회에 해당하며, 행정청이 평가인
증취소처분을 하면서 별도의 법적 근거 없이는 평가인증의
효력을 취소사유발생일로 소급하여 상실시킬 수 없다.
　③ 평가인증의 취소는 강학상 취소에 해당하며, 행정청이 평가인
증취소처분을 하면서 별도의 법적 근거 없이는 평가인증의
효력을 취소사유발생일로 소급하여 상실시킬 수 없다.
　④ 평가인증의 취소는 강학상 철회에 해당하며, 행정청이 평가인
증취소처분을 하면서 별도의 법적 근거 없이도 평가인증의
효력을 취소사유발생일로 소급하여 상실시킬 수 있다.

㉜ 관련 기출

17. 산업재해보상보험법상 각종 보험급여 등의 지급결정을 변경 또는
취소하는 처분과 처분에 터잡아 잘못 지급된 보험급여액에 해당
하는 금액을 징수하는 처분이 적법한지를 판단하는 경우, 지급결
정을 변경 또는 취소하는 처분이 적법하다면 그에 터잡은 징수처
분도 적법하다고 판단해야 한다. (○, ×)
2019 지방직 · 교육행정직 9급

㉝ 관련 기출

18. 다음 사례 상황에 대한 설명으로 옳은 것은? (다툼이 있는 경우
판례에 의함)
2016 국가직 9급

> 甲은 식품위생법상 유흥주점 영업허가를 받아 영업을 하던
> 중 경기부진을 이유로 2015. 8. 3. 자진폐업하고 관련법령
> 에 따라 폐업신고를 하였다. 이에 관할시장은 자진폐업을 이
> 유로 2015. 9. 10. 甲에 대한 위 영업허가를 취소하는 처분
> 을 하였으나 이를 甲에게 통지하지 아니하였다.

이후 甲은 경기가 활성화되자 유흥주점 영업을 재개하려고
관할시장에 2016. 2. 3. 재개업신고를 하였으나, 영업허가
가 이미 취소되었다는 회신을 받았다. 허가취소 사실을 비로
소 알게 된 甲은 2016. 3. 10.에 위 2015. 9. 10.자 영업
허가취소처분의 취소를 구하는 소송을 제기하였다.

① 甲에 대한 유흥주점 영업허가의 효력은 2015. 9. 10.자 영
업허가취소처분에 의해서 소멸된다.
② 위 2015. 9. 10.자 영업허가취소처분은 甲에게 통지되지 않
아 효력이 발생하지 아니하였으므로 甲의 영업허가는 여전히
유효하다.
③ 甲이 2015. 9. 10.자 영업허가취소처분에 대하여 제기한 위
취소소송은 부적법한 소송으로서 각하된다.
④ 甲에 대한 유흥주점 영업허가는 2016. 2. 3. 행한 甲의 재개
업신고를 통하여 다시 효력을 회복한다.

정답 1. × 2. × 3. × 4. × 5. ② 6. ○ 7. ○ 8. × 9. ○ 10. ○
11. ○ 12. ○ 13. ○ 14. × 15. ○ 16. ② 17. × 18. ③

15
□□□

행정작용에 관한 다음 기술 중 옳은 것을 모두 고른 것은? (다
툼이 있는 경우 판례에 의함)

> ㉮ 행정청의 행정계획의 폐지 · 변경에 대하여 당사자가
> 그 계획의 존속, 계획의 준수, 경과조치 및 손실보상
> 등을 요구할 수 있는 청구권을 계획보장청구권이라
> 하는데 신뢰보호원칙상 일반적으로 인정된다.
> ㉯ 교육부장관의 국 · 공립대학총장에 대한 학칙시정요
> 구는 행정지도의 일종이며, 그것이 규제적 · 구속적
> 성격을 상당히 강하게 갖는다 하더라도 헌법소원의
> 대상이 되는 공권력행사로 볼 수 없다.
> ㉰ 비록 정당하게 도시계획결정 등의 처분을 하였다고
> 하여도 이를 관보에 게재하여 고시하지 아니한 이상
> 대외적으로는 아무런 효력도 발생하지 않는다는 것
> 이 판례의 입장이다.
> ㉱ 도시기본계획은 도시의 장기적 개발방향과 미래상을
> 제시하는 도시계획의 입안의 지침이 되는 장기적 · 종
> 합적인 개발계획으로서 국민에 대한 직접적 구속력을
> 가진다고 볼 수 있다고 보는 것이 판례의 입장이다.
> ㉲ 행정주체가 행정계획을 입안 · 결정함에 있어서 이익
> 형량을 하였으나 정당성과 객관성이 결여된 경우에는
> 이익형량을 전혀 행하지 않은 경우와 달리 그러한 행
> 정계획결정에 형량의 하자가 있다고 보기는 어렵다.

① ㉮, ㉰　　　　　　　　② ㉯, ㉰, ㉱
③ ㉯, ㉱, ㉲　　　　　　④ ㉰

㉮ 관련 기출

1. 행정계획에는 변화가능성이 내재되어 있으므로, 국민의 신뢰보호를 위하여 계획보장청구권이 널리 인정된다. (○, ×)
2016 서울시 9급

2. 판례는 원칙적으로 계획보장청구권을 인정하고 있다. (○, ×)
2015 사회복지직 9급

3. 일반적인 계획보장청구권은 인정되지 않는다. (○, ×)
2010 국가직 9급

㉯ 관련 기출

4. 교육인적자원부장관(현 교육부장관)의 대학총장들에 대한 학칙시정요구는 법령에 따른 것으로 행정지도의 일종이지만, 단순한 행정지도로서의 한계를 넘어 헌법소원의 대상이 되는 공권력의 행사라고 볼 수 있다. (○, ×)
2019 국가직 9급

5. 교육인적자원부장관(현 교육부장관)의 학칙시정요구는 대학총장의 임의적인 협력을 통하여 사실상의 효과를 발생시키는 행정지도의 일종이며, 설령 단순한 행정지도로서의 한계를 넘어 규제적·구속적 성격을 갖는다 하더라도 공권력의 행사로 볼 수 없다. (○, ×)
2018 경행경채

6. 구 교육인적자원부장관(현 교육부장관)의 국·공립대학총장들에 대한 학칙시정요구는 행정지도이므로 헌법소원의 대상인 공권력의 행사로 볼 수 없다. (○, ×)
2017 교육행정직 9급

㉰ 관련 기출

7. 구 도시계획법상 행정청이 정당하게 도시계획결정의 처분을 하였다고 하더라도 이를 관보에 게재하여 고시하지 아니한 이상 대외적으로는 아무런 효력이 발생하지 않는다. (○, ×)
2021 지방직·서울시 7급, 2014 국가직 7급

8. 권한 있는 행정청이 정당하게 도시계획결정 등의 처분을 하였다면 이를 관보에 게재하여 고시하지 아니하였다 하더라도 대외적으로 효력을 발생한다. (○, ×)
2012 지방직(상) 9급

9. 적법한 절차를 거쳐 도시계획결정 등의 처분을 하였다고 하더라도 이를 관보에 게재하여 고시하지 아니한 이상 대외적으로는 아무런 효력도 발생하지 아니한다. (○, ×)
2012 국회(속기·경위직) 9급

㉱ 관련 기출

10. 구 도시계획법상 도시기본계획은 도시의 기본적인 공간구조와 장기발전방향을 제시하는 종합계획으로서 도시계획입안의 지침이 되므로 일반국민에 대한 직접적인 구속력은 없다. (○, ×)
2021 국가직 9급

11. 「국토의 계획 및 이용에 관한 법률」에 따른 도시기본계획은 일반국민에 대한 직접적인 구속력은 인정되지 않지만, 도시의 장기적 개발방향과 미래상을 제시하는 도시계획입안의 지침이 되기에 행정청에 대한 직접적인 구속력은 인정된다. (○, ×)
2018 국가직 7급

12. 도시계획법령상의 도시기본계획은 토지형질변경, 건축물의 신축, 개축 또는 증축 등 권리행사에 제한을 가져오므로 일반국민에 대한 직접적인 구속력을 가지는 처분에 해당하여 행정소송의 대상이 된다. (○, ×)
2009 지방직 9급

㉲ 관련 기출

13. 행정주체가 행정계획을 입안·결정함에 있어서 이익형량을 하였으나 정당성과 객관성이 결여된 경우 그 행정계획결정은 위법하다. (○, ×)
2021 지방직·서울시 7급

14. 행정주체는 그 행정계획에 관련되는 자들의 이익을 공익과 사익 사이에서는 물론이고 공익 상호 간과 사익 상호 간에도 정당하게 비교·교량하여야 한다는 제한을 받는다. (○, ×)
2021 군무원 9급

15. 행정주체가 행정계획을 입안·결정함에 있어서 이익형량의 고려 대상에 마땅히 포함시켜야 할 사항을 누락한 경우 이익형량을 전혀 행하지 아니하는 등의 사정이 없는 한 그 행정계획결정은 형량에 하자가 있다고 보기 어렵다. (○, ×)
2021 군무원 9급

16. 행정계획과 관련하여 이익형량을 하였으나 정당성과 객관성이 결여된 경우에는 그 행정계획결정은 형량에 하자가 있어 위법하게 된다. (○, ×)
2021 군무원 9급

정답 1. × 2. × 3. ○ 4. ○ 5. × 6. × 7. ○ 8. × 9. ○ 10. ○
11. × 12. × 13. ○ 14. ○ 15. × 16. ○

16

행정작용 등에 관한 다음 기술 중 옳지 않은 것은 모두 몇 개인가? (다툼이 있는 경우 판례에 의함)

㉮ 폐기물관리법상의 사업계획에 대한 적정통보가 있는 경우 폐기물사업의 허가단계에서는 나머지 허가요건만을 심사한다.

㉯ 사전결정(예비결정)은 단계화된 행정절차에서 최종적인 행정결정을 내리기 전에 이루어지는 행위이므로, 그 자체가 행정행위는 아니다.

㉰ 주택건설사업계획의 사전결정을 하였다 하더라도 사업승인단계에서 사전결정에 기속되지 않고 다시 사익과 공익을 비교·형량하여 그 승인 여부를 결정할 수 있다는 것이 판례의 입장이다.

㉱ 가행정행위는 불가변력이 발생하지 않기 때문에 신뢰보호원칙이 적용된다고 보기 어렵다.

㉲ 확약을 허용하는 명문의 규정이 없더라도 다수설은 본처분권한에 확약에 대한 권한이 포함되어 있다고 보아 별도의 명문의 규정이 없더라도 확약을 할 수 있다는 입장이다.

㉳ 확약에는 공정력이나 불가쟁력과 같은 효력이 인정되는 것은 아니라고 하더라도, 일단 확약이 있은 후에 사실적·법률적 상태가 변경되었다고 하여 행정청의 별다른 의사표시 없이 확약이 실효된다고 할 수 없다.

㉴ 어업권면허에 선행하는 우선순위결정은 행정처분이다.

㉵ 어업권면허에 선행하는 우선순위결정은 강학상 확약에 불과하고 행정처분은 아니므로 우선순위결정에 공정력이나 불가쟁력과 같은 효력은 인정되지 아니한다.

ⓩ 원자로 및 관계시설의 부지사전승인처분은 그 자체로서 독립한 행정처분은 아니므로 이의 위법성을 직접 항고소송으로 다툴 수는 없고 후에 발령되는 건설허가처분에 대한 항고소송에서 다투어야 한다.

ⓒ 부분허가(부분승인)는 본허가 권한과 분리되는 독자적인 행정행위이기 때문에 부분허가를 위해서는 본허가 이외에 별도의 법적 근거를 필요로 한다.

ⓚ 원자로건설허가처분이 있게 되면 원자로부지사전승인처분에 대한 취소소송은 소의 이익을 잃게 된다.

ⓣ 행정청은 처분에 재량이 있는 경우 법령이나 행정규칙이 정하는 바에 따라 완전히 자동화된 시스템으로 처분할 수 있다.

① 3개   ② 4개
③ 5개   ④ 6개

✔ **기출체크**

ⓐ 관련 기출
1. 폐기물처리업허가 전의 사업계획에 대한 부적정통보는 행정처분에 해당한다. (○. ×) 2019 서울시 2회 7급
2. (甲이 폐기물관리법에 따라 폐기물처리업의 허가를 받기 전에 행정청 乙에게 폐기물처리사업계획서를 작성하여 제출하였고, 乙은 그 사업계획서를 검토하여 적합통보를 한 경우) 사업계획서 적합통보가 있는 경우 폐기물처리업의 허가단계에서는 나머지 허가요건만을 심사한다. (○. ×) 2018 국가직 7급
3. 구 폐기물관리법 관계법령상의 폐기물처리업허가를 받기 위한 사업계획에 대한 부적정통보는 허가신청 자체를 제한하는 등 개인의 권리 내지 법률상의 이익을 개별적이고 구체적으로 규제하고 있어 행정처분에 해당한다. (○. ×) 2017 국가직 9급

ⓑ 관련 기출
4. 사전결정(예비결정)은 단계화된 행정절차에서 최종적인 행정결정을 내리기 전에 이루어지는 행위이지만, 그 자체가 하나의 행정행위이기도 하다. (○. ×) 2016 서울시 9급
5. 다음 내용을 근거로 판단할 때, 폐기물처리사업계획의 적합통보에 대한 설명으로 옳지 않은 것은? 2015 국가직 7급

폐기물관리법 제25조 【폐기물처리업】 ① 폐기물의 수집·운반, 재활용 또는 처분을 업으로 하려는 자는 환경부령으로 정하는 바에 따라 지정폐기물을 대상으로 하는 경우에는 폐기물처리사업계획서를 환경부장관에게 제출하고, 그 밖의 폐기물을 대상으로 하는 경우에는 시·도지사에게 제출하여야 한다.
② 환경부장관이나 시·도지사는 제1항에 따라 제출된 폐기물처리사업계획서를 다음 각 호의 사항에 관하여 검토한 후 그 적합 여부를 폐기물처리사업계획서를 제출한 자에게 통보하여야 한다. (각 호 중략)
③ 제2항에 따라 적합통보를 받은 자는 그 통보를 받은 날부터 2년 이내에 … (중략) … 허가를 받아야 한다. 이 경우 환경부장관 또는 시·도지사는 제2항에 따라 적합통보

를 받은 자가 그 적합통보를 받은 사업계획에 따라 시설·장비 및 기술인력 등의 요건을 갖추어 허가신청을 한 때에는 지체 없이 허가하여야 한다.

① 사업계획에 대한 부적합통보는 그 자체로 하나의 완결된 행정행위이다.
② 사업계획에 대한 적합통보가 있는 경우 사업의 허가단계에서는 나머지 허가요건만을 심사하면 된다.
③ 사업계획에 대한 적합통보는 사업허가 전에 신청자의 편의를 위하여 미리 그 사업허가의 일부 요건을 심사하여 행하는 사전결정의 성격이 있는 것이어서 사업허가처분이 있게 되면 그 허가처분에 흡수되어 독립된 존재가치를 상실한다.
④ 사업계획에 대한 적합통보결정은 최종행정행위인 폐기물처리사업허가에 기본적으로 구속력을 미치지 않는다.

ⓓ 관련 기출
6. 구 주택건설촉진법에 의한 주택건설사업계획 사전결정이 있는 경우 주택건설계획 승인처분은 사전결정에 기속되므로 다시 승인 여부를 결정할 수 없다. (○. ×) 2017 서울시 9급

ⓔ 관련 기출
7. 가행정행위는 불가변력이 발생하지 않기 때문에 신뢰보호원칙이 적용된다고 보기 어렵다. (○. ×) 2008 지방직 9급

ⓕ 관련 기출
8. 행정청이 공적인 의사표명을 하였다면 이후 사실적·법률적 상태의 변경이 있더라도 행정청이 이를 취소하지 않는 한 여전히 공적인 의사표명은 유효하다. (○. ×) 2021 지방직·서울시 9급
9. 행정청이 상대방에게 장차 어떤 처분을 하겠다고 공적인 의사표명을 하면서 상대방에게 언제까지 처분의 발령을 신청하도록 유효기간을 둔 경우, 그 기간 내에 상대방의 신청이 없었다면 그 공적인 의사표명은 행정청의 별다른 의사표시를 기다리지 않고 실효된다. (○. ×) 2020 지방직·서울시 7급
10. 확약이 있은 이후에 사실적·법률적 상태가 변경되었다면 그와 같은 확약은 행정청의 별다른 의사표시 없이도 실효된다. (○. ×) 2016 서울시 9급

ⓖ 관련 기출
11. 판례는 어업권면허에 선행하는 우선순위결정의 처분성을 인정하고 있다. (○. ×) 2016 서울시 9급
12. 대법원은 어업권면허에 선행하는 우선순위결정은 행정청이 우선권자로 결정된 자의 신청이 있으면 어업권면허처분을 하겠다는 것을 약속하는 행위로서 강학상 확약에 불과하고 행정처분은 아니라고 판시한 바 있다. (○. ×) 2010 지방직 7급
13. 판례에 따르면 어업권면허에 선행하는 우선순위결정은 강학상 확약에 불과하다고 하여 처분성을 부정한다. (○. ×) 2013 국가직 7급, 2009 지방직 9급
14. 어업권면허에 선행하는 우선순위결정(은 판례상 행정처분으로 인정된다) (○. ×) 2019 소방직 9급

ⓗ 관련 기출
15. 어업권면허에 선행하는 확약인 우선순위결정(은 취소소송의 대상이 된다) (○. ×) 2021 지방직·서울시 7급

16. 어업권면허에 선행하는 우선순위결정은 행정청이 우선권자로 결정된 자의 신청이 있으면 어업권면허처분을 하겠다는 것을 약속하는 행위로서 강학상 확약에 불과하다. (○. ×) 2020 군무원 7급

17. 어업권면허에 선행하는 우선순위결정은 강학상 확약으로 행정처분에 해당되어 우선순위결정에 공정력이나 불가쟁력 같은 효력이 인정된다. (○. ×) 2015 경행특채 2차, 2007 국가직 7급

㉚ 관련 기출

18. 구 원자력법상 원자로 및 관계시설의 부지사전승인처분은 그 자체로서 건설부지를 확정하고 사전공사를 허용하는 법률효과를 지닌 독립한 행정처분이다. (○. ×)
2019 서울시 2회 7급, 2017 국가직(하) 9급

19. 원자력부지사전승인처분은 판례에 의할 경우 항고소송의 대상이 될 수 있다. (○. ×) 2014 국회직 8급

㉚ 관련 기출

20. 원자로 및 관계시설의 부지사전승인처분에 대한 취소소송 중에 건설허가가 난 경우(는 부지사전승인을 다툴 소의 이익이 인정된다) (○. ×) 2008 관세사

정답 1. ○ 2. ○ 3. ○ 4. ○ 5. ④ 6. × 7. ○ 8. × 9. ○ 10. ○
11. × 12. ○ 13. ○ 14. × 15. × 16. ○ 17. ○ 18. ○ 19. ○
20. ×

17

□□□

다음 <사례>와 관련한 설명 중 옳지 않은 것을 모두 고른 것은?

<사례>
갑(甲)은 A시(市)의 시립무용단원 선발시험에 합격하여, A시와 채용계약을 체결하였다. 그러나 甲과 A시 사이의 채용계약 중 임금 및 수당 부분에 있어서 같은 무용단원에 지급되고 있는 급식보조비가 누락되어 이후 甲과 A시 사이에 분쟁이 발생하였다(채용계약의 법적 성질은 판례에 의함).

㉮ 행정청이 <사례>와 같은 계약의 상대방을 선정하고 계약내용을 정할 때 계약의 공공성과 제3자의 이해관계를 고려할 필요는 없다.

㉯ A시가 甲을 해촉하였다면, 甲은 공법상의 당사자소송으로 무효확인을 청구할 수 있다.

㉰ 甲과 A시의 채용계약에 하자가 있는 경우, 하자가 중대하고 명백하다면 이 계약은 무효가 되며, 만약 하자가 그 정도에 이르지 않으면 취소의 대상이 된다는 것이 일반적 견해이다.

㉱ <사례>와 같은 계약에는 법률우위원칙은 적용되지 않으나, 법률유보의 원칙은 적용된다는 것이 일반적 견해이다.

㉲ 甲과 A시의 채용계약과 같은 행정작용은 적어도 당사자의 일방은 행정주체이어야 한다.

㉳ 甲과 A시의 채용계약과 같은 행정작용에 관한 절차적 규정으로 행정절차법을 들 수 있다.

① ㉮, ㉯, ㉱ ② ㉮, ㉰, ㉱, ㉳
③ ㉯, ㉰, ㉲ ④ ㉰, ㉱, ㉲, ㉳

✅ 기출체크

㉮ 관련 기출

1. 행정청은 공법상 계약의 상대방을 선정하고 계약내용을 정할 때 공법상 계약의 공공성과 제3자의 이해관계를 고려하여야 한다.
(○. ×) 2021 지방직·서울시 9급

㉯ 관련 기출

2. 공법상 계약해지의 의사표시에 대한 다툼은 공법상의 당사자소송으로 무효확인을 청구할 수 있다. (○. ×) 2018 교육행정직 9급

3. 지방전문직 공무원 채용계약해지의 의사표시에 대하여는 공법상 당사자소송으로 그 의사표시의 무효확인을 청구할 수 있다. (○. ×)
2017 지방직(하) 9급

4. 시립무용단원의 채용계약과 공중보건의사 채용계약은 공법상 계약에 해당한다. (○. ×) 2017 서울시 7급

5. 시립무용단원의 해촉에 대해서는 항고소송으로 다투어야 하고 당사자소송으로 다툴 수는 없다. (○. ×) 2016 교육행정직 9급

㉰ 관련 기출

6. 중대한 하자 있는 공법상 계약은 무효이다. (○. ×) 2013 국회직 8급

7. 위법한 공법상 계약은 무효이므로 공법상 계약에는 원칙적으로 공정력이 인정되지 않는다. (○. ×) 2010 지방직 9급

8. 위법한 공법상 계약은 민법에서와 같이 원칙상 무효이다. (○. ×)
2006 국가직 9급

㉱ 관련 기출

9. 공법상 계약에는 법률우위의 원칙이 적용된다. (○. ×)
2021 지방직·서울시 9급

10. 일반적으로 공법상 계약은 법규에 저촉되지 않는 한 자유로이 체결할 수 있으며 법률의 근거도 필요하지 않다. (○. ×)
2017 서울시 7급

11. 공법상 계약도 공행정작용이므로 역시 법률우위의 원칙하에 놓인다. (○. ×) 2014 서울시 7급

12. 공법상 계약은 공법적 효과를 가져오므로 법적 근거가 필요하다.
(○. ×) 2007 국가직 9급

㉲ 관련 기출

13. (공법상 계약의 경우) 계약당사자의 일방은 행정주체이어야 하며, 행정주체에는 공무를 수탁받은 사인도 포함된다. (○. ×)
2012 사회복지직 9급

14. 행정주체인 사인은 공법상 계약의 일방 당사자가 될 수 없다.
(○. ×) 2008 관세사

㉳ 관련 기출

15. 행정절차법은 공법상 계약의 체결절차에 대해서는 규율하고 있지 않다. (○. ×) 2019 서울시 1회 7급

16. 공법상 계약의 일반적 절차는 행정절차법상 공법상 계약의 규정에 따른다. (○. ×)
2018 교육행정직 9급
17. 공법상 계약에 대해서도 행정절차법이 적용된다. (○. ×)
2016 국가직 9급
18. 행정법상 계약에는 행정절차법이 적용되지 아니한다. (○. ×)
2012 지방직(하) 7급
19. 행정절차법에서 공법상 계약의 절차를 일반적으로 규율하고 있다. (○. ×)
2011 사회복지직 9급

정답 1. ○ 2. ○ 3. ○ 4. ○ 5. × 6. ○ 7. ○ 8. ○ 9. ○ 10. ○
11. ○ 12. × 13. ○ 14. × 15. ○ 16. × 17. × 18. ○ 19. ×

18

□□□

행정계획에 관한 설명 중 옳지 않은 것을 모두 고른 것은? (다툼이 있을 경우 판례에 의함)

㉮ 도시계획구역 내 토지 등을 소유하고 있는 사람과 같이 당해 도시계획시설결정에 이해관계가 있는 주민이라도 도시시설계획의 입안권자 내지 결정권자에게 도시시설계획의 입안 내지 변경을 요구할 수 있는 법규상 또는 조리상의 신청권은 인정되지 않는다.

㉯ 장기성·종합성이 요구되는 행정계획에 있어서는 원칙적으로 그 계획이 확정된 후에 어떤 사정의 변동이 있다고 하여 지역주민에게 일일이 그 계획의 변경을 청구할 권리를 인정해 줄 수 없다.

㉰ 문화재보호구역 내에 있는 토지의 소유자에게는 해당 보호구역의 지정해제를 요구할 수 있는 법규상 또는 조리상의 신청권이 있으며, 그 신청에 대한 거부행위는 항고소송의 대상이 되는 행정처분에 해당된다.

㉱ 장래 일정한 기간 내에 관계법령이 규정하는 시설 등을 갖추어 일정한 행정처분을 구하는 신청을 할 수 있는 법률상 지위에 있는 자의 국토이용계획변경신청을 거부하는 것이 실질적으로 당해 행정처분 자체를 거부하는 결과가 되는 경우에는 예외적으로 그 신청인에게 국토이용계획변경을 신청할 권리가 인정된다.

㉲ 산업단지개발계획상 산업단지 안의 토지소유자로서 산업단지개발계획에 적합한 시설을 설치하여 입주하려는 자는 산업단지지정권자 또는 그로부터 권한을 위임받은 기관에 대하여 산업단지개발계획의 변경을 요청할 수 있는 법규상 또는 조리상 신청권이 있다.

㉳ 국민의 기본권에 직접적으로 영향을 끼치고, 앞으로 법령의 뒷받침에 의하여 그대로 실시될 것이 틀림없을 것으로 예상될 수 있을 때라도 비구속적 행정계획안의 경우에는 구속적 행정계획과 달리 헌법소원의 대상이 되는 공권력의 행사에 해당된다고 볼 수 없다.

㉴ 도시관리계획을 수립함에 있어 법령상 규정된 공청회를 열지 아니하고 한 도시계획결정은 위법하나 당연무효라고 볼 수는 없다.

㉵ 권한 있는 행정청이 수립한 후행 도시계획에 선행 도시계획과 서로 양립할 수 없는 내용이 포함되어 있다면, 특별한 사정이 없는 한 선행 도시계획은 후행 도시계획과 같은 내용으로 변경된 것으로 볼 수 있다.

㉶ 행정절차법은 행정계획의 수립·확정절차에 관한 법적 근거를 두고 있다.

① ㉮, ㉯, ㉰, ㉳ 　　② ㉮, ㉳, ㉶
③ ㉰, ㉱, ㉲, ㉵ 　　④ ㉳, ㉴, ㉶

✓ 기출체크

㉮ 관련 기출

1. 도시계획구역 내 토지 등을 소유하고 있는 사람과 같이 당해 도시계획시설결정에 이해관계가 있는 주민은 도시시설계획의 입안권자 내지 결정권자에게 도시시설계획의 입안 내지 변경을 요구할 수 있는 법규상 또는 조리상의 신청권이 있다. (○. ×)
2020 지방직·서울시 9급

2. 도시계획시설결정에 이해관계가 있는 주민이더라도 도시시설계획의 입안권자에게 도시시설계획의 입안을 요구할 수 있는 법규상 또는 조리상의 신청권을 갖지 않는다. (○. ×) 2019 경행경채 2차

3. 도시계획시설결정에 이해관계가 있는 주민으로서는 도시시설계획의 입안권자 내지 결정권자에게 도시시설계획의 입안 내지 변경을 요구할 수 있는 법규상 또는 조리상의 신청권이 있고, 이러한 신청에 대한 거부행위는 항고소송의 대상이 되는 행정처분에 해당한다. (○. ×) 2019 사회복지직 9급

4. 「국토의 계획 및 이용에 관한 법률」상 도시·군계획시설결정에 이해관계가 있는 주민에 의한 도시·군계획시설결정 변경신청에 대해 관할행정청이 거부한 경우, 그 거부행위는 항고소송의 대상이 되는 행정처분에 해당한다. (○. ×) 2017 국가직(하) 9급

㉯ 관련 기출

5. 구 국토이용관리법상의 국토이용계획은 그 계획이 일단 확정된 후에 어떤 사정의 변동이 있다고 하여 지역주민이나 일반 이해관계인에게 일일이 그 계획의 변경을 신청할 권리를 인정하여 줄 수 없다. (○. ×) 2020 지방직·서울시 9급

6. 확정된 행정계획에 대하여 사정변경을 이유로 조리상 변경신청권이 인정된다. (○. ×) 2018 서울시 1회 7급

7. 구 국토이용관리법상 국토이용계획이 확정된 후 일정한 사정의 변동이 있다면 지역주민에게 일반적으로 계획의 변경 또는 폐지를 청구할 권리가 있다. (O, X)　　2014 국가직 9급

㉰ 관련 기출

8. 문화재보호구역 내의 토지소유자가 문화재보호구역의 지정해제를 신청하는 경우에는 그 신청인에게 법규상 또는 조리상 행정계획변경을 신청할 권리가 인정되지 않는다. (O, X)
　　2020 지방직·서울시 9급

9. 문화재보호구역 내에 있는 토지의 소유자는 그 보호구역의 지정해제를 요구할 수 있는 법규상 또는 조리상의 신청권이 있다고 보기 어려우므로 이에 대한 거부행위는 항고소송의 대상이 되는 행정처분으로 보기 어렵다. (O, X)　　2016 사회복지직 9급

10. 문화재보호구역 내에 있는 토지소유자 등으로서는 위 보호구역의 지정해제를 요구할 수 있는 법규상 또는 조리상의 신청권이 없다. (O, X)　　2016 경행경채

㉱ 관련 기출

11. 장래 일정한 기간 내에 관계법령이 규정하는 시설 등을 갖추어 일정한 행정처분을 구하는 신청을 할 수 있는 법률상 지위에 있는 자의 국토이용계획변경신청을 거부하는 것이 실질적으로 당해 행정처분 자체를 거부하는 결과가 되는 경우라도, 구 국토이용관리법상 주민이 국토이용계획의 변경에 대하여 신청을 할 수 있다는 규정이 없으므로 그 신청인에게 국토이용계획변경을 신청할 권리가 인정된다고 볼 수 없다. (O, X)　　2021 국가직 9급

12. 장래 일정한 기간 내에 관계법령이 규정하는 시설 등을 갖추어 일정한 행정처분을 구하는 신청을 할 수 있는 법률상 지위에 있는 자의 국토이용계획변경신청을 거부하는 것이 실질적으로 당해 행정처분 자체를 거부하는 결과가 되는 경우에는 예외적으로 그 신청인에게 국토이용계획변경을 신청할 권리가 인정된다. (O, X)
　　2020 국가직 9급, 2019 서울시 1회 7급, 2015 지방직 7급

13. 폐기물처리사업의 적정통보를 받은 자가 폐기물처리업허가를 받기 위해서는 국토이용계획의 변경이 선행되어야 하는 경우 일반적·추상적 효력을 가지는 이용계획의 특성상 그 변경을 신청할 개인의 권리는 인정되지 아니한다. (O, X)　　2014 국회직 8급

㉲ 관련 기출

14. 산업단지개발계획상 산업단지 안의 토지소유자로서 산업단지개발계획에 적합한 시설을 설치하여 입주하려는 자는 산업단지지정권자 또는 그로부터 권한을 위임받은 기관에 대하여 산업단지개발계획의 변경을 요청할 수 있는 법규상 또는 조리상 신청권이 있다. (O, X)　　2021 지방직·서울시 7급

㉳ 관련 기출

15. 구속력 없는 행정계획안이나 행정지침이라도 국민의 기본권에 직접적으로 영향을 끼치고 법령의 뒷받침에 의하여 그대로 실시될 것이 틀림없을 것으로 예상되는 때에는 예외적으로 헌법소원의 대상이 된다. (O, X)　　2021 국가직 9급

16. 비구속적 행정계획안이나 행정지침이라도 국민의 기본권에 직접적으로 영향을 끼치고, 앞으로 법령의 뒷받침에 의하여 그대로 실시될 것이 틀림없을 것으로 예상될 수 있을 때에는, 공권력행위로서 헌법소원의 대상이 될 수 있다. (O, X) 2018 국가직 7급

17. 국민의 기본권에 직접적으로 영향을 끼치고 법령의 뒷받침에 의해 실시될 것이라고 예상될 수 있다 하더라도 비구속적 행정계획안의 경우 헌법소원의 대상이 될 수 없다. (O, X)　　2018 서울시 1회 7급

㉴ 관련 기출

18. 공청회와 이주대책이 없는 도시계획수립행위는 당연무효인 행위이다. (O, X)　　2012 지방직 9급

㉵ 관련 기출

19. 선행 도시계획의 결정·변경 등의 권한이 없는 행정청이 행한 선행 도시계획과 양립할 수 없는 새로운 내용의 후행 도시계획결정은 무효이다. (O, X)　　2016 지방직 9급

20. (권한 있는 행정청이 수립한) 후행 도시계획에 선행 도시계획과 서로 양립할 수 없는 내용이 포함되어 있다면, 특별한 사정이 없는 한 선행 도시계획은 후행 도시계획과 같은 내용으로 적법하게 변경되었다고 볼 수 있다. (O, X)　　2009 지방직 9급

㉶ 관련 기출

21. 행정절차법은 행정계획의 절차상 통제방법으로 관계행정기관과의 협의와 주민·이해관계인의 참여에 관한 일반적인 규정을 두고 있다. (O, X)　　2017 국가직(하) 9급

22. 행정절차법은 계획확정절차에 관한 일반법이다. (O, X)
　　2017 교육행정직 9급

23. 행정계획의 절차에 관한 일반법으로 행정계획절차법이 시행되고 있다. (O, X)　　2015 교육행정직 9급

24. 행정절차법은 행정계획을 수립·시행하거나 변경하고자 하는 때에는 원칙적으로 이를 예고하도록 규정하고 있다. (O, X)
　　2013 지방직 9급 변형

정답　1. O　2. X　3. O　4. O　5. O　6. X　7. X　8. X　9. X　10. X
　　11. X　12. O　13. X　14. O　15. O　16. O　17. X　18. X　19. O
　　20. O　21. X　22. X　23. X　24. O

19　　□□□

공법상 계약과 관련된 다음 설명 중 옳은 것은 모두 몇 개인가? (다툼이 있는 경우 판례에 의함)

㉮ 지방계약직 공무원에게는 계약상의 권리·의무가 발생하며, 징계에 관한 지방공무원법규정이 적용되지 않으므로 굳이 징계절차에 의하지 않고도 보수를 삭감할 수 있다.

㉯ 중소기업기술정보진흥원장이 甲주식회사와 체결한 중소기업 정보화지원사업 지원대상인 사업의 지원협약을 甲의 책임 있는 사유로 해지하고 협약에서 정한 대로 지급받은 정부지원금을 반환할 것을 통보한 경우, 협약의 해지 및 그에 따른 환수통보는 행정처분에 해당한다.

ⓒ 구 「산업집적활성화 및 공장설립에 관한 법률」에 따른 산업단지입주계약의 해지통보는 행정청으로부터 권한을 위탁받은 한국산업단지공단이 우월적 지위에서 그 상대방에게 일정한 법률상 효과를 발생하게 하는 것으로서 대등한 당사자로서의 의사표시가 아니라 항고소송의 대상이 되는 행정처분에 해당한다.

ⓔ 공법상 계약은 복수당사자 간 반대방향의 의사표시 합치로 성립되는 공법행위로 동일한 방향의 의사표시 합치로 성립되는 공법상 합동행위와 구별된다.

ⓜ 계약직 공무원 채용계약해지는 국가 또는 지방자치단체가 대등한 지위에서 행하는 의사표시로서 처분이 아니므로 행정절차법에 의하여 근거와 이유를 제시하여야 하는 것은 아니다.

ⓗ 공법상 계약은 행정주체와 사인 간에만 체결 가능하며, 행정주체 상호 간에는 공법상 계약이 성립할 수 없다.

ⓢ 지방공무원법상 지방전문직 공무원 채용계약에서 정한 채용기간이 만료한 경우에는 채용계약의 갱신이나 기간연장 여부는 기본적으로 지방자치단체장의 재량이다.

ⓞ 공법상 계약에는 공정력이 인정되지 않는다.

① 3개   ② 4개
③ 5개   ④ 6개

✅ 기출체크

㉠ 관련 기출

1. 채용계약상 특별한 약정이 없는 한, 지방계약직 공무원에 대하여 지방공무원법, 「지방공무원 징계 및 소청 규정」에 정한 징계절차에 의하지 않고서는 보수를 삭감할 수 없다. (O, X)
2021 국가직 9급, 2015 지방직 9급, 2015 지방직 7급

㉡ 관련 기출

2. 구 「중소기업 기술혁신촉진법」상 중소기업 정보화지원사업에 따른 지원금 출연을 위하여 중소기업청장이 체결하는 협약은 공법상 대등한 당사자 사이의 의사표시의 합치로 성립하는 공법상 계약에 해당한다. (O, X)
2021 지방직 · 서울시 7급

3. 중소기업기술정보진흥원장이 甲 회사와 중소기업 정보화지원사업 지원대상인 사업의 지원에 관한 협약을 체결하였는데, 협약이 甲 회사에 책임이 있는 사업실패로 해지되었다는 이유로 협약에서 정한 대로 지급받은 정부지원금을 반환할 것을 통보한 것은 행정처분에 해당하지 않는다. (O, X) 2021 경행경채, 2018 국가직 9급

4. 중소기업 정보화지원사업에 따른 지원금 출연을 위하여 중소기업청장이 체결하는 협약(은 공법상 계약에 해당한다) (O, X)
2021 군무원 7급

5. 중소기업 정보화지원사업에 대한 지원금출연협약의 해지 및 환수통보는 공법상 계약에 따른 의사표시가 아니라 행정청이 우월한 지위에서 행하는 공권력의 행사로서 행정처분이다. (O, X)
2021 국가직 9급

6. 행정청이 자신과 상대방 사이의 법률관계를 일방적인 의사표시로 종료시켰다고 하더라도 곧바로 그 의사표시가 행정청으로서 공권력을 행사하여 행하는 행정처분이라고 단정할 수는 없고, 관계법령이 상대방의 법률관계에 관하여 구체적으로 어떻게 규정하고 있는지에 따라 개별적으로 판단하여야 한다. (O, X) 2021 국가직 9급

㉢ 관련 기출

7. 행정청인 관리권자로부터 관리업무를 위탁받은 공단이 우월적 지위에서 일정한 법률상 효과를 발생하게 하는 공단입주 변경계약은 공법계약으로 이의 취소는 공법상 당사자소송으로 해야 한다. (O, X) 2020 군무원 7급

8. 구 「산업집적활성화 및 공장설립에 관한 법률」에 따른 산업단지입주계약의 해지통보는 행정청인 관리권자로부터 관리업무를 위탁받은 한국산업단지공단이 우월적 지위에서 그 상대방에게 일정한 법률상 효과를 발생하게 하는 것으로서 항고소송의 대상이 되는 행정처분에 해당한다. (O, X) 2017 지방직 7급

㉣ 관련 기출

9. 다음 내용 중 괄호 안에 알맞은 것은?   2017 교육행정직 9급

> (　　)은/는 공법상의 법률관계의 변경을 가져오는 행정주체를 한쪽 당사자로 하는 양 당사자 사이의 반대방향의 의사표시의 합치를 말한다.

① 행정처분   ② 공법상 계약
③ 사법상 계약   ④ 공법상 합동행위

10. 공법상 합동행위는 공법적 효과발생을 목적으로 하는 복수당사자 간의 동일방향의 의사의 합치로 성립되는 공법행위이며, 지방자치단체조합을 설립하는 행위 등은 이에 해당한다. (O, X)
2012 지방직(하) 7급

11. 공공조합의 설립행위도 공법상 계약이다. (O, X) 2007 국가직 9급

㉤ 관련 기출

12. 계약직 공무원 채용계약해지의 의사표시는 항고소송의 대상이 되는 처분 등의 성격을 가진 것으로 행정처분과 같이 행정절차법에 의하여 근거와 이유를 제시하여야 한다. (O, X)
2021 지방직 · 서울시 9급

13. 계약직 공무원 채용계약해지의 의사표시는 일정한 사유가 있을 때에 국가 또는 지방자치단체가 채용계약관계의 한쪽 당사자로서 대등한 지위에서 행하는 의사표시로 볼 수 없으므로, 행정절차법에 의하여 근거와 이유를 제시하여야 한다. (O, X)
2021 국회직 8급

14. (공법상) 계약의 해지의사표시를 하기 위해서는 행정절차법에 따라 근거와 이유를 제시하여야 한다. (O, X) 2020 소방직 9급

15. 계약직 공무원 채용계약해지의 의사표시는 일반공무원에 대한 징계처분과는 다르지만, 행정절차법의 처분절차에 의하여 근거와 이유를 제시하여야 한다. (O, X) 2018 국가직 9급

㉥ 관련 기출

16. 지방자치단체 간의 교육사무위탁은 공법상 계약이다. (O, X)
2011 사회복지직 9급

㉦ 관련 기출

17. 공법상 계약의 내용은 당사자 간에 합의에 의하여 정해지기도 하

지만, 행정주체가 일방적으로 내용을 정하고 상대방은 체결 여부
만을 선택해야 하는 경우도 인정될 수 있다. (O, X)

2014 서울시 7급

⑩ 관련 기출

18. (공법상 계약은) 상대방의 의무불이행에 대한 강제적 실행이 용
    이하다. (O, X)
    2013 서울시 9급

19. 공법상 계약에 따른 의무를 이행하지 않는 경우 법원의 판결을
    받아 강제집행을 하여야 하고, 특별한 규정이 없는 한 자력집행
    을 할 수는 없다. (O, X)
    2010 서울시 9급 변형

정답 1. O 2. O 3. O 4. O 5. X 6. O 7. X 8. O 9. ② 10. O
      11. X 12. X 13. X 14. X 15. X 16. O 17. O 18. X 19. O

20

☐☐☐

**행정지도와 관련된 다음 설명 중 옳은 것은 모두 몇 개인가?
(다툼이 있는 경우 판례에 의함)**

㉮ 행정절차법에 따르면 행정지도의 상대방은 해당 행
   정지도의 내용에 관하여서뿐만 아니라 그 방식에 관
   하여도 행정기관에 의견을 제출할 수 있다.

㉯ 행정지도는 행정기관이 그 소관 사무의 범위에서 일
   정한 행정목적을 실현하기 위하여 특정인에게 일정
   한 행위를 하거나 하지 아니하도록 지도, 권고, 조언
   등을 하는 행정작용을 말하는바, 그 법적 성질은 비
   권력적 사실행위로서 처분성이 인정되지 않는다.

㉰ 다수설에 따르면 행정지도에 관해서 개별법에 근거
   규정이 없는 경우 행정지도의 상대방인 국민에게 미
   치는 효력을 고려하여 행정지도를 할 수 없다고 본다.

㉱ 행정지도를 하는 자는 그 상대방에게 그 행정지도의
   취지 및 내용을 밝혀야 하지만 신분은 생략할 수 있다.

㉲ 행정지도를 하는 경우에는 관련된 국민의 권리나 의
   무에 간접적으로나마 영향을 미칠 수 있으므로 직무
   수행에 특별한 지장이 없는 한 서면으로 행하여야 한다.

㉳ 행정지도가 구술로 이루어지는 경우 상대방이 행정
   지도의 취지·내용 및 신분을 기재한 서면의 교부를
   요구하면 당해 행정지도를 행하는 자는 직무수행에
   특별한 지장이 없는 한 이를 교부하여야 한다.

㉴ 행정기관이 같은 행정목적을 실현하기 위하여 많은
   상대방에게 행정지도를 하려는 경우에는 특별한 사
   정이 없으면 행정지도에 공통적인 내용이 되는 사항
   을 공표하여야 한다.

㉵ 행정기관은 행정지도에 따르지 아니하였다는 이유
   로 불이익한 조치를 할 수 있다.

㉶ 행정절차법은 행정지도에 관한 규정을 두고 있지
   않다.

㉷ 교육인적자원부장관(현 교육부장관)의 (구)공립대학
   총장들에 대한 학칙시정요구는 고등교육법령에 따
   른 것으로, 그 법적 성격은 대학총장의 임의적인 협
   력을 통하여 사실상의 효과를 발생시키는 행정지도
   의 일종으로 헌법소원의 대상이 되는 공권력의 행사
   로 볼 수 없다.

㉸ 행정관청이 구 국토이용관리법 소정의 토지거래계약
   신고에 관하여 공시된 기준시가를 기준으로 매매가
   격을 신고하도록 행정지도를 하여 그에 따라 허위신
   고를 한 것이라 하더라도 이와 같은 행정지도는 법에
   어긋나는 것으로서 그 범법행위가 정당화될 수 없다.

㉹ 행정지도가 강제성을 띠지 않은 비권력적 작용으로
   서 행정지도의 한계를 일탈하지 아니하였다면, 그로
   인해 상대방에게 어떤 손해가 발생하였다고 해도 행
   정기관은 그에 대한 손해배상책임이 없다.

① 6개   ② 7개

③ 8개   ④ 9개

✅ **기출체크**

㉮ 관련 기출

1. 행정지도의 상대방은 당해 행정지도의 방식·내용 등에 관하여 행
   정기관에 의견을 제출할 수 없다. (O, X)   2020 소방직 9급

2. 행정절차법상 행정지도는 의견제출과 사전통지절차에 대해 규정하
   고 있다. (O, X)   2020 경행경채

3. 행정지도의 상대방은 행정지도의 내용에 동의하지 않는 경우 이를
   따르지 않을 수 있으므로, 행정지도의 내용이나 방식에 대해 의견
   제출권을 갖지 않는다. (O, X)   2017 국가직 9급

㉯ 관련 기출

4. 일정한 행정목적을 실현하기 위하여 상대방인 국민에게 임의적인
   협력을 요청하는 비권력적 사실행위를 행정지도라 한다. (O, X)
   2020 소방직 9급

5. 행정지도는 법적 효과의 발생을 목적으로 하는 의사표시이다.
   (O, X)   2018 교육행정직 9급

6. 판례에 따르면 세무당국이 주류거래를 일정기간 중지하여 줄 것을 요
   청한 행위는 항고소송의 대상이다. (O, X)   2016 교육행정직 9급

7. 행정지도는 사실상 강제력으로 인하여 권력적 행정활동임이 원칙
   이다. (O, X)   2011 지방직 9급

㉰ 관련 기출

8. 행정지도에는 법률의 근거가 필요하지 않다는 것이 판례의 태도이다.
   (O, X)   2020 소방직 9급

9. 여름철 식중독예방을 위해 A구의 보건행정담당공무원 甲이 관내
   일반·휴게·계절음식점 업주에 대해 위생지도를 실시하고 있다.
   이에 관한 설명 중 옳지 않은 것은?   2015 서울시 9급
   ① 판례에 따르면 법령의 수권(授權) 없이 행정지도를 할 수 없다.

② 위생지도의 상대방인 일반·휴게·계절음식점 업주가 甲의 위생지도에 불응한 경우, 그 사유만으로 당해 업주에게 불이익한 조치를 해서는 아니 된다.

③ 甲의 위생지도는 구속력을 갖지 않는 행정지도에 속하지만, 행정절차법상의 비례원칙이 적용된다.

④ 甲의 위생지도가 다수인을 대상으로 하는 것이라면 특별한 사정이 없는 한 위생지도에 관한 공통적인 내용과 사항을 공표해야 한다.

10. 직접적 규제목적이 없는 행정지도는 법령에 직접 근거규정이 없어도 권한업무의 범위 내에서 행해질 수 있다. (○. ×)
2011 지방직(상) 9급

㉣ 관련 기출

11. 행정지도를 하는 자는 그 상대방에게 그 행정지도의 취지 및 내용과 신분을 밝혀야 한다. (○. ×)
2017 교육행정직 9급, 2015 경행특채 1차, 2014 서울시 9급, 2013 경행특채

㉤ 관련 기출

12. 행정지도는 반드시 문서로 하여야 한다. (○. ×)
2017 교육행정직 9급

13. 행정지도는 반드시 문서로 하여야 하는 것은 아니다. (○. ×)
2015 교육행정직 9급

14. 행정지도는 구술로도 할 수 있다. (○. ×)   2015 경행특채 1차

15. 행정절차법에서는 행정지도는 반드시 서면의 형식으로 행하도록 규정하고 있다. (○. ×)
2010 국회속기직 9급

㉥ 관련 기출

16. 행정절차법상 행정지도를 하는 자는 상대방이 서면의 교부를 요구하는 경우 그 행정지도의 내용과 신분을 적으면 되고 취지를 적을 필요는 없다. (○. ×)
2020 경행경채

17. 행정지도가 말로 이루어지는 경우에 상대방이 서면의 교부를 요구하면 그 행정지도를 하는 자는 반드시 이를 교부하여야 한다. (○. ×)
2018 경행경채

18. 행정지도가 말로 이루어지는 경우에 상대방이 행정지도의 취지 및 내용, 행정지도를 하는 자의 신분에 관한 사항을 적은 서면의 교부를 요구하면 그 행정지도를 하는 자는 직무수행에 특별한 지장이 없으면 이를 교부하여야 한다. (○. ×)   2017 국가직 9급

19. 행정절차법은 행정지도는 반드시 서면으로 하여야 하고 그 서면에는 행정지도의 취지·내용을 기재하도록 규정함으로써 행정지도의 명확성을 요구하고 있다. (○. ×)   2017 국회직 8급

㉦ 관련 기출

20. 행정지도가 다수인을 대상으로 할 경우에도 명령·강제작용이 아니기 때문에 행정절차법은 특별한 사정이 없으면 공표할 필요가 없다고 규정한다. (○. ×)   2011 지방직(상) 9급

㉧ 관련 기출

21. 상대방이 행정지도에 따르지 아니하였다는 것을 직접적인 이유로 하는 불이익한 조치는 위법한 행위가 된다. (○. ×) 2021 군무원 9급

22. 행정기관은 상대방이 행정지도에 따르지 아니하였다는 이유로 불이익조치를 하여서는 아니 된다. (○. ×)
2020 소방직 9급, 2012 국가직 9급

23. 행정기관은 행정지도의 상대방이 행정지도에 따르지 아니할 경우 그 행정지도에 따르지 아니하였다는 것을 이유로 목적달성에 필요 최소한의 범위 내에서 불이익한 조치를 취할 수 있다. (○. ×)
2014 경행특채 2차

24. 행정절차법에 따르면, 행정기관은 행정지도의 상대방이 행정지도에 따르지 않았다는 것을 이유로 불이익한 조치를 하여서는 아니 된다고 규정하고 있다. (○. ×)   2013 지방직 9급

㉨ 관련 기출

25. 행정지도는 그 목적달성에 필요한 최소한도에 그쳐야 한다. (○. ×)   2020 소방직 9급

26. 행정절차법은 행정지도의 원칙으로 비례원칙을 규정하고 있다. (○. ×)   2013 국가직 9급

27. 행정지도를 함에 있어서 명문의 규정은 없지만 비례원칙이 적용된다. (○. ×)   2012 국가직 7급

㉩ 관련 기출

28. 행정기관의 조언에 따르지 않을 경우 일정한 불이익조치가 예정되어 있어 사실상 상대방에게 그에 따를 의무를 부과하는 것과 다를 바 없더라도 그 조언이 행정지도에 불과한 이상 이는 헌법재판소법 제68조 제1항의 헌법소원심판의 대상이 되는 공권력의 행사라 할 수 없다. (○. ×)   2021 변호사

29. 행정지도는 비권력적 사실행위이므로 행정지도가 그 한계를 넘어 규제적·구속적 성격을 강하게 갖는 경우라 하여 헌법소원의 대상이 되는 공권력의 행사에 해당한다고 볼 수는 없다. (○. ×)
2017 국직 8급

30. 행정지도가 단순한 행정지도의 한계를 넘어 규제적·구속적 성격을 상당히 강하게 갖는 경우라도 헌법소원의 대상이 되는 공권력의 행사로 볼 수 없다. (○. ×)   2015 경행특채 1차

㉪ 관련 기출

31. 위법한 행정지도에 따라 행한 사인의 행위는 법령에 명시적으로 정함이 없는 한 위법성이 조각된다고 할 수 없다. (○. ×)
2018 서울시 1회 7급

32. 토지거래계약신고에 관한 행정관청의 위법한 관행에 따라 토지의 매매가격을 허위로 신고한 행위라 하더라도 사회상규에 위배되지 않는 정당행위라고 볼 수 없다. (○. ×)   2014 경행특채 1차

33. 위법한 행정지도에 따라 행한 사인의 행위는 법령에 명시적으로 정하지 않는 한 그 위법행위가 정당화될 수 없다. (○. ×)
2011 지방직(하) 7급

34. 판례에 의하면 위법한 행정지도에 따라 행한 사인의 행위는 위법하고 정당화될 수 없다. (○. ×)   2008 지방직 9급

㉫ 관련 기출

35. 행정지도가 그의 한계를 일탈하지 아니하였다면, 그로 인하여 상대방에게 어떤 손해가 발생하였다 하더라도 행정기관은 그에 대한 손해배상책임이 없다. (○. ×)   2021 군무원 9급

36. 행정지도의 한계를 일탈하지 아니하였다면 그로 인하여 상대방에게 어떤 손해가 발생하였다 하더라도 행정기관은 그에 대한 손해배상책임이 없다. (○. ×)   2020 경행경채

37. 위법한 행정지도로 손해가 발생한 경우 국가 등을 상대로 손해배상을 청구할 수 있으나, 이 경우 국가배상법 제2조가 정한 배상책임의 요건을 갖추어야 한다. (○. ×)   2018 서울시 1회 7급

정답 1. × 2. × 3. × 4. ○ 5. ○ 6. × 7. × 8. ○ 9. ① 10. ○
11. ○ 12. × 13. ○ 14. ○ 15. × 16. × 17. × 18. ○ 19. ×
20. × 21. ○ 22. ○ 23. × 24. ○ 25. ○ 26. ○ 27. × 28. ×
29. × 30. × 31. ○ 32. ○ 33. ○ 34. ○ 35. ○ 36. ○ 37. ○

01 □□□

행정절차에 관한 다음 기술 중 옳은 것을 모두 고른 것은? (다툼이 있는 경우 판례에 의함)

㉮ 행정절차법은 행정절차에 관한 일반법이므로 '국회 또는 지방의회의 의결을 거치거나 동의 또는 승인을 얻어 행하는 사항'에 대하여도 행정절차법의 규정이 적용된다.

㉯ 행정절차법령은 '공무원 인사관계법령에 의한 처분에 관한 사항'에 대하여 행정절차법의 적용이 배제되는 것으로 규정하고 있으므로, '공무원 인사관계법령에 의한 처분에 관한 사항' 전부에 대해 행정절차법의 적용이 배제된다.

㉰ 행정절차법 시행령 제2조 제8호는 '학교·연수원 등에서 교육·훈련의 목적을 달성하기 위하여 학생·연수생들을 대상으로 하는 사항'을 행정절차법의 적용이 제외되는 경우로 규정하고 있으므로 육군3사관학교의 사관생도에 대한 퇴학처분을 하는 경우 행정절차법의 적용이 배제된다.

㉱ 감사원이 감사위원회의의 결정을 거쳐 행하는 사항과 각급 선거관리위원회의 의결을 거쳐 행하는 사항의 경우 그 내용이 처분에 관한 것이라면 행정절차법이 적용된다.

① ㉮, ㉯, ㉱
② ㉯, ㉰
③ ㉰, ㉱
④ 없음

✅ 기출체크

㉮ 관련 기출
1. 지방의회의 의결을 거치거나 동의 또는 승인을 받아 행하는 사항에 대해서는 행정절차법이 적용되지 않는다. (O, X) 2019 서울시 9급
2. 지방의회의 동의를 얻어 행하는 처분에 대해서는 행정절차법이 적용되지 아니한다. (O, X) 2018 국회직 8급
3. 행정절차법은 행정절차에 관한 일반법이지만, '국회 또는 지방의회의 의결을 거치거나 동의 또는 승인을 얻어 행하는 사항'에 대하여는 행정절차법의 적용이 배제된다. (O, X) 2017 서울시 9급

㉯ 관련 기출
4. 행정절차법의 적용이 제외되는 공무원 인사관계법령에 의한 처분에 관한 사항이란 성질상 행정절차를 거치기 곤란하거나 불필요하다고 인정되는 처분이나 행정절차에 준하는 절차를 거치도록 하고 있는 처분에 관한 사항만을 말하는 것으로 보아야 한다. (O, X) 2019 사회복지직 9급
5. 공무원 인사관계법령에 따른 징계는 모두 행정절차법의 적용이 배제되는 것이 아니라 성질상 행정절차를 거치기 곤란하거나 불필요하다고 인정되는 처분이나 행정절차에 준하는 절차를 거치도록 하고 있는 처분의 경우에만 그 적용이 배제된다. (O, X) 2019 국회직 8급
6. 행정절차법령이 '공무원 인사관계법령에 의한 처분에 관한 사항'에 대하여 행정절차법의 적용이 배제되는 것으로 규정하고 있는 이상, '공무원 인사관계법령에 의한 처분에 관한 사항' 전부에 대해 행정절차법의 적용이 배제되는 것으로 보아야 한다. (O, X) 2016 국가직 9급

㉰ 관련 기출
7. 행정절차법 시행령 제2조 제8호는 '학교·연수원 등에서 교육·훈련의 목적을 달성하기 위하여 학생·연수생들을 대상으로 하는 사항'을 행정절차법이 적용되지 않는 경우로 규정하고 있으나 생도의 퇴학처분과 같이 신분을 박탈하는 징계처분은 여기에 해당한다고 할 수 없다. (O, X) 2020 국회직 8급
8. 육군3사관학교의 사관생도에 대한 퇴학처분(은 행정절차법의 적용이 배제되는 경우이다) (O, X) 2019 소방직 9급

㉱ 관련 기출
9. 감사원이 감사위원회의의 결정을 거쳐 행하는 사항(은 행정절차법이 정하고 있는 적용제외 대상이다) (O, X) 2021 행정사, 2019 소방직 9급
10. 각급 선거관리위원회의 의결을 거쳐 행하는 사항(은 처분·신고·행정상 입법예고·행정예고 및 행정지도의 절차에 관한 사항이라도 행정절차법의 적용이 배제되는 경우에 해당한다) (O, X) 2011 국가직 9급

정답 1. O 2. O 3. O 4. O 5. O 6. X 7. O 8. X 9. O 10. O

02

□□□

행정절차법에 관한 다음 기술 중 옳지 않은 것을 모두 고른 것은?

㉮ 행정절차법은 행정의 절차에 관한 일반법이기는 하나 동법에는 실체적 규정도 일부 포함되어 있다.

㉯ 행정절차법은 처분, 확약, 공법상 계약, 신고, 행정상 입법예고, 행정예고 및 행정계획확정절차에 관하여 명문의 규정을 두고 있다.

㉰ 행정절차법상 당사자 등에는 처분의 상대방 외에 행정청이 직권 또는 신청에 의하여 행정절차에 참여하게 한 이해관계인도 포함된다.

㉱ 법인격 없는 사단 또는 재단은 행정절차법상 당사자 등이 될 수 없다.

① ㉮, ㉯
② ㉮, ㉰
③ ㉯, ㉱
④ ㉰, ㉱

✅ 기출체크

㉮ 관련 기출
1. 행정절차법은 절차적 규정뿐만 아니라 신뢰보호원칙과 같이 실체적 규정을 포함하고 있다. (○, ×)　　2018 경행경채
2. 행정절차법은 절차법이지만, 실체적 규정도 포함하고 있다. (○, ×)　　2012 사회복지직 9급
3. 행정절차법은 순수한 절차규정만으로 이루어져 있다. (○, ×)　　2011 경행특채

㉯ 관련 기출
4. 행정절차법이 규율대상으로 명시하고 있는 것은?　　2020 행정사
　① 행정지도절차　　　② 공법상 계약체결절차
　③ 행정계획확정절차　　④ 행정조사절차
　⑤ 확약절차
5. (공법상) 계약에 관하여는 행정절차법에 명문의 규정을 두고 있다. (○, ×)　　2020 소방직 9급
6. 행정절차법은 공법상 계약과 행정계획절차에 관해서는 별도의 규정이 없다. (○, ×)　　2018 경행경채
7. 행정절차법은 행정예고와 공법상 계약에 관하여 규정하고 있다. (○, ×)　　2017 교육행정직 9급
8. 행정절차법은 처분절차 이외에도 신고, 행정예고, 행정상 입법예고 및 행정지도 절차에 관한 규정을 두고 있다. (○, ×)　　2015 사회복지직 9급

㉰ 관련 기출
9. (행정절차법상) 행정청이 직권으로 행정절차에 참여하게 한 이해관계인은 당사자 등에 해당하지 않는다. (○, ×)　　2018 서울시 2회 7급
10. 불이익처분의 직접 상대방인 당사자도 아니고 행정청이 참여하게 한 이해관계인도 아닌 제3자에 대해서는 (행정절차법상) 사전통지에 관한 규정이 적용되지 않는다. (○, ×)　　2017 사회복지직 9급
11. 처분의 사전통지가 적용되는 제3자는 '행정청이 직권 또는 신청에 따라 행정절차에 참여하게 한 이해관계인'으로 한정된다. (○, ×)　　2017 국가직 7급

12. 불이익처분의 직접 상대방인 당사자 또는 행정청이 참여하게 한 이해관계인이 아닌 제3자에 대하여는 의견제출에 관한 행정절차법의 규정이 적용되지 아니한다. (○, ×)　　2017 지방직 7급
13. 행정절차법 소정의 사전통지의 대상에서 규정하는 '당사자 등'에는 행정청이 직권으로 또는 신청에 따라 행정절차에 참여하게 된 이해관계인이 포함된다. (○, ×)　　2016 서울시 7급

㉱ 관련 기출
14. 법인이 아닌 재단은 당사자 등이 될 수 없다. (○, ×)　　2018 서울시 2회 7급
15. 법인 아닌 사단이나 재단은 행정절차에 있어서 당사자가 될 수 없다. (○, ×)　　2011 국회직 8급

정답 1. ○　2. ○　3. ×　4. ①　5. ×　6. ○　7. ×　8. ○　9. ×　10. ○
11. ○　12. ○　13. ○　14. ×　15. ×

03

□□□

처분의 신청에 대한 행정절차법의 내용 중 옳은 것은?

① 행정청에 처분을 구하는 신청은 문서로 함이 원칙이며, 전자문서로 하는 경우에는 행정청의 컴퓨터 등에 입력된 때에 신청한 것으로 본다.
② 행정청은 신청에 구비서류의 미비 등 흠이 있는 경우에는 그 이유를 구체적으로 밝혀 접수된 신청을 되돌려 보내야 한다.
③ 행정청이 신청인의 편의를 위하여 다른 행정청에 신청을 접수하게 할 수는 없다.
④ 신청인은 처분이 있기 전에는 그 신청의 내용을 보완·변경하거나 취하할 수 없다.

✅ 기출체크

① 관련 기출
1. 행정청에 처분을 구하는 신청은 문서로 하여야 한다. 다만, 다른 법령 등에 특별한 규정이 있는 경우와 행정청이 미리 다른 방법을 정하여 공시한 경우에는 그러하지 아니하다. (○, ×)　　2020 군무원 9급
2. 행정청에 처분을 구하는 신청은 문서로 함이 원칙이며, 행정청은 신청에 필요한 구비서류, 접수기관, 처리기간, 그 밖에 필요한 사항을 게시하거나 이에 대한 편람을 갖추어 두고 누구나 열람할 수 있도록 하여야 한다. (○, ×)　　2017 지방직 9급
3. 행정청에 처분을 구하는 신청은 문서로만 가능하다. (○, ×)　　2016 서울시 9급, 2009 지방직(하) 7급

② 관련 기출
4. 신청에 대해 서류 등이 미비할 경우, 바로 접수를 거부할 수 있다. (○, ×)　　2018 소방직 9급
5. 행정청은 신청에 구비서류의 미비 등 흠이 있는 경우에는 그 이유를 구체적으로 밝혀 접수된 신청을 되돌려 보내야 한다. (○, ×)　　2016 서울시 9급

③ 관련 기출
6. 행정청은 신청인의 편의를 위하여 다른 행정청에 신청을 접수하게
할 수 있다. (○, ×)　　　　　　　　　　　　　2016 서울시 9급

④ 관련 기출
7. 신청인은 신청서가 일단 접수되면, 신청한 내용을 보완하거나 변
경 또는 취하할 수 없다. (○, ×)　　　　　　　2018 소방직 9급

정답　1. ○　2. ○　3. ×　4. ×　5. ×　6. ○　7. ×

04
□□□

행정상의 절차에 관한 설명 중 옳은 것을 모두 고른 것은? (다
툼이 있는 경우 판례에 의함)

> ㉮ 도로법상 도로구역을 결정하거나 변경할 경우 이를
> 고시에 의하도록 하면서 그 도면을 일반인이 열람할
> 수 있도록 한 경우, 그 도로구역 변경결정은 행정절
> 차법 제21조 제1항의 사전통지나 제22조 제3항의 의
> 견청취의 대상이 되는 처분이다.
>
> ㉯ 행정청은 인·허가 등을 취소하는 처분을 하는 경우
> 사전통지시 부여한 의견제출기한 내에 당사자 등의
> 신청이 있는 경우라도, 법령에 특별히 청문실시에 관
> 한 규정이 없다면 청문을 실시할 필요는 없다.
>
> ㉰ 공정거래위원회의 시정조치 및 과징금 납부명령에
> 행정절차법 소정의 의견청취절차 생략사유가 존재
> 한다면, 공정거래위원회는 행정절차법을 적용하여
> 의견청취절차를 생략할 수 있다.
>
> ㉱ 보조금 반환명령 당시 사전통지 및 의견제출의 기회
> 가 부여되었다면 평가인증취소처분은 구 행정절차
> 법 제21조 제4항 제3호에서 정하고 있는 사전통지
> 등을 하지 아니하여도 되는 예외사유에 해당한다고
> 볼 수 있다.

① ㉮, ㉯　　　　　　　　② ㉯, ㉰
③ ㉰, ㉱　　　　　　　　④ 없음

✔️ 기출체크

㉮ 관련 기출
1. 도로법상 도로구역을 변경할 경우, 이를 고시하고 그 도면을 일반
인이 열람할 수 있도록 하고 있는바, 도로구역을 변경한 처분은 행
정절차법상 사전통지나 의견청취의 대상이 되는 처분이 아니다.
(○, ×)　　　　　　　　　　　　　　　　　　2021 국가직 7급

2. 도로법상 도로구역의 결정·변경고시는 행정처분으로서 행정절차
법 제21조 제1항의 사전통지나 제22조 제3항의 의견청취의 절차
를 거쳐야 한다. (○, ×)　　　　　　　　　　2017 사회복지직 9급

3. 도로법 제25조 제3항에 의한 도로구역변경고시의 경우는 행정절
차법상 사전통지나 의견청취의 대상이 되는 처분에 해당한다.
(○, ×)　　　　　　　　　　　　　　　　　　2014 지방직 9급

4. 도로법상 도로구역을 결정하거나 변경할 경우 이를 고시에 의하도
록 하면서 그 도면을 일반인이 열람할 수 있도록 한 경우, 판례는
그 도로구역 변경결정을 행정절차법 제21조 제1항의 사전통지나
제22조 제3항의 의견청취의 대상이 되는 처분으로 본다. (○, ×)
2010 국가직 7급

㉯ 관련 기출
5. 당사자 등은 인·허가 등의 취소, 신분·자격의 박탈, 법인이나 조
합 등의 설립허가의 취소에 관한 처분시 의견제출기한 내에 청문
의 실시를 신청할 수 있다. (○, ×)　　　　　　2020 군무원 7급

6. 인·허가 등의 취소를 내용으로 하는 처분의 상대방은 처분의 근
거법률에 청문을 하도록 규정되어 있지 않더라도 행정절차법에 따
라 의견제출기한 내에 청문을 신청할 수 있다. (○, ×)
2020 국회직 8급

7. 인·허가 등을 취소하는 경우에는 개별 법령상 청문을 하도록 하
는 근거규정이 없고 의견제출기한 내에 당사자 등의 신청이 없는
경우에도 청문을 하여야 한다. (○, ×)　　　　　2019 서울시 9급

8. 인·허가 등의 취소 또는 신분·자격의 박탈, 법인이나 조합 등의
설립허가의 취소시 의견제출기한 내에 당사자 등의 신청이 있는
경우에 공청회를 개최한다. (○, ×)　　　　　　2018 국가직 9급

9. 행정청이 법인이나 조합 등의 설립허가 취소처분을 할 때에는 청
문을 해야 한다. (○, ×)　　　　　　　　　　2018 서울시 9급

㉰ 관련 기출
10. 공정거래위원회의 시정조치 및 과징금 납부명령에 행정절차법 소
정의 의견청취절차 생략사유가 존재하면 공정거래위원회는 행정
절차법을 적용하여 의견청취절차를 생략할 수 있다. (○, ×)
2019 지방직·교육행정직 9급

11. 대법원에 따르면 행정절차법 적용이 제외되는 의결·결정에 대해
서는 행정절차법을 적용하여 의견청취절차를 생략할 수는 없다.
(○, ×)　　　　　　　　　　　　　　　　　　2017 서울시 9급

12. 공정거래위원회의 시정조치 및 과징금 납부명령에 행정절차법 소
정의 의견청취절차 생략사유가 존재한다면, 공정거래위원회는 행
정절차법을 적용하여 의견청취절차를 생략할 수 있다. (○, ×)
2016 국가직 7급

정답　1. ○　2. ×　3. ×　4. ×　5. ○　6. ○　7. ×　8. ×　9. ×　10. ×
11. ○　12. ×

다음 <사례>에 관한 기술 중 옳은 것을 모두 고른 것은? (다툼이 있는 경우 판례에 의함)

<사례>
병무청장이 법무부장관에게 "가수 甲이 공연을 위하여 국외여행허가를 받고 출국한 후 미국시민권을 취득함으로써 사실상 병역의무를 면탈하였으므로 재외동포 자격으로 재입국하고자 하는 경우 국내에서 취업, 가수활동 등 영리활동을 할 수 없도록 하고, 불가능할 경우 입국 자체를 금지해 달라."라고 요청함에 따라 법무부장관이 甲의 입국을 금지하는 결정을 하고, 그 정보를 내부전산망인 '출입국관리정보시스템'에 입력하였으나, 甲에게는 통보하지 않았다. 이후 약 13년이 지난 시점에 甲이 재외공관장 乙에게 재외동포(F-4) 체류자격의 사증발급을 신청하자 乙은 처분이유를 기재한 사증발급 거부처분서를 작성해 주지 않은 채 甲의 아버지에게 전화로 사증발급이 불허되었다고 통보하였다.

㉮ 일반적으로 행정행위가 주체·내용·절차와 형식의 요건을 모두 갖추고 외부에 표시된 경우에 행정행위의 존재가 인정된다.

㉯ 법무부장관의 입국금지결정은 항고소송의 대상이 될 수 있는 처분에 해당하지만 이미 불가쟁력이 발생하였으므로 甲은 입국금지결정에 대해 더 이상 다툴 수 없다.

㉰ 乙의 사증발급 거부처분은 행정절차법에서 정한 '처분서 작성·교부'를 할 필요가 없거나 곤란하다고 인정되는 사항이므로 처분서를 작성해 주지 않고 전화로 통보한 것은 적법하다.

㉱ 한편 乙이 甲에게 문서로 사증발급 거부처분을 한 경우, 乙이 甲에게 행정절차법상의 사전통지를 하지 않고 사증발급 거부처분을 하였더라도 그것만으로 위법하다고 보기 어렵다.

① ㉮, ㉯　　　　② ㉮, ㉱
③ ㉯, ㉰　　　　④ ㉰, ㉱

✅ **기출체크**

㉮㉯ 관련 기출
1. 사례에 대한 설명으로 옳지 않은 것은? (단, 다툼이 있는 경우 판례에 의함)　　2021 군무원 9급

병무청장이 법무부장관에게 '가수 甲이 공연을 위하여 국외여행허가를 받고 출국한 후 미국시민권을 취득함으로써 사실상

병무청장이 법무부장관에게 '가수 甲이 공연을 위하여 국외여행허가를 받고 출국한 후 미국시민권을 취득함으로써 사실상 병역의무를 면탈하였으므로 재외동포 자격으로 재입국하고자 하는 경우 국내에서 취업, 가수활동 등 영리활동을 할 수 없도록 하고, 불가능할 경우 입국 자체를 금지해 달라'고 요청함에 따라 법무부장관이 甲의 입국을 금지하는 결정을 하고, 그 정보를 내부전산망인 '출입국관리정보시스템'에 입력하였으나, 甲에게는 통보하지 않았다.

① 일반적으로 처분이 주체·내용·절차와 형식의 요건을 모두 갖추고 외부에 표시된 경우에는 처분의 존재가 인정된다.

② 행정의사가 외부에 표시되어 행정청이 자유롭게 취소·철회할 수 없는 구속을 받게 되는 시점에 처분이 성립한다.

③ 그 성립 여부는 행정청이 행정의사를 공식적인 방법으로 외부에 표시하였는지를 기준으로 판단해야 한다.

④ 위 입국금지결정은 항고소송의 대상이 되는 '처분'에 해당한다.

2. 행정의사가 외부에 표시되어 행정청이 자유롭게 취소·철회할 수 없는 구속을 받게 되는 시점에 처분이 성립하고, 그 성립 여부는 행정청이 행정의사를 공식적인 방법으로 외부에 표시하였는지를 기준으로 판단해야 한다. (O, X)　　2021 국가직 9급

3. 일반적으로 행정행위가 주체·내용·절차와 형식의 요건을 모두 갖추고 외부에 표시된 경우에 행정행위의 존재가 인정된다. (O, X)　　2021 소방직 9급

4. 행정청의 의사가 외부에 표시되어 행정청이 자유롭게 취소·철회할 수 없는 구속을 받게 되는 시점에 행정행위가 성립하는 것은 아니며, 행정행위의 성립 여부는 행정청의 의사를 공식적인 방법으로 외부에 표시하였는지 여부를 기준으로 판단해야 한다. (O, X)　　2021 소방직 9급

㉰ 관련 기출
5. 외국인의 출입국에 관한 사항은 행정절차법이 적용되지 않으므로, 미국 국적을 가진 교민에 대한 사증거부처분에 대해서도 처분의 방식에 관한 행정절차법 제24조는 적용되지 않는다. (O, X)　　2020 국회직 8급

㉱ 관련 기출
6. 신청에 따른 처분이 이루어지지 아니한 경우에는 아직 당사자에게 권익이 부과되지 아니하였으므로 특별한 사정이 없는 한 신청에 대한 거부처분은 직접 당사자의 권익을 제한하는 것은 아니어서 처분의 사전통지대상이 된다고 할 수 없다. (O, X)　　2021 지방직·서울시 7급, 2018 경행경채

7. 특별한 사정이 없는 한, 신청에 대한 거부처분은 사전통지 및 의견제출의 대상이 된다. (O, X)　　2021 국가직 7급

8. 수익적 행정행위의 신청에 대한 거부처분은 직접 당사자의 권익을 제한하는 처분에 해당하므로, 그 거부처분은 행정절차법상 처분의 사전통지대상이 된다. (O, X)　　2020 국가직 9급

9. 행정청이 당사자에게 의무를 과하거나 권익을 제한하는 처분을 하는 경우에는 처분의 사전통지를 하여야 하는데, 이때의 처분에는 신청에 대한 거부처분도 포함된다. (O, X)　　2020 지방직·서울시 9급

10. 수익적 행정행위의 신청에 대해서 이를 거부하면서 사전통지 및 의견제출절차를 거치지 않은 것은 실질적으로 침익적 결과를 초래하였으므로 취소사유에 해당한다. (O, X)　　2020 국회직 8급

정답　1. ④　2. O　3. O　4. X　5. X　6. O　7. X　8. X　9. X　10. X

06

행정절차법에 관한 다음 기술 중 옳은 것을 모두 고른 것은?

㉮ 행정청이 구 관광진흥법 또는 구 「체육시설의 설치·이용에 관한 법률」의 규정에 의하여 유원시설업자 또는 체육시설업자 지위승계신고를 수리하는 처분을 하는 경우, 종전 유원시설업자 또는 체육시설업자에 대하여 행정절차법 제21조 제1항 등에서 정한 처분의 사전통지 등 절차를 거쳐야 한다.

㉯ 당사자에게 의무를 과하거나 권익을 제한하는 처분을 하는 경우라면, 법령 등에서 요구된 자격이 없거나 없어지게 되면 반드시 일정한 처분을 하여야 하는 경우에 그 자격이 없거나 없어지게 된 사실이 법원의 재판 등에 의하여 객관적으로 증명된 때에도 적어도 사전통지는 하여야 한다.

㉰ 행정청의 관할이 분명하지 아니한 경우에는 원칙적으로 각 행정청이 협의하여 그 관할을 결정한다.

㉱ 행정예고와 관련하여 법령 등의 입법을 포함하는 행정예고는 입법예고로 이를 갈음할 수 있다.

① ㉮, ㉯ ② ㉮, ㉱
③ ㉯, ㉰ ④ ㉰, ㉱

✅ 기출체크

㉮ 관련 기출
1. 공매를 통하여 체육시설을 인수한 자의 체육시설업자 지위승계신고를 수리하는 경우, 종전 체육시설업자에게 사전에 통지하여 의견제출기회를 주어야 한다. (○, ×) 2019 국가직 9급
2. 행정청이 구 「체육시설의 설치·이용에 관한 법률」의 규정에 의하여 체육시설업자 지위승계신고를 수리하는 처분을 하는 경우, 종전 체육시설업자에 대하여 행정절차법상 사전통지 등 절차를 거칠 필요는 없다. (○, ×) 2017 지방직(하) 9급
3. 행정청이 구 관광진흥법의 규정에 의하여 유원시설업자 지위승계신고를 수리하는 처분을 하는 경우, 종전 유원시설업자에 대하여는 행정절차법상 처분의 사전통지절차를 거칠 필요가 없다. (○, ×) 2014 지방직 9급

㉯ 관련 기출
4. 처분의 전제가 되는 사실이 법원의 재판 등에 의하여 객관적으로 증명된 경우에는 행정청이 당사자에게 의무를 부과하거나 권익을 제한하는 처분을 하는 경우에도 사전통지를 하지 아니할 수 있다. (○, ×) 2018 서울시 9급
5. 행정청은 당사자에게 의무를 부과하거나 권익을 제한하는 처분을 하는 경우에는 미리 처분의 제목, 당사자의 성명 또는 명칭과 주소 등의 일정한 사항을 당사자 등에게 통지하여야 함이 원칙이지만, 예외적으로 이러한 사전통지가 생략될 수 있다. 다음 중 행정절차법이 규정하고 있는 사전통지 생략사유가 아닌 것은? 2015 서울시 9급

① 공공의 안전 또는 복리를 위하여 긴급히 처분을 할 필요가 있는 경우
② 단순·반복적인 처분 또는 경미한 처분으로서 당사자가 그 이유를 명백히 알 수 있는 경우
③ 해당 처분의 성질상 의견청취가 현저히 곤란하거나 명백히 불필요하다고 인정될 만한 상당한 이유가 있는 경우
④ 법령 등에서 요구된 자격이 없거나 없어지게 되면 반드시 일정한 처분을 하여야 하는 경우에 그 자격이 없거나 없어지게 된 사실이 법원의 재판 등에 의하여 객관적으로 증명된 경우

6. 법령에서 요구된 자격이 없어지게 되면 반드시 일정한 처분을 하여야 하는 경우에 그 자격이 없어지게 된 사실이 법원의 재판에 의하여 객관적으로 증명된 경우에는 행정청의 사전통지의무가 면제될 수 있다. (○, ×) 2015 국가직 7급

㉰ 관련 기출
7. 행정청의 관할이 분명하지 아니한 경우에는 해당 행정청을 공통으로 감독하는 상급 행정청이 그 관할을 결정하며, 공통으로 감독하는 상급 행정청이 없는 경우에는 당해 행정청의 협의로 그 관할을 결정한다. (○, ×) 2017 경행경채
8. 행정청의 관할이 분명하지 아니한 경우에는 해당 행정청을 공통으로 감독하는 상급 행정청이 그 관할을 결정한다. (○, ×) 2010 경북교행

㉱ 관련 기출
9. 행정예고를 입법예고로 갈음할 수는 없다. (○, ×) 2007 관세사

정답 1. ○ 2. × 3. × 4. ○ 5. ② 6. ○ 7. × 8. ○ 9. ×

07

행정절차법상 의견청취에 대한 다음 기술 중 옳은 것은? (다툼이 있는 경우 판례에 의함)

① 행정청은 처분을 할 때 필요하다고 인정하거나 국민생활에 큰 영향을 미치는 처분으로서 대통령령으로 정하는 처분에 대하여 대통령령으로 정하는 수 이상의 당사자 등이 요구하는 경우에 청문을 실시할 수 있다.

② 청문 주재자는 당사자 등의 전부 또는 일부가 정당한 사유 없이 청문기일에 출석하지 아니한 경우라도 이들에게 다시 의견진술 및 증거제출의 기회를 주지 아니하고는 청문을 마칠 수 없다.

③ 행정청이 침해적 행정처분을 하면서 당사자에게 사전통지를 하거나 의견제출의 기회를 주지 아니하였다면, 사전통지나 의견제출의 예외적인 경우에 해당하지 아니하는 한, 그 처분은 위법하여 취소를 면할 수 없다.

④ 행정청이 당사자에게 의무를 과하거나 권익을 제한하는 처분을 하는 경우, 당사자가 명백히 의견진술의 기회를 포기한다는 뜻을 표시한 경우에도 의견청취절차는 생략할 수 없다.

① 관련 기출

1. 공청회는 다른 법령 등에서 공청회를 개최하도록 규정하고 있는 경우 또는 당해 처분의 영향이 광범위하여 널리 의견을 수렴할 필요가 있다고 행정청이 인정하는 경우에 개최된다. (○, ×)

2021 소방직 9급

2. 행정청은 처분을 할 때 필요하다고 인정하는 경우에 청문을 할 수 있다. (○, ×)

2020 소방직 9급

3. 행정청은 해당 처분의 영향이 광범위하여 널리 의견을 수렴할 필요가 있다고 인정하는 경우에 청문을 실시할 수 있다. (○, ×)

2020 소방직 9급

③ 관련 기출

4. 침익적 행정처분을 하면서 사전통지 및 의견제출의 기회를 주지 않았다면, 사전통지 및 의견제출절차를 생략해야 할 예외적 사유가 없는 한, 그 처분은 위법하여 취소되어야 한다. (○, ×)

2020 국회직 8급

5. 행정청이 침해적 행정처분을 함에 있어서 당사자에게 의견제출의 기회를 주지 아니하였다면, 의견제출의 기회를 주지 아니하여도 되는 예외적인 경우에 해당하지 않는 한 그 처분은 위법하다. (○, ×)

2007 국가직 7급

④ 관련 기출

6. 행정청이 당사자에게 의무를 과하거나 권익을 제한하는 처분을 하는 경우라도 당사자가 명백히 의견진술의 기회를 포기한다는 뜻을 표시한 경우에는 의견청취를 하지 않을 수 있다. (○, ×)

2018 국가직 9급

7. 행정청은 법령상 청문실시의 사유가 있는 경우에도 당사자가 의견진술의 기회를 포기한다는 뜻을 명백히 표시한 경우에는 의견청취를 하지 않을 수 있다. (○, ×)

2016 교육행정직 9급

8. 의견청취절차로서 의견제출권 및 청문권은 공권이기는 하지만 당사자의 의사에 의하여 의견청취를 아니할 수 있다. (○, ×)

2009 관세사

정답 1. ○ 2. × 3. × 4. ○ 5. ○ 6. ○ 7. ○ 8. ○

08

□□□

행정절차법에 관한 다음 기술 중 옳은 것은? (다툼이 있는 경우 판례에 의함)

① 행정절차법상 당사자 등의 대리인이 될 수 있는 자는 변호사의 자격을 가진 자에 한정된다.

② 퇴직연금의 환수결정은 관련법령에 따라 당연히 환수금액이 정하여지는 것이기는 하지만, 상대방에게 의무를 부과하는 처분이므로 적어도 퇴직연금의 환수결정에 앞서 당사자에게 행정절차법상의 의견진술기회는 주어야 한다.

③ 공무원시보임용이 무효임을 이유로 정규임용을 취소하는 경우라면, 행정절차법상의 사전통지나 의견제출의 기회를 부여하지 않더라도 정규임용취소처분이 위법하게 되는 것은 아니다.

④ 행정처분의 상대방에 대한 청문통지서가 반송되었다거나, 행정처분의 상대방이 청문일시에 불출석하였다는 이유로 청문을 실시하지 아니하고 한 침해적 행정처분은 위법하다.

① 관련 기출

1. (행정절차법상) 당사자 등은 당사자 등의 형제자매를 대리인으로 선임할 수 있다. (○, ×)   2018 서울시 2회 7급

② 관련 기출

2. 퇴직연금의 환수결정은 당사자에게 의무를 과하는 처분이기는 하나 관련법령에 따라 당연히 환수금액이 정하여지는 것이므로, 퇴직연금의 환수결정에 앞서 당사자에게 의견진술의 기회를 주지 아니하여도 행정절차법에 어긋나지 아니한다. (○, ×)   2020 국가직 9급

3. 공무원연금법상 퇴직연금 지급정지 사유기간 중 수급자에게 지급된 퇴직연금의 환수결정은 당사자에게 의무를 과하는 처분으로, 퇴직연금의 환수결정에 앞서 당사자에게 의견진술의 기회를 주지 아니하면 행정절차법에 반한다. (○, ×)   2019 국가직 7급

4. 공무원연금관리공단의 퇴직연금의 환수결정은 관련법령에 따라 당연히 환수금액이 정해지는 것이므로, 퇴직연금의 환수결정에 앞서 당사자에게 의견진술의 기회를 주지 아니하여도 행정절차법에 위반되지 않는다. (○, ×)   2019 서울시 1회 7급

5. 법령에 따라 당연히 환수금액이 정해지더라도 퇴직연금의 환수결정에 앞서 당사자에게 의견진술의 기회를 주어야 한다. (○, ×)

2019 서울시 2회 7급

6. 퇴직연금의 환수결정은 관련법령에 따라 당연히 환수금액이 정하여지는 것이므로 퇴직연금의 환수결정에 앞서 당사자에게 의견진술의 기회를 주지 아니하여도 행정절차법 규정이나 신의칙에 어긋나지 아니한다. (○, ×)   2018 경행경채

③ 관련 기출

7. 정규공무원으로 임용된 사람에게 시보임용처분 당시 지방공무원법에 정한 공무원 임용결격사유가 있어 시보임용처분을 취소하고 그에 따라 정규임용처분을 취소한 경우 정규임용처분을 취소하는 처분에 대하여서는 행정절차법의 규정이 적용된다. (○, ×)

2019 국회직 8급

8. 판례는 정규공무원으로 임용된 사람에게 시보임용처분 당시 공무원 임용 결격사유가 있다 하여 사전통지 없이 시보임용처분과 정규임용처분을 취소하는 것은 위법하다고 한다. (○, ×)   2011 국회직 8급

④ 관련 기출

9. 행정처분의 상대방에 대한 청문통지서가 반송되었다거나, 행정처분의 상대방이 청문일시에 불출석하였다는 이유로 청문을 실시하지 아니하고 한 침해적 행정처분은 위법하다. (○, ×)   2021 소방간부

10. 행정절차법의 청문배제사유인 '당해 처분의 성질상 의견청취가 현저히 곤란하거나 명백히 불필요하다고 인정될 만한 상당한 이유가 있는 경우'는 당해 행정처분의 성질에 의하여 판단하여야 하는 것이지, 청문통지서의 반송 여부, 청문통지의 방법 등에 의하여 판단할 것은 아니다. (○, ×)　　　2019 서울시 1회 7급

11. 당해 처분의 성질상 의견청취가 현저히 곤란하거나 명백히 불필요하다고 인정될 만한 상당한 이유가 있는지의 여부는 당해 행정처분의 성질에 따라 판단한다. (○, ×)　　　2010 서울시 9급

정답　1. ○　2. ○　3. ×　4. ○　5. ×　6. ○　7. ○　8. ○　9. ○　10. ○
11. ○

09　　　□□□

행정절차법에 관한 다음 기술 중 옳은 것을 모두 고른 것은?
(다툼이 있는 경우 판례에 의함)

㉮ 행정절차법에 의하면 침익적 처분이라 해도 공공의 안전 또는 복리를 위하여 긴급히 처분을 할 필요가 있는 경우에는 처분의 사전통지를 생략할 수 있다.

㉯ 고시의 방법으로 불특정 다수인을 상대로 의무를 부과하거나 권익을 제한하는 처분은 성질상 의견제출의 기회를 주어야 하는 상대방을 특정할 수 없으므로, 이 처분에 있어 그 상대방에게 행정절차법상 의견제출의 기회를 주어야 하는 것은 아니다.

㉰ 행정청은 처분을 할 때에 당사자 등이 제출한 의견이 상당한 이유가 있다고 인정하는 경우에는 이를 반영하여야 하지만, 제출된 의견이 법적으로 행정청을 기속하지는 않는다.

㉱ 대통령에 의한 한국방송공사 사장의 해임처분 과정에서 처분내용을 사전에 통지받거나 그에 대한 의견제출의 기회를 받지 못했고 해임처분시 법적 근거 및 구체적 해임사유를 제시받지 못했다면 이는 행정절차법에 위배되어 당연무효이다.

① ㉮, ㉯, ㉰
② ㉮, ㉱
③ ㉯, ㉰, ㉱
④ ㉰, ㉱

✅ 기출체크

㉮ 관련 기출
1. 행정청은 공공의 안전 또는 복리를 위하여 긴급히 처분을 할 필요가 있는 경우, 당사자에게 의무를 부과하거나 권익을 제한하는 처분의 사전통지를 하지 아니할 수 있다. (○, ×)　　　2016 경행경채

2. 행정청이 침해적 행정처분을 할 경우에는 사전통지를 반드시 하여야 한다. (○, ×)　　　2015 국가직 7급

㉯ 관련 기출
3. 고시의 방법으로 불특정 다수인을 상대로 권익을 제한하는 처분을 할 경우 당사자는 물론 제3자에게도 의견제출의 기회를 주어야 한다. (○, ×)　　　2020 지방직·서울시 9급

4. 행정청이 '고시'의 방법으로 불특정 다수인을 상대로 의무를 부과하거나 권익을 제한하는 처분을 한 경우에도 상대방에게 의견제출의 기회를 주어야 한다. (○, ×)　　　2019 서울시 2회 7급

5. 고시의 방법으로 불특정 다수인을 상대로 권익을 제한하는 처분을 하는 경우, 상대방에게 사전에 통지하여 의견제출기회를 주어야 한다. (○, ×)　　　2019 국가직 9급

6. '고시' 등 불특정 다수인을 상대로 의무를 부과하거나 권익을 제한하는 처분은 성질상 상대방을 특정할 수 없으므로, 이와 같은 처분에 있어서는 그 상대방에게 의견제출의 기회를 주지 않았다고 하여 위법하다고 볼 수는 없다. (○, ×)　　　2018 경행경채

7. 고시 등 불특정 다수인을 상대로 의무를 부과하거나 권익을 제한하는 처분에 있어서는 그 상대방에게 의견제출의 기회를 주어야 하는 것은 아니다. (○, ×)　　　2017 지방직 7급

㉰ 관련 기출
8. 구 광업법에 근거하여 처분청이 광업용 토지수용을 위한 사업인정을 하면서 토지소유자와 토지에 관한 권리를 가진 자의 의견을 들은 경우 처분청은 그 의견에 기속된다. (○, ×)　　　2019 지방직·교육행정직 9급

9. (행정절차법상) 행정청은 처분을 할 때에 당사자 등이 제출한 의견이 상당한 이유가 있다고 인정하는 경우에는 이를 반영할 수 있다. (○, ×)　　　2017 경행경채

10. 행정청은 청문절차에서 개진된 의견에 기속되지 않는다. (○, ×)　　　2007 국가직 7급

㉱ 관련 기출
11. 공기업 사장에 대한 해임처분 과정에서 처분내용을 사전에 통지받지 못했고 해임처분시 법적 근거 및 구체적 해임사유를 제시받지 못하였다면, 그 해임처분은 위법하지만 당연무효는 아니다. (○, ×)　　　2017 국가직 7급

12. 행정청이 침해적 행정처분을 하면서 당사자에게 행정절차법상의 사전통지를 하지 않거나 의견제출의 기회를 주지 아니한 경우, 그 처분은 당연무효이다. (○, ×)　　　2016 사회복지직 9급

정답　1. ○　2. ×　3. ×　4. ×　5. ×　6. ○　7. ○　8. ×　9. ×　10. ○
11. ○　12. ×

10

행정절차법에 관한 다음 기술 중 옳은 것으로 모두 묶인 것은?
(다툼이 있는 경우 판례에 의함)

> ㉮ 청문은 다른 법령 등에서 규정하고 있는 경우 이외에 행정청이 필요하다고 인정하는 경우에도 실시할 수 있으나, 공청회의 경우 행정청이 필요하다고 인정하는 경우라도 개최할 수 없다.
>
> ㉯ 행정청은 공청회의 발표자를 관련전문가 중에서 우선적으로 지명 또는 위촉하여야 한다.
>
> ㉰ 전자공청회를 실시하는 경우라도 일반적인 공청회 절차는 생략할 수 없다.
>
> ㉱ 행정청은 처분을 함에 있어 공청회·전자공청회 및 정보통신망을 통하여 제시된 사실 및 의견이 상당한 이유가 있다고 인정하는 경우에는 이를 반영하여야 한다.
>
> ㉲ 지방자치단체와 민간단체 등이 공동발족한 추모공원건립추진협의회가 시립화장장 후보지 선정을 위해 개최하는 공청회는 행정청이 도시계획시설결정을 하면서 개최한 공청회가 아니므로 행정절차법에서 정한 절차를 준수하여야 하는 것은 아니다.

① ㉮, ㉯, ㉰, ㉱   ② ㉯, ㉱, ㉲
③ ㉰, ㉱, ㉲   ④ ㉰, ㉲

✔ 기출체크

㉮ 관련 기출

1. 청문은 다른 법령 등에서 규정하고 있는 경우 이외에 행정청이 필요하다고 인정하는 경우에도 실시할 수 있으나, 공청회는 다른 법령 등에서 규정하고 있는 경우에만 개최할 수 있다. (○, ×)
   2020 지방직·서울시 9급

㉯ 관련 기출

2. 행정청은 공청회의 발표자를 관련전문가 중에서 우선적으로 지명 또는 위촉하여야 하며, 적절한 발표자를 선정하지 못하거나 필요한 경우에만 발표를 신청한 자 중에서 지명할 수 있다. (○, ×)
   2010 지방직 9급

㉰ 관련 기출

3. 행정청은 행정절차법 제38조에 따른 공청회와 병행하여서만 정보통신망을 이용한 공청회를 실시할 수 있다. (○, ×)
   2017 국가직(하) 9급

4. 정보통신망을 이용한 공청회(전자공청회)는 공청회를 실시할 수 없는 불가피한 상황에서만 실시할 수 있다. (○, ×) 2016 지방직 9급

5. 행정청은 행정절차법 제38조에 따른 공청회와 병행하여서만 정보통신망을 이용한 공청회(전자공청회)를 실시할 수 있다. (○, ×)
   2015 국가직 9급

6. 행정청은 전자공청회를 개최하는 경우 공청회와 병행하여 실시할 수 없다. (○, ×) 2014 국가직 9급

7. 행정청은 공청회와 병행하여서만 정보통신망을 이용한 전자공청회를 실시할 수 있다. (○, ×) 2009 지방직 9급

㉱ 관련 기출

8. 행정청은 처분을 함에 있어서 공청회·전자공청회 및 정보통신망 등을 통하여 제시된 사실 및 의견이 상당한 이유가 있다고 인정하는 경우에는 이를 반영하여야 한다. (○, ×) 2008 국가직 9급

9. 행정청은 처분을 함에 있어서 공청회에서 제시된 사실 및 의견이 상당한 이유가 있다고 인정하는 경우에는 이를 반영하여야 한다. (○, ×) 2007 국가직 7급

㉲ 관련 기출

10. 지방자치단체와 민간단체 등이 공동발족한 추모공원건립추진협의회가 시립화장장 후보지 선정을 위해 개최하는 공청회는 행정청이 도시계획시설결정을 하면서 개최한 공청회가 아니므로 행정절차법에서 정한 절차를 준수하여야 하는 것은 아니다. (○, ×)
    2021 경행경채

11. 묘지공원과 화장장의 후보지를 선정하는 과정에서 추모공원건립추진협의회가 후보지 주민들의 의견을 청취하기 위하여 그 명의로 개최한 공청회는 행정절차법에서 정한 절차를 준수하여야 하는 것은 아니다. (○, ×) 2019 지방직·교육행정직 9급

12. 대법원은 묘지공원과 화장장의 후보지를 선정하는 과정에서 서울특별시, 비영리법인, 일반기업 등이 공동발족한 협의체인 추모공원건립추진협의회가 후보지 주민들의 의견을 청취하기 위하여 그 명의로 개최한 공청회에 대해 행정절차법에서 정한 절차를 준수하여야 한다고 보았다. (○, ×) 2013 국회직 8급

정답 1. ×   2. ×   3. ○   4. ×   5. ○   6. ×   7. ○   8. ○   9. ○   10. ○
     11. ○   12. ×

행정절차법상 이유제시에 관한 다음 기술 중 옳은 것은? (다툼이 있는 경우 판례에 의함)

① 인·허가 등의 거부처분을 함에 있어서 당사자가 그 처분의 근거를 알 수 있을 정도로 상당한 이유를 제시한 경우라도 그 구체적 조항이나 내용을 명시하지 않았다면 해당 거부처분은 위법하다.

② 행정청이 긴급을 요하는 처분을 하는 때에는 처분의 이유제시를 하지 않아도 되며 처분 후 당사자가 요청하는 경우라도 그 근거와 이유를 제시하여야 하는 것은 아니다.

③ 행정처분의 이유제시가 아예 결여되어 있는 경우에 이를 사후적으로 추완하거나 보완하는 것은 행정소송의 사실심변론종결시까지 가능하다.

④ 행정절차법은 행정청이 처분을 하는 때에는 당사자에게 그 근거와 이유를 제시하도록 이유제시원칙을 규정하고 있는바, 이러한 이유제시의 원칙은 상대방에게 부담을 주는 행정처분의 경우뿐만 아니라 수익적 행정행위의 거부에도 적용된다.

☑ **기출체크**

① 관련 기출

1. 행정청이 허가를 거부하는 처분을 하면서 처분의 근거와 이유를 구체적으로 명시하지 않은 이상, 당사자가 그 근거를 알 수 있을 정도로 이유를 제시하였다 하더라도 그 처분은 위법하다. (○, ×)
2021 변호사

2. 판례는 당사자가 신청하는 허가 등을 거부하는 처분을 하면서 당사자가 그 근거를 알 수 있을 정도로 이유를 제시한 경우에는 처분의 근거와 이유를 구체적으로 명시하지 않았더라도 그로 인해 처분이 위법하게 되는 것은 아니라고 보았다. (○, ×) 2020 군무원 7급

3. 당사자가 신청하는 허가 등을 거부하는 처분을 하면서 당사자가 그 근거를 알 수 있을 정도로 이유를 제시한 경우에는 처분의 근거와 이유를 구체적으로 명시하지 않았더라도 그로 말미암아 그 처분이 위법하다고 볼 수는 없다. (○, ×)
2019 국가직 7급, 2018 지방직 9급

4. 행정청이 토지형질변경허가신청을 불허하는 근거규정으로 '도시계획법 시행령 제20조'를 명시하지 아니하고 '도시계획법'이라고만 기재하였으나, 신청인이 자신의 신청이 개발제한구역의 지정목적에 현저히 지장을 초래하는 것이라는 이유로 구 도시계획법 시행령 제20조 제1항 제2호에 따라 불허된 것임을 알 수 있었던 경우에는 그 불허처분이 위법하지 않다. (○, ×) 2017 지방직 7급

5. 당사자가 근거규정 등을 명시하여 신청하는 인·허가 등을 거부하는 처분을 함에 있어 당사자가 그 근거를 알 수 있을 정도로 상당한 이유를 제시한 경우에는 당해 처분의 근거 및 이유를 구체적 조항 및 내용까지 명시하지 않았더라도 그로 말미암아 그 처분이 위법한 것이 된다고 할 수 없다. (○, ×)
2016 국가직 7급

② 관련 기출

6. 단순·반복적인 처분 또는 경미한 처분으로서 당사자가 그 이유를 명백히 알 수 있는 경우라 하더라도 처분 후 당사자가 요청하는 경우에는 행정청은 그 근거와 이유를 제시하여야 한다. (○, ×)
2018 국가직 9급

7. 행정청은 긴급히 처분을 할 필요가 있는 경우 당사자에게 처분의 근거와 이유를 제시하지 않아도 되지만, 처분 후에는 당사자의 요청이 없어도 그 근거와 이유를 제시하여야 한다. (○, ×)
2017 서울시 7급

8. 신청내용을 모두 그대로 인정하는 처분인 경우 이유제시의무가 면제되지만 처분 후 당사자가 요청하는 경우에는 그 근거와 이유를 제시하여야 한다. (○, ×) 2012 국가직 9급

③ 관련 기출

9. 행정처분의 이유제시가 아예 결여되어 있는 경우에 이를 사후적으로 추완하거나 보완하는 것은 늦어도 당해 행정처분에 대한 쟁송이 제기되기 전에는 행해져야 위법성이 치유될 수 있다. (○, ×)
2018 지방직 9급

10. 이유부기를 결한 행정행위는 무효이며 그 흠의 치유를 인정하지 아니하는 것이 판례의 입장이다. (○, ×) 2018 국회직 8급

11. 하자의 치유는 늦어도 행정처분에 대한 불복 여부의 결정 및 불복신청을 할 수 있는 상당한 기간 내에 해야 하므로, 소가 제기된 이후에는 하자의 치유가 인정될 수 없다. (○, ×)
2014 사회복지직 9급

④ 관련 기출

12. 행정절차법은 당사자에게 의무를 부과하거나 당사자의 권익을 제한하는 처분을 하는 경우에 대해서만 그 근거와 이유를 제시하도록 규정하고 있다. (○, ×) 2018 지방직 7급

13. 처분의 이유제시에 관한 행정절차법의 규정은 침익처분 및 수익처분 모두에 적용된다. (○, ×) 2015 사회복지직 9급

14. 행정절차법은 행정청이 처분을 하는 때에는 당사자에게 그 근거와 이유를 제시하도록 이유제시원칙을 규정하고 있는바, 이러한 이유제시의 원칙은 상대방에게 부담을 주는 행정처분의 경우뿐만 아니라 수익적 행정행위의 거부에도 적용된다. (○, ×)
2012 지방직 9급

15. 행정처분의 이유제시는 침해적 행정행위뿐만 아니라 수익적 행정행위에도 요구된다. (○, ×)
2009 국회속기직 9급

정답 1. × 2. ○ 3. ○ 4. ○ 5. ○ 6. ○ 7. × 8. × 9. ○ 10. × 11. ○ 12. × 13. ○ 14. ○ 15. ○

12

☐☐☐

행정절차법에 관한 다음 기술 중 옳은 것은? (다툼이 있는 경우 판례에 의함)

① 중대한 처분으로서 당사자가 그 이유를 명백히 알 수 있는 경우에는 처분의 이유제시를 생략할 수 있다.

② 행정청이 당사자와 사이에 도시계획사업의 시행과 관련한 협약을 체결하면서 관계법령 및 행정절차법에 규정된 청문의 실시 등 의견청취절차를 배제하는 조항을 둔 경우, 청문을 실시하지 않아도 되는 예외적인 경우에 해당한다고 볼 수 없다.

③ 처분 당시 당사자가 어떠한 근거와 이유로 처분이 이루어진 것인지 충분히 알 수 있어서 그에 불복하여 행정구제절차로 나아가는 데에 별다른 지장이 없었던 것으로 인정되는 경우라도 처분서에 처분의 근거와 이유가 구체적으로 명시되어 있지 않았다면, 그 처분은 위법하다.

④ 청문 주재자는 직권으로 또는 당사자의 신청에 따라 필요한 조사를 할 수 있지만, 당사자 등이 주장하지 아니한 사실에 대하여는 조사할 수 없다.

✅ 기출체크

① 관련 기출

1. 단순·반복적인 처분 또는 중대한 처분이지만 당사자가 그 이유를 명백히 알 수 있는 경우 처분의 이유제시를 생략할 수 있다. (○, ×) 　　　　　　　　　　　　　2014 서울시 7급

2. 단순·반복적인 처분 또는 경미한 처분으로서 당사자가 그 이유를 명백히 알 수 있는 경우에는 이유제시의무가 면제된다. (○, ×) 　　　　　　　　　　　　　2012 국가직 9급

② 관련 기출

3. 행정청이 당사자와 사이에 도시계획사업의 시행과 관련한 협약을 체결하면서 관련법령상 요구되는 청문절차를 배제하는 조항을 두었다면, 이는 청문을 실시하지 않아도 되는 예외적인 경우에 해당한다. (○, ×) 　　　　　　　　　　　　　2020 국가직 9급

4. 행정청이 당사자와 사이에 도시계획사업시행 관련 협약을 체결하면서 청문실시를 배제하는 조항을 두었더라도, 이와 같은 협약의 체결로 청문실시 규정의 적용을 배제할 만한 법령상 규정이 없는 한, 이러한 협약이 체결되었다고 하여 청문을 실시하지 않아도 되는 예외적인 경우에 해당한다고 할 수 없다. (○, ×) 　　　　　　　　　　　　　2020 지방직·서울시 9급

5. 행정청과 당사자 사이에 청문의 실시 등 의견청취절차를 배제하는 협약이 있었다 하더라도, 이와 같은 협약의 체결로 청문의 실시에 관한 규정의 적용을 배제할 수 있다고 볼 만한 법령상의 규정이 없는 한, 청문의 실시에 관한 규정의 적용이 배제되지 않으며 청문을 실시하지 않아도 되는 예외적인 경우에 해당하지 아니한다. (○, ×) 　　　　　　　　　　　　　2019 지방직 7급

③ 관련 기출

6. 처분 당시 당사자가 어떠한 근거와 이유로 처분이 이루어진 것인지를 충분히 알 수 있어서 그에 불복하여 행정구제절차로 나아가는 데에 별다른 지장이 없었던 것으로 인정되는 경우에도 처분서에 처분의 근거와 이유가 구체적으로 명시되어 있지 않았다면 그 처분은 위법하다. (○, ×) 　　　　　　　　　　　　　2021 지방직·서울시 9급

7. 처분 당시 당사자가 어떠한 근거와 이유로 처분이 이루어진 것인지 충분히 알 수 있어서 그에 불복하여 행정구제절차로 나아가는 데에 별다른 지장이 없었던 것으로 인정되는 경우에도 처분서에 처분의 근거와 이유가 구체적으로 명시되어 있지 않았다면, 그 처분은 위법한 것으로 된다. (○, ×) 　　　　　　　　　　　　　2016 국회직 8급

④ 관련 기출

8. 청문 주재자는 직권으로 또는 당사자의 신청에 따라 필요한 조사를 할 수 있으나 당사자 등이 주장하지 아니한 사실에 대하여는 조사할 수 없다. (○, ×) 　　　　　　　　　　　　　2020 경행경채

9. 청문 주재자는 당사자 등이 주장하는 사실에 한하여 증거조사를 할 수 있다. (○, ×) 　　　　　　　　　　　　　2011 사회복지직 9급

10. 청문 주재자는 신청 또는 직권에 의하여 필요한 조사를 할 수 있으며, 당사자 등이 주장하지 아니한 사실에 대하여도 조사할 수 있다. (○, ×) 　　　　　　　　　　　　　2010 경행특채

정답　1. ×　2. ○　3. ×　4. ○　5. ○　6. ×　7. ×　8. ×　9. ×　10. ○

13

☐☐☐

행정절차에 관한 다음 기술 중 옳은 것은? (다툼이 있는 경우 판례에 의함)

① 하나의 납세고지서(현 납부고지서)로 본세와 여러 종류의 가산세를 함께 부과하는 경우에 납세고지서에 가산세의 종류와 세액의 산출근거 등을 따로 구별하지 않고 가산세의 합계액만을 기재하였더라도 그 부과처분은 위법하다고 볼 수 없다.

② 판례는 행정행위가 실체적으로 적법하고 기속행위에 해당한다면 비록 행정절차가 결여된 경우라도 그 절차상의 하자를 독립적 취소사유로 보지 않는다.

③ 행정절차법상 청문은 청문 주재자가 필요하다고 인정하는 경우에는 공개할 수 있으나, 당사자가 청문의 공개를 신청할 수 있는 것은 아니다.

④ 행정절차법에 따라 공표된 처분기준이 명확하지 않은 경우 당사자 등은 해당 행정청에 그 해석 또는 설명을 요청할 수 있고, 해당 행정청은 특별한 사정이 없으면 그 요청에 따라야 한다.

① 관련 기출

1. 하나의 납세고지서(현 납부고지서)에 의하여 본세와 가산세를 함께 부과할 때 납세고지서에 본세와 가산세 각각의 세액과 산출근거 등을 구분하여 기재하여야 한다. (○. ×)
2020 국가직 7급, 2014 국회직 8급

2. 하나의 납세고지서(현 납부고지서)로 본세와 여러 종류의 가산세를 함께 부과하는 경우에 납세고지서에 가산세의 종류와 세액의 산출근거 등을 따로 구별하지 않고 가산세의 합계액만을 기재하였다면 그 부과처분은 위법하다. (○. ×) 2018 국가직 7급

3. 가산세 부과처분에 관해서는 국세기본법이나 개별 세법 어디에도 그 납세고지(현 납부고지)의 방식 등에 관하여 따로 정한 규정이 없으므로, 가산세의 종류와 세액의 산출근거 등을 전혀 밝히지 않고 가산세의 합계액만을 기재한 경우 그 부과처분은 위법하지 않다. (○. ×)
2017 지방직 7급

② 관련 기출

4. 행정처분이 절차상 중대한 하자가 있다고 하더라도 실체적 하자가 없다면 취소판결을 할 수 없다. (○. ×) 2018 교육행정직 9급

5. 기속행위의 경우에는 절차상의 하자만으로 독립된 취소사유가 될 수 없으나, 재량행위의 경우에는 절차상의 하자만으로도 독립된 취소사유가 된다. (○. ×) 2017 지방직 9급

6. 기속행위의 경우에도 행정처분의 절차상 하자만으로 독자적인 취소사유가 된다. (○. ×) 2017 국회직 8급

7. 처분에 행정절차상 하자가 있을 경우 기속행위인지 재량행위인지를 불문하고 독자적 위법사유성이 인정되어 법원에 의한 취소의 대상이 된다. (○. ×) 2008 지방직 7급

③ 관련 기출

8. 청문은 원칙적으로 당사자가 공개를 신청하거나 청문 주재자가 필요하다고 인정하는 경우 공개할 수 있다. (○. ×) 2016 지방직 9급

9. 청문은 당사자가 공개를 신청하거나 청문 주재자가 필요하다고 인정하는 경우 공개하여야 한다. (○. ×) 2013 지방직(하) 7급

10. 청문 주재자가 필요하다고 인정할 경우 청문을 공개할 수 있다. (○. ×) 2010 경행특채

11. 청문은 당사자의 공개신청이 있거나 청문 주재자가 필요하다고 인정하는 경우 이를 공개할 수 있다. (○. ×) 2010 국가직 7급

12. 청문은 당사자의 공개신청이 있거나 청문 주재자가 필요하다고 인정하는 경우 이를 공개할 수 있지만 공익 또는 제3자의 정당한 이익을 현저히 해할 우려가 있는 경우에는 공개하여서는 아니 된다. (○. ×) 2008 국가직 9급

④ 관련 기출

13. 당사자 등은 공표된 처분기준이 명확하지 아니한 경우 해당 행정청에 그 해석 또는 설명을 요청할 수 있으며, 이 경우 해당 행정청은 특별한 사정이 없으면 그 요청에 따라야 한다. (○. ×)
2015 서울시 9급

14. 행정절차법에 따라 공표된 처분기준이 명확하지 않은 경우 당사자 등은 해당 행정청에 그 해석 또는 설명을 요청할 수 있고, 해당 행정청은 특별한 사정이 없으면 그 요청에 따라야 한다. (○. ×)
2015 국회직 8급

정답 1. ○ 2. ○ 3. × 4. × 5. × 6. ○ 7. ○ 8. ○ 9. × 10. ○
　　　 11. ○ 12. ○ 13. ○ 14. ○

행정정보공개에 관한 다음 기술 중 옳은 것은? (다툼이 있는 경우 판례에 의함)

① 정보공개청구권은 알권리의 한 요소를 이루며 이러한 알권리는 헌법 제12조의 적법절차원리로부터 직접 도출된다는 것이 헌법재판소의 입장이다.

② 「공공기관의 정보공개에 관한 법률」상 정보공개청구권자인 '모든 국민'에는 자연인 외에 법인, 권리능력 없는 사단·재단도 포함되지만 지방자치단체는 포함되지 않는다.

③ 지방자치단체의 업무추진비 세부항목별 집행내역 및 증빙서류에 포함된 개인에 관한 정보는 '공개하는 것이 공익을 위하여 필요하다고 인정되는 정보'에 해당된다.

④ 한국증권업협회는 「공공기관의 정보공개에 관한 법률 시행령」 제2조 제4호에 규정된 '특별법에 따라 설립된 특수법인'에 해당한다.

✅ 기출체크

① 관련 기출

1. 국민의 알권리의 내용에는 일반국민 누구나 국가에 대하여 보유·관리하고 있는 정보의 공개를 청구할 수 있는 이른바 일반적인 정보공개청구권이 포함된다. (○. ×) 2021 국가직 9급

2. 행정정보공개의 출발점은 국민의 알권리인데, 알권리 자체는 헌법상으로 명문화되어 있지 않음에도 불구하고, 우리 헌법재판소는 초기부터 국민의 알권리를 헌법상의 기본권으로 인정하여 왔다. (○. ×) 2017 서울시 9급

3. 헌법재판소는 정보공개청구권을 알권리의 핵심으로 파악하고 있으며, 알권리의 헌법상 근거를 헌법 제21조의 표현의 자유에서 찾고 있다. (○. ×) 2010 지방직 9급

② 관련 기출

4. 정보공개청구권자에는 자연인은 물론 법인, 권리능력 없는 사단·재단도 포함되고, 법인, 권리능력 없는 사단·재단 등의 경우에는 설립목적을 불문한다. (○. ×)
2020 국가직 9급, 2020 국가직 7급, 2017 지방직 7급

5. 지방자치단체 또한 법인격을 가지므로 「공공기관의 정보공개에 관한 법률」 제5조에서 정한 정보공개청구권자인 '국민'에 해당한다. (○. ×) 2018 서울시 9급

6. (「공공기관의 정보공개에 관한 법률」은) 모든 국민은 정보의 공개를 청구할 권리를 가진다고 규정하고 있고, 여기의 국민에는 자연인과 법인이 포함되지만 권리능력 없는 사단은 포함되지 않는다. (○. ×) 2017 국가직 9급

7. 이해관계자인 당사자에게 문서열람권을 인정하는 행정절차법상의 정보공개와는 달리 「공공기관의 정보공개에 관한 법률」은 모든 국민에게 정보공개청구를 허용한다. (○. ×) 2017 서울시 9급

8. (정보공개법에 따르면) 정보공개청구권은 해당 정보와 이해관계가 있는 자에 한해서만 인정된다. (○. ×) 2014 서울시 9급

③ 관련 기출

9. 지방자치단체의 업무추진비 세부항목별 집행내역 및 그에 관한 증빙서류에 포함된 개인에 관한 정보는 「공공기관의 정보공개에 관한 법률」 소정의 '공개하는 것이 공익을 위하여 필요하다고 인정되는 정보'에 해당하여 공개대상이 된다. (O. X)

2019 지방직 · 교육행정직 9급

10. 지방자치단체의 업무추진비 세부항목별 집행내역 및 그에 관한 증빙서류에 포함된 개인에 관한 정보는 비공개대상정보에 해당한다. (O. X)

2018 서울시 9급

11. 지방자치단체의 업무추진비 세부항목별 집행내역 및 증빙서류에 포함된 개인에 관한 정보는 '공개하는 것이 공익을 위하여 필요하다고 인정되는 정보'에 해당된다. (O. X) 2011 국가직 9급

④ 관련 기출

12. 한국증권업협회는 증권회사 상호 간의 업무질서를 유지하고 유가증권의 공정한 매매거래 및 투자자보호를 위하여 구성된 회원조직으로, 증권거래법 또는 그 법에 의한 명령에 대하여 특별한 규정이 있는 것을 제외하고는 민법 중 사단법인에 관한 규정을 적용받으므로 구 「공공기관의 정보공개에 관한 법률 시행령」상의 '특별법에 의하여 설립된 특수법인'에 해당하지 않는다. (O. X)

2017 국가직 9급

13. 한국증권업협회는 「공공기관의 정보공개에 관한 법률 시행령」 제2조 제4호에 규정된 '특별법에 따라 설립된 특수법인'에 해당하지 아니한다. (O. X)

2017 지방직 9급

정답 1. O 2. O 3. O 4. O 5. X 6. X 7. O 8. X 9. X 10. O
11. X 12. O 13. O

15

□□□

「공공기관의 정보공개에 관한 법률」에 관한 다음 기술 중 옳은 것은? (다툼이 있는 경우 판례에 의함)

① 사립대학교는 국 · 공립대학교와 달리 정보공개법상의 공공기관이라고 보기 어렵다.

② 외국 또는 외국기관으로부터 비공개를 전제로 정보를 입수하였다는 이유가 있다면, 이를 공개할 경우 업무의 공정한 수행에 현저한 지장을 받을 것이라고 단정할 수 있다.

③ 공공기관이 공개청구의 대상이 된 정보를 청구인이 신청한 공개방법 이외의 방법으로 공개하기로 하는 결정을 한 경우, 정보공개방법에 관한 부분에 대하여 일부 거부처분을 한 것이며 이에 대하여 항고소송으로 다툴 수 있다.

④ 공공기관은 '전자적 형태로 보유 · 관리하지 아니하는 정보'에 대하여 청구인이 전자적 형태로 공개하여 줄 것을 요청한 경우에는 그 정보의 성질상 현저히 곤란한 경우를 제외하고는 청구인의 요청에 따라야 한다.

---

① 관련 기출

1. 사립대학교는 정보공개의무기관인 공공기관에 해당하지 않는다. (O. X) 2021 국회직 8급

2. 사립대학교에 정보공개를 청구하였다가 거부될 경우 사립대학교에 대한 국가의 지원이 한정적 · 국부적 · 일시적임을 고려한다면 사립대학교 총장을 피고로 하여 취소소송을 제기할 수 없다. (O. X)

2020 지방직 · 서울시 7급

3. 사립대학교는 「공공기관의 정보공개에 관한 법률 시행령」에 따른 공공기관에 해당하나, 국비의 지원을 받는 범위 내에서만 공공기관의 성격을 가진다. (O. X) 2017 지방직 9급

4. 구 「공공기관의 정보공개에 관한 법률 시행령」 제2조 제1호가 정보공개 의무기관으로 사립대학교를 들고 있는 것은 모법의 위임범위를 벗어난 것으로 위법하다. (O. X) 2015 국가직 9급

② 관련 기출

5. 외국 또는 외국기관으로부터 비공개를 전제로 입수한 정보는 비공개를 전제로 하였다는 이유만으로 비공개대상정보에 해당한다. (O. X) 2020 국가직 7급

6. 외국기관으로부터 비공개를 전제로 정보를 입수하였다는 이유만으로, 이를 공개할 경우 업무의 공정한 수행에 현저한 지장을 받을 것이라 단정할 수 없다. (O. X) 2019 서울시 2회 7급

③ 관련 기출

7. 공공기관이 공개청구의 대상이 된 정보를 공개는 하되, 청구인이 신청한 공개방법 이외의 방법으로 공개하기로 하는 결정을 한 경우 이는 정보공개방법만을 달리한 것이므로 일부 거부처분이라 할 수 없다. (O. X) 2020 지방직 · 서울시 9급

8. 공공기관이 정보공개청구권자가 신청한 공개방법 이외의 방법으로 정보를 공개하기로 하는 결정을 하였다면, 정보공개청구자는 이에 대하여 항고소송으로 다툴 수 있다. (O. X) 2019 국가직 7급

9. 공공기관이 청구인이 신청한 공개방법 이외의 방법으로 공개하기로 결정하였다면, 이는 정보공개청구 중 정보공개방법에 관한 부분에 대하여 일부 거부처분을 한 것이므로 이에 대해 항고소송으로 다툴 수 있다. (O. X) 2019 서울시 2회 7급

10. (「공공기관의 정보공개에 관한 법률」상) 공공기관이 공개청구대상정보를 청구인이 신청한 공개방법 이외의 방법으로 공개하는 결정을 한 경우, 정보공개청구 중 정보공개방법 부분에 대하여 일부 거부처분을 한 것이다. (O. X) 2018 국가직 7급

④ 관련 기출

11. 공공기관은 전자적 형태로 보유 · 관리하는 정보에 대하여 청구인이 전자적 형태로 공개하여 줄 것을 요청하더라도 이를 출력한 형태로 공개하는 것이 원칙이다. (O. X)

2016 경행경채, 2009 국가직 9급

12. 공공기관은 전자적 형태로 보유 · 관리하는 정보에 대하여 청구인이 전자적 형태로 공개를 요청하는 경우에는 원칙적으로 이에 응하여야 한다. (O. X) 2013 지방직 9급

13. 공공기관은 전자적 형태로 보유 · 관리하지 않는 정보에 대하여 청구인이 전자적 형태로 공개하여 줄 것을 요청한 경우 특별한 사정이 없으면 그 정보를 전자적 형태로 변환하여 공개할 수 있다. (O. X) 2011 국가직 7급

정답 1. X 2. X 3. X 4. X 5. X 6. O 7. X 8. O 9. O 10. O
11. X 12. O 13. O

16

「공공기관의 정보공개에 관한 법률」에 관한 다음 기술 중 옳은 것은? (다툼이 있는 경우 판례에 의함)

① 정보공개청구에 대한 공공기관의 정보공개의 거부는 항고소송의 대상이 되는 처분이며, 정보공개거부처분취소소송의 피고는 정보공개심의회가 된다.

② 외국인은 국내에 주소를 두고 있는 경우에 한해 정보공개청구권자가 될 수 있다.

③ 청구인이 정보공개거부처분의 취소를 구하는 소송에서 공공기관이 청구정보를 증거 등으로 법원에 제출하여 법원을 통하여 그 사본을 청구인에게 교부 또는 송달되게 하여 결과적으로 청구인에게 정보를 공개하는 셈이 되었다면 정보의 비공개결정의 취소를 구할 소의 이익은 소멸된다.

④ 사법시험 응시자가 자신의 제2차시험 답안지에 대한 열람청구를 한 경우 그 답안지는 정보공개의 대상이 된다.

☑ 기출체크

① 관련 기출

1. 공공기관이 정보공개청구에 대해 이를 거부하는 행위는 취소소송의 대상이 되는 처분이다. (○, ×) 2018 교육행정직 9급

2. 정보공개거부결정의 취소를 구하는 소송에서는 각 행정청의 정보공개심의회가 피고가 된다. (○, ×) 2013 지방직 9급

② 관련 기출

3. 국내에 학술·연구를 위하여 일시적으로 체류하는 외국인은 정보공개를 청구할 권리가 없다. (○, ×) 2021 행정사

4. 학술·연구를 위하여 일시적으로 체류하는 외국인은 정보공개청구를 할 수 있다. (○, ×) 2015 지방직 9급

5. 외국인은 국내에 주소를 두고 거주하는 경우에도, 정보공개청구권이 인정되지 않는다. (○, ×) 2015 교육행정직 9급

6. (정보공개법에 따르면) 정보공개청구권자를 '모든 국민'으로 규정하고 있으므로 외국인의 정보공개청구권은 인정될 여지가 없다. (○, ×) 2014 사회복지직 9급

7. 정보공개를 청구할 수 있는 자는 반드시 자연인에 국한되지 않으며 법인과 권리능력 없는 사단이나 재단도 가능하지만 외국인은 이에 해당하지 않는다. (○, ×) 2012 국가직 9급

③ 관련 기출

8. 정보공개거부처분의 취소를 구하는 소송에서 공공기관이 청구정보를 증거 등으로 법원에 제출하여 법원을 통하여 그 사본을 청구인에게 교부 또는 송달되게 하여 청구인에게 정보를 공개하는 셈이 되었다면, 이러한 우회적인 방법에 의한 공개는 「공공기관의 정보공개에 관한 법률」에 의한 공개라고 볼 수 있다. (○, ×) 2020 국가직 9급

9. 정보비공개결정 취소소송에서 공공기관이 청구정보를 증거로 법원에 제출하여 법원을 통하여 그 사본을 청구인에게 교부되게 하여 정보를 공개하게 된 경우에는 비공개결정의 취소를 구할 소의 이익이 소멸한다. (○, ×) 2018 국가직 7급

④ 관련 기출

10. 사법시험 응시자가 자신의 제2차시험 답안지에 대한 열람청구를 한 경우 그 답안지는 정보공개의 대상이 된다. (○, ×) 2015 사회복지직 9급

11. 사법시험 제2차시험의 답안지와 시험문항에 대한 채점위원별 채점결과는 비공개정보에 해당한다. (○, ×) 2013 국가직 9급

12. 대법원은 사법시험 2차시험 답안지는 비공개정보에 해당한다고 본다. (○, ×) 2011 서울시 9급

정답 1. ○ 2. × 3. × 4. ○ 5. × 6. × 7. × 8. × 9. × 10. ○ 11. × 12. ×

17

다음 중 우리 판례가 비공개대상이라고 본 것을 모두 고른 것은?

㉮ 보안관찰법에 따른 보안관찰 관련 통계자료

㉯ 법령에 따라 국가가 업무의 일부를 위탁 또는 위촉한 개인의 성명·직업

㉰ 문제은행 출제방식을 채택하고 있는 치과의사 국가시험의 문제지

㉱ 학교환경위생구역 내 금지행위(숙박시설) 해제결정에 관한 학교환경위생정화위원회의 회의록에 기재된 발언내용에 대한 해당 발언자의 인적사항 부분에 관한 정보

① ㉮, ㉯, ㉱   ② ㉮, ㉰, ㉱
③ ㉯, ㉰, ㉱   ④ ㉰, ㉱

☑ 기출체크

㉮ 관련 기출

1. 보안관찰법 소정의 보안관찰 관련 통계자료는 「공공기관의 정보공개에 관한 법률」 소정의 비공개대상정보에 해당하지 않는다. (○, ×) 2019 지방직·교육행정직 9급

2. 보안관찰법상 보안관찰 관련 통계자료(는 대법원 판례에 의할 때 비공개대상정보에 해당한다) (○, ×) 2010 국가직 9급

3. 보안관찰 관련 통계자료는 「공공기관의 정보공개에 관한 법률」 제9조 제1항 제2호 소정의 공개될 경우 국가안전보장·국방·통일·외교관계 등 국가의 중대한 이익을 해할 우려가 있는 정보, 또는 제3호 소정의 공개될 경우 국민의 생명·신체 및 재산의 보호, 기타 공공의 안전과 이익을 현저히 해할 우려가 있다고 인정되는 정보에 해당한다. (○, ×) 2008 국가직 7급

㉯ 관련 기출

4. 공개하는 것이 공익을 위하여 필요한 경우로서 법령에 따라 국가가 업무의 일부를 위탁 또는 위촉한 개인의 성명·직업은, 공개되면 사생활의 비밀 또는 자유가 침해될 우려가 있다고 인정되더라도 공개대상정보에 해당한다. (○, ×) 2018 국가직 7급

5. 개인정보는 절대적 비공개대상정보이다. (○, ×) 2012 지방직(하)

ⓒ 관련 기출
6. 문제은행 출제방식을 채택하고 있는 치과의사 국가시험의 문제지와 정답지(는 대법원 판례에 의할 때 비공개대상정보에 해당한다) (O, ×)   2010 국가직 9급
7. 치과의사 국가시험은 문제은행 출제방식이어서 시험문제의 공개로 발생될 결과와 시험업무에 대한 부작용 등을 감안하면, 위 시험문제지 등의 공개가 시험업무의 공정한 수행 등에 현저한 지장을 초래한다고 인정할 만한 상당한 이유가 있으므로 공개하지 않을 수 있다. (O, ×)   2008 지방직 9급

ⓓ 관련 기출
8. 의사결정과정에 제공된 회의 관련 자료나 의사결정과정이 기록된 회의록은 의사가 결정되거나 의사가 집행된 경우에도 비공개대상정보에 포함될 수 있다. (O, ×)   2021 국가직 7급
9. 의사결정과정에 제공된 회의 관련 자료나 의사결정과정이 기록된 회의록 등은 의사가 결정되거나 의사가 집행된 경우에는 더 이상 의사결정과정에 있는 사항 그 자체라고는 할 수 없으나, 의사결정과정에 있는 사항에 준하는 사항으로서 비공개대상정보에 포함될 수 있다. (O, ×)   2020 군무원 7급, 2020 군무원 9급
10. 학교환경위생구역 내 금지행위(숙박시설) 해제결정에 관한 학교환경위생정화위원회의 회의록에 기재된 발언내용에 대한 해당 발언자의 인적사항 부분에 관한 정보는 구 「공공기관의 정보공개에 관한 법률」 제7조 제1항 제5호 소정의 비공개대상에 해당한다고 볼 수 없다. (O, ×)   2020 군무원 9급, 2019 지방직·교육행정직 9급
11. 학교환경위생구역 내 금지행위(숙박시설) 해제결정에 관한 학교환경위생정화위원회의 회의록에 기재된 발언내용에 대한 해당 발언자의 인적사항 부분에 관한 정보는 「공공기관의 정보공개에 관한 법률」상 비공개대상에 해당한다. (O, ×)   2016 사회복지직 9급
12. 판례에 의하면 의사결정과정이 기록된 정보는 의사가 결정된 후에도 비공개대상정보에 포함될 수 있다. (O, ×) 2009 서울시 9급

정답   1. ×   2. O   3. O   4. O   5. ×   6. O   7. O   8. O   9. O   10. ×
      11. O   12. O

18

행정정보공개에 관한 다음 기술 중 옳지 않은 것은? (다툼이 있는 경우 판례에 의함)

① 공개청구의 대상이 되는 정보가 이미 다른 사람에게 공개되어 널리 알려져 있다거나 인터넷이나 관보 등을 통하여 공개되어 인터넷 검색이나 도서관에서의 열람 등을 통하여 쉽게 알 수 있다고 하여, 정보공개거부취소를 구할 소의 이익이 없다고 볼 수 없다.

② 정보공개를 거부하기 위해서는 반드시 그 정보가 진행 중인 재판의 소송기록 그 자체에 포함된 내용의 정보일 필요는 없으나, 재판에 관련된 일체의 정보가 그에 해당하는 것은 아니고 진행 중인 재판의 심리 또는 재판결과에 구체적으로 영향을 미칠 위험이 있는 정보에 한정된다.

③ 교도소에 수용 중이던 재소자가 담당 교도관들을 상대로 가혹행위를 이유로 형사고소 및 민사소송을 제기하면서 그 증명자료 확보를 위해 정보공개를 요청한 '근무보고서'는 비공개대상정보에 해당한다.

④ '독립유공자서훈 공적심사위원회의 심의·의결 과정 및 그 내용을 기재한 회의록'은 공개될 경우에 업무의 공정한 수행에 현저한 지장을 초래한다고 인정할 만한 상당한 이유가 있는 정보에 해당한다.

✅ 기출체크

① 관련 기출
1. 공개청구의 대상이 되는 정보가 이미 다른 사람에게 공개되어 널리 알려져 있다거나 인터넷 등을 통하여 공개되어 인터넷 검색 등을 통하여 쉽게 알 수 있다는 사정만으로는 비공개결정이 정당화될 수 없다. (O, ×)   2020 국가직 9급
2. 공개청구의 대상이 되는 정보가 이미 다른 사람에게 공개되어 널리 알려져 있다거나 인터넷 등을 통하여 공개되어 인터넷 검색 등을 통하여 쉽게 알 수 있다면 행정청의 정보비공개결정이 정당화될 수 있다. (O, ×)   2020 지방직·서울시 9급, 2013 국회직 8급
3. 공개청구의 대상이 되는 정보가 이미 다른 사람에게 공개되어 널리 알려져 있다거나 인터넷 등을 통하여 공개되어 인터넷 검색 등을 통하여 쉽게 알 수 있다는 사정만으로는 소의 이익이 없다거나 비공개결정이 정당화될 수도 없다. (O, ×)   2020 경행경채
4. 이미 공개되어 널리 알려져 있는 정보는 정보공개청구의 대상이 되지 않는다. (O, ×)   2014 국가직 7급
5. 이미 다른 사람에게 공개하여 널리 알려져 있는 사항(은 「공공기관의 정보공개에 관한 법률」상 비공개대상정보 유형이다) (O, ×)   2014 경행특채 2차

② 관련 기출
6. 「공공기관의 정보공개에 관한 법률」상 비공개대상정보인 '진행 중인 재판에 관련된 정보'라 함은 재판에 관련된 일체의 정보를 의미한다. (O, ×)   2019 지방직 7급
7. 진행 중인 재판에 관한 정보로서 공개될 경우 형사피고인의 공정한 재판을 받을 권리를 침해한다고 인정할 만한 상당한 이유가 있는 정보는 비공개대상정보에 해당한다. (O, ×)   2016 교육행정직 9급
8. 법원 이외의 공공기관이 '진행 중인 재판에 관련된 정보'에 해당한다는 사유로 정보공개를 거부하기 위해서는 그 정보가 진행 중인 재판에 관련된 일체의 정보여야 한다. (O, ×)   2014 지방직 7급
9. 비공개대상인 진행 중인 재판에 관련된 정보라 함은 재판에 관련된 일체의 정보가 해당하는 것이 아니고 진행 중인 재판의 심리 또는 재판결과에 구체적으로 영향을 미칠 위험이 있는 정보에 한정된다. (O, ×)   2012 국회(속기·경위직) 9급

③ 관련 기출
10. 교도소에 수용 중이던 재소자가 담당 교도관들을 상대로 가혹행위를 이유로 형사고소 및 민사소송을 제기하면서 그 증명자료 확보를 위해 정보공개를 요청한 '근무보고서'는 공개대상정보에 해당한다. (O, ×)   2015 경행특채 1차

11. 교도관이 직무 중 발생한 사유에 관하여 작성한 근무보고서는 비공개대상정보에 해당한다. (○, ×) 2013 국가직 9급

㉓ 관련 기출

12. '독립유공자서훈 공적심사위원회의 심의·의결 과정 및 그 내용을 기재한 회의록'은 공개될 경우에 업무의 공정한 수행에 현저한 지장을 초래한다고 인정할 만한 상당한 이유가 있는 정보에 해당한다. (○, ×) 2017 지방직(하) 9급

정답 1. ○ 2. × 3. ○ 4. × 5. × 6. × 7. ○ 8. × 9. ○ 10. ○
　　　11. × 12. ○

19
☐☐☐

「공공기관의 정보공개에 관한 법률」에 관한 설명으로 옳지 않은 것을 모두 고른 것은? (다툼이 있는 경우 판례에 의함)

㉮ 공공기관은 청구인이 사본 또는 복제물의 교부를 원하는 경우에는 이를 교부하여야 하나, 공개대상정보의 양이 너무 많아 정상적인 업무수행에 현저한 지장을 초래할 우려가 있는 경우에는 공개를 거부할 수 있다.

㉯ 공공기관이 정보를 보유·관리하고 있지 아니한 경우에는 특별한 사정이 없는 한 정보공개거부처분의 취소를 구할 법률상의 이익이 없다.

㉰ 정보공개를 청구한 목적이 손해배상소송에 제출할 증거자료를 획득하기 위한 것이었고 위 소송이 이미 종결되었다면 원고가 정보공개청구소송을 계속하고 있는 것은 권리남용에 해당한다.

㉱ 정보공개거부에 대한 취소소송에서 공개가 거부된 정보에 공개가능한 부분과 비공개에 해당하는 부분이 혼합되어 있고 두 부분을 분리할 수 있는 경우, 판결의 주문에서는 정보공개거부처분 중 공개가 가능한 정보에 관한 부분만을 취소한다고 표시하여야 한다.

① ㉮, ㉯, ㉰　　　　② ㉮, ㉰
③ ㉯, ㉱　　　　　　④ ㉰, ㉱

☑ 기출체크

㉮ 관련 기출

1. 공개대상의 양이 과다하여 정상적인 업무수행에 현저한 지장을 초래할 우려가 있는 경우에는 이를 기간별로 나누어 교부하거나 열람과 병행하여 교부할 수 있다. (○, ×) 2018 서울시 1회 7급

2. 공공기관은 청구인이 사본 또는 복제물의 교부를 원하는 경우에는 이를 교부하여야 한다. 다만, 공개대상정보의 양이 너무 많아 정상적인 업무수행에 현저한 지장을 초래할 우려가 있는 경우에는 해당 정보를 일정 기간별로 나누어 제공하거나 사본·복제물의 교부 또는 열람과 병행하여 제공할 수 있다. (○, ×) 2015 서울시 7급 변형

㉯ 관련 기출

3. 공공기관이 정보를 보유·관리하고 있지 아니한 경우에는 특별한 사정이 없는 한 정보공개거부처분의 취소를 구할 법률상의 이익이 없다. (○, ×) 2021 국가직 7급

4. 정보공개가 신청된 정보를 공공기관이 보유·관리하고 있지 아니한 경우에는 특별한 사정이 없는 한 정보공개거부처분의 취소를 구할 법률상의 이익이 없다. (○, ×) 2021 국가직 9급

5. 공공기관이 그 정보를 보유·관리하고 있지 아니한 경우에는 특별한 사정이 없는 한 정보공개를 구하는 자에게 정보공개거부처분의 취소를 구할 법률상의 이익이 없다. (○, ×) 2016 국가직 7급

㉰ 관련 기출

6. 정보공개를 청구한 목적이 손해배상소송에 제출할 증거자료를 획득하기 위한 것이었고 그 소송이 이미 종결되었다면, 그러한 정보공개청구는 권리남용에 해당한다. (○, ×) 2019 국가직 7급

7. 오로지 상대방을 괴롭힐 목적으로 정보공개를 구하고 있다는 등의 특별한 사정이 없는 한 정보공개청구는 권리남용에 해당하지 아니한다. (○, ×) 2012 지방직(하) 7급

8. 권리남용에 해당하는 정보공개청구에 대하여는 정보공개의 의무가 없지만, 정보공개법의 목적, 규정내용 및 취지에 비추어 보면 정보공개청구의 목적에 특별한 제한이 없으므로 오로지 상대방을 괴롭힐 목적으로 정보공개를 구하고 있다는 등의 특별한 사정이 없는 한 정보공개의 청구가 신의칙에 반하거나 권리남용에 해당한다고 볼 수 없다. (○, ×) 2010 지방직 7급

㉱ 관련 기출

9. 법원이 행정기관의 정보공개거부처분의 위법 여부를 심리한 결과 공개를 거부한 정보에 비공개사유에 해당하는 부분과 그렇지 않은 부분이 혼합되어 있고, 공개청구의 취지에 어긋나지 않는 범위 안에서 두 부분을 분리할 수 있음을 인정할 수 있을 때에도 공개가 가능한 정보에 국한하여 정보공개거부처분의 일부취소를 명할 수는 없다. (○, ×) 2021 지방직·서울시 7급

10. 공개청구한 정보에 비공개대상정보와 공개 가능한 정보가 혼합되어 있는 경우, 공개청구의 취지에 어긋나지 아니하는 범위 안에서 두 부분을 분리할 수 있는 때에는 비공개대상에 해당하는 부분을 제외하고 공개하여야 한다. (○, ×) 2014 사회복지직 9급

11. 행정청이 공개를 거부한 정보에 비공개사유에 해당하는 부분과 그렇지 않은 부분이 혼재되어 있는 경우에는 그 전부에 대해 공개하여야 한다. (○, ×) 2012 국가직 9급

12. 공개를 거부한 정보에 비공개대상정보에 해당하는 부분과 공개가 가능한 부분이 혼합되어 있는 경우라면 법원은 정보공개거부처분 전부를 취소해야 한다. (O, ×)　　　2010 국가직 9급

정답　1. ○　2. ○　3. ○　4. ○　5. ○　6. ×　7. ○　8. ○　9. ×　10. ○
　　　11. ×　12. ×

20
○○○

「공공기관의 정보공개에 관한 법률」에 관한 다음 기술 중 옳지 않은 것은? (다툼이 있는 경우 판례에 의함)

① 「공공기관의 정보공개에 관한 법률」상 공개청구의 대상이 되는 정보란 공공기관이 직무상 작성 또는 취득하여 현재 보유·관리하고 있는 문서에 한정되는 것이기는 하나, 그 문서가 반드시 원본일 필요는 없다.

② 정보공개를 요구받은 공공기관이 공개를 거부하는 경우에는 비공개사유에 해당하는지를 주장·입증하지 아니한 채 개괄적인 사유만을 들어 공개를 거부할 수 없다.

③ 공공기관이 보유·관리하고 있는 정보가 제3자와 관련이 있는 경우, 제3자가 비공개를 요청하였다면 비공개사유에 해당한다.

④ 정보공개에 관한 정책의 수립 및 제도개선에 관한 사항을 심의·조정하기 위하여 국무총리 소속으로 정보공개위원회를 둔다.

✅ 기출체크

① 관련 기출
1. 「공공기관의 정보공개에 관한 법률」상 공개청구의 대상이 되는 정보란 공공기관이 직무상 작성 또는 취득하여 현재 보유·관리하고 있는 원본인 문서만을 의미한다. (O, ×)　　　2021 국가직 9급
2. 「공공기관의 정보공개에 관한 법률」상 공개청구의 대상이 되는 정보란 공공기관이 직무상 작성 또는 취득하여 현재 보유·관리하고 있는 문서에 한정되는 것이기는 하나, 그 문서가 반드시 원본일 필요는 없다. (O, ×)　　　2020 경행경채, 2018 서울시 9급
3. 「공공기관의 정보공개에 관한 법률」상 공개청구의 대상이 되는 정보는 반드시 원본일 필요는 없고 사본도 가능하다. (O, ×)
　　　2017 국가직 7급

② 관련 기출
4. 정보공개를 요구받은 공공기관이 법률에서 정한 비공개사유에 해당하는지를 주장·증명하지 아니한 채 개괄적인 사유만을 들어 공개를 거부하는 것은 허용되지 아니한다. (O, ×)
　　　2021 지방직·서울시 7급
5. 공공기관은 정보공개청구를 거부할 경우에도 대상이 된 정보의 내용을 구체적으로 확인·검토하여 어느 부분이 어떠한 법익 또는

기본권과 충돌되어 정보공개법 제9조 제1항 몇 호에서 정하고 있는 비공개사유에 해당하는지를 주장·입증하여야 하며, 그에 이르지 아니한 채 개괄적인 사유만 들어 공개를 거부하는 것은 허용되지 아니한다. (O, ×)　　　2017 국회직 8급

6. 공개청구된 정보를 해당 공공기관이 공개하지 않기로 결정하였다면, 법령에서 정하고 있는 비공개사유에 해당하는지를 주장·입증하여야 한다. (O, ×)　　　2012 국회(속기·경위직) 9급

③ 관련 기출
7. (甲은 행정청 A가 보유·관리하는 정보 중 乙과 관련이 있는 정보를 사본 교부의 방법으로 공개하여 줄 것을 청구하였다) A가 정보의 주체인 乙로부터 의견을 들은 결과, 乙이 정보의 비공개를 요청한 경우에는 A는 정보를 공개할 수 없다. (O, ×)
　　　2017 국가직(하) 9급

8. 공개청구된 사실을 통지받은 제3자가 당해 공공기관에 공개하지 아니할 것을 요청하는 때에는 공공기관은 비공개결정을 하여야 한다. (O, ×)　　　2012 지방직 9급

9. 공공기관은 공개청구된 공개대상정보의 전부 또는 일부가 제3자와 관련이 있다고 인정할 때에는 그 사실을 지체 없이 통지하여야 하며, 이 경우 제3자로부터 비공개 요청이 있는 때에는 당해 정보를 공개하여서는 아니 된다. (O, ×)　　　2009 국가직 7급

④ 관련 기출
10. 정보공개에 관한 정책수립 및 제도개선에 관한 사항을 심의·조정하기 위하여 국무총리 소속으로 정보공개위원회를 둔다.
　　　(O, ×)　　　2019 국회직 8급

11. 정보공개에 관한 정책의 수립 및 제도개선에 관한 사항을 심의·조정하기 위하여 대통령 소속하에 정보공개위원회를 둔다.
　　　(O, ×)　　　2008 국가직 9급

정답　1. ×　2. ○　3. ○　4. ○　5. ○　6. ○　7. ×　8. ×　9. ×　10. ○
　　　11. ×

01 □□□

과징금에 대한 설명으로 옳은 것은? (다툼이 있는 경우 판례에 의함)

① 과징금 부과를 하기 위해서는 법률에 근거가 있어야 하며, 과징금 부과처분은 일반적으로 기속행위의 성질을 가진다.

② 재량행위인 과징금의 경우 법이 정한 한도액을 초과하면 법원은 초과한 과징금 부분만 취소할 수 있을 뿐 그 전부를 취소할 수는 없다.

③ 과징금 부과처분의 경우 원칙적으로 위반자의 고의·과실을 요하지 아니하므로, 위반자의 의무해태를 탓할 수 없는 정당한 사유가 있는 등의 특별한 사정이 있는 경우에도 이를 부과할 수 있다.

④ 과징금납부의무는 일신전속적 의무가 아니므로 과징금을 부과받은 자가 사망한 경우 상속인에게 승계된다.

✔ 기출체크

① 관련 기출

1. (「여객자동차 운수사업법」 제88조의 과징금 부과처분과 관련하여) 사업정지처분을 내릴 것인지 과징금을 부과할 것인지는 통상 행정청의 재량에 속한다. (○, ×)　　2019 서울시 9급

2. 과징금을 부과할 것인지 영업정지처분을 내릴 것인지는 통상 행정청의 재량에 속하는 것으로 본다. (○, ×)　　2010 국가직 7급

② 관련 기출

3. 처분을 할 것인지 여부와 처분의 정도에 관하여 재량이 인정되는 과징금 납부명령에 대하여 그 명령이 재량권을 일탈하였을 경우, 법원은 재량권의 범위 내에서 어느 정도가 적정한 것인지에 관하여 판단할 수 있고 그 일부를 취소할 수 있다. (○, ×)　　2020 지방직·서울시 9급

4. 재량행위인 과징금 부과처분이 해당 법령이 정한 한도액을 초과하여 부과된 경우 이러한 과징금 부과처분은 법이 정한 한도액을 초과하여 위법하므로 법원으로서는 그 전부를 취소할 수밖에 없고, 그 한도액을 초과한 부분만 취소할 수는 없다. (○, ×)　　2018 국가직 9급

5. 과징금 부과처분이 법이 정한 한도액을 초과하여 위법할 경우 행정청의 1차적 판단권을 존중하는 취지에서 법원은 과징금 부과처분 전부를 취소해서는 안 되고 그 한도액을 초과한 부분에 한정하여 취소해야 한다. (○, ×)　　2015 경행특채 2차

③ 관련 기출

6. 「여객자동차 운수사업법」상 과징금 부과처분은 원칙적으로 위반자의 고의·과실을 요하지 않는다. (○, ×)　　2020 국가직 9급

7. 구 「여객자동차 운수사업법」상 과징금 부과처분은 원칙적으로 위반자의 고의·과실을 요하지 아니하나, 위반자의 의무해태를 탓할 수 없는 정당한 사유가 있는 등의 특별한 사정이 있는 경우에는 이를 부과할 수 없다. (○, ×)　　2020 국가직 7급

8. (「여객자동차 운수사업법」 제88조의 과징금 부과처분과 관련하여) 과징금 부과처분은 제재적 행정처분이므로 현실적인 행위자에 부과하여야 하며 위반자의 고의·과실을 요한다. (○, ×)　　2019 서울시 9급

9. 과징금은 원칙적으로 행위자의 고의·과실이 있는 경우에 부과한다. (○, ×)　　2018 지방직 9급

10. 과징금 부과처분의 경우 원칙적으로 위반자의 고의·과실을 요하지 아니하나, 위반자의 의무해태를 탓할 수 없는 정당한 사유가 있는 등의 특별한 사정이 있는 경우에는 이를 부과할 수 없다. (○, ×)　　2018 국가직 7급

④ 관련 기출

11. 「부동산 실권리자명의 등기에 관한 법률」상 실권리자명의 등기의무에 위반하여 부과된 과징금채무는 대체적 급부가 가능한 의무이므로 과징금을 부과받은 자가 사망한 경우 그 상속인에게 포괄승계된다. (○, ×)　　2014 사회복지직 9급

12. 대법원 판례는 부과된 과징금채무는 일신전속적 의무이므로 위 과징금을 부과받은 자가 사망한 경우 그 상속인에게 승계되지 않는다고 한다. (○, ×)　　2011 경북교행

정답　1. ○　2. ○　3. ×　4. ○　5. ×　6. ○　7. ○　8. ×　9. ×　10. ○
　　　11. ○　12. ×

02

$\square\square\square$

행정의 실효성 확보수단에 관하여 옳은 설명을 모두 고른 것은? (다툼이 있는 경우 판례에 의함)

㉮ 강제징수란 국민이 행정주체에 대하여 부담하고 있는 공법상의 금전급부의무를 이행하지 않은 경우 행정청이 의무자의 재산에 실력을 가하여 의무가 이행된 것과 동일한 상태를 실현하는 행정상 강제집행수단을 말한다.

㉯ 전기·전화의 공급자에게 위법건축물에 대한 단전 또는 전화통화 단절조치의 요청행위는 항고소송의 대상인 처분성이 인정된다.

㉰ 「독점규제 및 공정거래에 관한 법률」상 시정명령으로 과거의 위반행위에 대한 중지는 물론 가까운 장래에 반복될 우려가 있는 동일한 유형의 행위의 반복금지를 명할 수 있다.

㉱ 과징금 부과와 같은 제재적 조치는 현실적 행위자가 아니라면 비록 법령상 책임자로 규정된 자라고 하더라도 그에게 부과할 수는 없다.

① ㉮, ㉯   ② ㉮, ㉰
③ ㉯, ㉱   ④ ㉰, ㉱

☑ 기출체크

㉮ 관련 기출
1. 행정상 강제징수란 국민이 국가 등 행정주체에 대하여 부담하고 있는 공법상의 금전급부의무를 이행하지 않은 경우 행정청이 의무자의 재산에 실력을 가하여 의무가 이행된 것과 동일한 상태를 실현하는 행정상 강제집행수단을 말한다. (○, ×)　2020 경행경채

㉯ 관련 기출
2. 위법한 건축물에 대한 단전 및 전화통화 단절조치 요청행위는 처분성이 인정되는 행정지도이다. (○, ×)　2021 군무원 9급
3. 전기·전화의 공급자에게 위법건축물에 대한 단전 또는 전화통화 단절조치의 요청행위(는 판례가 항고소송의 대상인 처분성을 부정한다) (○, ×)　2017 서울시 9급
4. 위법건축물에 대한 단전 및 전화통화 단절조치 요청행위는 처분성이 부인된다. (○, ×)　2013 지방직 9급

㉰ 관련 기출
5. 행정청은 시정명령으로 과거의 위반행위에 대한 중지는 물론 가까운 장래에 반복될 우려가 있는 동일한 유형의 행위의 반복금지까지 명할 수 있다. (○, ×)　2018 교육행정직 9급
6. 「독점규제 및 공정거래에 관한 법률」상 시정명령의 내용은 과거의 위반행위에 대한 중지는 물론 가까운 장래에 반복될 우려가 있는 동일 유형의 반복금지까지 명할 수 있다. (○, ×) 2018 경행경채 3차

㉱ 관련 기출
7. 행정상 의무위반행위자에 대하여 과징금을 부과하기 위해서는 원

칙적으로 위반자의 고의 또는 과실이 있어야 한다. (○, ×)
2021 국가직 7급
8. (「여객자동차 운수사업법」 제88조의 과징금 부과처분과 관련하여) 과징금은 행정목적 달성을 위하여, 행정법규위반이라는 객관적 사실에 착안하여 부과된다. (○, ×)　2019 서울시 9급
9. 행정법규위반에 대하여 가하는 제재조치(영업정지처분)는 반드시 현실적인 행위자가 아니라도 법령상 책임자로 규정된 자에게 부과되고, 특별한 사정이 없는 한 위반자에게 고의나 과실이 없더라도 부과할 수 있다. (○, ×)　2018 지방직 7급, 2016 국가직 7급
10. 현실적 행위자가 아닌 법령상 책임자로 규정된 자에게는 행정법규위반에 대한 제재조치를 부과할 수 없다. (○, ×) 2014 지방직 7급

정답 1. ○ 2. × 3. ○ 4. ○ 5. ○ 6. ○ 7. × 8. ○ 9. ○ 10. ×

03

$\square\square\square$

다음 중 대집행에 관한 설명으로 옳은 것은? (다툼이 있는 경우 판례에 의함)

① 대한주택공사(현 한국토지주택공사)가 법령에 의하여 대집행권한을 위탁받아 공무인 대집행을 실시하기 위하여 지출한 비용은 행정대집행법뿐만 아니라 민사소송절차에 의해서도 징수할 수 있다.

② 「공익사업을 위한 토지 등의 취득 및 보상에 관한 법률」에 따라 지방자치단체장의 대집행권한을 구 한국토지공사에 위탁한 경우 한국토지공사는 대집행의 주체가 될 수는 없고 국가배상법상 공무원에 해당한다는 것이 판례의 입장이다.

③ 부작위의무의 근거규정인 금지규정으로부터 그 의무를 위반함으로써 생긴 결과를 시정할 작위의무나 위반결과의 시정을 명할 행정청의 권한이 추론되는 것은 아니다.

④ 자진철거에 필요한 상당한 이행기간을 정하고 있더라도 철거명령과 계고는 별개의 행정행위이므로 철거명령과 계고를 하나의 문서로 할 수는 없다.

☑ 기출체크

① 관련 기출
1. 행정대집행을 실시하기 위하여 지출한 비용은 민사소송절차에 의하여 그 비용의 상환을 청구할 수 있다. (○, ×)　2021 경행경채
2. 구 대한주택공사가 대집행권한을 위탁받아 공무인 대집행을 실시하기 위하여 지출한 비용을 행정대집행법 절차에 따라 국세징수법의 예에 의하여 징수할 수 있음에도 민사소송절차에 의하여 그 비용의 상환을 구하는 청구는 소의 이익이 없어 부적법하다. (○, ×)
2019 지방직·교육행정직 9급
3. 민사소송절차에 따라 민법 제750조에 기한 손해배상으로서 대집행비용의 상환을 구하는 청구는 소의 이익이 없어 부적법하다. (○, ×)　2019 서울시 9급

4. 의무자가 대집행에 요한 비용을 납부하지 않으면 당해 행정청은 민법 제750조에 기한 손해배상으로서 대집행비용의 상환을 구할 수 있다. (○, ×)　　　　　　　　　2017 지방직(하) 9급

5. 대집행권한을 위탁받아 공무인 대집행을 실시하기 위하여 지출한 비용은 행정대집행법의 절차에 따라 국세징수법의 예에 의하여 징수할 수 있다. (○, ×)　　　　　　　　2017 지방직 7급

② 관련 기출

6. 법령의 위탁에 의해 지방자치단체로부터 대집행을 수권받은 구 한국토지공사는 지방자치단체의 기관으로서 국가배상법 제2조 소정의 공무원에 해당한다. (○, ×)　　2019 지방직·교육행정직 9급

7. 대법원은 「공익사업을 위한 토지 등의 취득 및 보상에 관한 법률」상 수용대상물의 인도·이전의무불이행에 대한 지방자치단체장의 대집행권한을 구 한국토지공사에 위탁한 것은 구 한국토지공사를 행정보조자로 고용한 것으로 본다. (○, ×)　　　　　　2013 국회직 8급

8. 법령의 위탁에 의하여 대집행권한을 수권받은 (구)한국토지공사는 대집행을 실시함에 따르는 권리·의무 및 책임이 귀속되는 행정주체의 지위에 있으며, 지방자치단체의 기관으로서 국가배상법 제2조 소정의 공무원에 해당한다. (○, ×)　　2012 국회(속기·경위직) 9급

③ 관련 기출

9. 위반결과의 시정을 명하는 권한은 금지규정으로부터 당연히 추론되는 것은 아니다. (○, ×)　　　　　　　　2021 국가직 7급

10. 대집행의 대상은 원칙적으로 대체적 작위의무에 한하며, 부작위의무위반의 경우 대체적 작위의무로 전환하는 규정을 두고 있지 아니하는 한 대집행의 대상이 되지 않는다. (○, ×)
　　　　　　　　　　　　　　　　2020 지방직·서울시 9급

11. 부작위의무를 위반함으로써 생긴 결과를 시정하기 위한 작위의무를 명하는 행위(는 행정청이 별도의 법령상의 근거 없이도 할 수 있다) (○, ×)　　　　　　　　　　　2019 지방직 7급

12. 부작위의무 위반행위에 대하여 대체적 작위의무로 전환하는 규정을 두고 있지 아니하더라도 그 금지규정으로부터 그 위반결과의 시정을 명하는 원상복구명령을 할 수 있는 권한이 도출될 수 있다. (○, ×)　　　　　　　　　　2019 서울시 2회 7급

13. 법령에서 정한 부작위의무 자체에서 의무위반으로 인해 형성된 현상을 제거할 작위의무가 바로 도출되는 것은 아니다. (○, ×)
　　　　　　　　　　　　　　　　　　　2018 서울시 9급

④ 관련 기출

14. 철거명령에서 주어진 일정기간이 자진철거에 필요한 상당한 기간이라고 하여도 그 기간 속에는 계고시에 필요한 '상당한 이행기간'이 포함되어 있다고 볼 수 없다. (○, ×)
　　　　　　　　　　　　　　　2019 지방직·교육행정직 9급

15. 계고서라는 명칭의 1장의 문서로서 일정기간 내에 위법건축물의 자진철거를 명함과 동시에 그 소정 기한 내에 자진철거를 하지 아니할 때에는 대집행할 뜻을 미리 계고한 경우라도 건축법에 의한 철거명령과 행정대집행법에 의한 계고처분의 각 요건이 충족되었다고 볼 수 있다. (○, ×)　　　　　2019 서울시 2회 7급

16. 1장의 문서에 철거명령과 계고처분을 동시에 기재하여 처분할 수 있다. (○, ×)　　　　　　　　　　2018 국회직 8급

정답　1. ×　2. ○　3. ○　4. ×　5. ○　6. ×　7. ×　8. ×　9. ○　10. ○
　　　11. ×　12. ×　13. ○　14. ×　15. ○　16. ○

04　　　　　　　　　　　　　　□□□

행정대집행에 관한 다음 기술 중 옳은 것을 모두 고른 것은? (다툼이 있는 경우 판례에 의함)

> ㉮ 공익사업을 위해 토지를 협의매도한 종전 토지소유자가 토지 위의 건물을 철거하겠다는 약정을 한 후 이러한 약정을 불이행하였더라도 이는 대집행의 대상이 되지 아니한다.
>
> ㉯ 법령상 부작위의무 위반에 대해 작위의무를 부과할 수 있는 법령의 근거가 없음에도, 행정청이 작위의무를 명한 후 그 의무불이행을 이유로 대집행계고처분을 한 경우 그 계고처분은 아무런 효력이 없다.
>
> ㉰ 토지수용법(현 토지보상법)상 피수용자 등이 기업자에 대하여 부담하는 수용대상 토지의 인도의무는 행정대집행법에 의한 대집행의 대상이 될 수 있다.
>
> ㉱ 대집행비용은 의무자가 부담하며 행정청은 그 비용액과 납기일을 정하여 의무자에게 문서로 납부를 명하여야 한다.
>
> ㉲ 후행처분인 대집행비용납부명령 취소청구소송에서 선행처분인 계고처분이 위법하다는 이유로 대집행비용납부명령의 취소를 구할 수 있다.

① ㉮, ㉯, ㉱, ㉲　　　　② ㉮, ㉰, ㉱

③ ㉯, ㉰, ㉱, ㉲　　　　④ ㉯, ㉰, ㉲

✅ **기출체크**

㉮ 관련 기출

1. 대집행은 비금전적인 대체적 작위의무를 의무자가 이행하지 않는 경우 행정청이 스스로 의무자가 행하여야 할 행위를 하거나 제3자로 하여금 행하게 하는 것으로, 그 대집행의 대상은 공법상 의무에만 한정하지 않는다. (○, ×)　　　2021 소방직 9급

2. 「공익사업을 위한 토지 등의 취득 및 보상에 관한 법률」상의 협의취득시에 매매대상 건물에 대한 철거의무를 부담하겠다는 취지의 약정을 건물소유자가 하였다고 하더라도, 그 철거의무는 대집행의 대상이 되지 않는다. (○, ×)　2020 국가직 9급, 2017 지방직(하) 9급

3. 공익사업을 위해 토지를 협의매도한 종전 토지소유자가 토지 위의 건물을 철거하겠다는 약정을 하였다고 하더라도 이러한 약정 불이행시 대집행의 대상이 되지 아니한다. (○, ×)　　2018 서울시 9급

4. 구 「공공용지의 취득 및 손실보상에 관한 특례법」에 의한 협의취득시 건물소유자가 매매대상 건물에 대한 철거의무를 부담하겠다는 취지의 약정을 한 경우, 그 철거의무는 행정대집행법에 의한 대집행의 대상이 된다. (○, ×)　　2015 지방직 7급

㉯ 관련 기출

5. 법령상 부작위의무 위반에 대해 작위의무를 부과할 수 있는 법령

의 근거가 없음에도, 행정청이 작위의무를 명한 후 그 의무불이행을 이유로 대집행계고처분을 한 경우 그 계고처분은 유효하다. (○, ×)
2016 지방직 7급

⊕ 관련 기출

6. 구 토지수용법상 피수용자 등이 기업자에 대하여 부담하는 수용대상 토지의 인도의무는 행정대집행법에 의한 대집행의 대상이 될 수 있다. (○, ×) 2021 소방간부

7. 토지의 명도의무를 이행하지 않을 경우 직접강제 또는 대집행을 통해 이를 실현할 수 있다. (○, ×) 2020 국회직 8급

8. 구 토지수용법상 피수용자 등이 기업자에 대하여 부담하는 수용대상 토지의 인도의무는 특별한 사정이 없는 한 행정대집행법에 의한 대집행의 대상이 될 수 없다. (○, ×) 2019 서울시 9급

9. 퇴거의무 및 점유인도의무의 불이행은 행정대집행의 대상이 되지 않는다. (○, ×) 2018 국가직 9급

10. 「공익사업을 위한 토지 등의 취득 및 보상에 관한 법률」상의 수용대상 토지의 명도의무는 강제적으로 실현할 필요가 인정되므로 대체적 작위의무에 해당한다. (○, ×) 2017 사회복지직 9급

㉑ 관련 기출

11. 대집행비용은 원칙상 의무자가 부담하며 행정청은 그 비용액과 납기일을 정하여 의무자에게 문서로 납부를 명하여야 한다. (○, ×) 2020 지방직·서울시 9급

12. 대집행의 소요비용은 행정청이 스스로 부담한다. (○, ×) 2013 서울시 9급

㉺ 관련 기출

13. 후행처분인 대집행비용납부명령 취소청구소송에서 선행처분인 계고처분이 위법하다는 이유로 대집행비용납부명령의 취소를 구할 수 없다. (○, ×) 2021 지방직·서울시 9급

14. 대집행에 있어서 선행처분인 계고처분이 하자가 있는 위법한 처분이라면 후행처분인 대집행영장발부통보처분의 취소를 청구하는 소송에서 청구원인으로 선행처분인 계고처분이 위법한 것이기 때문에 그 계고처분을 전제로 행하여진 대집행영장발부통보처분도 위법한 것이라는 주장을 할 수 있다. (○, ×) 2017 경행경채

15. 대집행절차상 계고, 대집행영장통지, 대집행비용납부명령 상호 간에는 선행행위의 하자가 후행행위에 승계된다. (○, ×) 2016 서울시 7급

16. 선행 계고처분의 위법성을 들어 대집행비용납부명령의 취소를 구할 수 없다. (○, ×) 2015 국회직 8급

17. 계고처분과 대집행비용납부명령 사이에는 하자의 승계가 인정되지 않는다. (○, ×) 2013 지방직 9급

정답 1. × 2. ○ 3. ○ 4. × 5. × 6. × 7. × 8. ○ 9. ○ 10. ×
　　 11. ○ 12. × 13. × 14. ○ 15. ○ 16. × 17. ×

05

☐☐☐

대집행에 관한 다음 기술 중 옳지 않은 것은? (다툼이 있는 경우 판례에 의함)

① 건물철거명령 및 철거대집행계고를 한 후에 이에 불응하자 다시 제2차, 제3차의 계고를 하였다면 철거의무는 처음에 한 건물철거명령 및 철거대집행계고로 이미 발생하고 그 이후에 한 제2차, 제3차의 계고는 새로운 철거의무를 부과한 것이 아니라 대집행기한을 연기하는 통지에 불과하다.

② 행정대집행의 대상이 되는 대체적 작위의무는 공법상 의무이어야 하고, 이때의 작위의무는 행정청뿐만 아니라 법령에 의해 직접 부과될 수도 있으며 동 법령에 조례도 포함된다.

③ 계고처분을 하려면 다른 방법으로는 이행의 확보가 어렵고 불이행을 방치함이 심히 공익을 해하는 것으로 인정될 때에 한하여 허용되고 이러한 요건의 충족 여부가 다투어지는 경우 그 요건에 대한 입증책임은 처분행정청에 있다.

④ 개인의 권익보호를 위해 의무를 명한 행정처분에 불가쟁력이 발생해야 대집행을 할 수 있다.

✅ 기출체크

① 관련 기출

1. 제1차로 철거명령 및 대집행계고를 한 데 이어 제2차로 대집행계고를 하였는데도 불응하여 대집행을 일부 실행한 후 철거의무자의 연기 요청을 받아들여 중단하였다가 그 기한이 지나 다시 제3차로 철거명령 및 대집행계고를 한 경우에 제3차로 한 철거명령 및 대집행계고는 항고소송의 대상이 되지 않는다. (○, ×) 2021 경행경채

2. 대집행의 절차인 '대집행의 계고'의 법적 성질은 준법률행위적 행정행위이므로 계고 그 자체가 독립하여 항고소송의 대상이나, 2차 계고는 새로운 철거의무를 부과하는 것이 아니고 대집행기한의 연기통지에 불과하므로 행정처분으로 볼 수 없다는 판례가 있다. (○, ×) 2021 소방직 9급

3. 위법건축물에 대한 철거명령 및 계고처분에 불응하여 제2차, 제3차로 계고처분을 한 경우에 제2차, 제3차의 후행 계고처분은 행정처분에 해당하지 아니한다. (○, ×) 2019 국회직 8급

4. 건물철거명령 및 철거대집행계고를 한 후에 이에 불응하자 다시 제2차, 제3차의 계고를 하였다면 철거의무는 처음에 한 건물철거명령 및 철거대집행계고로 이미 발생하였고 그 이후에 한 제2차, 제3차의 계고는 새로운 철거의무를 부과한 것이 아니라 대집행기한을 연기하는 통지에 불과하다. (○, ×) 2018 국가직 9급

5. 철거명령과 철거대집행 계고처분을 이미 했음에도 그 후에 제2차, 제3차 계고처분을 하였다면, 최종적인 제3차 계고처분에 대하여 항고소송을 제기해야 한다. (○, ×) 2017 사회복지직 9급

② 관련 기출

6. 행정청의 명령에 의한 행위뿐만 아니라 법률에 의하여 직접 명령된 행위도 행정대집행의 대상이 된다. (○, ×) 2019 경행경채 2차

7. 대집행의 대상이 되는 행위는 법률에서 직접 명령된 것이 아니라, 법률에 의거한 행정청의 명령에 의한 행위를 말한다. (○, ×)
2018 서울시 9급

8. 행정주체와 사인 사이의 건축도급계약에 있어서, 사인이 의무불이행을 하였다고 하여도 행정대집행은 허용되지 않는다. (○, ×)
2015 지방직 9급

9. 행정대집행법에 의하면 법령에 의해 직접 성립하는 의무도 행정대집행의 대상이 될 수 있다. (○, ×) 2015 서울시 9급

10. 대집행의 대상이 되는 대체적 작위의무는 공법상 의무여야 한다.
(○, ×) 2014 서울시 7급

③ 관련 기출

11. 대집행을 함에 있어 계고요건의 주장과 입증책임은 처분행정청에 있는 것이지, 의무불이행자에 있는 것이 아니다. (○, ×)
2020 지방직·서울시 9급

12. 행정대집행법상 건물철거 대집행은 다른 방법으로는 이행의 확보가 어렵고 불이행을 방치함이 심히 공익을 해하는 것으로 인정될 때에 한하여 허용되고 이러한 요건의 주장·입증책임은 처분행정청에 있다. (○, ×) 2019 지방직 7급

13. 계고처분을 하려면 다른 방법으로는 이행의 확보가 어렵고 불이행을 방치함이 심히 공익을 해하는 것으로 인정될 때에 한하여 허용되고 이러한 요건의 주장·입증책임은 처분행정청에 있다.
(○, ×) 2017 국가직(하) 7급

14. 허가 없이 신축·증축한 불법건축물의 철거의무를 대집행하기 위한 계고처분 요건의 주장·입증책임은 처분행정청에 있다.
(○, ×) 2016 국가직 7급

④ 관련 기출

15. 의무를 명하는 행정행위가 불가쟁력이 발생하지 않은 경우에는 그 행정행위에 따른 의무의 불이행에 대하여 대집행을 할 수 없다.
(○, ×) 2017 국가직 9급

16. 행정대집행법상 대집행을 위한 요건으로 볼 수 없는 것은?
2014 서울시 9급
① 행정대집행의 대상이 되는 의무는 공법상 의무이어야 한다.
② 행정대집행의 대상이 되는 의무는 대체성이 있는 의무이어야 한다.
③ 불이행된 의무를 다른 수단으로 이행을 확보하기 곤란해야 한다.
④ 의무의 불이행을 방치하는 것이 심히 공익을 해한다고 인정되어야 한다.
⑤ 의무를 명한 행정처분에 불가쟁력이 발생해야 한다.

정답 1. ○ 2. ○ 3. ○ 4. ○ 5. × 6. ○ 7. × 8. ○ 9. ○ 10. ○
11. ○ 12. ○ 13. ○ 14. ○ 15. × 16. ⑤

06

행정대집행에 대한 다음의 기술 중 옳은 것은? (다툼이 있는 경우 판례에 의함)

① 행정청은 해가 지기 전에 대집행을 착수한 경우라도 해가 진 후에는 대집행을 할 수 없다.

② 비상시 또는 위험이 절박한 경우에 있어서 당해 행위의 급속한 실시를 요하여 대집행영장에 의한 통지절차를 취할 여유가 없을 때에라도, 그 절차를 거치지 아니하고 대집행을 하는 것은 법치행정의 원리에 비추어 허용될 수 없다.

③ 대집행계고를 함에 있어서는 의무자가 스스로 이행하지 않는 경우에 대집행할 행위의 내용 및 범위가 구체적으로 특정되어야 하지만 그 내용과 범위는 대집행계고서뿐만 아니라 계고처분 전후에 송달된 문서나 기타 사정 등을 종합하여 특정될 수 있다.

④ 관계법령에 위반하여 장례식장 영업을 하고 있는 자의 장례식장 사용중지의무는 대체적 작위의무로서 행정대집행법에 따른 대집행의 대상이 된다.

✅ 기출체크

① 관련 기출

1. 행정청은 해가 지기 전에 대집행을 착수한 경우라도 해가 진 후에는 대집행을 할 수 없다. (○, ×) 2020 지방직·서울시 7급

2. 해가 지기 전에 대집행을 착수한 경우에는 야간에 대집행실행이 가능하다. (○, ×) 2020 소방직 9급

3. 해가 지기 전에 대집행에 착수한 경우라고 할지라도 해가 진 후에는 대집행을 할 수 없다. (○, ×) 2019 서울시 9급

② 관련 기출

4. 비상시 또는 위험이 절박한 경우에 있어 당해 행위의 급속한 실시를 요하여 대집행영장에 의한 통지절차를 취할 여유가 없을 때에는 이 절차를 거치지 아니하고 대집행할 수 있다. (○, ×)
2021 소방직 9급, 2017 지방직 7급

5. 구두에 의한 계고는 무효이며, 계고와 통지는 동시에 생략할 수 없다.
(○, ×) 2020 국회직 8급

6. 비상시 또는 위험이 절박한 경우에 있어서 계고·대집행영장의 통지규정에서 정하는 수속을 취할 여유가 없을 경우라도 위의 두 수속 모두를 거치지 아니하고는 대집행을 할 수 없다. (○, ×)
2019 서울시 1회 7급

③ 관련 기출

7. 행정청이 대집행에 대한 계고를 함에 있어서 의무자가 스스로 이행하지 아니하는 경우 대집행할 행위의 내용과 범위가 구체적으로 특정되어야 하지만, 그 내용 및 범위는 대집행계고서에 의해서만 특정되어야 하는 것은 아니고 그 처분 전후에 송달된 문서나 기타 사정을 종합하여 이를 특정할 수 있으면 족하다. (○, ×)
2021 소방직 9급, 2019 서울시 2회 7급

8. 행정청이 계고를 함에 있어 의무자가 스스로 이행하지 아니하는 경우 대집행의 내용과 범위가 구체적으로 특정되어야 하며, 대집행의 내용과 범위는 반드시 대집행계고서에 의해서만 특정되어야 한다. (○. ×)　　　　　　　　　　2020 지방직·서울사 9급

9. 대집행시에 대집행계고서에 대집행의 대상물 등 대집행 내용이 특정되지 않으면 다른 문서나 기타 사정을 종합하여 특정될 수 있다 하더라도 그 대집행은 위법하다. (○. ×)　　　2018 국회직 8급

10. 대집행할 행위의 내용과 범위는 반드시 철거명령서와 대집행계고서에 의해 구체적으로 특정되어야 한다. (○. ×)
　　　　　　　　　　　　　　　　　　　　2017 국가직(하) 9급

④ 관련 기출

11. 관계법령에 위반하여 장례식장 영업을 한 사람이 행정청으로부터 장례식장 사용중지명령을 받고도 이에 따르지 않은 경우에 그의 사용중지의무 불이행은 행정청의 명령에 의한 대체적 작위의무의 불이행에 해당하므로 대집행의 대상이 된다. (○. ×)
　　　　　　　　　　　　　　　　　　　　2017 국가직(하) 9급

12. 관계법령에 위반하여 장례식장 영업을 하고 있는 자의 장례식장 사용중지의무는 행정대집행법 제2조의 규정에 따른 대집행의 대상이 된다. (○. ×)　　　　　　　　　　　　2017 국가직 7급

13. 관계법령에 위반하여 장례식장 영업을 하고 있는 자의 장례식장 사용중지의무는 비대체적 부작위의무이므로 행정대집행법에 의한 대집행의 대상이 아니다. (○. ×)　　　　2015 지방직 7급

정답 1. × 2. ○ 3. × 4. ○ 5. × 6. × 7. ○ 8. × 9. × 10. ×
　　　　11. × 12. × 13. ○

07　　　　　　　　　　　　　　　　□□□

건물의 점유자가 철거의무자인 경우 대집행과 관련된 판례의 내용 중 옳지 않은 것은?

① 건물의 점유자가 철거의무자일 때에는 건물철거의무에 퇴거의무도 포함되어 있는 것이어서 별도로 퇴거를 명하는 집행권원이 필요하지 않다.

② 위 ①의 경우, 행정청이 건물소유자들을 상대로 건물철거 대집행을 실시하기에 앞서, 건물소유자들을 건물에서 퇴거시키기 위해 별도로 퇴거를 구하는 민사소송을 제기하는 것은 허용되지 않는다.

③ 행정청이 대집행의 방법으로 건물철거의무의 이행을 실현할 수 있는 경우, 건물철거 대집행과정에서 부수적으로 건물의 점유자들에 대한 퇴거조치를 할 수 없다.

④ 점유자들이 적법한 행정대집행을 위력을 행사하여 방해하는 경우 형법상 공무집행방해죄가 성립하므로, 필요한 경우에는 경찰관직무집행법에 근거한 위험발생 방지조치 또는 형법상 공무집행방해죄의 범행방지 내지 현행범 체포의 차원에서 경찰의 도움을 받을 수도 있다.

✔ **기출체크**

① 관련 기출

1. 건물의 점유자가 철거의무자일 때에는 건물철거의무에 퇴거의무도 포함되어 있는 것이어서 별도로 퇴거를 명하는 집행권원이 필요하지 않다. (○. ×)
　　2019 지방직·교육행정직 9급, 2019 서울시 9급, 2019 사회복지직 9급

2. 철거명령의 위반을 이유로 행정대집행을 하면서 철거의무자인 점유자에 대해 퇴거명령을 하는 행위(는 행정청이 별도의 법령상의 근거 없이도 할 수 있다) (○. ×)　　　2019 지방직 7급

3. 행정대집행의 방법으로 건물철거의무이행을 실현할 수 있는 경우, 철거의무자인 건물점유자의 퇴거의무를 실현하려면 퇴거를 명하는 별도의 집행권원이 있어야 하고, 철거 대집행과정에서 부수적으로 건물점유자들에 대한 퇴거조치를 할 수는 없다. (○. ×)
　　　　　　　　　　　　　　　　　　　　2019 국가직 9급

② 관련 기출

4. 행정청이 건물철거의무를 행정대집행의 방법으로 실현하는 과정에서, 건물을 점유하고 있는 철거의무자들에 대하여 제기한 건물퇴거를 구하는 소송은 적법하다. (○. ×)　　2020 국가직 9급

③ 관련 기출

5. 건물철거의무에 퇴거의무도 포함되어 있어 건물철거 대집행과정에서 부수적으로 건물의 점유자들에 대한 퇴거조치를 할 수 있다. (○. ×)　　　　　　　　　　　　2020 소방직 9급

6. 행정청이 행정대집행의 방법으로 건물철거의무의 이행을 실현할 수 있는 경우에는 건물철거 대집행과정에서 부수적으로 그 건물의 점유자들에 대한 퇴거조치를 할 수 있다. (○. ×)
　　　　　　　　　　　　　　　　　　　　2019 사회복지직 9급

7. 건물의 점유자가 철거의무자일 때에 행정청이 행정대집행의 방법으로 건물철거의무의 이행을 실현할 수 있는 경우에 건물철거 대집행과정에서 부수적으로 그 건물의 점유자들에 대한 퇴거조치를 할 수 있다. (○. ×)　　　2019 경행경채 2차

8. 대집행을 통한 건물철거의 경우 건물의 점유자가 철거의무자인 때에는 부수적으로 건물의 점유자에 대한 퇴거조치를 할 수 있다. (○. ×)　　　　　　　　　　　　2018 국회직 8급

④ 관련 기출

9. 철거대상건물의 점유자들이 적법한 행정대집행을 위력을 행사하여 방해하는 경우, 행정청은 필요하다면 경찰관직무집행법에 근거한 위험발생 방지조치 차원에서 경찰의 도움을 받을 수 있다. (○. ×)
　　　　　　　　　　　　　　　　　　　　2020 국가직 9급

10. 적법한 행정대집행을 건물의 점유자들이 위력을 행사하여 방해하는 경우에 행정청은 경찰관직무집행법에 근거한 위험발생 방지조치 또는 형법상 공무집행방해죄의 범행방지 내지 현행범 체포의 차원에서 경찰의 도움을 받을 수도 있다. (○. ×)
　　　　　　　　　　　　　　　　　　　　2019 사회복지직 9급

11. 행정대집행법상 적법한 행정대집행을 점유자들이 위력을 행사하여 방해하는 경우, 행정대집행법상의 근거가 없으므로 대집행을 하는 행정청은 경찰의 도움을 받을 수 없다. (○. ×)
　　　　　　　　　　　　　　　　　　　　2019 지방직 7급

12. 행정청이 행정대집행의 방법으로 건물철거의무의 이행을 실현할 수 있는 경우, 점유자들이 적법한 행정대집행을 위력을 행사하여 방해한다면 형법상 공무집행방해죄의 범행방지 차원에서 경찰의 도움을 받을 수도 있다. (○. ×)　　2018 지방직 9급

정답 1. ○ 2. ○ 3. × 4. × 5. ○ 6. ○ 7. ○ 8. ○ 9. ○ 10. ○
　　　　11. × 12. ○

08

□□□

행정의 실효성 확보수단에 관한 다음 기술 중 옳지 않은 것은?

① 세무서장의 공매통지는 공매의 절차적 요건이므로 그 통지를 하지 아니한 채 공매처분을 한 경우, 그 공매처분은 위법하나 당연무효는 아니다.

② 과태료는 행정상의 질서유지를 위한 행정질서벌에 해당할 뿐이므로 죄형법정주의의 규율대상에 해당하지 아니한다.

③ 대집행계고처분 취소소송의 변론이 종결되기 전에 대집행영장에 의한 통지절차를 거쳐 사실행위로서 대집행의 실행이 완료된 경우에는 계고처분의 취소를 구할 법률상의 이익이 없다.

④ 병무청장이 병역법에 따라 병역의무 기피자의 인적사항을 인터넷 홈페이지에 공개하는 결정은 그것만으로 국민의 권리·의무에 변동을 일으키는 것으로 볼 수 없으므로 항고소송의 대상이 되는 행정처분으로 볼 수 없다.

✅ 기출체크

① 관련 기출

1. 국세징수법상 공매통지는 국가의 강제력에 의하여 진행되는 공매절차에서 체납자 등의 권리 내지 재산상 이익을 보호하기 위하여 법률로 규정한 절차적 요건에 해당하기 때문에 그 통지를 하지 아니한 채 공매처분을 한 경우에는 그 공매처분은 당연무효이다. (O, X) 2020 경행경채

2. 국세징수법상 체납자 등에 대한 공매통지는 체납자 등의 법적 지위나 권리·의무에 직접적인 영향을 주는 행정처분에 해당하지 아니하므로 공매통지가 적법하지 아니한 경우에도 그에 따른 공매처분이 위법하게 되는 것은 아니다. (O, X) 2018 지방직 9급

3. 국세징수법상 공매처분을 하면서 체납자에게 공매통지를 하였다면 공매통지가 적법하지 않다 하더라도 공매처분에 절차상 하자가 있다고 할 수는 없다. (O, X) 2017 사회복지직 9급

4. 국세징수법상 체납자에 대한 공매통지는 국가의 강제력에 의하여 진행되는 공매에서 체납자의 권리 내지 재산상의 이익을 보호하기 위하여 법률로 규정한 절차적 요건으로, 이를 이행하지 않은 경우 그 공매처분은 위법하다. (O, X) 2017 국가직 7급

5. 과세관청의 체납자 등에 대한 공매통지는 국가의 강제력에 의하여 진행되는 공매절차에서 체납자 등의 권리 내지 재산상 이익을 보호하기 위하여 법률로 규정한 절차적 요건에 해당하지만, 그 통지를 하지 아니한 채 공매처분을 하였다 하여도 그 공매처분이 당연무효로 되는 것은 아니다. (O, X) 2016 지방직 9급

② 관련 기출

6. 과태료는 행정상의 질서유지를 위한 행정질서벌에 해당할 뿐 형벌이라 할 수 없어 죄형법정주의의 규율대상에 해당하지 않는다. (O, X) 2021 소방직 9급

7. 과태료는 행정질서벌에 해당할 뿐 형벌이라고 할 수 없어 죄형법정주의의 규율대상에 해당하지 아니한다. (O, X) 2019 국가직 9급

8. 과태료는 행정상의 질서유지를 위한 행정질서벌에 해당할 뿐이므로 죄형법정주의의 규율대상에 해당하지 아니한다. (O, X) 2016 국가직 7급

③ 관련 기출

9. 대집행계고처분 취소소송의 변론종결 전에 사실행위로서 대집행의 실행이 완료된 경우에는 손해배상이나 원상회복 등을 청구하는 것은 별론으로 하고 대집행계고처분의 취소를 구할 법률상 이익은 없다. (O, X) 2021 국회직 8급

10. 건물철거 대집행계고처분 취소소송계속 중 건물철거대집행의 계고처분에 이어 대집행의 실행으로 건물에 대한 철거가 이미 사실행위로서 완료된 경우에는 원고로서는 계고처분의 취소를 구할 소의 이익이 없게 된다. (O, X) 2020 군무원 9급

11. 대집행계고처분 취소소송의 변론이 종결되기 전에 대집행영장에 의한 통지절차를 거쳐 사실행위로서 대집행의 실행이 완료된 경우에는 계고처분의 취소를 구할 법률상의 이익이 없다. (O, X) 2019 지방직·교육행정직 9급

12. 대집행계고처분 취소소송의 변론종결 전에 대집행영장에 의한 통지절차를 거쳐 대집행의 실행이 완료된 경우에도 처분의 취소를 구할 법률상 이익이 있다. (O, X) 2011 사회복지직 9급

13. 대집행의 실행이 완료된 경우에는 처분의 취소를 구할 법률상의 이익은 인정되지 않는다. (O, X) 2010 지방직 7급

④ 관련 기출

14. 병무청장의 병역의무 기피자의 인적사항 공개결정은 취소소송의 대상이 되는 처분에 해당한다. (O, X) 2020 군무원 7급

15. 관할 지방병무청장이 병역의무기피를 이유로 그 인적사항 등을 공개할 대상자를 1차로 결정하고 그에 이어 병무청장의 최종 공개결정이 있는 경우, 지방병무청장의 1차 공개결정은 병무청장의 최종 공개결정과는 별도로 항고소송의 대상이 된다. (O, X) 2020 변호사

정답 1. X 2. X 3. X 4. O 5. O 6. O 7. O 8. O 9. O 10. O 11. O 12. X 13. O 14. O 15. X

09

□□□

행정대집행과 이행강제금에 관한 다음 기술 중 옳은 것을 모두 고른 것은? (다툼이 있는 경우 판례에 의함)

㉠ 이행강제금은 대체적 작위의무의 위반에 대하여도 부과될 수 있다.

㉡ 대집행계고처분을 함에 있어서 의무이행을 할 수 있는 상당한 기간을 부여하지 아니하였다 하더라도, 행정청이 대집행계고처분 후에 대집행영장으로써 대집행의 시기를 늦추었다면 그 대집행계고처분은 적법한 처분이다.

94 모의고사

ⓒ 무허가 건축행위에 대한 형사처벌과 시정명령 위반에 대한 이행강제금의 부과는 그 기본적 사실관계에서 동일하므로 이중처벌에 해당한다.

ⓓ 건축법에 의하여 시정명령을 받은 의무자가 시정명령에서 정한 기간을 지나서 이행한 이상, 이행강제금이 부과되기 전에 그 의무를 이행하였다 하더라도 행정청은 이행강제금을 부과할 수 있다.

ⓔ 농지법상 이행강제금과 같이 이행강제금 부과처분에 대해 비송사건절차법에 의한 특별한 불복절차가 마련되어 있는 경우 이행강제금 부과처분은 항고소송의 대상이 되는 행정처분이 아니다.

ⓕ 건축법상 이행강제금 납부의 최초 독촉은 사실행위인 통지에 불과하므로 항고소송의 대상이 되는 행정처분에 해당하지 않는다.

① ㉮, ⓔ   ② ㉯, ⓒ
③ ⓒ, ⓓ   ④ ⓔ, ⓕ

✅ 기출체크

㉮ 관련 기출

1. 행정대집행은 대체적 작위의무에 대한 강제집행수단으로, 이행강제금은 부작위의무나 비대체적 작위의무에 대한 강제집행수단으로 이해되어 왔으므로, 이행강제금은 대체적 작위의무의 위반에 대해서는 부과될 수 없다. (○, ×)   2021 군무원 7급

2. 이행강제금은 대체적 작위의무의 위반에 대하여도 부과될 수 있다. (○, ×)   2021 지방직·서울시 9급, 2020 경행경채

3. 전통적으로 행정대집행은 대체적 작위의무에 대한 강제집행수단으로, 이행강제금은 부작위의무나 비대체적 작위의무에 대한 강제집행수단으로 이해되어 왔으나, 이는 이행강제금제도의 본질에서 오는 제약은 아니며, 이행강제금은 대체적 작위의무의 위반에 대하여도 부과될 수 있다. (○, ×)   2021 국회직 8급

4. 이행강제금은 간접적인 행정상 강제집행수단이며, 대체적 작위의무 위반에 대하여도 부과될 수 있다. (○, ×)   2020 군무원 7급

5. 대체적 작위의무 위반에 대해서는 이행강제금이 부과될 수 없다. (○, ×)   2020 지방직·서울시 9급

㉯ 관련 기출

6. 대집행계고처분에서 정한 의무이행기간의 이행종기인 날짜에 그 계고서를 수령하였고 행정청이 대집행영장으로써 대집행의 시기를 늦추었다고 하여도 대집행의 적법절차에 위배한 것으로 위법한 처분이다. (○, ×)   2021 군무원 7급

7. 계고시 상당한 기간을 부여하지 않은 경우 대집행영장으로 대집행의 시기를 늦추었다 하더라도 대집행계고처분은 상당한 이행기간을 정하여 한 것이 아니므로 위법하다. (○, ×)   2015 국회직 8급

8. 판례에 의하면 상당한 이행기간을 정하여 계고하지 않고 행한 행정대집행은 적법절차에 위반된 위법한 처분으로 본다. (○, ×)   2010 국가직 9급

9. 상당한 의무이행기간을 부여하지 않은 계고처분 후 대집행영장으로 대집행의 시기를 늦추더라도 그 계고처분은 적법절차에 위배한 것으로 위법한 처분이다. (○, ×)   2009 지방직 9급

ⓒ 관련 기출

10. 개발제한구역 내의 건축물에 대하여 허가를 받지 않고 한 용도변경행위에 대한 형사처벌과 건축법 제83조 제1항에 의한 시정명령 위반에 대한 이행강제금 부과는 이중처벌에 해당하지 아니한다. (○, ×)   2021 소방직 9급

11. 형사처벌과 이행강제금은 병과될 수 있다. (○, ×)   2020 지방직·서울시 9급

12. 형사처벌과 이행강제금의 병과는 이중처벌에 해당하지 않는다. (○, ×)   2017 교육행정직 9급

13. 무허가 건축행위에 대한 형사처벌과 시정명령 위반에 대한 이행강제금의 부과는 그 처벌 내지 제재대상이 되는 기본적 사실관계로서의 행위를 달리하며, 또한 그 보호법익과 목적에서도 차이가 있으므로 이중처벌이 아니다. (○, ×)   2015 지방직 7급

14. 무허가 건축행위를 한 자에 대해서 형사처벌을 함과 아울러 이행강제금을 부과하더라도 이중처벌에 해당하지 않는다는 것이 헌법재판소의 입장이다. (○, ×)   2014 서울시 9급

ⓓ 관련 기출

15. 「부동산 실권리자명의 등기에 관한 법률」상 장기미등기자가 이행강제금 부과 전에 등기신청의무를 이행하였더라도 동법에 규정된 기간이 지나서 등기신청의무를 이행하였다면 이행강제금을 부과할 수 있다. (○, ×)   2021 지방직·서울시 9급

16. 「부동산 실권리자명의 등기에 관한 법률」상 장기미등기자가 이행강제금 부과 전에 등기신청의무를 이행하였다면 이행강제금의 부과로써 이행을 확보하고자 하는 목적은 이미 실현된 것이므로 이 법상 규정된 기간이 지나서 등기신청의무를 이행한 경우라 하더라도 이행강제금을 부과할 수 없다. (○, ×)   2020 군무원 9급

17. 건축법상 시정명령을 받은 의무자가 이행강제금이 부과되기 전에 그 의무를 이행한 경우에는 비록 시정명령에서 정한 기간을 지나서 이행한 경우라도 이행강제금을 부과할 수 없다. (○, ×)   2020 국가직 9급

18. 이행강제금은 과거의 의무불이행에 대한 제재의 기능을 지니고 있으므로, 이행강제금이 부과되기 전에 의무를 이행한 경우에도 시정명령에서 정한 기간을 지나서 이행한 경우라면 이행강제금을 부과할 수 있다. (○, ×)   2019 지방직·교육행정직 9급

19. 건축법상의 이행강제금과 관련하여, 시정명령을 받은 의무자가 시정명령에서 정한 기간을 지나서 시정명령을 이행한 경우, 이행강제금이 부과되기 전에 그 이행이 있었다 하더라도 시정명령상의 기간을 준수하지 않은 이상 이행강제금을 부과하는 것은 정당하다. (○, ×)   2018 국가직 7급

ⓔ 관련기출

20. 농지법상 이행강제금 부과처분은 행정소송의 대상이다. (○, ×)   2021 국가직 7급

21. 이행강제금 부과처분에 대해 비송사건절차법에 의한 특별한 불복절차가 마련되어 있는 경우 이행강제금 부과처분은 항고소송의 대상이 되는 행정처분이 아니다. (○, ×)   2020 경행경채

22. 농지법상 이행강제금 부과처분은 항고소송의 대상이 되는 처분에 해당하므로 이에 불복하는 경우 항고소송을 제기할 수 있다. (○, ×)   2020 국가직 7급

23. 건축법상 이행강제금 납부의 최초 독촉은 항고소송의 대상이 되는 행정처분에 해당한다는 것이 판례의 태도이다. (○, ×)

2020 소방직 9급, 2017 지방직(하) 9급, 2014 국회직 8급

24. 구 건축법 및 지방세법·국세징수법에 의하여 이행강제금 부과처분을 받은 자가 기한 내에 이행강제금을 납부하지 아니한 때에는 그 납부를 독촉할 수 있으며, 이때 이행강제금 납부의 최초 독촉은 징수처분으로서 행정처분에 해당한다. (○, ×)

2017 국회직 8급

25. 이행강제금 부과처분을 받고 기한 내에 납부하지 아니한 자에 대한 이행강제금 납부독촉은 사실행위인 통지로서 항고소송의 대상이 되지 아니한다. (○, ×)

2013 국가직 7급

정답 1. × 2. ○ 3. ○ 4. ○ 5. × 6. ○ 7. ○ 8. ○ 9. ○ 10. ○
11. ○ 12. ○ 13. ○ 14. ○ 15. × 16. ○ 17. ○ 18. × 19. ×
20. × 21. ○ 22. × 23. ○ 24. ○ 25. ×

10
□□□

행정대집행과 이행강제금에 관한 다음 기술 중 옳은 것을 모두 고른 것은? (다툼이 있는 경우 판례에 의함)

㉮ 아무런 권원 없이 국유재산에 설치한 시설물에 대하여 비록 행정청이 행정대집행을 할 수 있는 경우라도 민사소송의 방법으로 그 시설물의 철거를 구할 수도 있으며 어느 절차를 취할 것인지는 행정청의 재량이다.

㉯ 구 건축법상 이행강제금을 부과받은 사람이 재판절차 중에 사망한 경우에는 상속인이 그 재판절차를 수계하여 절차를 진행한다.

㉰ 건축법상 이행강제금은 일정한 기한까지 의무를 이행하지 않을 때에는 일정한 금전적 부담을 과할 뜻을 미리 계고함으로써 의무자에게 심리적 압박을 주어 장래에 그 의무를 이행하게 하려는 행정상 간접적인 강제집행수단의 하나로서 반복적으로 부과되더라도 헌법상 이중처벌금지의 원칙이 적용될 여지가 없다.

㉱ 건축법상 위법건축물에 대하여 행정청은 대집행과 이행강제금을 선택적으로 활용할 수 있으며, 이러한 선택적 활용이 중첩적 제재에 해당한다고 볼 수 없다.

㉲ 건축법 제79조 제1항에 따른 위반건축물 등에 대한 시정명령을 받은 자가 이를 이행한 경우라면, 허가권자는 새로운 이행강제금의 부과를 즉시 중지하여야 하고 이미 부과된 이행강제금이라도 이를 징수할 수 없다.

① ㉮, ㉯, ㉱   ② ㉯, ㉰
③ ㉰, ㉱   ④ ㉱, ㉲

㉮ 관련 기출

1. 행정청이 행정대집행의 방법으로 건물의 철거 등 대체적 작위의무의 이행을 실현할 수 있는 경우에는 따로 민사소송의 방법으로 그 의무의 이행을 구할 수 없다. (○, ×) 2021 경행경채

2. 甲 : 행정대집행의 절차가 인정되는 경우에도 행정청이 민사상 강제집행수단을 이용할 수 있나요?
   乙 : 행정대집행의 절차가 인정되어 실현할 수 있는 경우에는 따로 민사소송의 방법을 이용할 수 없습니다. (○, ×) 2021 국가직 9급

3. 관계법령상 행정대집행의 절차가 인정되어 행정청이 행정대집행의 방법으로 건물의 철거 등 대체적 작위의무의 이행을 실현할 수 있는 경우에는 따로 민사소송의 방법으로 그 의무의 이행을 구할 수 없다. (○, ×) 2018 지방직 9급

4. 국유 일반재산인 대지에 대한 대부계약이 해지되어 국가가 원상회복으로 지상의 시설물을 철거하려는 경우, 행정대집행법에 따라 대집행을 하여야 하고 민사소송의 방법으로 시설물의 철거를 구하는 것은 허용되지 않는다. (○, ×) 2018 국가직 7급

5. 「공유재산 및 물품관리법」 제83조에 따라 지방자치단체장이 행정대집행의 방법으로 공유재산에 설치한 시설물을 철거할 수 있는 경우, 민사소송의 방법으로도 시설물의 철거를 구하는 것이 허용된다. (○, ×) 2017 지방직(하) 9급

㉯ 관련 기출

6. 구 건축법상 이행강제금을 부과받은 자의 이의에 의해 비송사건절차법에 의한 재판절차가 개시된 후에 그 이의한 자가 사망했다면 그 재판절차는 종료된다. (○, ×) 2017 사회복지직 9급

7. 이행강제금을 부과받은 자가 사망한 경우 이행강제금 납부의무는 상속인에게 승계된다. (○, ×) 2015 경행특채 2차

8. 건축법상 이행강제금 납부의무는 상속인 기타의 사람에게 승계될 수 없는 일신전속적 성질의 것이다. (○, ×) 2014 사회복지직 9급

㉰ 관련 기출

9. 이행강제금은 행정상 간접적인 강제집행수단의 하나로서, 과거의 일정한 법률위반행위에 대한 제재인 형벌이 아니라 장래의 의무이행 확보를 위한 강제수단일 뿐이어서, 범죄에 대하여 국가가 형벌권을 실행하는 과벌에 해당하지 아니한다. (○, ×) 2021 군무원 9급

10. 건축법상 이행강제금은 시정명령의 불이행이라는 과거의 위반행위에 대한 제재가 아니라 시정명령을 이행하지 않고 있는 건축주 등에 대하여 다시 상당한 이행기한을 부여하고 기한 안에 시정명령을 이행하지 않으면 이행강제금이 부과된다는 사실을 고지함으로써 의무자에게 심리적 압박을 주어 시정명령에 따른 의무의 이행을 간접적으로 강제하는 수단의 성질을 가진다. (○, ×)
2021 지방직·서울시 7급

11. 건축법상 이행강제금은 형벌에 해당하므로 이중처벌금지의 원칙이 적용된다. (○, ×) 2020 소방직 9급

12. 건축법상 이행강제금은 시정명령의 위반이라는 과거의 위반행위에 대한 제재이다. (○, ×) 2020 경행경채

13. 이행강제금은 일정한 기한까지 의무를 이행하지 않았을 때에는 일정한 금전적 부담을 과하는 것으로서, 헌법 제13조 제1항이 금지하는 이중처벌금지의 원칙의 적용대상이 된다. (○, ×)
2020 경행경채

㉱ 관련 기출

14. 甲 : 행정청은 대집행의 대상이 될 수 있는 것에 대하여 이행강제금을 부과할 수도 있나요?
    乙 : 행정청은 개별사건에 있어서 위법건축물에 대하여 대집행과

이행강제금을 선택적으로 활용할 수 있습니다. (○, ×)

15. 건축법상 위법건축물에 대한 이행강제수단으로 대집행과 이행강제금이 인정되고 있는데, 행정청은 개별사건에 있어서 위반내용, 위반자의 시정의지 등을 감안하여 대집행과 이행강제금을 선택적으로 활용할 수 있다. (○, ×) 2021 지방직·서울시 9급, 2020 군무원 9급

16. 건축법에 위반한 건축물의 철거를 명하였으나 불응하자 이행강제금을 부과·징수한 후, 이후에도 철거를 하지 아니하자 다시 행정대집행계고처분을 한 경우 그 계고처분은 유효하다. (○, ×)

⑪ 관련 기출

17. 건축법상 행정청은 의무자가 행정상 의무를 이행할 때까지 이행강제금을 반복하여 부과할 수 있으나, 의무자가 의무를 이행하면 새로운 이행강제금의 부과를 즉시 중지하여야 하고 이미 부과한 이행강제금은 징수하지 아니한다. (○, ×) 2021 지방직·서울시 7급

18. 건축법 제79조 제1항에 따른 위반건축물 등에 대한 시정명령을 받은 자가 이를 이행하면, 허가권자는 새로운 이행강제금의 부과를 즉시 중지하되 이미 부과된 이행강제금은 징수하여야 한다. (○, ×) 2017 지방직(하) 9급

정답 1. ○ 2. ○ 3. ○ 4. ○ 5. × 6. ○ 7. × 8. ○ 9. ○ 10. ○
11. × 12. × 13. × 14. ○ 15. ○ 16. ○ 17. × 18. ○

11

□□□

행정벌과 강제징수에 관한 기술로 옳은 것(○)과 옳지 않은 것(×)을 바르게 표기한 것은? (다툼이 있는 경우 판례에 의함)

㉮ 법원의 과태료재판이 확정된 후 법률이 변경되어 그 행위가 질서위반행위에 해당하지 아니하게 된 때에는 변경된 법률에 특별한 규정이 없는 한 과태료의 집행을 면제한다.

㉯ 죄형법정주의원칙상 법령에서 과실행위를 처벌한다는 명문의 규정이 없다면 관련 행정형벌법규의 해석에 의하여 과실행위도 처벌한다는 뜻이 도출되는 경우라도 과실행위는 처벌될 수 없다.

㉰ 압류된 재산의 매각은 공정성을 기하기 위해 공매를 통해서만 이루어지며 수의계약에 의할 수는 없다.

㉱ 공매에 의하여 재산을 매수한 자는 그 공매처분이 취소된 경우에 그 취소처분의 위법을 주장하여 행정소송을 제기할 법률상 이익이 있다.

	㉮	㉯	㉰	㉱
①	○	○	○	○
②	○	×	○	×
③	○	×	×	○
④	×	×	○	○

✔ 기출체크

㉮ 관련 기출

1. 질서위반행위규제법에 의하면 행정청의 과태료처분이나 법원의 과태료재판이 확정된 후 법률이 변경되어 그 행위가 질서위반행위에 해당하지 아니하게 된 때에는 변경된 법률에 특별한 규정이 없는 한 과태료의 징수 또는 집행을 면제한다. (○, ×) 2018 경행경채

2. 법원의 과태료재판이 확정된 후 법률이 변경되어 그 행위가 질서위반행위에 해당하지 아니하게 된 때에는 변경된 법률에 특별한 규정이 없는 한 과태료의 징수 또는 집행을 면제한다. (○, ×)

3. 행정청의 과태료처분이나 법원의 과태료재판이 확정된 후 법률이 변경되어 그 행위가 질서위반행위에 해당하지 아니하게 되더라도 변경된 법률에 특별한 규정이 없는 한 과태료의 징수 또는 집행은 면제되지 않는다. (○, ×) 2013 국가직 9급

㉯ 관련 기출

4. 과실범을 처벌한다는 명문의 규정이 없더라도 행정형벌법규의 해석에 의하여 과실행위도 처벌한다는 뜻이 도출되는 경우에는 과실범도 처벌될 수 있다. (○, ×) 2019 국가직 9급

5. 명문의 규정이 없더라도 관련 행정형벌법규의 해석에 따라 과실행위도 처벌한다는 뜻이 명확한 경우에는 과실행위를 처벌할 수 있다. (○, ×)

6. 행정벌에 대하여 명문규정이 없는 경우에도 법령의 입법목적이나 제반 관계규정의 취지 등을 고려하여 과실범을 처벌할 수 있다는 것이 대법원의 입장이다. (○, ×) 2017 서울시 7급

7. 구 대기환경보전법에 따라 배출허용기준을 초과하는 배출가스를 배출하는 자동차를 운행하는 행위를 처벌하는 규정은 과실범의 경우에 적용하지 아니한다. (○, ×) 2014 국가직 9급

8. 행정범의 경우에는 과실행위를 벌한다는 명문의 규정이 없는 경우에도 그 법률규정 중에 과실행위를 벌한다는 명백한 취지를 알 수 있는 경우에는 과실행위에 행정형벌을 부과할 수 있다. (○, ×)

㉰ 관련 기출

9. 국세징수법상의 체납처분(현 강제징수)에서 압류재산의 매각은 공매를 통해서만 이루어지며 수의계약으로 해서는 안 된다. (○, ×)

㉱ 관련 기출

10. 과세관청이 체납처분(현 강제징수)으로서 행하는 공매는 우월한 공권력의 행사로서 행정소송의 대상이 되는 공법상의 행정처분이며 공매에 의하여 재산을 매수한 자는 그 공매처분이 취소된 경우에 그 취소처분의 취소를 구할 법률상 이익이 있다. (○, ×) 2021 국회직 8급

11. 과세관청이 체납처분(현 강제징수)으로서 행하는 공매에 의하여 재산을 매수한 자는 그 공매처분이 취소된 경우에 그 취소처분의 위법을 주장하여 행정소송을 제기할 법률상 이익이 있다. (○, ×) 2017 지방직 7급

12. 과세관청이 체납처분(현 강제징수)으로서 행하는 공매는 우월한 공권력의 행사로서 행정소송의 대상이 되는 행정처분이나, 공매에 의하여 재산을 매수한 자는 그 공매처분이 취소된 경우에 그 취소처분의 위법을 주장하여 행정소송을 제기할 법률상 이익이 없다. (○, ×) 2016 지방직 9급

13. 공매에 의하여 재산을 매수한 자는 그 공매처분이 취소된 경우에 그 취소처분의 위법을 주장하여 행정소송을 제기할 법률상 이익이 있다. (O, ×)　　2016 국가직 7급

정답　1. O　2. O　3. ×　4. O　5. O　6. O　7. ×　8. O　9. ×　10. O
　　11. O　12. ×　13. O

12

○○○

행정상 강제집행에 관한 다음 기술 중 옳은 것은? (다툼이 있는 경우 판례에 의함)

① 납세자가 아닌 제3자의 재산을 대상으로 한 압류처분은 위법하나 당연무효라고 볼 수는 없다.

② 건축법상의 이행강제금은 간접강제의 일종으로서 그 이행강제금 납부의무는 상속인에게 승계될 수 없는 일신전속적인 성질의 것이므로 이미 사망한 사람에게 이행강제금을 부과하는 내용의 처분이나 결정은 당연무효이며, 만약 이행강제금을 부과받은 사람이 재판절차가 개시된 이후에 사망한 경우라면 그 절차는 상속인에게 수계된다.

③ 사용자가 이행하여야 할 행정법상 의무의 내용을 초과하는 것을 불이행내용으로 기재한 이행강제금 부과예고서에 의하여 이행강제금 부과예고를 한 다음 이를 이행하지 않았다는 이유로 이행강제금을 부과하였다면, 초과한 정도가 근소하다는 등의 특별한 사정이 없는 한 이행강제금 부과예고는 이행강제금제도의 취지에 반하는 것으로서 위법하고, 이에 터잡은 이행강제금 부과처분 역시 위법하다.

④ 건축주 등이 장기간 시정명령을 이행하지 아니하였으나 그 기간 중에 시정명령의 이행기회가 제공되지 아니하다가 뒤늦게 이행기회가 제공된 경우, 이행기회가 제공되지 아니한 과거의 기간에 대한 이행강제금까지 한꺼번에 부과할 수는 없으나 이를 위반하여 이루어진 이행강제금 부과처분의 하자는 명백하다고 볼 수는 없다.

✅ 기출체크

① 관련 기출

1. 납세자가 아닌 제3자의 재산을 대상으로 한 압류처분은 당연무효이다. (O, ×)　　2018 서울시 2회 7급

2. 납세자가 아닌 제3자의 재산을 대상으로 한 압류처분(은 무효사유에 해당하지 않는다) (O, ×)　　2015 지방직 9급

② 관련 기출

3. 건축법상 이행강제금은 위반행위에 대하여 시정명령을 받은 후 시

정기간 내에 당해 시정명령을 이행하지 아니한 건축주 등에 대하여 부과하는 것으로서 그 이행강제금 납부의무는 상속인 기타의 사람에게 승계될 수 없는 일신전속적인 성질의 것이므로 이미 사망한 사람에게 이행강제금을 부과하는 내용의 처분이나 결정은 당연무효이다. (O, ×)　　2021 지방직·서울시 7급

4. 甲 : 만약 이행강제금을 부과받은 사람이 사망하였다면 이행강제금의 납부의무는 상속인에게 승계되나요?
乙 : 이행강제금의 납부의무는 상속의 대상이 되므로, 상속인이 납부의무를 승계합니다. (O, ×)　　2021 국가직 9급

5. 이미 사망한 사람에게 건축법상의 이행강제금을 부과하는 내용의 처분이나 결정은 당연무효이다. (O, ×)　　2021 지방직·서울시 9급

6. 이행강제금 납부의무는 상속인 기타의 사람에게 승계될 수 없는 일신전속적인 성질의 것이므로 이미 사망한 사람에게 이행강제금을 부과하는 내용의 처분이나 결정은 당연무효이다. (O, ×)　　2018 지방직 9급

7. 구 건축법상 이행강제금은 일신전속적인 성질의 것이므로 이행강제금을 부과받은 사람이 재판절차가 개시된 이후에 사망한 경우, 절차가 종료된다. (O, ×)　　2015 국회직 8급

③ 관련 기출

8. 사용자가 이행하여야 할 행정법상 의무의 내용을 초과하는 것을 '불이행 내용'으로 기재한 이행강제금 부과예고서에 의하여 이행강제금 부과예고를 한 다음 이를 이행하지 않았다는 이유로 이행강제금을 부과하였다면, 초과한 정도가 근소하다는 등의 특별한 사정이 없는 한 이행강제금 부과예고는 이행강제금제도의 취지에 반하는 것으로서 위법하고, 이에 터잡은 이행강제금 부과처분 역시 위법하다. (O, ×)　　2019 국가직 7급, 2017 지방직(하) 9급

④ 관련 기출

9. 비록 건축주 등이 장기간 시정명령을 이행하지 아니하였더라도, 그 기간 중에는 시정명령의 이행기회가 제공되지 아니하였다가 뒤늦게 시정명령의 이행기회가 제공된 경우라면, 시정명령의 이행기회가 제공되지 아니한 과거의 기간에 대한 이행강제금까지 한꺼번에 부과할 수 있다. (O, ×)　　2020 군무원 9급

10. 건축주 등이 장기간 시정명령을 이행하지 아니하였으나 그 기간 중에 시정명령의 이행기회가 제공되지 아니하였다가 뒤늦게 이행기회가 제공된 경우, 이행기회가 제공되지 아니한 과거의 기간에 대한 이행강제금까지 한꺼번에 부과하였다면 그러한 이행강제금 부과처분은 하자가 중대·명백하여 당연무효이다. (O, ×)　　2019 국가직 7급

11. 건축법상 이행강제금은 시정명령의 불이행이라는 과거의 위반행위에 대한 제재이므로, 건축주가 장기간 시정명령을 이행하지 않았다면 그 기간 중에 시정명령의 이행기회가 제공되지 않았다가 뒤늦게 이행기회가 제공된 경우라 하더라도 이행기회가 제공되지 않은 과거의 기간에 대한 이행강제금까지 한꺼번에 부과할 수 있다. (O, ×)　　2018 국가직 9급

정답　1. O　2. ×　3. O　4. ×　5. O　6. O　7. O　8. O　9. ×　10. O
　　11. ×

13

○○○

다음 중 행정상 강제집행에 해당하는 것을 모두 고른 것은?

㉮ 구 「음반·비디오물 및 게임물에 관한 법률」상 불법
게임물에 대한 수거 및 폐기조치
㉯ 세금의 강제징수
㉰ 식품위생법상 영업소 폐쇄명령을 받은 후에도 계속
하여 영업을 하는 경우 해당 영업소를 폐쇄하는 조치
㉱ 「감염병의 예방 및 관리에 관한 법률」의 감염병환자
의 강제입원
㉲ 출입국관리법상의 개별적·구체적 의무를 위반한
사람에 대한 강제퇴거

① ㉮, ㉯, ㉰, ㉱   ② ㉯, ㉰, ㉲
③ ㉯, ㉱, ㉲   ④ ㉰, ㉲

☑ 기출체크

㉮ 관련 기출
1. 구 「음반·비디오물 및 게임물에 관한 법률」상 불법게임물에 대한
수거 및 폐기조치는 행정상 즉시강제에 해당한다. (○, ×)
2021 국가직 9급
2. 불법게임물에 대한 폐기처분에 대하여 판례는 이를 행정상 즉시강
제로 보고 있다. (○, ×)
2013 경행특채

㉰㉲ 관련 기출
3. 행정의 실효성 확보수단의 예와 그 법적 성질의 연결이 옳지 않은
것은? (다툼이 있는 경우 판례에 의함)
2021 국가직 9급
① 건축법에 따른 이행강제금의 부과 - 집행벌
② 식품위생법에 따른 영업소폐쇄 - 직접강제
③ 「공유재산 및 물품관리법」에 따른 공유재산 원상복구명령의
강제적 이행 - 즉시강제
④ 부동산등기특별조치법에 따른 과태료의 부과 - 행정벌
4. 식품위생법상 영업소 폐쇄명령을 받은 후에도 계속하여 영업을 하
는 경우 해당 영업소를 폐쇄하는 조치는 행정상 즉시강제의 수단에
해당한다. (○, ×)
2014 지방직 9급
5. 사업장의 폐쇄, 외국인의 강제퇴거는 직접강제의 예에 해당한다.
(○, ×)
2009 지방직 9급

㉱ 관련 기출
6. 행정상 즉시강제에 해당하지 않는 것은?
2012 사회복지직 9급
① 「감염병의 예방 및 관리에 관한 법률」상의 감염병환자의 강제입원
② 경찰관직무집행법상의 보호조치
③ 건축법상의 이행강제금의 부과
④ 도로교통법상의 위법인공구조물에 대한 제거
7. 행정상 즉시강제에 해당하지 않는 것은?
2011 지방직 9급
① 행정대집행법에 의한 무허가건물의 강제철거
② 소방기본법에 의한 강제처분
③ 경찰관직무집행법에 의한 범죄의 예방과 제지
④ 「재난 및 안전관리기본법」에 의한 응급조치

정답 1. ○ 2. ○ 3. ③ 4. × 5. ○ 6. ③ 7. ①

14

○○○

행정상 즉시강제에 관한 설명으로 옳은 것은? (다툼이 있는 경우 판례에 의함)

① 술에 취한 상태로 인하여 자기 또는 타인의 생명·신체
와 재산에 위해를 미칠 우려가 있는 피구호자에 대한 보
호조치는 경찰행정상 직접강제에 해당한다.
② 등급분류를 받지 아니하거나 등급분류를 받은 게임물과
다른 내용의 게임물을 발견한 경우 관계공무원으로 하
여금 이를 수거·폐기하게 할 수 있도록 한 구 「음반·
비디오물 및 게임물에 관한 법률」은 영장 없는 수거를
인정하고 있으므로 그 입법목적의 정당성에도 불구하고
절차적 정당성을 규정한 헌법상 영장주의에 위배되어
위헌이다.
③ 대법원 판례에 따르면 사전영장주의는 행정상 즉시강제
를 포함한 인신의 자유를 제한하는 모든 국가작용의 영
역에서 존중되어야 하나 사전영장주의를 고수하다가는
도저히 그 목적을 달성할 수 없는 지극히 예외적인 경우
에만 형사절차에서와 같은 예외가 인정된다고 한다.
④ 행정절차에 관한 일반법인 행정절차법은 행정상 즉시강
제에 관한 명문의 규정을 두고 있다.

☑ 기출체크

① 관련 기출
1. 경찰관직무집행법 제4조 제1항 제1호에서 규정하는 "술에 취하여
자신 또는 다른 사람의 생명·신체·재산에 위해를 끼칠 우려가
있는 사람"에 대한 보호조치는 행정상 즉시강제에 해당한다.
(○, ×)
2019 경행경채 2차
2. 술에 취한 상태로 인하여 자기 또는 타인의 생명·신체와 재산에
위해를 미칠 우려가 있는 피구호자에 대한 보호조치는 경찰행정상
즉시강제에 해당한다. (○, ×)
2017 지방직 7급

② 관련 기출
3. 불법게임물을 발견한 경우 관계공무원으로 하여금 영장 없이 이를
수거하여 폐기하게 할 수 있도록 규정한 구 「음반·비디오물 및
게임물에 관한 법률」의 조항은 급박한 상황에 대처하기 위해 행정
상 즉시강제를 행할 불가피성과 정당성이 인정되지 않으므로 헌법
상 영장주의에 위배된다. (○, ×)
2017 국가직(하) 9급
4. 구 「음반·비디오물 및 게임물에 관한 법률」상 등급분류를 받지
아니한 게임물을 발견한 경우 관계행정청이 관계공무원으로 하여
금 이를 수거·폐기하게 할 수 있도록 한 규정은 헌법상 영장주의
와 피해 최소성의 요건을 위배하는 과도한 입법으로 헌법에 위반
된다. (○, ×)
2014 지방직 9급

③ 관련 기출
5. 행정상 즉시강제는 국민의 권리침해를 필연적으로 수반하므로, 이
에 대해서는 항상 영장주의가 적용된다. (○, ×) 2021 국가직 9급

6. (대법원에 따르면) 행정상 즉시강제에서 그 목적을 달성할 수 없는지 극히 예외적인 경우에만 헌법상 사전영장주의원칙의 예외가 인정된다. (○, ×)   2019 소방직 9급

7. 사전영장주의원칙은 인신보호를 위한 헌법상의 기속원리이기 때문에 인신의 자유를 제한하는 행정상 즉시강제에서도 존중되어야 하고, 다만 사전영장주의를 고수하다가는 도저히 그 목적을 달성할 수 없는 지극히 예외적인 경우에만 형사절차에서와 같은 예외가 인정된다. (○, ×)   2019 경행경채 2차

8. 신체의 자유를 제한하는 즉시강제는 헌법상 기본권침해에 해당하여 법률의 규정에 의해서도 허용되지 아니한다. (○, ×)   2018 교육행정직 9급

④ 관련 기출
9. 행정상 즉시강제에 관한 일반법은 없고 개별법에서 행정상 즉시강제에 해당하는 수단을 규정하고 있다. (○, ×)   2017 국가직(하) 9급

정답 1. ○ 2. ○ 3. × 4. × 5. × 6. ○ 7. ○ 8. × 9. ○

15

□□□

행정조사에 관한 다음 기술 중 옳은 것을 모두 고른 것은? (다툼이 있는 경우 판례에 의함)

㉮ 행정절차법은 행정조사절차에 관한 명문의 규정을 일부 두고 있다.

㉯ 행정조사를 실시하고자 하는 행정기관의 장은 원칙적으로 출석요구서를 조사개시 7일 전까지 조사대상자에게 서면으로 통지하여야 한다.

㉰ 조사대상자의 자발적인 협조를 얻어 실시하는 행정조사의 경우라면 행정기관은 법령에 근거가 없더라도 조사를 할 수 있으며, 자발적인 협조에 따라 실시하는 행정조사에 대해 조사대상자가 조사에 응할 것인지에 대한 응답을 하지 아니하는 경우 법령 등에 특별한 규정이 없는 한 조사에 응한 것으로 본다.

㉱ 우편물 통관검사절차에서 압수·수색영장 없이 진행된 우편물의 개봉, 시료채취, 성분분석 등 검사라고 하더라도 원칙적으로 위법하다고 볼 수는 없다.

㉲ 납세자에 대한 부가가치세 부과처분이, 종전의 부가가치세 경정조사와 같은 세목 및 같은 과세기간에 대하여 중복하여 실시된 위법한 세무조사에 기초하여 이루어진 것이라면 그러한 부가가치세 부과처분은 위법하다.

① ㉮, ㉯, ㉰   ② ㉯, ㉰, ㉱
③ ㉯, ㉱, ㉲   ④ ㉰, ㉱, ㉲

☑ **기출체크**

㉮ 관련 기출
1. 행정절차법은 행정조사절차에 관한 명문의 규정을 일부 두고 있다. (○, ×)   2021 소방직 9급
2. 행정절차법은 행정조사에 관한 명문의 규정을 두고 있지 않다. (○, ×)   2019 소방직 9급
3. 행정절차법은 행정조사에 관한 명문의 규정을 마련하고 있다. (○, ×)   2018 소방직 9급
4. 행정절차법은 행정조사에 관한 명문의 규정을 두고 있지 않으므로 행정조사가 처분에 해당하는 경우에도 행정절차법상의 처분절차에 관한 규정이 적용되지 않는다. (○, ×)   2016 사회복지직 9급

㉯ 관련 기출
5. 행정기관은 조사대상자의 자발적인 협조를 얻어 실시하는 행정조사인 경우 행정조사기본법 제17조 제1항 본문에 따른 사전통지를 하지 않을 수 있다. (○, ×)   2021 국회직 8급
6. 행정조사를 실시하고자 하는 행정기관의 장은 출석요구서, 보고요구서·자료제출요구서 및 현장출입조사서를 조사개시 7일 전까지 조사대상자에게 구두로 통지하여야 한다. (○, ×)   2020 경행경채
7. 행정조사를 실시하고자 하는 행정기관의 장은 출석요구서 등을 조사개시 7일 전까지 조사대상자에게 서면으로 통지하여야 한다. (○, ×)   2015 경행특채 2차
8. 행정조사를 실시하고자 하는 행정기관의 장은 출석요구서 등을 조사개시 3일 전까지 조사대상자에게 서면으로 통지하여야 한다. (○, ×)   2009 국가직 9급

㉰ 관련 기출
9. 행정기관은 법령 등에서 행정조사를 규정하고 있는 경우가 아니라도 조사대상자의 자발적인 협조를 얻어 행정조사를 실시할 수 있다. (○, ×)   2021 국회직 8급
10. 행정기관은 법령 등에서 행정조사를 규정하고 있는 경우에 한하여 행정조사를 실시할 수 있지만 조사대상자의 자발적인 협조를 얻어 실시하는 경우에는 그러하지 아니하다. (○, ×)   2020 소방직 9급
11. 행정조사기본법에 의하면 조사대상자의 자발적인 협조를 얻어 실시하는 행정조사의 경우에는 법령 등의 근거 없이도 행할 수 있으며, 이러한 행정조사에 대하여 조사대상자가 조사에 응할 것인지에 대한 응답을 하지 아니하는 경우에는 법령 등에 특별한 규정이 없는 한 그 조사를 거부한 것으로 본다. (○, ×)   2019 지방직 7급
12. 행정조사기본법에 따르면, 행정기관은 법령 등에서 행정조사를 규정하고 있는 경우에 한하여 행정조사를 실시할 수 있지만 조사대상자가 자발적으로 협조하는 경우에는 법령 등에서 행정조사를 규정하고 있지 않더라도 행정조사를 실시할 수 있다. (○, ×)   2018 국가직 9급
13. 행정기관의 장이 조사대상자의 자발적인 협조를 얻어 행정조사를 실시하고자 하는 경우 조사대상자는 문서·전화·구두 등의 방법으로 당해 행정조사를 거부할 수 있다. (○, ×)   2018 국가직 7급

㉱ 관련 기출
14. 우편물 통관검사절차에서 이루어지는 우편물의 개봉, 시료채취, 성분분석 등의 검사는 행정조사의 성격을 가지는 것으로 압수·수색영장 없이 진행되었다고 해도 특별한 사정이 없는 한 위법하다고 볼 수 없다. (○, ×)   2021 소방직 9급, 2017 국회직 8급

15. 우편물 통관검사절차에서 이루어지는 성분분석 등의 검사가 압수·수색영장 없이 이루어졌다 하더라도 특별한 사정이 없는 한 위법하지 않다. (O, X)　　　　　　　　2019 소방직 9급

16. 우편물 통관검사절차에서 이루어지는 우편물의 개봉, 시료채취, 성분분석 등의 검사는 수출입물품에 대한 적정한 통관 등을 목적으로 한 행정조사의 성격을 가지는 것으로서 압수·수색영장 없이 검사가 진행되었다 하더라도 특별한 사정이 없는 한 위법하다고 볼 수 없다. (O, X)　　　　　　　　2019 경행경채 2차

17. 우편물 통관검사절차에서 이루어지는 우편물의 개봉, 시료채취, 성분분석 등의 검사는 수출입물품에 대한 적정한 통관 등을 목적으로 한 행정조사의 성격을 가지는 것으로서 수사기관의 강제처분이라고 할 수 없다. (O, X)　　　　　　　　2018 국가직 7급

⑩ 관련 기출
18. 위법한 세무조사에 의하여 수집된 과세자료를 기초로 한 과세처분은 위법하다. (O, X)　　　　　　2021 지방직·서울시 7급

19. 부가가치세 부과처분이 종전의 부가가치세 경정조사와 같은 세목 및 같은 과세기간에 대하여 중복하여 실시한 위법한 세무조사에 기초하여 이루어진 경우 그 과세처분은 위법하다. (O, X)　　　　　　　　　　　　　　　2019 지방직 7급

20. 위법한 세무조사를 통하여 수집된 과세자료에 기초하여 과세처분을 하였더라도 그러한 사정만으로 그 과세처분이 위법하게 되는 것은 아니다. (O, X)　　　　　　　　2016 국가직 9급

21. 위법한 중복세무조사에 기초하여 이루어진 과세처분은 위법한 처분이다. (O, X)　　　　　　　　　　2015 지방직 7급

정답　1. X　2. O　3. X　4. X　5. O　6. X　7. O　8. X　9. O　10. O
　　　11. O　12. O　13. O　14. O　15. O　16. O　17. O　18. O　19. O
　　　20. X　21. O

16　　　　　　　　　　　　　　◻◻◻

행정조사에 관한 다음 기술 중 옳은 것은?

① 행정기관은 행정조사를 통하여 알게 된 정보를 임의로 제공할 수 없으나 다른 국가기관에 제공하는 것은 원칙적으로 허용된다.

② 행정조사기본법에 따르면 행정조사를 거부·방해하는 자에 대해서 직접적인 실력행사 자체를 허용하고 있다.

③ 서로 다른 행정기관이 대통령령으로 정하는 분야에 대하여 동일한 조사대상자에게 조사를 실시하는 경우에는 조사의 실효성을 위해 개별조사를 함이 원칙이다.

④ 조사대상자의 자발적인 협조를 얻어 실시하는 행정조사의 경우에는 행정조사의 목적 등을 구두로 통지할 수 있다.

17

통고처분에 대한 설명으로 옳은 것을 모두 고른 것은? (다툼이 있는 경우 판례에 의함)

> ㉮ 관세법상 통고처분은 상대방의 임의의 승복을 그 발효요건으로 하기 때문에 그 자체만으로는 통고이행을 강제하거나 상대방에게 아무런 권리·의무를 형성하지 않는다.
>
> ㉯ 통고처분을 할 것인지의 여부는 권한행정청의 재량에 속하므로 관세청장 또는 세관장이 관세범에 대하여 통고처분을 하지 않은 채 고발하였다는 것만으로는 그 고발 및 이에 기한 공소의 제기가 부적법한 것은 아니다.
>
> ㉰ 통고처분을 받은 자가 통고처분의 내용을 이행하지 아니하면 권한행정청은 일정기간 내에 고발할 수 있고, 그에 따라 형사소송절차로 이행되게 된다.
>
> ㉱ 통고처분에 따른 범칙금을 납부한 후에 동일한 사건에 대하여 다시 형사처벌을 한다고 하여 일사부재리의 원칙에 반하는 것은 아니다.

① ㉮, ㉯, ㉰ 　　　　② ㉮, ㉯, ㉱
③ ㉯, ㉰, ㉱ 　　　　④ ㉰, ㉱

✔ 기출체크

㉮ 관련 기출

1. 관세법상 통고처분은 상대방의 임의의 승복을 그 발효요건으로 하기 때문에 그 자체만으로는 통고이행을 강제하거나 상대방에게 아무런 권리·의무를 형성하지 않는다. (○. ×)　　2019 국가직 7급

㉯ 관련 기출

2. 법률에 따라 통고처분을 할 수 있으면 행정청은 통고처분을 하여야 하며, 통고처분 이외의 조치를 취할 재량은 없다. (○. ×)
2015 지방직 9급

3. 판례에 의하면 통고처분을 할 것인지의 여부는 권한행정청의 재량에 속한다. (○. ×)　　　　　　　　2014 경행특채 2차

4. 관세법상 통고처분과 관련하여 통고처분을 할 것인지의 여부는 행정청의 재량에 맡겨져 있다는 것이 판례의 입장이다. (○. ×)
2012 국가직 9급

5. 통고처분을 할 것인지의 여부는 권한행정청의 재량에 속하지 않는다. (○. ×)　　　　　　　　　　2012 지방직(하) 7급

㉰ 관련 기출

6. 행정법규 위반자가 법정기간 내에 통고처분에 의해 부과된 금액을 납부하지 않으면 비송사건절차법에 의해 처리된다. (○. ×)
2015 지방직 9급

7. 통고처분에 따른 범칙금을 납부하지 않은 경우에는 고발 등의 절차를 거쳐 형사소송절차로 이행되는 것이 일반적이다. (○. ×)
2008 중앙선관위 9급

㉱ 관련 기출

8. 범칙자가 범칙금을 납부하면 과형절차는 종료되고, 범칙자는 다시 형사소추되지 아니한다. (○. ×)　2018 경행경채, 2008 국가직 9급

9. 행정법규 위반자가 통고처분에 의해 부과된 금액을 납부하면 과벌절차가 종료되며 동일한 사건에 대하여 다시 처벌받지 아니한다. (○. ×)　　　　　　　　　　　　　　　　2015 지방직 9급

10. 통고처분을 이행하면 일사부재리의 원칙이 적용되어 동일사건에 대하여 다시 처벌받지 아니한다. (○. ×)　2012 국가직 9급

정답 1.○　2.×　3.○　4.○　5.×　6.×　7.○　8.○　9.○　10.○

18

행정벌에 관한 다음 기술 중 옳은 것은? (다툼이 있는 경우 판례에 의함)

① 하나의 행위가 2 이상의 질서위반행위에 해당하는 경우에는 각 질서위반행위에 대하여 정한 과태료를 합산하여 부과한다.

② 운행정지처분의 이유가 된 사실관계로 이미 형사처벌을 받은 경우에 다시 운행정지처분을 내리는 것은 일사부재리의 원칙에 위반된다.

③ 헌법재판소는 과태료를 부과할 것인지 행정형벌을 부과할 것인지는 기본적으로 입법권자가 제반 사정을 고려하여 결정할 입법재량에 속하는 문제라고 본다.

④ 다수인이 질서위반행위에 가담한 경우에는 최초행위가 종료한 날로부터 5년이 경과한 경우에는 해당 질서위반행위에 대하여 과태료를 부과할 수 없다.

✔ 기출체크

① 관련 기출

1. 하나의 행위가 2 이상의 질서위반행위에 해당하는 경우에는 각 질서위반행위에 대하여 정한 과태료 중 가장 중한 과태료를 부과한다. (○. ×)　　2020 국회직 8급 변형, 2019 서울시 9급, 2017 서울시 9급

2. (질서위반행위규제법상) 하나의 행위가 2 이상의 질서위반행위에 해당하는 경우에는 각 질서위반행위에 대하여 정한 과태료를 합산하여 과태료를 부과한다. (○. ×)　　　　　2017 경행경채

② 관련 기출

3. 운행정지처분의 이유가 된 사실관계로 이미 형사처벌을 받은 바 있다고 하여도 운행정지처분을 내리는 것이 일사부재리의 원칙에 반하는 것은 아니다. (○. ×)　　　　　　2007 국가직 7급

③ 관련 기출

4. 어떤 행정법규 위반행위에 대해 과태료를 과할 것인지 행정형벌을 과할 것인지는 기본적으로 입법재량에 속한다. (O, X)

2014 지방직 9급

5. 헌법재판소는 행정형벌과 행정질서벌의 구별을 기본적으로 입법자가 제반 사정을 고려하여 결정할 입법재량으로 본다. (O, X)

2012 지방직(하) 7급

④ 관련 기출

6. 질서위반행위규제법에 의하면 행정청은 질서위반행위가 종료된 날부터 5년이 경과한 경우에는 해당 질서위반행위에 대하여 과태료를 부과할 수 없다. (O, X)

2017 국가직 7급

7. 질서위반행위가 종료된 날부터 5년이 경과한 경우에는 해당 질서위반행위에 대하여 과태료를 부과할 수 없는바, 다수인이 질서위반행위에 가담한 경우에는 질서위반행위가 종료된 날은 최종행위가 종료된 날을 말한다. (O, X)

2015 서울시 9급

8. 행정청은 질서위반행위가 종료된 날(다수인이 질서위반행위에 가담한 경우에는 최종행위가 종료된 날을 말한다)부터 5년이 경과한 경우에는 해당 질서위반행위에 대하여 과태료를 부과할 수 없다. (O, X)

2014 국가직 9급

정답 1. O 2. X 3. O 4. O 5. O 6. O 7. O 8. O

19
□□□

질서위반행위규제법에 대한 내용으로 옳은 것은?

① 대한민국 영역 밖에서 질서위반행위를 한 대한민국의 국민에게는 적용되지 않는다.

② 행정청의 과태료 부과에 대해 당사자가 납부기한까지 과태료를 납부하지 아니한 때에는 과태료 부과처분은 그 효력을 상실한다.

③ 행정청으로부터 과태료 부과처분을 받은 자가 이의제기를 하거나 행정소송을 제기하면 과태료 부과처분의 집행이 정지된다.

④ 법원은 검사의 청구에 따라, 결정으로 30일의 범위 이내에서 과태료의 납부가 있을 때까지 일정한 요건을 갖춘 경우 체납자(법인인 경우에는 대표자를 말한다)를 감치에 처할 수 있다.

✓ 기출체크

① 관련 기출

1. 질서위반행위규제법은 대한민국 영역 밖에서 질서위반행위를 한 대한민국의 국민에게 적용한다. (O, X)

2015 경행특채 1차

2. 질서위반행위는 행정질서벌이므로 대한민국 영역 밖에서 질서위반행위를 한 대한민국의 국민에게는 적용되지 않는다. (O, X)

2010 지방직 9급

---

② 관련 기출

3. 질서위반행위규제법에 의한 과태료 부과처분은 처분의 상대방이 이의제기하지 않은 채 납부기간까지 과태료를 납부하지 않으면 도로교통법상 통고처분과 마찬가지로 그 효력을 상실한다. (O, X)

2018 국가직 7급

4. (질서위반행위규제법상) 행정청은 당사자가 납부기한까지 과태료를 납부하지 아니한 때에는 납부기한을 경과한 날부터 체납된 과태료에 대하여 100분의 3에 상당하는 가산금을 징수한다. (O, X)

2017 경행경채

5. 당사자가 과태료를 납부하지 아니하여도 가산금을 징수할 수는 없다. (O, X)

2011 지방직 9급

③ 관련 기출

6. 과태료 부과에 대한 이의제기는 과태료 부과처분의 효력에 영향을 주지 아니한다. (O, X)

2018 서울시 2회 7급

7. 행정청의 과태료 부과처분에 대해 당사자가 불복하여 이의제기를 하는 경우에는 그 과태료 부과처분은 효력을 상실한다. (O, X)

2016 사회복지직 9급

8. 질서위반행위규제법에 의하면 행정청의 과태료 부과에 불복하는 당사자는 과태료 부과통지를 받은 날부터 60일 이내에 해당 행정청에 서면으로 이의제기를 할 수 있고, 이 경우 행정청의 과태료 부과처분은 그 효력을 상실한다. (O, X)

2015 경행특채 2차

9. 행정청으로부터 과태료 부과처분을 받은 자가 행정소송을 제기하면 과태료 부과처분의 집행이 정지된다. (O, X)

2012 국가직 7급

10. 질서위반행위규제법에 따르면 행정청의 과태료 부과에 대해 상대방이 이의를 제기하면 과태료 부과처분은 그 집행이 정지된다. (O, X)

2009 국회속기직 9급

④ 관련 기출

11. 과태료의 고액·상습체납자는 검사의 청구에 따라 법원의 결정으로써 30일의 범위 내에서 납부가 있을 때까지 감치될 수 있다. (O, X)

2012 국회직 8급

12. 당사자가 과태료를 자진납부하고자 하는 경우 행정청은 과태료를 감경할 수 있고, 과태료를 체납할 경우 법원은 검사의 청구에 따라 체납된 과태료액에 상당하는 강제노역에 처할 수 있다. (O, X)

2012 국가직 7급

13. 과태료의 고액·상습체납자에 대해서도 자유를 박탈하는 제재인 감치처분을 행할 수는 없다. (O, X)

2011 지방직(상) 9급

정답 1. O 2. X 3. X 4. O 5. X 6. X 7. O 8. O 9. X 10. X
　　11. O 12. X 13. X

20

□□□

질서위반행위규제법에 관한 다음 설명 중 옳은 것을 모두 고른 것은?

> ㉮ 신분에 의하여 과태료를 감경 또는 가중하거나 과태료를 부과하지 아니하는 때에는 그 신분의 효과는 신분이 없는 자에게도 미친다.
> ㉯ 신분에 의하여 성립하는 질서위반행위에 신분이 없는 자가 가담한 때에는 신분이 없는 자에 대하여도 질서위반행위가 성립한다.
> ㉰ 자신의 행위가 위법하지 아니한 것으로 오인하고 행한 질서위반행위는 과태료를 부과하지 아니한다.
> ㉱ 2인 이상이 질서위반행위에 가담한 때에는 각자가 질서위반행위를 한 것으로 본다.
> ㉲ 원칙적으로 질서위반행위의 성립과 과태료처분은 행위시의 법률에 따른다.
> ㉳ 다른 법률에 특별한 규정이 없는 경우, 14세가 되지 아니한 자의 질서위반행위는 과태료를 감경한다.

① ㉮, ㉯
② ㉯, ㉱, ㉲
③ ㉰, ㉱, ㉲
④ ㉱, ㉲, ㉳

✅ 기출체크

㉮ 관련 기출

1. 신분에 의하여 과태료를 감경 또는 가중하거나 과태료를 부과하지 아니하는 때에는, 그 신분의 효과는 신분이 없는 자에게는 미치지 아니한다. (○, ×) 2018 소방직 9급, 2014 국가직 7급, 2011 국회직 8급

㉯ 관련 기출

2. 신분에 의하여 성립하는 질서위반행위에 신분이 없는 자가 가담한 때에는 신분이 없는 자에 대하여는 질서위반행위가 성립하지 않는다. (○, ×) 2018 소방직 9급, 2015 지방직 9급, 2015 국가직 7급

3. 신분에 의하여 성립하는 질서위반행위에 신분이 없는 자가 가담한 때에는 신분이 없는 자에 대하여도 질서위반행위가 성립한다. (○, ×) 2018 지방직 7급, 2016 서울시 9급, 2012 국가직 7급

㉰ 관련 기출

4. (질서위반행위규제법상) 자신의 행위가 위법하지 아니한 것으로 오인하고 행한 질서위반행위는 그 오인에 정당한 이유가 있는 때에 한하여 과태료를 부과하지 아니한다. (○, ×)
2019 서울시 2회 7급, 2017 국회직 8급, 2016 서울시 9급, 2014 사회복지직 9급

5. (사업주 甲에게 고용된 종업원 乙이 영업행위 중 행정법규를 위반한 경우) 乙의 위반행위가 과태료 부과대상인 경우에 乙이 자신의 행위가 위법하지 아니한 것으로 오인하였다면 乙에 대해서 과태료를 부과할 수 없다. (○, ×) 2018 지방직 9급

6. 위법성의 착오는 과태료 부과에 영향을 미치지 않는다. (○, ×)
2016 지방직 7급

7. 자신의 행위가 위법하지 아니한 것으로 오인하고 행한 질서위반행위에 대해서는 과태료를 부과하지 아니한다. (○, ×)
2011 지방직(하) 7급

㉱ 관련 기출

8. 2인 이상이 질서위반행위에 가담한 때에는 각자가 질서위반행위를 한 것으로 본다. (○, ×)
2017 교육행정직 9급, 2014 사회복지직 9급, 2009 지방직 9급

9. 질서위반행위규제법에 따르면 2인 이상이 질서위반행위에 가담한 때에는 각자가 질서위반행위를 한 것으로 본다. (○, ×)
2009 국회속기직 9급

㉲ 관련 기출

10. 질서위반행위의 성립은 행위시의 법률을 따르고 과태료처분은 판결시의 법률에 따른다. (○, ×) 2020 소방직 9급

㉳ 관련 기출

11. 다른 법률에 특별한 규정이 없는 경우, 14세가 되지 아니한 자의 질서위반행위는 과태료를 부과하지 아니한다. (○, ×)
2020 국가직 9급, 2014 경행특채 2차

정답 1. ○ 2. × 3. ○ 4. ○ 5. × 6. × 7. × 8. ○ 9. ○ 10. ×
11. ○

출제 범위 : 제27강 행정구제 개관~제32강 손해전보를 위한 그 밖의 제도 등

해설 p.65 / 옳은 지문 워크북 p.149

01

⬜⬜⬜

국가배상책임에 관한 설명 중 옳지 않은 것은? (다툼이 있으면 판례에 의함)

① 국가배상책임을 공법적 책임으로 보는 견해는 국가배상 청구소송은 당사자소송으로 제기되어야 한다고 보나, 판례는 민사소송으로 다루고 있다.

② 국가배상법상 공무원의 개념은 조직법상의 공무원에 한정할 것이 아니지만 기능적 의미의 공무원은 포함하지 않는다.

③ 국회가 헌법에 의해 부과되는 구체적인 입법의무를 부담하고 있음에도 불구하고 입법에 필요한 상당한 기간이 경과하도록 고의 또는 과실로 입법의무를 이행하지 아니하는 경우에는 국가배상책임이 인정된다.

④ 어떠한 행정처분이 위법하다고 할지라도 그 자체만으로 곧바로 그 행정처분이 공무원의 고의 또는 과실로 인한 불법행위를 구성한다고 단정할 수는 없고, 공무원의 고의 또는 과실의 유무에 대하여는 별도의 판단을 요한다.

✅ 기출체크

① 관련 기출

1. (판례에 따르면) 국가배상청구소송은 행정소송으로 제기하여야 한다. (○, ×) 　　　　　　　2017 교육행정직 9급

2. (판례에 따르면) 국가배상은 공행정작용을 대상으로 하므로 국가배상청구소송은 당사자소송이다. (○, ×) 　2016 서울시 9급

② 관련 기출

3. (국가배상법상) 공무원에는 조직법상 의미의 공무원뿐만 아니라 기능적 의미의 공무원이 포함된다. (○, ×) 　2019 사회복지직 9급

③ 관련 기출

4. 국가가 일정한 사항에 관하여 헌법에 의하여 부과되는 구체적인 입법의무를 부담하고 있음에도 불구하고 그 입법에 필요한 상당한 기간이 경과하도록 고의·과실로 입법의무를 이행하지 아니하는 경우, 국가배상책임이 인정될 수 있다. (○, ×) 　2019 국가직 9급

5. 헌법에 의하여 부과되는 국가의 구체적인 입법의무 자체가 인정되지 않는 경우에는 애당초 부작위로 인한 불법행위가 성립할 여지가 없다. (○, ×) 　　　　　2019 사회복지직 9급

6. 헌법에 의하여 일반적으로 부과된 의무가 있음에도 불구하고 국회가 그 입법을 하지 않고 있다면 국가배상법상 배상책임이 인정된다. (○, ×) 　　　　　　　　2017 국가직 7급

7. 국회가 헌법에 의해 부과되는 구체적인 입법의무를 부담하고 있음에도 불구하고 입법에 필요한 상당한 기간이 경과하도록 고의 또는 과실로 입법의무를 이행하지 아니하는 경우에는 국가배상책임이 인정된다. (○, ×) 　　　　　　　　2014 지방직 7급

④ 관련 기출

8. 어떠한 행정처분이 항고소송에서 취소되었을지라도 그 기판력에 의하여 당해 행정처분이 곧바로 공무원의 고의 또는 과실로 인한 것으로서 국가배상책임이 성립한다고 단정할 수는 없다. (○, ×) 　　　　　　　　2019 국가직 7급

9. 어떠한 행정처분이 후에 항고소송에서 위법한 것으로서 취소되었다면, 그로써 곧 당해 행정처분은 공무원의 고의 또는 과실에 의한 불법행위를 구성한다고 보아야 한다. (○, ×) 　2019 서울시 2회 7급

10. 어떠한 행정처분이 후에 항고소송에서 취소되었다고 할지라도 당해 행정처분이 곧바로 공무원의 고의 또는 과실로 인한 것으로서 불법행위를 구성한다고 단정할 수는 없다. (○, ×) 　　　　　　　　2018 서울시 2회 7급

11. 어떠한 행정처분이 후에 항고소송에서 취소되었다면 그 기판력에 의하여 당해 행정처분은 곧바로 국가배상법 제2조의 공무원의 고의 또는 과실로 인한 불법행위를 구성한다. (○, ×) 　　　　　　　　2017 국가직 9급

정답 1. × 2. × 3. ○ 4. ○ 5. ○ 6. × 7. ○ 8. ○ 9. × 10. ○ 11. ×

02

⬜⬜⬜

행정상 손해배상에 관한 다음 기술 중 옳은 것은? (다툼이 있으면 판례에 의함)

① 판례는 국가배상책임에서 '법령을 위반하여'라고 함은 형식적 의미의 법령에서 명시적으로 공무원의 행위의무가 정하여져 있음에도 이를 위반하는 경우만을 의미한다고 본다.

② 영업허가취소처분이 나중에 행정심판에 의하여 재량권을 일탈한 위법한 처분이 되었더라도 그 처분이 당시 시행되던 공중위생법시행규칙에 정하여진 행정처분의 기준에 따른 것이라면 그 영업허가취소처분을 한 공무원에게 그와 같은 위법한 처분을 한 데 있어 어떤 직무집행상의 과실이 있다고 할 수 없다.

③ 「의용소방대 설치 및 운영에 관한 법률」에 따라 소방서장이 임명한 의용소방대원은 국가배상법 제2조에서 규정하는 '공무원'이다.

④ 과실의 객관화 경향에 따라 과실 여부는 당해 직무를 담당하는 평균적 공무원의 주의능력을 기준으로 판단하며, 과실 여부가 다투어지는 경우 그 입증책임은 국가 또는 지방자치단체가 진다.

① 관련 기출

1. 신뢰보호원칙의 위반은 국가배상법상의 위법 개념을 충족시킨다.
(○, ×) 2021 지방직·서울시 9급

2. 국가배상책임에서의 법령위반은, 인권존중·권력남용금지·신의성실·공서양속 등의 위반도 포함해 널리 그 행위가 객관적인 정당성을 결여하고 있음을 의미한다. (○, ×) 2020 지방직·서울시 9급

3. 국가배상책임에서의 법령위반에는 널리 그 행위가 객관적인 정당성을 결여하고 있는 경우도 포함된다. (○, ×) 2018 서울시 9급

4. 국가배상책임에서 '법령을 위반하여'라고 함은 엄격하게 형식적 의미의 법령에서 명시적으로 공무원의 행위의무가 정하여져 있는데도 이를 위반하는 경우만을 의미한다. (○, ×) 2017 국가직(하) 7급

5. 국가배상의 요건 중 법령위반의 의미를 판단하는 데 있어서는 형식적 의미의 법령을 위반한 것뿐만 아니라 인권존중, 권력남용금지, 신의성실과 같이 공무원으로서 당연히 지켜야 할 원칙을 지키지 않은 경우도 포함한다. (○, ×) 2017 서울시 7급

② 관련 기출

6. 공무원이 재량준칙에 따라 행정처분을 하였는데 결과적으로 그 처분이 재량을 일탈·남용하여 위법하게 된 때에는 그에게 직무집행상의 과실이 인정된다. (○, ×) 2018 경행경채 3차

7. 영업허가취소처분이 행정심판에 의하여 재량권의 일탈을 이유로 취소되었다고 하더라도 그 처분이 당시 시행되던 공중위생법 시행규칙에 정해진 행정처분의 기준에 따른 것인 이상 그 영업허가취소처분을 한 행정청 공무원에게 그와 같은 위법한 처분을 한 데 있어 직무집행상의 과실이 있다고 할 수는 없다. (○, ×) 2016 지방직 9급

8. 재량권의 행사에 관하여 행정청 내부에 일응의 기준을 정해 둔 경우 그 기준에 따른 행정처분을 하였다면 이에 관여한 공무원에게 그 직무상의 과실이 있다고 할 수 없다. (○, ×) 2016 국회직 8급

③ 관련 기출

9. (국가배상법 제2조의 '공무원'에 대한 판례와 관련하여) 구 소방법 제63조의 규정에 의하여 시, 읍, 면이 소방서장의 소방업무를 보조하게 하기 위하여 설치한 의용소방대는 국가기관이라고 할 수 있다. (○, ×) 2016 경행경채

④ 관련 기출

10. 과실의 기준은 당해 공무원이 아니라 당해 직무를 담당하는 평균적 공무원을 기준으로 한다는 견해는 과실의 객관화(과실 개념을 객관적으로 접근)를 위한 시도라 할 수 있다. (○, ×) 2020 군무원 7급

11. (국가배상청구권은) 과실개념의 주관화(主觀化) 경향이 나타나고 있다. (○, ×) 2014 서울시 9급

12. (국가배상법상 공무원의 과실에 관하여 판례는) 당해 직무를 담당하는 평균적 공무원의 주의능력을 기준으로 판단한다. (○, ×) 2015 서울시 9급

13. 과실의 입증책임은 원고가 아니라 피고인 국가 또는 지방자치단체로 전환된다. (○, ×) 2015 서울시 9급

14. 가해공무원의 과실 여부에 대한 입증책임은 원고에게 있다.
(○, ×) 2014 지방직 7급

정답 1. ○ 2. ○ 3. ○ 4. × 5. ○ 6. × 7. ○ 8. ○ 9. × 10. ○
11. × 12. ○ 13. × 14. ○

행정상 손해배상에 관한 다음 기술 중 옳지 않은 것을 모두 고른 것은? (다툼이 있으면 판례에 의함)

㉮ 국가배상법은 배상책임자로 '국가 또는 지방자치단체'를 규정하고 있으나, 헌법은 '국가 또는 공공단체'로 그 배상책임자를 규정하고 있다.

㉯ 인사업무 담당공무원이 다른 공무원의 공무원증 등을 위조한 행위는 실질적으로 직무행위에 속하지 아니하므로 국가배상법상의 직무집행으로 볼 수 없다.

㉰ 국가배상법상 생명·신체의 침해로 인한 국가배상을 받을 권리는 압류하지 못하나 양도할 수는 있다.

㉱ 재판에 대하여 불복절차 또는 시정절차가 마련되어 있는 경우에는 특별한 사정이 없는 한, 그와 같은 시정을 구하지 아니한 사람은 원칙적으로 국가배상에 의한 권리구제를 받을 수 없다.

㉲ 손해배상책임을 묻기 위해서는 가해공무원이 특정되어야 한다.

① ㉮, ㉯, ㉰   ② ㉮, ㉯, ㉱
③ ㉯, ㉰, ㉲   ④ ㉰, ㉱, ㉲

㉮ 관련 기출

1. 국가배상법은 국가배상책임의 주체를 국가 또는 공공단체로 규정하고 있다. (○, ×) 2015 사회복지직 9급

㉯ 관련 기출

2. 공무원들의 공무원증 발급업무를 하는 공무원이 다른 공무원의 공무원증을 위조하는 행위는 국가배상법상의 직무집행에 해당하지 않는다. (○, ×) 2021 국가직 7급

3. 공무원증 발급업무를 담당하는 공무원이 대출을 받을 목적으로 다른 공무원의 공무원증을 위조하는 행위는 국가배상법 제2조 제1항의 직무집행관련성이 인정되지 않는다. (○, ×) 2021 소방직 9급

4. 인사업무 담당공무원이 다른 공무원의 공무원증 등을 위조한 행위는 실질적으로 직무행위에 속하지 아니한다 할지라도 외관상으로는 국가배상법상의 직무집행에 해당한다. (○, ×) 2018 지방직 7급

5. 직무행위인지 여부는 당해 행위가 현실적으로 정당한 권한 내의 것인지를 묻지 않는다. (○, ×) 2016 사회복지직 9급

6. 인사업무 담당공무원이 다른 공무원의 공무원증 등을 위조한 행위는 국가배상법 제2조 제1항 소정의 '공무원이 직무를 집행하면서 행한 행위'로 인정되지 않는다. (○, ×) 2015 지방직 7급

㉰ 관련 기출

7. 생명·신체의 침해로 인한 국가배상을 받을 권리는 양도는 가능하지만, 압류는 하지 못한다. (○, ×) 2021 소방직 9급, 2011 국가직 7급

8. 생명·신체의 침해로 인한 국가배상을 받을 권리는 양도하거나 압류하지 못한다. (○, ×) 2013 국가직 9급

ⓐ 관련 기출

9. 재판작용에 대한 국가배상의 경우, 재판에 대하여 불복절차 내지 시정절차 자체가 없는 경우에는 부당한 재판으로 인하여 불이익 내지 손해를 입은 사람은 국가배상책임의 요건이 충족된다면 국가배상을 청구할 수 있다. (○. ×)   2021 국가직 7급

10. 재판에 대하여 불복절차 내지 시정절차 자체가 없는 경우, 부당한 재판으로 인하여 불이익 내지 손해를 입은 사람에게는 배상책임의 요건이 충족되는 한 국가배상책임이 인정될 수 있다. (○. ×)   2019 국가직 9급

ⓜ 관련 기출

11. 손해배상책임을 묻기 위해서는 가해공무원을 특정하여야 한다. (○. ×)   2021 국가직 9급

12. 불법행위를 행한 가해공무원을 특정할 수 없는 경우에는 국가배상책임이 인정되지 않는다. (○. ×)   2015 교육행정직 9급

13. 국가배상법상 과실을 판단할 경우 보통 일반의 공무원을 그 표준으로 하고, 반드시 누구의 행위인지 가해공무원을 특정하여야 한다. (○. ×)   2012 국가직 9급

정답 1. × 2. × 3. × 4. ○ 5. ○ 6. × 7. × 8. ○ 9. ○ 10. ○
11. × 12. × 13. ×

---

04   □□□

다음 중 국가배상책임에 대한 설명으로 옳은 것을 모두 고른 것은? (다툼이 있는 경우 판례에 의함)

> ㉮ 법령에 의해 대집행권한을 위탁받은 한국토지공사는 대집행을 수권받은 자로서 국가배상법 제2조 소정의 공무원에 해당한다.
>
> ㉯ 헌법재판소 재판관의 위법한 직무집행의 결과 잘못된 각하결정을 함으로써 청구인으로 하여금 본안판단을 받을 기회를 상실하게 한 이상, 설령 본안판단을 하였더라도 어차피 청구가 기각되었을 것이라는 사정이 있다고 하더라도, 청구인의 합리적인 기대를 침해한 것이고 그 침해로 인한 정신상 고통에 대하여는 위자료를 지급할 의무가 있다.
>
> ㉰ 성폭력범죄의 수사를 담당하거나 수사에 관여하는 경찰관이 피해자의 인적사항 등을 공개 또는 누설함으로써 피해자가 손해를 입은 경우, 국가의 배상책임이 인정된다는 것이 판례의 태도이다.
>
> ㉱ 대한민국에 거주하는 외국인이 피해자인 경우, 속지주의원칙에 의해 국민과 동일하게 국가배상청구권이 발생한다.

① ㉮, ㉯   ② ㉮, ㉰

③ ㉯, ㉰   ④ ㉰, ㉱

ⓐ 관련 기출

1. 관계법령에 의하여 대집행권한을 부여받은 구 한국토지공사는 공무수탁사인으로서, 국가배상법상 공무원에 해당한다. (○. ×)   2015 서울시 7급

2. 법령에 의해 대집행권한을 위탁받은 한국토지공사는 국가공무원법 제2조에서 말하는 공무원에 해당하지 아니한다. (○. ×)   2013 국회속기직 9급

3. 법령의 위탁에 의하여 대집행권한을 수권받은 (구)한국토지공사는 대집행을 실시함에 따르는 권리·의무 및 책임이 귀속되는 행정주체의 지위에 있으며, 지방자치단체의 기관으로서 국가배상법 제2조 소정의 공무원에 해당한다. (○. ×)   2012 국회(속기·경위직) 9급

ⓑ 관련 기출

4. 헌법재판소 재판관이 청구기간 내에 제기된 헌법소원심판청구사건에서 청구기간을 오인하여 각하결정을 한 경우, 이에 대한 불복절차 내지 시정절차가 없는 때에는 국가배상책임(위법성)을 인정할 수 있다. (○. ×)   2019 지방직·교육행정직 9급, 2019 서울시 2회 7급

5. 헌법재판소 재판관이 잘못된 각하결정을 하여 청구인으로 하여금 본안판단을 받을 기회를 상실하게 하였더라도, 본안판단에서 어차피 청구가 기각되었을 것이라는 사정이 있다면 국가배상책임이 인정되지 않는다. (○. ×)   2018 지방직 7급

6. 헌법재판소 재판관이 청구기간을 오인하여 청구기간 내에 제기된 헌법소원심판청구를 위법하게 각하한 경우, 설령 본안판단을 하였더라도 어차피 청구가 기각되었을 것이라는 사정이 있다면 국가배상책임이 인정될 수 없다. (○. ×)   2017 국가직 7급

7. 헌법재판소 재판관의 위법한 직무집행의 결과 잘못된 각하결정을 함으로써 청구인으로 하여금 본안판단을 받을 기회를 상실하게 한 이상, 설령 본안판단을 하였더라도 어차피 청구가 기각되었을 것이라는 사정이 있다고 하더라도 청구인의 합리적인 기대를 침해한 것이고, 그 침해로 인한 정신상의 고통에 대하여는 위자료를 지급할 의무가 있다. (○. ×)   2015 지방직 7급

ⓒ 관련 기출

8. 성폭력범죄의 수사를 담당하거나 수사에 관여하는 경찰관이 직무상 의무에 위반하여 피해자의 인적사항 등을 공개 또는 누설한 경우, 그로 인하여 피해자가 입은 손해에 대하여 국가는 배상책임을 진다. (○. ×)   2014 국가직 7급

ⓓ 관련 기출

9. 외국인이 피해자인 경우 해당 국가와 상호보증이 있을 때에만 국가배상법을 적용한다. (○. ×)   2019 소방직 9급, 2017 국가직(하) 9급, 2015 서울시 9급

10. 대한민국 구역 내에 있다면 외국인에게도 국가배상청구권은 당연히 인정된다. (○. ×)   2016 서울시 9급

11. 법령은 대한민국의 영토 내에 있는 모든 사람에게 적용되는 것이 원칙이므로 외국인에 대하여 특칙을 두거나 상호주의가 적용될 수 없다. (○. ×)   2015 행정사

정답 1. × 2. ○ 3. × 4. ○ 5. × 6. × 7. ○ 8. ○ 9. ○ 10. ×
11. ×

행정상 손해배상책임에 관해 옳게 기술한 것은? (다툼이 있는 경우 판례에 의함)

① 국가배상법 제2조 제1항의 '직무를 집행함에 당하여'를 판단함에 있어 실질적으로 직무행위가 아니거나 또는 행위자로서는 주관적으로 공무집행의 의사가 없었다면 그 행위는 공무원이 '직무를 집행함에 당하여' 한 것으로 볼 수 없다.

② 공무원이 자기소유 차량으로 공무수행 중 사고를 일으킨 경우 공무원 개인은 경과실에 의한 것인지 또는 고의 또는 중과실에 의한 것인지를 가리지 않고「자동차손해배상 보장법」상의 운행자성이 인정되는 한 배상책임을 부담한다.

③ 일반적으로 공무원이 관계법규를 알지 못하거나 필요한 지식을 갖추지 못하고 법규의 해석을 그르쳐 행정처분을 하였더라도 그가 법률전문가가 아닌 행정직 공무원이라면 과실이 인정되지 않는다.

④ 법령해석에 여러 견해가 있어 관계공무원이 신중한 태도로 어느 일설을 취하여 처분하였더라도, 처분이 위법한 것으로 판명되었다면 배상책임이 인정된다.

✅ 기출체크

① 관련 기출

1. 국가배상법 제2조 제1항의 '직무를 집행함에 당하여'라 함은 직접 공무원의 직무집행행위이거나 그와 밀접한 관련이 있는 행위를 포함하고, 이를 판단함에 있어서는 행위 자체의 외관을 객관적으로 관찰하여 공무원의 직무행위로 보여질 때에는 비록 그것이 실질적으로 직무행위가 아니거나 또는 행위자로서는 주관적으로 공무집행의 의사가 없었다고 하더라도 그 행위는 공무원이 '직무를 집행함에 당하여' 한 것으로 보아야 한다. (O, X)　2017 경행경채

2. 국가배상법 제2조 제1항의 '직무를 집행하면서'라고 할 때 직무집행에 대한 판단기준은 행위 자체의 외관을 객관적으로 관찰하여 판단하여야 하므로 직무행위로 보여질 때에는 공무원의 행위가 실질적으로 직무행위가 아니거나 또는 행위자로서 주관적으로 공무집행의사가 없다고 하여도 '직무를 집행하면서'로 보아야 한다. (O, X)　2014 경행특채 2차

3. 행위 자체의 외관이 객관적으로 관찰하여 공무원의 직무행위로 보일 때에는 그것이 실질적으로 직무행위가 아니거나 또는 행위자에게 주관적으로 공무집행의 의사가 없었다고 하더라도 그 행위는 직무행위에 해당한다. (O, X)　2014 국가직 7급

② 관련 기출

4. 공무원이 자기소유 차량으로 공무수행 중 사고를 일으킨 경우 공무원 개인은 경과실에 의한 것인지 또는 고의 또는 중과실에 의

한 것인지를 가리지 않고「자동차손해배상 보장법」상의 운행자성이 인정되는 한 배상책임을 부담한다. (O, X)　2015 국회직 8급

5. 공무원이 자기소유의 자동차로 공무수행 중 사고를 일으킨 경우 그 공무원은 '자기를 위하여 자동차를 운행하는 자'에 해당하는 한 「자동차손해배상 보장법」에 따른 손해배상책임을 부담한다. (O, X)　2008 국가직 7급

③ 관련 기출

6. 일반적으로 공무원이 필요한 지식을 갖추지 못하고 법규의 해석을 그르쳐 행정처분을 하였다면 그가 법률전문가가 아닌 행정직 공무원이라고 하여 과실이 없다고는 할 수 없다. (O, X) 2021 국가직 9급

7. 특별한 사정이 없는 한 일반적으로 공무원이 관계법규를 알지 못하거나 필요한 지식을 갖추지 못하고 법규의 해석을 그르쳐 행정처분을 하였다면 그가 법률전문가가 아닌 행정직 공무원이라도 과실이 있다. (O, X)　2018 지방직 7급

8. 일반적으로 공무원이 관계법규를 알지 못하거나 필요한 지식을 갖추지 못하고 법규의 해석을 그르쳐 행정처분을 하였다면 그가 법률전문가가 아닌 행정직 공무원이라고 하여 과실이 없다고는 할 수 없다. (O, X)　2016 지방직 9급

9. 공무원이 관계법규를 알지 못하거나 법규의 해석을 그르쳐 행정처분을 한 경우라고 할지라도 법률전문가가 아닌 행정직 공무원인 경우에는 과실을 인정할 수 없다. (O, X)　2014 서울시 9급

10. 판례에 의하면 법령의 해석에는 다양한 견해가 있을 수 있으므로 공무원의 법령해석의 잘못에는 공무원의 과실이 인정되지 않는다. (O, X)　2013 서울시 7급

④ 관련 기출

11. 법령의 해석이 복잡·미묘하여 어렵고 학설·판례가 통일되지 않을 때에 공무원이 신중을 기해 그중 어느 한 설을 취하여 처리한 경우에는 그 해석이 결과적으로 위법한 것이었다 하더라도 국가배상법상 공무원의 과실을 인정할 수 없다. (O, X)　2015 국회직 8급

12. 법령해석에 여러 견해가 있어 관계공무원이 신중한 태도로 어느 일설을 취하여 처분한 경우, 위법한 것으로 판명되었다고 하더라도 그것만으로 배상책임을 인정할 수 없다. (O, X) 2012 국가직 9급

정답 1. O　2. O　3. O　4. O　5. O　6. O　7. O　8. O　9. X　10. X　11. O　12. O

06

□□□

국가배상법에 대한 다음 설명 중 옳지 않은 것을 모두 고른 것은? (다툼이 있는 경우 판례에 의함)

⑦ 국가나 지방자치단체는 공무원이 직무를 집행하면서 고의 또는 과실로 위법하게 타인에게 손해를 가한 때에 국가배상법상 배상책임을 지지만, 공무원의 선임 및 감독에 상당한 주의를 한 경우에는 그 배상책임을 면한다.

⑭ 국가배상법 제3조 규정의 손해배상기준은 배상심의회의 배상금지급기준을 정함에 있어 하나의 기준을 정한 것에 불과하며 최고한도액을 정한 것이라고 볼 수는 없다.

㉱ 국가의 위법행위로 인한 피해방지와 손해의 전보라는 국가배상법의 취지를 고려하면 국가배상법 제2조 제1항의 적용에 있어 피해자가 손해를 입은 동시에 이익을 얻은 경우라도 손해배상액에서 그 이익에 상당하는 금액을 공제할 수 없다고 봄이 타당하다.

㉭ 국회의원의 입법행위는 헌법의 문언에 명백히 위배됨에도 불구하고 국회가 굳이 입법을 한 것과 같은 특수한 경우가 아닌 한 위법행위가 아니다.

㉮ 도지사에 의한 지방의료원의 폐업결정과 관련하여, 국가배상책임이 성립하기 위하여서는 공무원의 직무집행이 위법하다는 점만으로 충분하고 그로 인하여 타인의 권리·이익이 침해되어 구체적 손해가 발생할 필요는 없다.

① ⑦, ⑭, ㉭
② ⑦, ㉱, ㉮
③ ⑭, ㉱, ㉮
④ ㉱, ㉭, ㉮

✅ 기출체크

⑦ 관련 기출
1. 공무원이 직무를 집행하면서 고의 또는 과실로 위법하게 타인에게 손해를 가하였어도 국가나 지방자치단체가 그 공무원의 선임 및 감독에 상당한 주의를 하였다면 국가나 지방자치단체는 국가배상책임을 면한다. (○, ×) 2017 국가직(하) 9급
2. 민법상의 사용자면책사유는 국가배상법상의 고의·과실의 판단에서는 적용되지 않는다. (○, ×) 2010 국가직 9급

⑭ 관련 기출
3. 국가배상법상의 손해배상의 기준은 배상심의회의 배상금지급기준을 정함에 있어서의 하나의 기준을 정한 것에 지나지 아니하는 것이고 이로써 배상액의 상한을 제한한 것으로 볼 수 없다. (○, ×)
  2021 소방간부

4. 판례는 구 국가배상법(67. 3. 3, 법률 제1899호) 제3조의 배상액 기준은 배상심의회 배상액 결정의 기준이 될 뿐 배상범위를 법적으로 제한하는 규정이 아니므로 법원을 기속하지 않는다고 보았다. (○, ×) 2020 지방직·서울시 9급
5. 국가배상법이 정하는 배상기준의 성격에 대하여 판례는 한정액설을 취함으로써 국가배상법이 정하는 배상금액 이상의 배상을 인정하지 아니한다. (○, ×) 2008 국가직 7급

㉱ 관련 기출
6. 국가배상법 제2조 제1항을 적용할 때 피해자가 손해를 입은 동시에 이익을 얻은 경우에는 손해배상액에서 그 이익에 상당하는 금액을 빼야 한다. (○, ×) 2018 경행경채, 2017 경행경채

㉭ 관련 기출
7. 판례는 입법내용이 헌법의 문언에 명백히 위배됨에도 불구하고 국회가 굳이 당해 입법을 한 것과 같은 특수한 경우에 한하여 위법 및 과실을 인정하고 있다. (○, ×) 2018 소방직 9급
8. 국회의원의 입법행위는 그 입법내용이 헌법의 문언에 명백히 위반됨에도 불구하고 국회가 굳이 당해 입법을 한 것과 같은 특수한 경우가 아닌 한 국가배상법 제2조 제1항 소정의 위법행위에 해당한다고 볼 수 없다. (○, ×) 2017 경행경채, 2016 지방직 9급
9. '직무행위'와 관련하여 국회의원의 입법행위는 그 입법내용이 헌법의 문언에 명백히 위반된 경우에는 입법기관의 국가배상책임을 인정하는 데 별다른 어려움이 없다. (○, ×) 2008 지방직 9급

㉮ 관련 기출
10. 도지사에 의한 지방의료원의 폐업결정과 관련하여 국가배상책임이 성립하기 위하여서는 공무원의 직무집행이 위법하다는 점만으로는 부족하고 그로 인하여 타인의 권리·이익이 침해되어 구체적 손해가 발생하여야 한다. (○, ×) 2019 국회직 8급

정답 1. × 2. ○ 3. ○ 4. ○ 5. × 6. ○ 7. ○ 8. ○ 9. × 10. ○

07

□□□

행정상 손해배상에 관한 다음 기술 중 옳은 것은? (다툼이 있는 경우 판례에 의함)

① 경찰관직무집행법 등에 의하여 경찰관에게 부여된 여러 가지 권한이 일반적으로 경찰관의 합리적인 재량에 위임되어 있다 하더라도, 경찰관이 권한을 행사하여 필요한 조치를 하지 아니하는 것이 현저하게 불합리하다고 인정되는 경우에는 권한의 불행사가 직무상의 의무를 위반한 것이 되어 위법하게 된다.

② 국가배상청구권은 피해자나 그 법정대리인이 그 손해 및 가해자를 안 날로부터 5년간 이를 행사하지 아니하면 시효로 인하여 소멸한다.

③ 국가배상법 제5조의 손해배상책임은 동법 제2조의 책임과 같이 과실책임주의로 규정되어 있다.

④ 구 「공공용지의 취득 및 손실보상에 관한 특례법」에 의하여 공공용지를 협의취득한 사업시행자가 그 양도인과 사이에 체결한 도봉차량 건설사업부지 예정토지 매매계약과 관련한 손해에 대하여는 국가배상법이 적용된다.

① 관련 기출

1. 경찰관직무집행법상 경찰관에게 재량에 의한 직무수행권한을 부여한 것처럼 되어 있으나, 경찰관에게 권한을 부여한 취지와 목적에 비추어 볼 때 구체적인 사정에 따라 경찰관이 그 권한을 행사하여 필요한 조치를 취하지 않는 것이 현저하게 불합리하다고 인정되는 경우에 권한의 불행사는 직무상 의무를 위반한 것으로 위법하다. (○, ×) 2017 국가직(하) 7급

2. 직무수행에 재량이 인정되는 경우라도 그 권한을 부여한 취지와 목적에 비춰 볼 때 구체적 사정에 따라 그 권한을 행사하여 필요한 조치를 취하지 아니하는 것이 현저하게 불합리하다고 인정되는 때에는 그러한 권한의 불행사는 직무상 의무를 위반한 것이 되어 위법하게 된다. (○, ×) 2016 국회직 8급

② 관련 기출

3. 국가배상청구권은 피해자나 그 법정대리인이 그 손해 및 가해자를 안 날로부터 3년간 이를 행사하지 아니하면 시효로 인하여 소멸한다. (○, ×) 2018 서울시 2회 7급, 2015 사회복지직 9급, 2011 국회직 8급

4. 국가배상청구권의 소멸시효기간은 피해자나 그 법정대리인이 손해 및 가해자를 안 날로부터 10년이다. (○, ×) 2008 국가직 7급

④ 관련 기출

5. 서울특별시장의 대행자인 도봉구청장이 서울지하철 도봉차량기지 건설사업의 부지로 예정된 원고 소유의 토지를 구 「공공용지의 취득 및 손실보상에 관한 특례법」에 따라 매수하기로 하는 내용의 매매계약을 체결한 경우, 이 매매계약은 공공기관이 사경제주체로서 행한 사법상 매매이므로 이에 대하여는 국가배상법을 적용하기는 어렵고 일반 민법의 규정을 적용할 수 있을 뿐이다. (○, ×) 2016 지방직 7급

정답 1. ○ 2. ○ 3. ○ 4. × 5. ○

08

□□□

행정상 손해배상책임에 관해 옳게 기술한 것은? (다툼이 있는 경우 판례에 의함)

① 국가배상법상 책임요건인 '법령에 위반하여'라 함은 형식적 의미의 법령에 명시적으로 공무원의 작위의무가 정하여져 있음에도 이를 위반하는 경우만을 의미하는 것으로 보아야 한다.

② 행정청이 확립된 법령의 해석에 어긋나는 견해를 고집하여 계속하여 위법한 행정처분을 하거나 이에 준하는 행위로 평가될 수 있는 불이익을 처분 상대방에게 주는 경우라도 손해배상책임이 인정되는 것은 아니다.

③ 국가나 지방자치단체가 손해를 배상할 책임이 있는 경우에 공무원의 선임·감독 또는 영조물의 설치·관리를 맡은 자와 공무원의 봉급·급여, 그 밖의 비용 또는 영조물의 설치·관리 비용을 부담하는 자가 동일하지 아니하면 그 비용을 부담하는 자도 손해를 배상하여야 한다.

④ 국가배상청구소송을 제기하기 위해서는 법무부 소속의 배상심의회에 배상신청을 먼저 하여야 하며, 이 경우 이러한 배상심의회의 결정은 항고소송의 대상이 되는 행정처분이다.

① 관련 기출

1. 부작위로 인한 손해에 대한 국가배상청구는 공무원의 작위의무를 명시한 형식적 의미의 법령에 위배된 경우에 한한다. (○, ×) 2017 사회복지직 9급

2. '법령에 위반하여'라 함은 엄격하게 형식적 의미의 법령에 명시적으로 공무원의 작위의무가 정하여져 있음에도 이를 위반하는 경우만을 의미한다. (○, ×) 2013 지방직(하) 7급

3. 공무원의 부작위로 인한 국가배상책임이 인정되기 위해서는 형식적 의미의 법률에 의한 공무원의 작위의무가 존재하여야 한다. (○, ×) 2013 서울시 7급

4. 법령에 명시적으로 공무원의 작위의무가 규정되어 있지 않은 경우라 할지라도 공무원의 부작위로 인한 국가배상책임을 인정할 수 있다. (○, ×) 2012 국가직 9급

② 관련 기출

5. 행정청이 대법원의 법령해석과 어긋나는 견해를 고집하여 계속 위법한 행정처분을 해서 처분 상대방에게 불이익을 주었다면 국가배상책임이 인정된다. (○, ×) 2008 국회직 8급

③ 관련 기출

6. 공무원의 선임·감독을 맡은 자와 봉급·급여 기타의 비용을 부담하는 자가 동일하지 아니할 때에는 그 비용을 부담하는 자도 당해 공무원의 불법행위에 대하여 배상책임을 진다. (○, ×) 2014 사회복지직 9급

④ 관련 기출

7. 국가배상소송은 배상심의회에 배상신청을 하지 아니하고도 제기할 수 있다. (○, ×) 2015 사회복지직 9급

8. 국가배상법에 따른 손해배상의 소송은 배상심의회에 배상신청을 하지 아니하면 제기할 수 없다. (○, ×) 2013 경행특채

9. 판례에 따르면 국가배상법상 배상심의회에 의한 배상결정은 행정처분이 아니다. (○, ×) 2008 선관위 9급

정답 1. × 2. × 3. × 4. ○ 5. ○ 6. ○ 7. ○ 8. × 9. ○

09

□□□

국가배상법에 대한 다음 기술 중 옳은 설명을 모두 고른 것은? (다툼이 있는 경우 판례에 의함)

㉮ 공무원의 가해행위에 대해 형사상 무죄판결이 있었다면 그 가해행위를 이유로 한 국가배상책임 또한 부정될 수밖에 없다.

㉯ 공무원의 불법행위로 손해를 입은 피해자의 국가배상청구권의 소멸시효기간이 지났으나 국가가 소멸시효 완성을 주장하는 것이 신의성실의 원칙에 반하는 권리남용으로 허용될 수 없어 배상책임을 이행한 경우에는, 그 소멸시효 완성 주장이 권리남용에 해당하게 된 원인행위와 관련하여 해당 공무원이 그 원인이 되는 행위를 적극적으로 주도한 경우라도 국가가 해당 공무원에게 구상권을 행사하는 것은 신의칙상 허용되지 않는다.

㉰ 국민이 법령에 정하여진 수질기준에 미달한 상수원수로 생산된 수돗물을 마심으로써 건강상의 위해 발생에 대한 염려 등에 따른 정신적 고통을 받았다고 하더라도, 이러한 사정만으로는 국가 또는 지방자치단체가 국민에게 손해배상책임을 부담하지 아니한다.

㉱ 경과실이 있는 공무원이 피해자에게 손해를 배상하였다면 채무자 아닌 사람이 타인의 채무를 변제한 경우에 해당하므로 피해자에게 손해를 직접 배상한 경과실이 있는 공무원은 특별한 사정이 없는 한, 국가의 피해자에 대한 손해배상책임의 범위 내에서 자신이 변제한 금액에 관하여 국가에 대한 구상권을 취득한다.

① ㉮, ㉰
② ㉮, ㉱
③ ㉯, ㉰
④ ㉰, ㉱

✅ 기출체크

㉮ 관련 기출
1. 형사상 범죄행위를 구성하지 않는 침해행위라 하더라도 그것이 민사상 불법행위를 구성하는지 여부는 형사책임과 별개의 관점에서 검토하여야 한다. (○, ×) 　　　2018 경행경채 3차
2. 공무원의 가해행위에 대해 형사상 무죄판결이 있었더라도 그 가해행위를 이유로 국가배상책임이 인정될 수 있다. (○, ×) 　　　2017 국가직 7급

㉯ 관련 기출
3. 국가배상청구권의 소멸시효기간이 지났으나 국가가 소멸시효 완성을 주장하는 것이 신의성실의 원칙에 반하는 권리남용으로 허용될

수 없어 배상책임을 이행한 경우에는, 그 소멸시효 완성 주장이 권리남용에 해당하게 된 원인행위와 관련하여 해당 공무원이 그 원인이 되는 행위를 적극적으로 주도하였다는 등의 특별한 사정이 없는 한, 국가가 해당 공무원에게 구상권을 행사하는 것은 신의칙상 허용되지 않는다. (○, ×) 2019 서울시 9급, 2017 지방직(하) 9급

㉰ 관련 기출
4. 국가 또는 지방자치단체가 법령이 정하는 상수원수 수질기준 유지 의무를 다하지 못하고, 법령이 정하는 고도의 정수처리방법이 아닌 일반적 정수처리방법으로 수돗물을 생산·공급하였다는 사유만으로 그 수돗물을 마신 개인에 대하여 손해배상책임을 부담하지 않는다. (○, ×) 　　　2012 국가직 7급

㉱ 관련 기출
5. 경과실이 있는 공무원이 피해자에 대하여 손해배상책임을 부담하지 아니함에도 피해자에게 손해를 배상하였다면 이는 법률상 원인이 없는 것으로 피해자는 공무원에 대하여 이를 반환할 의무가 있다. (○, ×) 　　　2021 국회직 8급
6. 국가공무원이 직무수행 중 경과실로 인한 불법행위로 국민에게 손해를 입힌 경우에 피해자에게 손해를 직접 배상하였다 하더라도 자신이 변제한 금액에 관하여 국가에 대하여 구상권을 취득할 수 없다. (○, ×) 　　　2016 국가직 7급

정답 1.○ 2.○ 3.○ 4.○ 5.× 6.×

10

□□□

국가배상법 제5조 책임에 관한 다음 기술 중 옳은 것을 모두 고른 것은? (다툼이 있는 경우 판례에 의함)

㉮ 국가배상법 제5조는 민법 제758조와 달리 면책규정을 두고 있지 않으며, 한편 국가배상법 제5조상의 영조물 개념은 민법 제758조의 공작물 개념보다는 더 넓은 개념이다.

㉯ 지방자치단체가 옹벽시설공사를 업체에게 주어 공사를 시행하다가 사고가 일어난 경우, 옹벽이 공사 중이고 아직 완성되지 아니하여 일반 공중의 이용에 제공되지 않았더라도 국가배상법 제5조 소정의 영조물에 해당한다.

㉰ 영조물의 설치 및 관리에 있어서 완전무결한 상태를 유지할 정도의 고도의 안전성을 갖추지 아니하였다면 영조물의 설치 또는 관리에 하자가 인정된다고 볼 수 있다.

㉱ 국가배상법 제5조의 영조물의 설치·관리상의 하자로 인한 손해가 발생한 경우에는, 같은 법 제3조 제1항 내지 제5항의 해석상 피해자는 재산상의 손해 이외에 위자료를 청구할 수 없다.

㉲ 국도의 관리사무가 지방자치단체의 장에게 위임되어 지방자치단체장이 국도의 관리청이 된 경우 도로관리상의 하자로 인한 손해에 대하여 국가는 책임이 없다.

① ㉮
② ㉮, ㉯, ㉱
③ ㉯, ㉰
④ ㉰, ㉱, ㉲

✔ 기출체크

㉮ 관련 기출

1. 국가배상법 제5조의 영조물은 민법 제758조의 공작물의 개념보다 넓다. (○, ✕)　　　　　　　　　　　　　　2014 서울시 7급
2. 국가배상법 제5조는 민법 제758조와는 달리 점유자의 면책규정을 두고 있지 아니하다. (○, ✕)　　　　　　　　　2014 서울시 7급
3. 국가배상법 제5조는 점유자의 면책조항을 두고 있는 점에서 민법 제758조의 공작물 등의 배상책임과 동일하며, 다만 그 대상을 공작물에 한정하고 있지 않는 점에서 민법상의 배상책임규정과 차이가 있다. (○, ✕)　　　　　　　　　　　　　2008 국가직 9급

㉯ 관련 기출

4. 지방자치단체가 옹벽시설공사를 업체에게 주어 공사를 시행하다가 사고가 일어난 경우, 옹벽이 공사 중이고 아직 완성되지 아니하여 일반공중의 이용에 제공되지 않았다면 국가배상법 제5조 소정의 영조물에 해당한다고 할 수 없다. (○, ✕)　　2021 소방직 9급
5. 아직 물적 시설이 완성되지 아니하여 일반공중의 이용에 제공되지 않은 옹벽도 국가배상법상의 영조물에 해당한다. (○, ✕)
　　　　　　　　　　　　　　　　　　　　2011 국회직 8급

㉰ 관련 기출

6. 도로의 설치 및 관리에 있어 완전무결한 상태를 유지할 정도의 고도의 안전성을 갖추지 아니하였다고 해서 하자가 있다고 단정할 수는 없다. (○, ✕)　　　　　　　　　　　　　2021 경행경채
7. 영조물의 설치 및 관리에 있어서 항상 완전무결한 상태를 유지할 정도의 고도의 안전성을 갖추지 아니하였다고 하여 영조물의 설치 또는 관리에 하자가 있다고 단정할 수 없다. (○, ✕)
　　　　　　　　　　　　　　2017 국가직 9급, 2011 지방직 9급

㉱ 관련 기출

8. 판례는 국가배상법 제5조의 영조물의 설치·관리상의 하자로 인한 손해가 발생한 경우, 피해자의 위자료청구권이 배제되지 아니한다고 판시하였다. (○, ✕)　　　　　　　　　　2021 소방직 9급
9. 영조물의 설치·관리 하자로 인한 손해배상의 경우 피해자의 위자료청구는 포함되지 않는다. (○, ✕)　　　　　2008 국회직 8급

㉲ 관련 기출

10. 지방자치단체의 장인 시장이 국도의 관리청이 되었다 하더라도 국가는 도로관리상 하자로 인한 손해배상책임을 면할 수 없다. (○, ✕)　　　　　　　　　　　　　　2015 경행특채 1차
11. 지방자치단체의 장이 국도의 관리청이 되었다 하더라도 국가는 도로관리상 하자로 인한 손해배상책임을 면할 수 없다. (○, ✕)
　　　　　　　　　　　　　　　　　　　　2011 사회복지직 9급

정답　1. ○　2. ○　3. ✕　4. ○　5. ✕　6. ○　7. ○　8. ○　9. ✕　10. ○
　　11. ○

국가배상법 제5조 책임에 관한 다음 기술 중 옳지 않은 것을 모두 고른 것은? (다툼이 있는 경우 판례에 의함)

㉮ 국가배상법 제5조 제1항 소정의 '공공의 영조물'이라 함은 국가 또는 지방자치단체에 의하여 특정 공공의 목적에 공여된 유체물 내지 물적 설비를 말하며, 국가 또는 지방자치단체가 소유권, 임차권, 그 밖의 권한에 기하여 관리하고 있는 경우를 의미할 뿐 사실상의 관리를 하고 있는 경우는 포함되지 않는다.

㉯ 이미 존재하는 하천의 제방이 계획홍수위를 넘고 있다면 특별한 사정이 없는 한 그 하천은 용도에 따라 통상 갖추어야 할 안전성을 갖추고 있다고 보아야 한다는 것이 판례의 입장이다.

㉰ 강설의 특성, 기상적 요인과 지리적 요인, 이에 따른 도로의 상대적 안전성을 고려할 때 겨울철 산간지역에 위치한 도로에 강설로 생긴 빙판을 그대로 방치하고 도로상황에 대한 경고나 위험표지판을 설치하지 않았다면 도로관리상의 하자가 있다고 볼 수 있다.

㉱ 소음 등을 포함한 공해 등의 위험지역으로 이주하여 들어가 거주하는 경우와 같이 위험의 존재를 인식하거나 과실로 인식하지 못하고 이주한 경우라도 손해배상액의 산정에 있어 형평의 원칙상 과실상계에 준하여 감경 또는 면제사유로 고려할 수 없다.

㉲ 국가배상법 제5조의 책임과 관련하여 손해의 원인에 대하여 책임을 질 자가 따로 있으면 국가나 지방자치단체는 그 자에게 구상할 수 있다.

① ㉮, ㉯, ㉰
② ㉮, ㉰, ㉱
③ ㉯, ㉱, ㉲
④ ㉰, ㉱, ㉲

✔ 기출체크

㉮ 관련 기출

1. 국가배상법 제5조 소정의 공공의 영조물이란 공유나 사유임을 불문하고 행정주체에 의하여 특정 공공의 목적에 공여된 유체물 또는 물적 설비를 의미한다. (○, ✕)　　　2021 지방직·서울시 7급
2. 국가배상법상 '공공의 영조물'은 지방자치단체가 소유권, 임차권 그 밖의 권한에 기하여 관리하고 있는 경우는 포함하지만, 사실상의 관리를 하고 있는 경우는 포함하지 않는다. (○, ✕)
　　　　　　　　　　　　　　　　　　　　2021 지방직·서울시 9급
3. 국가배상법 제5조 제1항 소정의 '공공의 영조물'이라 함은 국가 또는 지방자치단체에 의하여 특정 공공의 목적에 공여된 유체물 내지 물적 설비를 말하며, 국가 또는 지방자치단체가 소유권, 임차

권, 그 밖의 권한에 기하여 관리하고 있는 경우로 한정되고, 사실상의 관리를 하고 있는 경우는 포함되지 않는다. (○, ×)

4. 국가배상법 제5조 소정의 '공공의 영조물'은 국가 또는 지방자치단체가 소유권, 임차권, 그 밖의 권한에 기하여 관리하고 있는 경우뿐만 아니라 사실상의 관리를 하고 있는 경우도 포함된다. (○, ×)

5. '공공의 영조물'이라 함은 강학상 공물을 뜻하므로 국가 또는 지방자치단체가 사실상의 관리를 하고 있는 유체물은 포함되지 않는다. (○, ×)

ⓝ **관련 기출**

6. 하천의 제방이 계획홍수위를 넘고 있더라도, 하천이 그 후 새로운 하천시설을 설치할 때 '하천시설기준'으로 정한 여유고(餘裕高)를 확보하지 못하고 있다면 그 사정만으로 안전성이 결여된 하자가 있다고 보아야 한다. (○, ×)

7. 관리청이 하천법 등 관련규정에 의해 책정한 하천정비기본계획 등에 따라 개수를 완료한 하천 또는 아직 개수 중이라 하더라도 개수를 완료한 부분에 있어서는, 위 하천정비기본계획 등에서 정한 계획홍수량 및 계획홍수위를 충족하여 하천이 관리되고 있다면 당초부터 계획홍수량 및 계획홍수위를 잘못 책정하였다거나 그 후 이를 시급히 변경해야 할 사정이 생겼음에도 불구하고 이를 해태하였다는 등의 특별한 사정이 없는 한, 그 하천은 용도에 따라 통상 갖추어야 할 안전성을 갖추고 있다고 보아야 한다. (○, ×)

ⓣ **관련 기출**

8. (乙은 자동차로 겨울철 눈이 내린 직후에 산간지역에 위치한 국도를 달리던 중 도로에 생긴 빙판길에 미끄러져 상해를 입었다) 위 사례에서 乙은 산악지역의 특성상 빙판길 위험경고나 위험표지판이 설치되었다면 주의를 기울여 운행하여 상해를 입지 않았을 것이므로 그 미설치만으로도 국가에 대한 손해배상책임을 묻기에 충분하다. (○, ×)

ⓡ **관련 기출**

9. 위험의 존재를 인식하면서 그로 인한 피해를 용인하며 접근한 것으로 볼 수 있고 나아가 그 피해가 정신적 고통이나 생활방해의 정도에 그치며 그 침해행위에 고도의 공공성이 인정되는 때에는 위험에 접근한 후에 그 위험이 특별히 증대하였다는 등의 특별한 사정이 없는 이상 가해자의 면책을 인정하여야 하는 경우가 있다. (○, ×)

10. 소음 등을 포함한 공해 등의 위험지역으로 이주하여 들어가 거주하는 경우와 같이 위험의 존재를 과실로 인식하지 못하고 이주한 경우, 이를 손해배상액의 산정에 있어 형평의 원칙상 과실상계에 준하여 감경 또는 면제사유로 고려하여야 한다. (○, ×)

11. 소음 등의 공해로 인한 법적 쟁송이 제기되거나 그 피해에 대한 보상이 실시되는 등 피해지역임이 구체적으로 드러나고 이러한 사실이 그 지역에 널리 알려진 이후에 이주하여 오는 경우에는 위와 같은 위험에의 접근에 따른 가해자의 면책 여부를 보다 적극적으로 인정할 여지가 있다. (○, ×)

12. 소음 등을 포함한 공해 등의 위험지역으로 이주하여 거주하는 것이 피해자가 위험의 존재를 인식하고 그로 인한 피해를 용인하면

서 접근한 것이라고 볼 수 있는 경우 가해자의 면책이 인정될 수 있다. (○, ×)

ⓜ **관련 기출**

13. 영조물의 설치·관리상의 하자로 인한 손해의 원인에 대하여 책임을 질 사람이 따로 있는 경우에는 국가·지방자치단체는 그 사람에게 구상할 수 있다. (○, ×)

14. 도로·하천, 그 밖의 공공의 영조물의 설치나 관리에 하자가 있기 때문에 타인에게 손해를 발생하게 하였을 때에는 국가나 지방자치단체는 그 손해를 배상하여야 하며, 손해의 원인에 대하여 책임을 질 자가 따로 있으면 국가나 지방자치단체는 그 자에게 구상할 수 있다. (○, ×)

정답 1. ○ 2. × 3. × 4. ○ 5. × 6. × 7. ○ 8. × 9. ○ 10. ○
11. ○ 12. ○ 13. ○ 14. ○

12

□□□

국가배상법 제5조의 배상책임에 관한 다음 설명 중 옳은 것은? (다툼이 있는 경우 판례에 의함)

① 국가배상법 제5조의 책임요건 중 영조물에는 일반공중이 이용하는 공공용물은 포함되나 행정주체가 사용하는 공용물은 포함되지 않는다.

② 가변차로에 설치된 2개의 신호등에서 서로 모순된 신호가 들어오는 오작동이 발생하였고 그 고장이 현재의 기술수준상 부득이하다는 사정이 있다면 영조물의 하자는 면책된다.

③ 영조물이 완전무결한 상태에 있지 않고 기능상 어떠한 결함이 있었다면 객관적으로 보아 시간적·장소적으로 그 기능상 결함으로 인한 손해발생의 예견가능성, 회피가능성이 없는 경우, 즉 설치·관리자의 관리행위가 미칠 수 없는 상황이라도 국가배상법 제5조의 책임이 발생한다.

④ 판례는 사격장에서 발생하는 소음 등과 같이 영조물이 공공의 목적에 이용됨에 있어 그 이용상태 및 정도가 일정한 한도를 초과하여 제3자에게 사회통념상 참을 수 없는 피해를 입히는 경우도 국가배상법 제5조 제1항의 '영조물의 설치 또는 관리의 하자'에 해당된다고 본다.

✅ **기출체크**

① **관련 기출**

1. 일반공중이 사용하는 공공용물 외에 행정주체가 직접 사용하는 공용물이나 하천과 같은 자연공물도 국가배상법 제5조의 '공공의 영조물'에 포함된다. (○, ×)

2. 국가배상법 제5조의 영조물에 해당되지 않는 것은? 2013 서울시 9급
① 현금 ② 도로 ③ 수도
④ 서울시 청사 ⑤ 관용 자동차

3. (국가배상법 제5조가 규정하는) 공공시설에는 인공공물 외에 자연공물도 포함한다. (○, ×)
2008 관세사

② 관련 기출
4. 가변차로에 설치된 두 개의 신호기에서 서로 모순되는 신호가 들어오는 고장으로 인하여 사고가 발생한 경우, 그 고장이 현재의 기술수준상 부득이한 것으로 예방할 방법이 없는 것이라면 손해발생의 예견가능성이나 회피가능성이 없어 영조물의 하자를 인정할 수 없다. (○, ×)
2021 소방직 9급

5. 가변차로에 설치된 2개의 신호등에서 서로 모순된 신호가 들어오는 오작동이 발생하였고 그 고장이 현재의 기술수준상 부득이하다는 사정만으로 영조물의 하자가 면책되는 것은 아니다. (○, ×)
2010 지방직 9급

③ 관련 기출
6. 객관적으로 보아 시간적·장소적으로 영조물의 기능상 결함으로 인한 손해발생의 예견가능성과 회피가능성이 없는 경우에는 영조물의 설치·관리상의 하자를 인정할 수 없다. (○, ×)
2018 국회직 8급

7. 주관적 요소를 고려하는 최근의 판례에 따르면 영조물의 결함이 영조물의 설치·관리자의 관리행위가 미칠 수 없는 상황 아래에 있는 것이 입증되는 경우 영조물의 설치·관리상의 하자를 인정할 수 있다. (○, ×)
2016 국회직 8급

④ 관련 기출
8. 영조물의 물적 시설 자체의 물리적 흠결 등으로 이용자에게 위해를 끼칠 위험성이 있는 경우뿐만 아니라 영조물이 공공의 목적에 이용됨에 있어 그 이용상태 및 정도가 일정한 한도를 초과하여 이용자에게 사회통념상 수인할 것이 기대되는 한도를 넘는 피해를 입히는 경우도 영조물의 설치 또는 관리의 하자에 포함된다. (○, ×)
2021 경행경채

9. 김포공항을 설치·관리함에 있어 항공법령에 따른 항공기소음기준 및 소음대책을 준수하려는 노력을 하였더라도, 공항이 항공기운항이라는 공공의 목적에 이용됨에 있어 그와 관련하여 배출하는 소음 등의 침해가 인근주민들에게 통상의 수인한도를 넘는 피해를 발생하게 하였다면 공항의 설치·관리상에 하자가 있다고 보아야 한다. (○, ×)
2021 소방직 9급

10. 영조물의 설치·관리의 하자에는 영조물이 공공의 목적에 이용됨에 있어 그 이용상태 및 정도가 일정한 한도를 초과하여 제3자에게 사회통념상 참을 수 없는 피해를 입히는 경우도 포함된다. (○, ×)
2018 국회직 8급, 2017 국가직 9급

11. 판례는 사격장에서 발생하는 소음 등으로 지역주민들이 입은 피해가 수인한도를 넘는 경우 사격장의 설치 또는 관리에 하자가 있다고 한다. (○, ×)
2011 지방직 9급

정답 1. ○ 2. ① 3. ○ 4. × 5. ○ 6. ○ 7. × 8. × 9. ○ 10. ○
11. ○

13   □□□

이중배상금지와 관련한 다음 기술 중 옳은 것을 모두 고른 것은? (다툼이 있는 경우 판례에 의함)

㉮ 도로·하천, 그 밖의 공공의 영조물의 설치나 관리에 하자가 있기 때문에 타인에게 손해를 발생하게 하였을 때에는 국가나 지방자치단체는 그 손해를 배상하여야 하는바, 이 경우 군인·군무원의 이중배상금지에 관한 규정도 적용된다.

㉯ 이중배상금지에 관한 규정은 다른 법령에 보상제도가 규정되어 있고, 그 법령에 규정된 상이등급 또는 장애등급 등의 요건에 해당되어 그 권리가 발생한 이상, 실제로 그 권리를 행사하였는지 또는 그 권리를 행사하고 있는지 여부에 관계없이 적용된다고 보아야 하고, 보상금청구권이 시효로 소멸되었다 하여 적용되지 않는다고 할 수는 없다.

㉰ 경찰서 지서의 숙직실은 국가배상법 제2조 제1항 단서에서 말하는 전투·훈련에 관련된 시설이라고 볼 수 있으므로 위 숙직실에서 순직한 경찰공무원의 유족들은 국가배상청구권을 행사할 수 없다.

㉱ 현역병으로 입대한 후 군사교육을 마치고 경비교도로 전임되어 근무하는 경비교도와 공익근무요원은 국가배상법상 이중배상금지가 적용되는 공무원이 아니라고 볼 수 있으나, 전투경찰순경은 이중배상금지가 적용되는 공무원에 해당한다.

㉲ 직무집행과 관련하여 공상을 입은 군인 등이 먼저 국가배상법에 따라 손해배상금을 지급받은 다음 「보훈보상대상자 지원에 관한 법률」이 정한 보상금 등 보훈급여금의 지급을 청구하는 경우, 국가배상법에 따라 손해배상을 받았다는 이유로 그 지급을 거부할 수 있다.

① ㉮, ㉯, ㉱   ② ㉮, ㉰, ㉲
③ ㉯, ㉱   ④ ㉰, ㉱, ㉲

✔ **기출체크**

㉮ 관련 기출
1. 도로·하천, 그 밖의 공공의 영조물(營造物)의 설치나 관리에 하자(瑕疵)가 있기 때문에 타인에게 손해를 발생하게 하였을 때에는 국가나 지방자치단체는 그 손해를 배상하여야 한다. 이 경우 군인·군무원의 이중배상금지에 관한 규정은 적용되지 않는다. (○, ×)
2021 군무원 9급

14

□□□

손실보상에 관한 설명 중 옳은 것은? (다툼이 있는 경우 판례에 의함)

① 헌법 제23조 제3항에서 규정한 '정당한 보상'이란 원칙적으로 피수용재산의 객관적인 재산가치를 완전하게 보상하여야 한다는 완전보상을 뜻하는 것이지만, 공익사업의 시행으로 인한 개발이익은 완전보상의 범위에 포함되는 피수용토지의 객관적 가치 내지 피수용자의 손실이라고 볼 수 없다.

② 하천법 부칙에 따른 손실보상청구권은 공권이므로 이에 대해 손실보상금의 지급을 구하는 소송은 행정소송 중 항고소송을 제기하여야 한다는 것이 판례의 입장이다.

③ 위법한 건축물은 손실보상의 대상이 될 수 없으므로 지장물인 건물은 적법한 건축허가를 받아 건축된 건축물이 아니라면 손실보상의 대상이 되지 않는다.

④ 토지의 문화적·학술적 가치는 그 토지의 경제적·재산적 가치를 높여주는 것이므로 특별한 사정이 없다면 손실보상의 대상이 된다.

③ 관련 기출

11. 지장물인 건물은 그 건물이 적법한 건축허가를 받아 건축된 것인지 여부에 관계없이 토지수용법(현 토지보상법)상의 사업인정의 고시 이전에 건축된 건물이기만 하면 손실보상의 대상이 된다. (○, ×)　　　　　2016 경행경채

12. 지장물인 건물은 적법한 건축허가를 받아 건축된 건물이 아니면 손실보상의 대상이 되지 않는다. (○, ×)　2015 경행특채 1차

13. 지장물인 건물은 적법한 건축허가를 받아 건축된 건물만이 손실보상의 대상이 된다. (○, ×)　　　2011 지방직(하) 7급

④ 관련 기출

14. 문화적·학술적 가치는 특별한 사정이 없는 한 그 토지의 부동산으로서의 경제적·재산적 가치를 높여주는 것이므로 토지수용법 제51조 소정의 손실보상의 대상이 된다. (○, ×)　2016 경행경채

15. 토지의 문화적·학술적 가치는 특별한 사정이 없는 한 손실보상의 대상이 되지 않는다. (○, ×)　　　　　2012 국가직 9급

16. 문화적·학술적 가치는 특별한 사정이 없는 한 손실보상의 대상이 되지 않는다. (○, ×)　　　　　　2011 지방직 7급

17. 자연적·문화적·학술적 가치도 특별한 사정이 없는 한 손실보상의 대상이 된다고 보는 것이 대법원 판례의 입장이다. (○, ×)
2009 관세사

정답　1. ×　2. ×　3. ○　4. ×　5. ○　6. ×　7. ○　8. ×　9. ×　10. ○
　　　11. ○　12. ×　13. ×　14. ×　15. ○　16. ○　17. ×

15
□□□

수용 또는 행정상 손실보상에 관한 다음 설명 중 판례의 입장에 부합하는 것을 모두 고른 것은?

㉮ 개발제한구역지정으로 인하여 토지를 종래의 목적으로도 사용할 수 없거나 또는 더 이상 법적으로 허용된 토지이용의 방법이 없기 때문에 실질적으로 토지의 사용·수익의 길이 없는 경우에는 토지소유자가 수인해야 하는 사회적 제약의 한계를 넘는 것으로 보아야 한다.

㉯ 재산권침해에 대한 보상인 행정상 손실보상에서 재산권이란 일체의 재산적 가치 있는 권리를 의미하나 그 성격상 공권은 여기서의 재산권에 포함되지 않는다.

㉰ 헌법재판소는 개발제한구역지정으로 인하여 지가의 하락 또는 지가상승률의 상대적 감소가 있는 경우 이는 사회적 제약범위 내에 있는 것이라고 본다.

㉱ 「산업입지 및 개발에 관한 법률」에서 민간기업에 산업단지개발사업에 필요한 토지 등을 수용할 수 있도록 규정한 조항은 헌법 제23조 제3항에 위반되지 않는다.

㉲ 공공사업의 시행으로 사업시행지 이외의 주변토지의 소유자에게 미치는 손실을 간접손실이라고 하며 판례는 이러한 간접손실은 헌법 제23조 제3항에 규정한 손실보상의 대상이 될 수 없다고 한다.

㉳ 「공익사업을 위한 토지 등의 취득 및 보상에 관한 법률」에 의한 보상합의는 공법상 계약의 실질을 가지는 것이다.

① ㉮, ㉯, ㉲, ㉳
② ㉮, ㉰, ㉱
③ ㉯, ㉰, ㉱, ㉲
④ ㉰, ㉱, ㉲

✅ 기출체크

㉮ 관련 기출

1. 토지를 종래의 목적으로도 사용할 수 없는 경우에는 토지소유자가 수인해야 할 사회적 제약의 한계를 넘는 것으로 보아야 한다.
(○, ×)　　　　　　　　　　2019 사회복지직 9급

2. 개발제한구역지정으로 인하여 토지를 종래의 목적으로 사용할 수 없거나 또는 더 이상 법적으로 허용된 토지이용의 방법이 없기 때문에 실질적으로 토지의 사용·수익의 길이 없는 경우에도 토지소유자가 수인해야 하는 사회적 제약의 한계를 넘는 것으로 볼 수 없다. (○, ×)　　　　　2015 경행특채 1차

3. 구 도시계획법에 따른 개발제한구역제도는 합헌이기에 개발제한구역으로 지정된 토지를 실질적으로 사용·수익할 수 없어 사회적 제약을 초과하는 가혹한 부담이 발생하더라도 보상 없이 감수하도록 하는 것도 합헌이다. (○, ×)　　2011 사회복지직 9급

4. 토지를 종래의 목적으로 사용할 수 없거나 더 이상 법상 허용된 이용방법이 없는 경우에 해당하지 않는 제약은 사회적 제약의 범주 내에 있는 것이고, 그렇지 않은 제약은 손실을 완화하는 보상적 조치가 있어야 비로소 허용되는 범주 내에 있는 것이다. (○, ×)
2008 지방직 9급

㉯ 관련 기출

5. 손실보상청구권을 공권으로 보게 되면 손실보상청구권을 발생시키는 침해의 대상이 되는 재산권에는 공법상의 권리만이 포함될 뿐 사법상의 권리는 포함되지 않는다. (○, ×)　　2017 국가직 9급

6. 손실보상청구권을 발생시키는 침해는 재산권에 대한 것이면 족하며 재산권의 종류는 불문한다. (○, ×)　　2014 서울시 9급

7. 손실보상은 재산권침해에 대한 보상이며, 여기서 재산권침해란 재산적 가치가 있는 공권을 제외한 모든 사권(私權)의 침해를 의미한다. (○, ×)　　　　　　　　　　2014 국회직 8급

8. 특허권을 수용한 경우에도 손실보상의 원인이 된다. (○, ×)
2001 국가직 7급

㉰ 관련 기출

9. 개발제한구역지정으로 인한 지가의 하락은 원칙적으로 토지소유자가 감수해야 하는 사회적 제약의 범주에 속하나, 지가의 하락이 20% 이상으로 과도한 경우에는 특별한 희생에 해당한다. (○, ×)
2018 서울시 9급

10. 개발제한구역의 지정으로 인한 지가의 하락은 토지소유자가 수인해야 하는 사회적 제약의 한계를 넘는 것으로, 아무런 보상 없이 이를 감수하도록 하고 있는 한, 헌법에 위반된다. (○, ×)
2012 국가직 7급

11. 공용수용은 공공필요에 부합하여야 하므로, 수용 등의 주체를 국가 등의 공적 기관에 한정하여야 한다. (O, X) 2021 국가직 7급

12. 민간기업도 토지수용의 주체가 될 수 있다. (O, X)
2021 군무원 7급

13. 우리 헌법상 수용의 주체를 국가로 한정하고 있지 않으므로 민간기업도 수용의 주체가 될 수 있다. (O, X) 2019 사회복지직 9급

14. 민간기업을 토지수용의 주체로 정한 법률조항도 헌법 제23조 제3항에서 정한 '공공필요'를 충족하면 헌법에 위반되지 아니한다.
(O, X) 2016 서울시 9급

15. 헌법재판소는 「산업입지 및 개발에 관한 법률」에서 민간기업에게 산업단지개발사업에 필요한 토지 등을 수용할 수 있도록 규정한 조항이 헌법 제23조 제3항에 위반되지 않는다고 판시하였다.
(O, X) 2014 사회복지직 9급

ⓜ 관련 기출

16. 공유수면매립으로 인하여 위탁판매수수료 수입을 상실한 수산업협동조합에 대해서는 법률의 보상규정이 없더라도 손실보상의 대상이 된다. (O, X) 2021 군무원 7급

17. 간접적 영업손실은 특별한 희생이 될 수 없다. (O, X)
2019 사회복지직 9급

18. 공공사업시행으로 사업시행지 밖에서 발생한 간접손실은 손실발생을 쉽게 예견할 수 있고 손실범위도 구체적으로 특정할 수 있더라도, 사업시행자와 협의가 이루어지지 않고 그 보상에 관한 명문의 근거법령이 없는 경우에는 보상의 대상이 아니다. (O, X)
2019 국가직 7급

19. 공공사업의 시행으로 인하여 사업지구 밖에서 수산제조업에 대한 간접손실이 발생하리라는 것을 쉽게 예견할 수 있고 그 손실의 범위도 구체적으로 특정할 수 있는 경우라면, 그 손실의 보상에 관하여 구 「공공용지의 취득 및 손실보상에 관한 특례법 시행규칙」의 간접보상규정을 유추적용할 수 있다. (O, X) 2015 국회직 8급

20. 수산업협동조합이 관계법령에 의하여 대상지역에서의 독점적 지위가 부여되어 있던 위탁판매사업을 공유수면매립으로 인해 중단하게 되어 입은 위탁판매수수료 수입손실에 대하여 판례는 보상을 인정한 바 있다. (O, X) 2006 국회직 8급

ⓑ 관련 기출

21. 「공익사업을 위한 토지 등의 취득 및 보상에 관한 법률」에 의한 보상합의는 공공기관이 사경제주체로서 행하는 사법상 계약의 실질을 가진다. (O, X) 2020 군무원 7급, 2019 지방직 · 교육행정직 9급

정답 1. O 2. X 3. X 4. O 5. X 6. O 7. X 8. O 9. X 10. X
11. X 12. O 13. O 14. O 15. O 16. O 17. X 18. X 19. O
20. O 21. O

16

행정상 손실보상에 관한 다음 기술 중 옳은 것은? (다툼이 있는 경우 판례에 의함)

① 「공익사업을 위한 토지 등의 취득 및 보상에 관한 법률」상 주거용 건축물 세입자의 주거이전비 보상청구권은 사법상의 권리이고, 주거이전비 보상청구소송은 민사소송에 의하여야 한다.

② 공공용물에 관하여 적법한 개발행위 등이 이루어져 일정 범위의 사람들의 일반사용이 종전에 비하여 제한받게 되었다면 이는 특별한 손실에 해당한다.

③ 사업시행자는 동일한 소유자에게 속하는 일단의 토지의 일부를 취득하거나 사용하는 경우 해당 공익사업의 시행으로 인하여 잔여지의 가격이 증가하거나 그 밖의 이익이 발생한 경우, 그 이익을 그 취득 또는 사용으로 인한 손실과 상계할 수 없다.

④ 영업손실에 관한 보상에서 영업의 폐지와 휴업의 구별 기준은 영업을 다른 장소로 이전하는 것이 가능한지가 아니라 실제로 이전하였는지에 달려 있다.

✅ 기출체크

① 관련 기출

1. 「공익사업을 위한 토지 등의 취득 및 보상에 관한 법률」상 주거용 건축물 세입자의 주거이전비 보상청구권은 사법상의 권리이고, 주거이전비 보상청구소송은 민사소송에 의해야 한다. (O, X)
2019 국가직 7급

2. 「공익사업을 위한 토지 등의 취득 및 보상에 관한 법률」상의 주거이전비 보상청구소송(은 공법상 당사자소송에 해당한다) (O, X)
2015 지방직 7급

3. 공익사업의 시행으로 인하여 이주하는 주거용 건축물의 세입자에게 인정되는 주거이전비 보상청구권은 민법상의 권리이다. (O, X)
2010 서울시 9급

② 관련 기출

4. 공공용물에 관하여 적법한 개발행위 등이 이루어져 일정 범위의 사람들의 일반사용이 종전에 비하여 제한받게 되었다 하더라도 특별한 사정이 없는 한 이는 특별한 손실에 해당한다고 할 수 없다.
(O, X) 2018 서울시 9급

5. 공공용물에 관하여 적법한 개발행위 등이 이루어짐으로 말미암아 이에 대한 일정 범위의 사람들의 일반사용이 종전에 비하여 제한받게 되었다면, 특별한 사정이 없는 한 그로 인한 불이익은 손실보상의 대상이 되는 특별한 손실에 해당한다. (O, X) 2016 경행경채

6. 공공용물에 대한 일반사용은 다른 개인의 자유이용과 국가 또는 지방자치단체 등의 공공목적을 위한 개발 또는 관리 · 보존행위를 방해하지 않는 범위 내에서만 허용된다 할 것이므로, 적법한 개발행위 등이 이루어짐으로 말미암아 발생한 불이익은 특별한 사정이 없는 한 손실보상의 대상이 되는 특별한 손실에 해당한다고 할 수 없다. (O, X) 2016 서울시 7급

7. 공공용물에 관하여 적법한 개발행위 등이 이루어짐으로 말미암아 이에 대한 일정 범위의 사람들의 일반사용이 종전에 비하여 제한받게 되었다 하더라도 특별한 사정이 없는 한 그로 인한 불이익은 손실보상의 대상이 되는 특별한 손실에 해당한다고 할 수 없다. (○, ×) 2011 국가직 9급

③ 관련 기출

8. 사업시행자는 동일한 소유자에게 속하는 일단의 토지의 일부를 취득하거나 사용하는 경우, 해당 공익사업의 시행으로 인하여 잔여지의 가격이 증가하거나 그 밖의 이익이 발생한 경우에도 그 이익을 취득 또는 사용으로 인한 손실과 상계할 수 없다. (○, ×) 2020 국회직 8급, 2013 국가직 9급

④ 관련 기출

9. 영업손실에 관한 보상에 있어서 영업의 휴업과 폐지를 구별하는 기준은 당해 영업을 다른 장소로 실제로 이전하였는지의 여부에 달려 있는 것이 아니라, 당해 영업을 그 영업소 소재지나 인접 시·군 또는 구지역 안의 다른 장소로 이전하는 것이 가능한지의 여부에 달려 있다. (○, ×) 2011 경행특채

10. 영업손실에 관한 보상에 있어서 영업의 휴업과 폐지를 구별하는 기준은 당해 영업을 다른 장소로 실제로 이전하였는지의 여부에 달려 있다. (○, ×) 2008 지방직 7급

11. 영업의 휴업과 폐지를 구별하는 기준은 당해 영업을 그 영업소 소재지나 인접지역의 다른 장소로 이전이 가능한지의 여부에 달려 있다. (○, ×) 2007 대구시 9급

정답 1. × 2. ○ 3. × 4. ○ 5. × 6. ○ 7. ○ 8. ○ 9. ○ 10. × 11. ○

✅ **기출체크**

① 관련 기출

1. 「공익사업을 위한 토지 등의 취득 및 보상에 관한 법률」상 보상액의 산정은 협의에 의한 경우에는 협의성립 당시의 가격을, 재결에 의한 경우에는 수용 또는 사용의 재결 당시의 가격을 기준으로 한다. (○, ×) 2019 행정사, 2018 경행경채 3차, 2017 서울시 9급, 2014 사회복지직 9급

② 관련 기출

2. 「공익사업을 위한 토지 등의 취득 및 보상에 관한 법률」상 토지수용으로 인한 손실보상액은 당해 공공사업의 시행을 직접 목적으로 하는 계획의 승인·고시로 인한 가격변동을 고려함이 없이 수용재결 당시의 가격을 기준으로 하여 정하여야 한다. (○, ×) 2014 국가직 7급

3. 토지수용보상액 산정시 당해 공공사업의 시행을 직접 목적으로 하는 계획의 승인·고시로 인한 가격변동은 고려하여야 한다. (○, ×) 2008 지방직 7급

③④ 관련 기출

4. 토지수용법(현 토지보상법) 제51조가 규정하고 있는 '영업상의 손실'이란 수용의 대상이 된 토지·건물 등을 이용하여 영업을 하다가 그 토지·건물 등이 수용됨으로 인하여 영업을 할 수 없거나 제한을 받게 됨으로 인하여 생기는 직접적인 손실을 말한다. (○, ×) 2015 경행특채 2차

5. 구 토지수용법 제51조는 영업을 하기 위하여 투자한 비용이나 그 영업을 통하여 얻을 것으로 기대되는 이익에 대한 손실보상의 근거 규정이 될 수 없고, 그 보상의 기준과 방법 등에 관한 규정이 없어도 이러한 손실은 그 보상의 대상이 된다. (○, ×) 2011 경행특채

정답 1. ○ 2. ○ 3. × 4. ○ 5. ×

17 ☐☐☐

행정상 손실보상에 관한 다음 기술 중 옳지 않은 것은? (다툼이 있는 경우 판례에 의함)

① 보상액의 산정은 협의에 의한 경우에는 협의성립 당시의 가격을, 재결에 의한 경우에는 수용 또는 사용의 재결 당시의 가격을 기준으로 한다.

② 토지수용으로 인한 손실보상액은 당해 공공사업의 시행을 직접 목적으로 하는 계획의 승인·고시로 인한 가격변동을 고려함이 없이 수용재결 당시의 가격을 기준으로 하여 정하여야 한다.

③ 구 토지수용법 제51조가 규정하고 있는 '영업상의 손실'이란 수용의 대상이 된 토지·건물 등을 이용하여 영업을 하다가 그 토지·건물 등이 수용됨으로 인하여 영업을 할 수 없거나 제한을 받게 됨으로 인하여 생기는 직접적인 손실을 말하는 것이다.

④ 영업을 하기 위하여 투자한 비용이나 그 영업을 통하여 얻을 것으로 기대되는 이익도 영업상의 손실에 해당하므로 보상대상이 된다.

18 ☐☐☐

「공익사업을 위한 토지 등의 취득 및 보상에 관한 법률」상 손실보상과 관련한 다음 기술 중 옳은 것으로만 묶인 것은?

㉮ 손실보상의 지급에서는 개인별 보상이 아니라 물건별 보상의 원칙이 적용된다.

㉯ 손실보상은 원칙적으로 토지 등의 현물로 보상하여야 함이 원칙이다.

㉰ 동일한 사업지역에 보상시기를 달리하는 동일인 소유의 토지 등이 여러 개 있는 경우 토지소유자나 관계인이 요구할 때에는 한꺼번에 보상금을 지급하도록 하여야 한다.

㉱ 공익사업에 필요한 토지 등의 취득 또는 사용으로 인하여 토지소유자나 관계인이 입은 손실은 토지수용위원회가 보상하여야 한다.

⑰ 「공익사업을 위한 토지 등의 취득 및 보상에 관한 법률」 제85조 제2항에 의하면, 동법 제1항에 따라 제기하려는 행정소송이 보상금의 증감에 관한 소송인 경우, 그 소송을 제기하는 자가 토지소유자 또는 관계인일 때에는 사업시행자를, 사업시행자일 때에는 토지소유자 또는 관계인을 각각 피고로 한다.

⑱ 「공익사업을 위한 토지 등의 취득 및 보상에 관한 법률」상 보상의 대상이 되는 자는 공익사업에 필요한 토지의 소유자 및 관계인인바, 여기의 관계인에는 수거·철거권 등 실질적 처분권을 가지는 자도 포함된다.

① ㉮, ㉯, ㉺   ② ㉯, ㉺, ㉞
③ ㉠, ㉺, ㉲   ④ ㉠, ㉞, ㉲

✅ 기출체크

㉮ 관련 기출

1. 「공익사업을 위한 토지 등의 취득 및 보상에 관한 법률」에 따른 보상은 토지소유자나 관계인 개인별로 하는 것이 아니라 수용 또는 사용의 대상이 되는 물건별로 행해지는 것이다. (○, ×)
   2021 국가직 7급

2. 손실보상은 토지소유자나 관계인에게 개인별로 하여야 한다. 다만, 개인별로 보상액을 산정할 수 없을 때에는 그러하지 아니하다. (○, ×)
   2020 국회직 8급

3. 「공익사업을 위한 토지 등의 취득 및 보상에 관한 법률」상 손실보상 지급 원칙으로 가장 적절하지 않은 것은?   2014 경행특채 2차
   ① 물건별 보상의 원칙   ② 사업시행자 보상의 원칙
   ③ 사전보상의 원칙   ④ 현금보상의 원칙

4. 손실보상의 지급에서는 개인별 보상의 원칙이 적용된다. (○, ×)
   2012 국가직 9급

㉯ 관련 기출

5. 「공익사업을 위한 토지 등의 취득 및 보상에 관한 법률」상 손실보상은 원칙적으로 토지 등의 현물로 보상하여야 하고, 현금으로 지급하는 것은 다른 법률에 특별한 규정이 있는 경우에 예외적으로 허용된다. (○, ×)
   2017 국가직(하) 9급

6. 손실보상은 현금보상이 원칙이나 일정한 경우에는 채권이나 현물로 보상할 수 있다. (○, ×)
   2014 국가직 7급

7. 「공익사업을 위한 토지 등의 취득 및 보상에 관한 법률」에 의할 때 보상금지급의 원칙으로 옳지 않은 것은?   2007 국가직 9급
   ① 현물보상의 원칙   ② 개인별 보상의 원칙
   ③ 사전보상의 원칙   ④ 사업시행자보상의 원칙

㉠ 관련 기출

8. 동일한 사업지역에 보상시기를 달리하는 동일인 소유의 토지 등이 여러 개 있는 경우 토지소유자나 관계인이 요구할 때에는 한꺼번에 보상금을 지급하도록 하여야 한다. (○, ×)   2017 서울시 9급

9. 사업시행자는 동일한 사업지역에 보상시기를 달리하는 동일인 소유의 토지 등이 여러 개 있는 경우 토지소유자나 관계인이 요구할 때에는 한꺼번에 보상금을 지급하도록 하여야 한다. (○, ×)
   2013 국가직 9급, 2011 지방직(하) 7급

㉺ 관련 기출

10. 공익사업에 필요한 토지 등의 취득 및 사용으로 인하여 토지소유자나 관계인이 입은 손실은 사업시행자가 보상하여야 한다.
    (○, ×)   2020 국회직 8급, 2017 서울시 9급, 2013 국가직 9급

㉞ 관련 기출

11. 「공익사업을 위한 토지 등의 취득 및 보상에 관한 법률」상 보상금증액소송은 처분청인 토지수용위원회를 피고로 한다. (○, ×)
    2021 국가직 7급

12. 토지소유자가 손실보상금의 액수를 다투고자 할 경우에는 사업시행자가 아니라 토지수용위원회를 상대로 보상금의 증액을 구하는 소송을 제기하여야 한다. (○, ×)   2016 서울시 9급

13. 「공익사업을 위한 토지 등의 취득 및 보상에 관한 법률」에 의하여 토지를 수용당한 자가 제기하는 보상금증액소송의 상대방은 사업시행자이다. (○, ×)   2015 국회직 8급

14. 「공익사업을 위한 토지 등의 취득 및 보상에 관한 법률」상 토지소유자가 보상금의 증감에 관한 소송을 제기하고자 하는 경우에는 지방토지수용위원회 또는 중앙토지수용위원회를 피고로 행정소송을 제기하여야 한다. (○, ×)   2014 사회복지직 9급

㉲ 관련 기출

15. 「공익사업을 위한 토지 등의 취득 및 보상에 관한 법률」상 보상 대상이 되는 '기타 토지에 정착한 물건에 대한 소유권 그 밖의 권리를 가진 관계인'에는 수거·철거권 등 실질적 처분권을 가진 자도 포함된다. (○, ×)   2021 국가직 7급

정답 1. × 2. ○ 3. ① 4. ○ 5. × 6. ○ 7. ① 8. ○ 9. ○ 10. ○
11. × 12. × 13. ○ 14. × 15. ○

19   □□□

행정상 손실보상에 관한 다음 기술 중 옳지 않은 것을 모두 고른 것은? (다툼이 있는 경우 판례에 의함)

㉮ 이주대책은 이주자들에게 종전의 생활상태를 회복시키기 위한 생활보상의 일환으로서 국가의 정책적인 배려에 의하여 마련된 제도이므로, 이주대책의 실시 여부는 입법자의 입법정책적 재량의 영역에 속한다.

㉯ 세입자를 이주대책대상자에서 제외하는 것은 세입자의 평등권과 재산권을 침해한다.

㉠ 이주대책은 생활보상의 한 내용이므로 이주대책이 수립되면 이주자들에게는 구체적인 권리가 발생하며, 사업시행자의 확인·결정이 있어야만 구체적인 수분양권이 발생하는 것은 아니다.

㉺ 구 「공익사업을 위한 토지 등의 취득 및 보상에 관한 법률」에 의한 잔여지수용청구를 받아들이지 않은 토지수용위원회의 재결은 항고소송의 대상이므로 토지소유자는 이러한 재결에 대해 항고소송으로 다툴 수 있다.

① ㉮, ㉯   ② ㉮, ㉠, ㉺
③ ㉯, ㉠   ④ ㉯, ㉠, ㉺

㉮㉯ 관련 기출

1. 이주대책은 생활보상의 일환으로 국가의 적극적이고 정책적인 배려에 의하여 마련된 제도이다. (○, ×)
2020 국회직 8급, 2010 서울시 9급

2. 헌법재판소는 헌법 제23조 제3항의 정당한 보상에 세입자의 이주대책까지 포함된다고 본다. (○, ×)
2018 교육행정직 9급

3. 이주대책의 실시 여부는 입법자의 입법정책적 재량의 영역에 속한다. (○, ×)
2015 국회직 8급, 2011 사회복지직 9급

4. 「공익사업을 위한 토지 등의 취득 및 보상에 관한 법률」상 이주대책은 이주대책대상자들에 대하여 종전의 생활상태를 원상으로 회복시키면서 동시에 인간다운 생활을 보장하여 주기 위한 생활보상의 일환이다. (○, ×)
2014 사회복지직 9급

5. (판례에 따르면) 이주대책은 그 본래의 취지에 있어 이주자들에 대하여 종전의 생활상태를 원상으로 회복시키면서 동시에 인간다운 생활을 보장하여 주기 위한 이른바 생활보상의 일환으로 국가의 적극적이고 정책적인 배려에 의하여 마련된 제도이다. (○, ×)
2010 지방직 7급

㉰ 관련 기출

6. 사업시행자가 이주대책에 관한 구체적인 계획을 수립하여 이를 해당자에게 통지 내지 공고하게 되면 이주대책대상자에게 구체적인 수분양권이 발생하게 된다. (○, ×)
2021 국회직 8급

7. 이주대책은 이른바 생활보상에 해당하는 것으로서 헌법 제23조 제3항이 규정하는 손실보상의 한 형태로 보아야 하므로, 법률이 사업시행자에게 이주대책의 수립·실시의무를 부과하였다면 이로부터 사업시행자가 수립한 이주대책상의 택지분양권 등의 구체적 권리가 이주자에게 직접 발생한다. (○, ×)
2019 국가직 7급

8. 이주대책대상자로 확인·결정이 되어야 이주대책대상자가 비로소 수분양권을 취득한다. (○, ×)
2015 국회직 8급

9. 사업시행자가 실제로 이주대책을 수립하기 이전에도 이주대책대상자에게는 구체적인 수분양권이 발생하게 된다. (○, ×)
2011 사회복지직 9급

㉱ 관련 기출

10. 「공익사업을 위한 토지 등의 취득 및 보상에 관한 법률」상 잔여지수용청구를 받아들이지 않은 토지수용위원회의 재결에 대하여 토지소유자가 불복하여 제기하는 소송은 항고소송에 해당하여 토지수용위원회를 피고로 하여야 한다. (○, ×)
2020 군무원 7급

11. 「공익사업을 위한 토지 등의 취득 및 보상에 관한 법률」에 의한 잔여지수용청구를 받아들이지 않은 토지수용위원회의 재결에 대하여 토지소유자가 불복하여 제기하는 소송은 항고소송에 해당한다. (○, ×)
2019 지방직·교육행정직 9급

12. 「공익사업을 위한 토지 등의 취득 및 보상에 관한 법률」상 잔여지수용청구권은 형성권적 성질을 가지므로, 잔여지수용청구를 받아들이지 않은 재결에 대하여 토지소유자가 불복하여 제기하는 소송은 보상금증감청구소송에 해당한다. (○, ×) 2017 지방직(하) 9급

13. (「공익사업을 위한 토지 등의 취득 및 보상에 관한 법률」상 토지수용에 따른 권리구제에서) 잔여지수용청구를 받아들이지 않는 토지수용위원회의 재결에 대해서는 취소소송을 제기할 수 있다. (○, ×)
2017 사회복지직 9급

정답 1. ○ 2. × 3. ○ 4. ○ 5. ○ 6. × 7. × 8. ○ 9. × 10. ×
11. × 12. ○ 13. ×

20
□□□

결과제거청구권에 관한 다음 기술 중 옳은 것은? (다툼이 있는 경우 판례에 의함)

① 위법상태는 가해자의 고의 또는 과실에 기인한 것이어야 한다.
② 공법상 결과제거청구권의 대상은 가해행위와 상당인과관계가 있는 손해이며 원상회복이 행정주체에게 기대가능한 것이어야 한다.
③ 결과제거청구권과 손해배상청구권이 그 청구의 요건과 내용에 있어 차이가 있더라도 양자는 병존할 수 없다.
④ 당초에는 적법한 행정행위가 후에 위법하게 된 경우에도 결과제거청구권이 인정될 수 있다.

① 관련 기출

1. 공법상 결과제거청구는 가해행위의 위법 및 가해자의 고의 또는 과실을 요건으로 한다. (○, ×) 2010 지방직 7급

② 관련 기출

2. 공법상 결과제거청구권의 대상은 가해행위와 상당인과관계가 있는 손해이다. (○, ×) 2021 군무원 9급

3. 원상회복이 행정주체에게 기대가능한 것이어야 한다. (○, ×)
2021 군무원 9급

4. 공법상 결과제거청구권은 공행정작용의 직접적인 결과만을 그 대상으로 한다. (○, ×) 2010 지방직 7급

③ 관련 기출

5. 결과제거청구권과 손해배상청구권은 병존할 수 없다. (○, ×)
2010 경북교행

④ 관련 기출

6. 공법상 결과제거청구에 있어서 위법한 상태는 적법한 행정작용의 효력의 상실에 의해 사후적으로 발생할 수도 있다. (○, ×)
2010 지방직 7급

정답 1. × 2. × 3. ○ 4. ○ 5. × 6. ○

01 ☐☐☐

행정심판에 관한 다음 기술 중 옳지 않은 것은? (다툼이 있는 경우 판례에 의함)

① 행정심판절차에서 청구인들이 당사자가 아닌 자를 선정대표자로 선정하였다면 그러한 선정행위는 무효라는 것이 판례의 입장이다.

② 과세처분에 관한 이의신청절차에서 과세관청이 이의신청사유가 옳다고 인정하여 과세처분을 직권으로 취소한 후, 특별한 사유 없이 이를 번복하여 종전 처분과 동일한 내용의 처분을 할 수는 없다.

③ 행정심판청구는 엄격한 형식을 요하지 않는 서면행위로 해석되므로 진정이라는 표현을 사용하더라도 그것이 실제로 행정심판의 실체를 가진다면 행정심판으로 다룰 수 있다.

④ 대통령의 일반국민에 대한 처분에 대해서는 원칙적으로 소속장관을 피청구인으로 하여 행정심판을 청구할 수 있다.

✔ 기출체크

① 관련 기출

1. 행정심판절차에서 청구인들이 '당사자 아닌 자'를 선정대표자로 선정한 행위는 무효이다. (○, ×) 2008 국회직 8급

② 관련 기출

2. 과세처분에 대해 이의신청을 하고 이에 따라 직권취소가 이루어졌다면 특별한 사정이 없는 한 불가변력이 발생한다. (○, ×)
2020 국회직 8급

3. 국세기본법의 관련규정들의 취지에 비추어 볼 때 동일 사항에 관하여 특별한 사유 없이 종전 처분에 대한 취소를 번복하고 다시 종전 처분을 되풀이할 수는 없는 것이므로, 과세처분에 관한 이의신청절차에서 과세관청이 과세처분을 직권으로 취소한 이상 그 후 특별한 사유 없이 이를 번복하고 종전 처분을 되풀이하는 것은 허용되지 않는다. (○, ×) 2020 변호사

4. 과세처분에 관한 이의신청절차에서 과세관청이 이의신청사유가 옳다고 인정하여 과세처분을 직권으로 취소한 이상 그 후 특별한 사유 없이 이를 번복하고 종전 처분을 되풀이하는 것은 허용되지 않는다. (○, ×) 2016 국가직 7급, 2011 지방직(하) 7급

5. 과세처분에 대한 이의신청에 따른 직권취소에도 특별한 사정이 없는 한 불가변력을 인정한다. (○, ×) 2011 국회직 8급

③ 관련 기출

6. 행정심판청구는 엄격한 형식을 요하지 않는 서면행위로 해석된다. (○, ×) 2018 서울시 9급

7. 진정이라는 표현을 사용하면 그것이 실제로 행정심판의 실체를 가지더라도 행정심판으로 다툴 수 없다. (○, ×) 2016 국회직 8급

8. 행정심판청구서의 형식을 다 갖추지 않았다면 비록 그 문서내용이 행정심판의 청구를 구하는 것을 내용으로 하더라도 부적법하다. (○, ×) 2012 지방직(하) 9급

④ 관련 기출

9. 행정청의 처분 또는 부작위에 대하여는 다른 법률에 특별한 규정이 있는 경우 외에는 행정심판법에 따라 행정심판을 청구할 수 있다. (○, ×) 2020 군무원 9급

10. (행정심판법상) 대통령의 처분 또는 부작위에 대하여는 다른 법률에서 행정심판을 청구할 수 있도록 정한 경우 외에는 행정심판을 청구할 수 없다. (○, ×)
2020 군무원 9급, 2019 국가직 9급, 2019 서울시 2회 7급

정답 1. ○ 2. ○ 3. ○ 4. ○ 5. ○ 6. ○ 7. × 8. × 9. ○ 10. ○

02 ☐☐☐

행정심판의 당사자에 관한 다음 기술 중 옳은 것은?

① 법인이 아닌 사단 또는 재단의 경우에는 법인격 있는 사단 또는 재단과 달리 그 사단이나 재단의 이름으로 심판청구를 할 수 없다.

② 청구인이 사망한 경우에는 상속인이나 그 밖에 법령에 따라 심판청구의 대상에 관계되는 권리나 이익을 승계한 자가 행정심판위원회의 허가를 받아 청구인의 지위를 승계한다.

③ 청구인이 피청구인을 잘못 지정한 경우, 행정심판위원회는 청구인의 신청이 있는 경우에 한해 피청구인을 경정할 수 있을 뿐 직권으로 경정할 수는 없다.

④ 피청구인에 대한 경정결정이 있은 때에는 종전의 피청구인에 대한 심판청구는 취하되고, 처음에 심판청구를 한 때에 새로운 피청구인에 대한 심판청구가 제기된 것으로 본다.

① 관련 기출

1. 종중이나 교회와 같은 비법인사단은 사단 자체의 명의로 행정심판을 청구할 수 없고 대표자가 청구인이 되어 행정심판을 청구하여야 한다. (O, ×)　2018 국가직 9급

2. 법인이 아닌 사단 또는 재단으로서 대표자나 관리인이 정하여져 있는 경우에는 그 대표자나 관리인의 이름으로 심판청구를 할 수 있다. (O, ×)　2018 국회직 8급

3. 법인이 아닌 사단 또는 재단으로서 대표자나 관리인이 정하여져 있는 경우에는 그 사단이나 재단의 이름으로 심판청구를 할 수 있다. (O, ×)　2015 서울시 9급

② 관련 기출

4. 행정심판의 대상과 관련되는 권리나 이익을 양수한 특정승계인은 행정심판위원회의 허가를 받아 청구인의 지위를 승계할 수 있다. (O, ×)　2018 국가직 9급

5. 심판청구의 대상과 관계되는 권리나 이익을 양수한 자는 행정심판위원회의 허가를 받아 청구인의 지위를 승계할 수 있다. (O, ×)　2018 국회직 8급

③ 관련 기출

6. 피청구인의 경정은 행정심판위원회에서 결정하며 언제나 당사자의 신청을 전제로 한다. (O, ×)　2020 지방직·서울시 7급

7. 청구인이 피청구인을 잘못 지정한 경우에는 (행정심판)위원회는 직권으로 또는 당사자의 신청에 의하여 결정으로써 피청구인을 경정할 수 있다. (O, ×)　2018 국회직 8급

8. 행정심판의 제기에 있어서 청구인이 피청구인을 잘못 지정한 경우에 행정심판위원회는 직권으로 또는 당사자의 신청에 의하여 결정으로써 피청구인을 경정할 수 있다. (O, ×)　2015 경행특채 1차

④ 관련 기출

9. 피청구인의 경정이 있으면 심판청구는 피청구인의 경정시에 제기된 것으로 본다. (O, ×)　2018 서울시 1회 7급

10. 피청구인에 대한 경정결정이 있는 때에는 종전의 피청구인에 대한 심판청구는 취하되고, 새로운 피청구인에 대한 심판청구가 처음에 심판청구를 한 때에 제기된 것으로 본다. (O, ×)
2004 관세사

정답 1. × 2. × 3. O 4. O 5. O 6. × 7. O 8. O 9. × 10. O

03

□□□

행정심판위원회와 관련된 다음 기술 중 옳은 것을 모두 고른 것은?

㉮ 행정심판위원회는 심판청구사건에 대하여 심리권과 재결권을 가지며 행정심판위원회는 행정기관 중 행정청에 해당한다.

㉯ 행정심판에는 당사자주의가 적용되므로 행정심판위원회는 당사자가 주장하지 않은 사실에 대하여는 심리할 수 없다.

㉰ 행정심판위원회는 합의제 행정기관이며, 국민권익위원회에 설치되는 중앙행정심판위원회는 위원장 1명을 포함한 70명 이내의 위원으로 구성하되 위원 중 상임위원은 4명 이내로 한다.

㉱ 중앙행정심판위원회의 위원장은 원칙적으로 국민권익위원회의 부위원장 중 1명이 되며, 위원장이 없거나 부득이한 사유로 직무를 수행할 수 없거나 위원장이 필요하다고 인정하는 경우에는 국민권익위원회의 다른 부위원장이 위원장의 직무를 대행한다.

㉲ 중앙행정심판위원회의 비상임위원은 일정한 요건을 갖춘 사람 중에서 중앙행정심판위원회 위원장의 제청으로 국무총리가 성별을 고려하여 위촉하며, 중앙행정심판위원회의 회의는 위원장, 상임위원 및 위원장이 회의마다 지정하는 비상임위원을 포함하여 총 9명으로 구성한다.

㉳ 중앙행정심판위원회는 심판청구를 심리·재결할 때에 처분 또는 부작위의 근거가 되는 명령 등이 상위법령에 위반되면 관계행정기관에 그 명령 등의 개정·폐지 등 적절한 시정조치를 요청할 수 있고, 그 사실을 법무부장관에게 통보하여야 한다.

① ㉮, ㉰, ㉲　　② ㉯, ㉱, ㉳

③ ㉰, ㉱, ㉲　　④ ㉱, ㉲, ㉳

㉮ 관련 기출

1. 시·도행정심판위원회와 중앙행정심판위원회는 모두 행정심판의 심리권한과 재결권한을 가진다. (O, ×)　2018 교육행정직 9급

2. 행정심판위원회는 심판청구사건에 대하여 심리권과 재결권을 가진다. (O, ×)　2013 국회속기직 9급

㉯ 관련 기출

3. 행정심판위원회는 필요하면 당사자가 주장하지 아니한 사실에 대하여도 심리할 수 있다. (O, ×)
2019 지방직·교육행정직 9급, 2017 사회복지직 9급

4. 행정심판위원회의 심리는 당사자가 주장한 사실에 한정되지 않으며, 필요한 때에는 당사자가 주장하지 아니한 사실에 대하여도 심리할 수 있다. (O, ×)　2013 지방직(하) 7급

㉰ 관련 기출

5. 중앙행정심판위원회는 위원장 1명을 포함하여 70명 이내의 위원으로 구성한다. (O, ×)　2021 소방직 9급, 2019 소방직 9급

6. 중앙행정심판위원회는 위원장 1명을 포함하여 50명 이내의 위원으로 구성하되 위원 중 상임위원은 5명 이내로 한다. (O, ×)
2019 국회직 8급

7. 행정심판위원회는 제기된 행정심판을 심리·재결하는 기능을 하는 합의제 행정기관이며, 국민권익위원회에 설치되는 중앙행정심판위원회는 위원장 1명을 포함한 70명 이내의 위원으로 구성하되 위원 중 상임위원은 4명 이내로 한다. (O, X) 2010 국회직 8급 변형

㉣ 관련 기출
8. 중앙행정심판위원회의 위원장은 그 행정심판위원회가 소속된 행정청이 되며, 위원장이 부득이한 사유로 직무를 수행할 수 없거나 위원장이 필요하다고 인정하는 경우에는 위원장이 사전에 지명한 위원이 있는 경우 그 위원이 위원장의 직무를 대행한다. (O, X)
2021 국회직 8급

9. 중앙행정심판위원회의 위원장은 국민권익위원회의 부위원장 중 1명이 된다. (O, X) 2019 국회직 8급

10. 중앙행정심판위원회의 위원장은 법제처장이 되고 유고시에는 법제처 차장이 그 직무를 대행한다. (O, X) 2018 교육행정 9급

11. 중앙행정심판위원회의 위원장은 국민권익위원회의 부위원장 중 1명이 되며 필요한 경우에는 상임위원이 그 직무를 대행한다. (O, X) 2011 지방직 9급

12. 중앙행정심판위원회의 위원장은 법제처장이 된다. (O, X) 2009 지방직 9급 변형

㉤ 관련 기출
13. 중앙행정심판위원회의 비상임위원은 일정한 요건을 갖춘 사람 중에서 중앙행정심판위원회 위원장의 제청으로 국무총리가 성별을 고려하여 위촉한다. (O, X) 2021 소방직 9급

14. 중앙행정심판위원회의 회의는 위원장, 상임위원 및 위원장이 회의마다 지정하는 비상임위원을 포함하여 총 15명으로 구성한다. (O, X) 2021 소방직 9급

15. 중앙행정심판위원회의 비상임위원은 변호사 자격을 취득한 후 3년 이상의 실무경험이 있는 사람 중에서 중앙행정심판위원회 위원장의 제청으로 국무총리가 성별을 고려하여 위촉할 수 있다. (O, X) 2019 국회직 8급

16. 중앙행정심판위원회의 회의는 소위원회 회의를 제외하고 위원장, 상임위원 및 위원장이 회의마다 지정하는 비상임위원을 포함하여 총 7명으로 구성한다. (O, X) 2019 국회직 8급

㉥ 관련 기출
17. 중앙행정심판위원회는 심판청구를 심리·재결할 때에 처분 또는 부작위의 근거가 되는 명령 등이 상위법령에 위반되면 관계행정기관에 그 명령 등의 개정·폐지 등 적절한 시정조치를 요청할 수 있고, 그 사실을 법제처장에게 통보하여야 한다. (O, X)
2021 국회직 8급

18. 불합리한 법령 등의 개선을 위한 시정조치요구권(은 행정심판법상 중앙행정심판위원회에만 인정되는 고유한 권한이다) (O, X) 2020 국회직 8급

정답 1. O 2. O 3. O 4. O 5. O 6. X 7. O 8. X 9. O 10. X
11. O 12. X 13. O 14. X 15. X 16. X 17. O 18. O

행정심판의 청구기간에 관한 다음 기술 중 옳지 않은 것은? (다툼이 있는 경우 판례에 의함)

① 청구인이 천재지변·전쟁·사변, 그 밖의 불가항력으로 인하여 처분이 있음을 알게 된 날부터 90일 이내에 심판청구를 할 수 없었을 때에는 그 사유가 소멸한 날부터 14일(국외에서는 30일) 이내에 행정심판을 청구할 수 있다.

② 행정청이 심판청구기간을 고지하지 않은 경우에는 당사자가 처분이 있음을 알았다고 하더라도 처분이 있었던 날부터 180일 이내에 행정심판을 제기할 수 있다.

③ 관계행정기관의 장이 특별행정심판 또는 행정심판법에 따른 행정심판절차에 대한 특례를 신설하거나 변경하는 법령을 제정·개정할 때에는 미리 중앙행정심판위원회의 동의를 구하여야 한다.

④ 행정처분의 직접 상대방이 아닌 제3자는 특별한 사정이 없는 한 180일 기간 적용을 배제할 정당한 사유가 있는 경우에 해당한다고 보아 180일이 경과한 뒤에도 심판청구를 제기할 수 있다고 함이 대법원 판례의 태도이다.

✓ 기출체크

① 관련 기출
1. 행정심판은 처분이 있었던 날부터 ( )일이 지나면 청구하지 못한다. 다만, 정당한 사유가 있는 경우에는 그러하지 아니하다.
2019 소방직 9급

2. 행정심판은 처분이 있었던 날부터 180일이 지나면 청구하지 못한다. 다만, 정당한 사유가 있는 경우에는 그러하지 아니하다. (O, X)
2019 경행경채 2차

3. 행정심판은 처분이 있음을 알게 된 날부터 90일 이내에 청구하여야 한다. 다만, 청구인이 불가항력으로 인하여 심판청구를 할 수 없었을 때에는 그 사유가 소멸한 날부터 14일 이내에 행정심판을 청구할 수 있다. (O, X)
2019 경행경채 2차

4. 행정심판은 정당한 사유가 없는 경우 처분이 있었던 날부터 90일 이내에 청구하여야 하고, 처분이 있음을 알게 된 날부터 180일이 지나면 청구하지 못한다. (O, X)
2018 경행경채

5. 행정심판법상의 내용이다. ( ) 안에 들어갈 말을 순서대로 나열한 것은?
2015 경행특채 2차

행정심판은 (㉠)부터 (㉡)일 이내에 청구하여야 한다. 청구인이 천재지변, 전쟁, 사변, 그 밖의 불가항력으로 인하여 앞에서 정한 기간에 심판청구를 할 수 없었을 때에는 그 사유가 소멸한 날부터 (㉢)일 이내에 행정심판을 청구할 수 있다. 행정심판은 (㉣)부터 (㉤)일이 지나면 청구하지 못한다. 다만, 정당한 사유가 있는 경우에는 그러하지 아니하다.

① 처분이 있음을 알게 된 날, 90, 14, 처분이 있었던 날, 180
② 처분이 있었던 날, 60, 30, 처분이 있음을 알게 된 날, 120
③ 처분이 있었던 날, 60, 14, 처분이 있음을 알게 된 날, 120
④ 처분이 있음을 알게 된 날, 90, 30, 처분이 있었던 날, 180

② 관련 기출

6. 행정청이 처분을 할 때에 처분의 상대방에게 심판청구기간을 알리지 아니한 경우에는 처분이 있었던 날부터 180일까지가 취소심판이나 의무이행심판의 청구기간이 된다. (O, X)　2019 서울시 9급

7. 행정청이 심판청구의 기간을 알리지 아니한 경우에는 처분이 있었던 날부터 180일 이내에 행정심판을 청구할 수 있다. (O, X)　2019 경행경채 2차

8. (행정심판법상) 행정청이 심판청구기간을 알리지 아니한 경우에는 청구인은 언제든지 심판청구를 할 수 있다. (O, X)　2019 서울시 2회 7급

9. 취소심판이 제기된 경우, 행정청이 처분시에 심판청구기간을 알리지 아니하였다 할지라도 당사자가 처분이 있음을 알게 된 날부터 90일이 경과하면 행정심판위원회는 부적법 각하재결을 하여야 한다. (O, X)　2016 지방직 9급

10. 행정청이 행정심판청구기간 등을 고지하지 아니하였다고 하여도 처분의 상대방이 처분이 있었다는 사실을 알았을 경우에는 처분이 있은 날로부터 90일 이내에 심판청구를 하여야 한다. (O, X)　2015 지방직 9급

③ 관련 기출

11. 관계행정기관의 장이 특별행정심판 또는 행정심판법에 따른 행정심판절차에 대한 특례를 신설하거나 변경하는 법령을 제정·개정할 때에는 미리 법무부장관과 협의하여야 한다. (O, X)　2020 군무원 9급

12. 특별행정심판 또는 행정심판법에 따른 행정심판절차에 대한 특례를 신설하거나 변경하는 법령을 제정·개정할 때 중앙행정심판위원회와 사전에 협의하여야 하는 것은 아니다. (O, X)　2018 국회직 8급

13. (행정심판법상) 관계행정기관의 장이 특별행정심판 또는 이 법에 따른 행정심판절차에 대한 특례를 신설하거나 변경하는 법령을 제정·개정할 때에는 미리 중앙행정심판위원회의 동의를 구하여야 한다. (O, X)　2017 경행경채, 2013 국회직 8급

④ 관련 기출

14. 행정처분의 직접 상대방이 아닌 제3자는 행정심판법 제27조 제3항 소정의 심판청구의 제척기간 내에 처분이 있었음을 알았다는 특별한 사정이 없는 한 그 제척기간의 적용을 배제할 같은 조항 단서 소정의 정당한 사유가 있는 때에 해당한다. (O, X)　2016 서울시 7급

15. 행정처분의 직접 상대방이 아닌 제3자는 특별한 사정이 없는 한 180일 기간 적용을 배제할 정당한 사유가 있는 경우에 해당한다고 보아 180일이 경과한 뒤에도 심판청구를 제기할 수 있다고 함이 대법원 판례의 태도이다. (O, X)　2010 국회직 8급

정답　1. 180　2. O　3. O　4. X　5. ①　6. O　7. O　8. X　9. X　10. X
　　11. X　12. X　13. X　14. O　15. O

05　□□□

행정심판에 관한 다음 기술 중 옳은 것은? (다툼이 있는 경우 판례에 의함)

① 행정심판법상 행정심판의 종류는 취소심판, 무효등확인심판, 의무이행심판 외에 당사자심판과 부작위위법확인심판이 있는바, 거부처분에 대하여서는 의무이행심판을 제기하여야 하며 취소심판을 제기할 수 없다.

② 부작위에 대한 의무이행심판의 경우, 취소심판과 달리 심판청구기간 규정의 적용을 받지 않지만, 취소심판과 마찬가지로 사정재결은 허용된다.

③ 이의신청을 제기해야 할 사람이 처분청에 표제를 '행정심판청구서'로 한 서류를 제출한 경우라면 서류의 내용에 이의신청요건에 맞는 불복취지와 사유가 충분히 기재되어 있더라도 표제에 따라 행정심판으로 보아야 하며 이의신청으로 볼 수는 없다.

④ 허가취소처분을 영업정지처분으로 변경하거나 변경을 명령하는 경우 등과 같은 적극적 변경은 행정심판에서 허용되지 않는다.

✅ 기출체크

① 관련 기출

1. 당사자의 신청에 대한 행정청의 부당한 거부처분에 대하여 일정한 처분을 하도록 하는 행정심판은 현행법상 허용된다. (O, X)　2020 지방직·서울시 9급, 2019 국가직 9급

2. 당사자의 신청에 대한 행정청의 위법한 부작위에 대하여 행정청의 부작위가 위법하다는 것을 확인하는 행정심판은 현행법상 허용되지 않는다. (O, X)　2020 지방직·서울시 9급

3. 행정심판법은 당사자심판을 규정하여 당사자소송과 연동시키고 있다. (O, X)　2020 지방직·서울시 7급

4. 당사자의 신청에 대한 행정청의 부당한 거부처분을 취소하는 행정심판은 현행법상 허용되지 않는다. (O, X)　2020 지방직·서울시 9급

5. 거부처분에 대하여서는 의무이행심판을 제기하여야 하며, 취소심판을 제기할 수 없다. (O, X)　2017 국회직 8급

② 관련 기출

6. 부작위에 대한 의무이행심판청구에 있어서는 심판청구기간의 제한이 없다. (O, X)　2019 소방직 9급, 2014·2013 서울시 9급

7. 취소심판의 경우와 달리 무효등확인심판과 의무이행심판의 경우에는 심판청구의 기간에 제한이 없다. (O, X)　2019 경행경채 2차

8. 소극적 처분과 부작위에 대한 의무이행심판은 처분이 있음을 알게 된 날부터 90일 이내에 청구하여야 한다. (O, X)　2019 국회직 8급

9. 무효등확인심판에는 심판청구기간의 제한이 없다. (O, X)　2013 서울시 7급

10. 거부처분에 대한 의무이행심판에는 심판청구에 기간상의 제한이 없다. (O, X)　2013 서울시 7급

③ 관련 기출

11. 이의신청을 제기해야 할 사람이 처분청에 표제를 행정심판청구서

로 한 서류를 제출한 경우라 할지라도 서류의 내용에 이의신청 요건에 맞는 불복취지와 사유가 충분히 기재되어 있다면 이를 처분에 대한 이의신청으로 볼 수 있다. (○, ✕) 2018 경행경채 3차

12. 이의신청을 제기하여야 할 사람이 처분청에 표제를 '행정심판청구서'로 한 서류를 제출하는 경우 그 서류의 실질이 이의신청일지라도 이를 행정심판으로 다룬다. (○, ✕) 2016 국회직 8급

13. 법률상 이의신청을 제기해야 할 사람이 처분청에 표제를 '행정심판청구서'로 한 서류를 제출하였다면, 서류의 내용에 이의신청요건에 맞는 불복취지와 사유가 충분히 기재되어 있다고 하여도 이를 처분에 대한 이의신청으로 볼 수 없다. (○, ✕) 2015 지방직 9급

④ 관련 기출

14. 행정심판에서는 변경재결과 같이 원처분을 적극적으로 변경하는 것도 가능하다. (○, ✕) 2015 서울시 9급

15. 처분의 취소 또는 변경을 구하는 취소심판의 경우에 변경의 의미는 소극적 변경뿐만 아니라 적극적 변경까지 포함한다. (○, ✕) 2015 국회직 8급

16. (행정소송에서) 처분을 적극적으로 변경하는 판결은 인정되지 않는다. (○, ✕) 2011 서울시 9급

정답 1. ○ 2. ○ 3. ✕ 4. ✕ 5. ✕ 6. ○ 7. ✕ 8. ✕ 9. ○ 10. ✕
11. ○ 12. ✕ 13. ✕ 14. ○ 15. ○ 16. ○

06 □□□

행정심판의 재결에 관한 다음 기술 중 옳지 않은 것을 모두 고른 것은? (다툼이 있는 경우 판례에 의함)

㉮ 행정심판의 재결은 피청구인 또는 행정심판위원회가 심판청구서를 받은 날부터 90일 이내에 하여야 하나, 다만 부득이한 사정이 있는 경우에는 위원장이 직권으로 30일을 연장할 수 있다.

㉯ 행정심판위원회는 무효확인심판청구가 이유 있다고 인정하는 경우에도 이를 인용하는 것이 공공복리에 크게 위배된다고 인정하면 그 심판청구를 기각하는 재결을 할 수 있다.

㉰ 행정심판에서는 직권주의가 원칙이므로 행정심판위원회는 심판청구의 대상이 되는 처분 또는 부작위 외의 사항에 대하여도 재결할 수 있다.

㉱ 행정심판위원회는 심판청구의 대상이 되는 처분보다 청구인에게 불리한 재결을 할 수 있다.

㉲ 형성력을 가지는 취소재결이 있는 경우 그 대상이 된 행정처분의 효력은 별도의 취소처분이 없이도 당연히 소멸한다.

㉳ 기속력은 인용재결뿐만 아니라 각하재결이나 기각재결에도 발생한다.

㉴ 재결의 기속력은 재결의 주문 및 그 전제가 된 요건사실의 인정과 판단, 즉 처분 등의 구체적 위법사유에 관한 판단에만 미친다고 할 것이다.

① ㉮, ㉯, ㉰, ㉱, ㉳

② ㉮, ㉯, ㉱, ㉳

③ ㉯, ㉰, ㉲, ㉴

④ ㉰, ㉱, ㉲, ㉳, ㉴

☑ **기출체크**

㉮ 관련 기출

1. 재결은 행정심판법 제23조에 따라 피청구인 또는 (행정심판)위원회가 심판청구서를 받은 날부터 ( )일 이내에 하여야 한다. 다만, 부득이한 사정이 있는 경우에는 위원장이 직권으로 ( )일을 연장할 수 있다. 2016 경행경채

2. 행정심판위원회는 심판청구서를 받은 날로부터 60일 이내에 재결을 하여야 하나, 위원장 직권으로 연장할 수 있다. (○, ✕)
2012 경행특채

3. 재결은 피청구인인 행정청이 행정심판청구서를 받은 날로부터 90일 이내에 하여야 한다. (○, ✕) 2008 지방직 9급

㉯ 관련 기출

4. 사정재결은 취소심판의 경우에만 인정되고, 의무이행심판과 무효확인심판의 경우에는 인정되지 않는다. (○, ✕) 2021 군무원 7급

5. 무효등확인심판에서는 사정재결이 허용되지 아니한다. (○, ✕)
2019 서울시 9급

6. 행정심판위원회는 무효확인심판의 청구가 이유가 있더라도 이를 인용하는 것이 공공복리에 크게 위배된다고 인정하면 그 청구를 기각하는 재결을 할 수 있다. (○, ✕) 2018 국회직 8급

㉰ 관련 기출

7. 행정심판법은 심판청구의 심리·재결에 있어서 불고불리 및 불이익변경금지원칙을 조문으로 명문화하고 있다. (○, ✕)
2020 군무원 7급

8. 행정심판위원회는 심판청구의 대상이 되는 처분 또는 부작위 외의 사항에 대하여는 재결하지 못한다. (○, ✕) 2016 국회직 8급

9. 행정심판위원회는 심판청구의 대상이 되는 처분 또는 부작위 외의 사항에 대하여도 재결할 수 있다. (○, ✕) 2015 사회복지직 9급

10. (행정심판)위원회는 직권에 의하여 심판청구의 대상이 되는 처분 또는 부작위 외의 사항에 대하여도 재결할 수 있다. (○, ✕)
2010 국가직 9급

11. (행정심판에는) 불고불리의 원칙이 적용된다. (○, ✕)
2009 지방직(하) 7급

㉱ 관련 기출

12. 행정심판위원회는 필요하다고 판단하는 경우에는 심판청구의 대상이 되는 처분보다 청구인에게 불리한 재결을 할 수 있다. (○, ✕) 2018 교육행정직 9급

13. 행정심판위원회는 심판청구의 대상이 되는 처분보다 청구인에게 불리한 재결을 하지 못한다. (O, X)   2016 국가직 9급

14. 행정심판은 행정의 자기통제절차이므로 심판청구의 대상이 되는 처분보다 청구인에게 불리한 재결을 하는 것도 가능하다. (O, X)   2013 지방직 9급

⑰ 관련 기출

15. 행정심판에서 행정심판위원회에 의한 형성적 재결이 있은 경우에는 그 대상이 된 행정처분은 재결 자체에 의하여 당연히 취소되어 소멸된다. (O, X)   2018 경행경채 3차

16. 형성력을 가지는 취소재결이 있는 경우 그 대상이 된 행정처분은 재결 자체에 의해 당연취소되어 소멸한다. (O, X)   2012 지방직(하) 9급, 2012 사회복지직 9급

17. 형성재결인 취소재결이 있는 경우 재결의 형성력에 의해 처분청의 별도의 처분 없이 처분의 효력이 소멸된다. (O, X) 2012 서울교행

⑱ 관련 기출

18. 기각재결이 있은 후에도 원처분청은 원처분을 직권으로 취소 또는 변경할 수 있다. (O, X)   2021 군무원 9급

19. 재결의 기속력은 인용재결의 경우에만 인정되고, 기각재결에서는 인정되지 않는다. (O, X) 2021 지방직·서울시 9급, 2013 지방직 9급

20. 행정심판재결의 기속력은 인용재결뿐만 아니라 각하재결과 기각재결에도 인정되는 효력이다. (O, X)   2018 서울시 9급

⑲ 관련 기출

21. 기속력은 재결의 주문에만 미치고, 처분 등의 구체적 위법사유에 관한 판단에는 미치지 않는다. (O, X)   2021 지방직·서울시 9급

22. 재결의 기속력은 재결의 주문 및 그 전제가 된 요건사실의 인정과 판단에 대하여만 미친다. (O, X)   2019 국가직 7급

23. 재결의 기속력은 당해 처분에 관한 재결주문에만 미친다. (O, X)   2016 교육행정직 9급

24. 재결의 기속력은 재결의 주문 및 그 전제가 된 요건사실의 인정과 판단, 즉 처분 등의 구체적 위법사유에 관한 판단에만 미친다. (O, X)   2015 지방직 9급, 2011 국회직 8급

25. 재결의 기속력은 재결의 주문 및 그 전제가 된 요건사실의 인정과 판단, 즉 처분 등의 구체적 위법사유에 관한 판단에만 미치고, 종전 처분이 재결에 의하여 취소되었다 하더라도 종전 처분시와는 다른 사유를 들어서 처분을 하는 것은 기속력에 저촉되지 않는다. (O, X)   2011 경행특채

정답 1. 60, 30 2. O 3. X 4. X 5. O 6. X 7. O 8. O 9. X 10. X
11. O 12. X 13. O 14. X 15. O 16. O 17. O 18. O 19. O
20. X 21. X 22. O 23. X 24. O 25. O

행정심판에 대한 다음 설명 중 옳지 않은 것을 모두 고른 것은? (다툼이 있는 경우 판례에 의함)

㉮ 행정심판위원회는 공공복리에 적합하지 아니하거나 해당 처분의 성질에 반하는 경우가 아니라면 당사자의 권리 및 권한의 범위에서 당사자의 동의를 받아 조정을 할 수 있다.

㉯ 행정심판청구에 대한 재결이 있더라도 그 재결 자체에 고유한 위법이 있다면 다시 행정심판을 청구할 수 있다.

㉰ 행정심판위원회는 취소심판의 청구가 이유 있다고 인정할 때에는 처분을 취소 또는 변경하거나 처분청에게 취소 또는 변경할 것을 명한다.

㉱ 행정심판위원회는 취소심판청구가 이유 있다고 인정하는 경우에도 이를 인용하는 것이 공공복리에 크게 위배된다고 인정하면 그 심판청구를 기각하는 재결을 할 수 있으며, 이 경우 재결의 이유에 그 처분이나 부작위가 위법하거나 부당함을 명시하여야 한다.

㉲ 법령의 규정에 의하여 공고한 처분이 재결로써 취소된 때에는 처분을 한 행정청은 지체 없이 그 처분이 취소되었음을 공고하여야 한다.

㉳ 당사자의 신청을 받아들이지 않은 거부처분이 재결에서 취소되었다면 행정청은 재결 후에 발생한 새로운 사유를 내세워 다시 거부처분을 할 수 없다.

① ㉮, ㉯, ㉲   ② ㉯, ㉰, ㉱, ㉲
③ ㉯, ㉰, ㉱, ㉳   ④ ㉰, ㉱, ㉳

✅ 기출체크

㉮ 관련 기출

1. 행정심판위원회는 당사자의 권리 및 권한의 범위에서 직권으로 심판청구의 신속하고 공정한 해결을 위하여 조정을 할 수 있지만, 그 조정이 공공복리에 적합하지 아니하거나 해당 처분의 성질에 반하는 경우에는 그러하지 아니하다. (O, X)   2021 국회직 8급

2. 행정심판위원회는 당사자의 권리 및 권한의 범위에서 당사자의 동의를 받아 조정을 할 수 있다. 다만, 그 조정이 공공복리에 적합하지 아니하거나 해당 처분의 성질에 반하는 경우에는 그러하지 아니하다. (O, X)   2018 경행경채

3. 행정심판위원회는 공공복리에 적합하지 아니하거나 해당 처분의 성질에 반하는 경우가 아니라면 당사자의 권리 및 권한의 범위에서 당사자의 동의를 받아 조정을 할 수 있다. (O, X)   2018 국가직 7급

4. 행정심판위원회는 당사자의 권리 및 권한의 범위에서 당사자의 동의를 받아 행정심판청구의 신속하고 공정한 해결을 위하여 조정을 할 수 있으나, 그 조정이 공공복리에 적합하지 아니하거나 해당 처분의 성질에 반하는 경우에는 그러하지 아니하다. (○, ×)

2018 지방직 7급

ⓝ 관련 기출
5. (행정)심판청구에 대한 재결이 있으면 그 재결 및 같은 처분 또는 부작위에 대하여 다시 행정심판을 청구할 수 없다. (○, ×)

2021 지방직·서울시 9급, 2020 군무원 7급, 2017 국가직(하) 9급

6. 개별법률에 특별규정이 없는 경우에 행정심판청구에 대한 재결이 있으면 그 재결 및 같은 처분 또는 부작위에 대하여 다시 행정심판을 청구할 수 있다. (○, ×) 2018 경행경채

7. 행정심판의 재결에 불복하는 경우 그 재결 및 같은 처분 또는 부작위에 대하여 다시 행정심판을 청구할 수 있다. (○, ×)

2017 교육행정직 9급

8. 행정심판의 재결에 고유한 위법이 있는 경우에는 재결에 대하여 다시 행정심판을 청구할 수 있다. (○, ×) 2017 국회직 8급

9. 심판청구에 대한 재결에는 기판력이 인정되지 않으므로 그 재결 및 같은 처분 또는 부작위에 대하여 다시 행정심판을 청구할 수 있다. (○, ×) 2016 서울시 7급

ⓓ 관련 기출
10. 취소심판의 인용재결로서 취소재결, 변경재결, 변경명령재결을 할 수 있다. (○, ×) 2021 국가직 7급

11. 취소심판의 심리 후 행정심판위원회는 영업허가취소처분을 영업정지처분으로 적극적으로 변경하는 변경재결 또는 변경명령재결을 할 수 있다. (○, ×) 2021 군무원 7급

12. 행정심판법상 행정심판위원회가 취소심판의 청구가 이유가 있다고 인정하는 경우에 행할 수 있는 재결에 해당하지 않는 것은? 2021 국가직 9급

① 처분을 취소하는 재결
② 처분을 할 것을 명하는 재결
③ 처분을 다른 처분으로 변경하는 재결
④ 처분을 다른 처분으로 변경할 것을 명하는 재결

13. 취소심판의 재결로서 처분취소재결, 처분변경재결, 처분변경명령재결을 할 수 있으며, 처분취소명령재결은 할 수 없다. (○, ×)

2019 서울시 1회 7급

14. 취소심판의 인용재결에는 취소재결·변경재결·취소명령재결·변경명령재결이 있다. (○, ×) 2017 서울시 9급

ⓡ 관련 기출
15. 행정심판위원회는 취소심판청구가 이유 있다고 인정하는 경우에도 이를 인용하는 것이 공공복리에 크게 위배된다고 인정하면 그 심판청구를 기각하는 재결을 할 수 있다. (○, ×)

2017 국가직(하) 9급

16. 행정심판위원회는 사정재결을 함에 있어서 청구인에 대하여 상당한 구제방법을 취하거나 피청구인에게 상당한 구제방법을 취할 것을 명할 수 있으나, 재결주문에 그 처분 등이 위법 또는 부당함을 명시할 필요는 없다. (○, ×) 2015 국회직 8급

17. 사정재결을 할 경우 당해 처분 또는 부작위가 위법하거나 부당하다는 것은 재결의 이유에서 밝히면 충분하다. (○, ×)

2012 서울교행

ⓜ 관련 기출
18. 법령의 규정에 따라 공고하거나 고시한 처분이 재결로써 취소되거나 변경되면 처분을 한 행정청은 지체 없이 그 처분이 취소 또는 변경되었다는 것을 공고하거나 고시하여야 한다. (○, ×)

2020 지방직·서울시 7급

19. 법령의 규정에 의하여 공고한 처분이 재결로써 취소된 때에는 처분청은 지체 없이 그 처분이 취소되었음을 공고하여야 한다.
(○, ×) 2016 교육행정직 9급, 2010 국가직 9급

ⓑ 관련 기출
20. 당사자의 신청을 받아들이지 않은 거부처분이 재결에서 취소된 경우에 행정청은 재결 후에 발생한 새로운 사유를 내세워 다시 거부처분을 할 수 있다. (○, ×) 2021 국가직 7급

21. 당사자의 신청을 받아들이지 않은 거부처분이 재결에서 취소된 경우, 그 재결의 취지에 따라 이전의 신청에 대하여 다시 어떠한 처분을 하여야 할지는 처분을 할 때의 법령과 사실을 기준으로 판단하여야 하므로, 행정청은 종전 거부처분 또는 재결 후에 발생한 새로운 사유를 내세워 다시 거부처분을 할 수 있다. (○, ×)

2019 국가직 7급

정답 1. × 2. ○ 3. ○ 4. ○ 5. ○ 6. × 7. × 8. × 9. × 10. ○
11. ○ 12. ② 13. ○ 14. × 15. ○ 16. × 17. × 18. ○ 19. ○
20. ○ 21. ○

08   □□□

행정심판에 관한 다음 기술 중 옳은 것은? (다툼이 있는 경우 판례에 의함)

① 처분 또는 부작위가 위법·부당하다고 상당히 의심되는 경우로서 처분 또는 부작위 때문에 당사자에게 생길 급박한 위험을 막기 위해 임시지위를 정하여야 할 필요가 있는 경우에는 당사자의 신청이 있는 경우에 한해 임시처분을 결정할 수 있으며 이러한 임시처분은 집행정지와 보충성 관계에 있다.

② 국가정보원장과 법원행정처장, 국가인권위원회의 처분 또는 부작위에 대한 행정심판의 청구는 국민권익위원회에 두는 중앙행정심판위원회에서 심리·재결한다.

③ 행정심판청구인이 경제적 능력으로 인해 대리인을 선임할 수 없는 경우에는 행정심판위원회에 국선대리인을 선임하여 줄 것을 신청할 수 있다.

④ 행정심판의 인용재결이 있으면 피청구인인 행정청을 기속하는 효력을 가지므로 판결에서와 같은 기판력이 인정된다.

① 관련 기출

1. 행정심판위원회의 임시처분결정은 당사자의 신청이 있어야 하며 직권으로 할 수는 없다. (○, ×)　　2021 국회직 8급
2. 행정심판위원회는 심판청구된 행정청의 부작위가 위법·부당하다고 상당히 의심되는 경우로서 당사자가 받을 우려가 있는 중대한 불이익이나 당사자에게 생길 급박한 위험을 막기 위하여 임시지위를 정할 필요가 있는 경우 직권 또는 당사자의 신청에 의하여 임시처분을 결정할 수 있다. (○, ×)　　2018 국가직 7급
3. 임시처분은 집행정지로 목적을 달성할 수 있는 경우에는 허용되지 않는다. (○, ×)　　2017 교육행정직 9급, 2011 국가직 7급
4. 임시처분은 의무이행심판을 인정하면서도 가처분제도를 인정하지 않아 제한된 재결의 실효성을 제고하기 위한 것이므로 집행정지로 그 목적을 달성할 수 있는 경우에도 허용된다. (○, ×)　　2016 서울시 7급
5. 임시처분은 집행정지와 보충성 관계가 없고, 행정심판위원회는 집행정지로 목적을 달성할 수 있는 경우에도 임시처분결정을 할 수 있다. (○, ×)　　2014 지방직 9급 변형

② 관련 기출

6. 국회사무총장의 처분에 대한 행정심판의 청구에 대해서는 국민권익위원회에 두는 중앙행정심판위원회에서 심리·재결한다. (○, ×)　　2021 국회직 8급
7. 국가인권위원회의 처분 또는 부작위에 대한 행정심판의 청구는 국민권익위원회에 두는 중앙행정심판위원회에서 심리·재결한다. (○, ×)　　2018 국회직 8급
8. 법원행정처장의 부당한 처분에 대해서는 중앙행정심판위원회에 행정심판을 제기할 수 있다. (○, ×)　　2015 서울시 7급
9. 국민권익위원회에 두는 중앙행정심판위원회가 심리·재결하는 행정처분이 아닌 것은?　　2014 국가직 9급
　① 국가정보원장의 행정처분
　② 서울특별시 의회의 행정처분
　③ 대구광역시 교육감의 행정처분
　④ 해양경찰청장의 행정처분
10. 국회사무총장의 부작위에 대한 심의기관과 재결기관은 국회사무총장 소속의 행정심판위원회이다. (○, ×)　　2008 국회직 8급

③ 관련 기출

11. 행정심판청구인이 경제적 능력으로 인해 대리인을 선임할 수 없는 경우에는 행정심판위원회에 국선대리인을 선임하여 줄 것을 신청할 수 있다. (○, ×)　　2019 국가직 9급

④ 관련 기출

12. 재결이 확정된 경우에도 처분의 기초가 된 사실관계나 법률적 판단이 확정되고 당사자들이나 법원이 이에 기속되어 모순되는 주장이나 판단을 할 수 없게 되는 것은 아니다. (○, ×)　　2021 지방직·서울시 9급
13. 재결이 확정되면 기판력이 인정되므로 처분의 기초가 된 사실관계나 법률적 판단이 확정되고 당사자들이나 법원은 이에 기속되어 모순되는 주장이나 판단을 할 수 없다. (○, ×) 2021 경행경채
14. 재결이 확정된 경우에는 처분의 기초가 된 사실관계나 법률적 판단이 확정되고 당사자들이나 법원은 이에 기속되어 모순되는 주장이나 판단을 할 수 없게 된다. (○, ×)　　2019 국가직 7급

15. 행정심판의 재결이 확정되면 피청구인인 행정청을 기속하는 효력이 있고 그 처분의 기초가 된 사실관계나 법률적 판단이 확정되므로 이후 당사자 및 법원은 이에 모순되는 주장이나 판단을 할 수 없다. (○, ×)　　2018 국가직 9급
16. (행정심판법상) 취소재결의 경우 기판력과 기속력이 인정된다. (○, ×)　　2018 서울시 1회 7급

정답　1. ×　2. ○　3. ○　4. ×　5. ×　6. ○　7. ×　8. ×　9. ①　10. ○
　　　11. ○　12. ○　13. ×　14. ×　15. ×　16. ×

09　□□□

행정심판에 관한 다음 기술 중 옳은 것을 모두 고른 것은? (다툼이 있는 경우 판례에 의함)

㉮ 항고소송에서 행정청이 처분의 근거사유를 추가하거나 변경하기 위한 요건인 '기본적 사실관계의 동일성'은 행정부 내의 통제수단인 행정심판단계에서는 적용되지 않는다.

㉯ 행정소송과 달리 행정심판의 심리는 원칙적으로 서면심리로 진행하나, 다만 당사자가 구술심리를 신청한 경우에는 서면심리만으로 결정할 수 있다고 인정되는 경우 외에는 구술심리를 하여야 한다.

㉰ 행정심판에 있어서 행정처분의 위법·부당 여부는 원칙적으로 처분시를 기준으로 판단하여야 하므로, 재결기관은 처분 당시 존재하였거나 행정청에 제출되었던 자료만을 기초로 하여 처분의 위법·부당 여부를 판단하여야 하며, 재결 당시까지 제출된 모든 자료를 종합하여 처분 당시 존재하였던 객관적 사실을 확정하고 그 사실에 기초하여 처분의 위법·부당 여부를 판단할 수 있는 것은 아니다.

㉱ 행정소송법은 집행정지의 요건 중 하나로 '중대한 손해'를 예방할 필요성에 관하여 규정하고 있는 반면, 행정심판법은 집행정지의 요건 중 하나로 '회복하기 어려운 손해'를 예방할 필요성에 관하여 규정하고 있다.

① ㉮, ㉯　　　　　　　② ㉯, ㉰
③ ㉰, ㉱　　　　　　　④ 없음

10

☐☐☐

행정소송에 관한 다음 기술 중 옳은 것을 모두 고른 것은? (다툼이 있는 경우 판례에 의함)

㉮ 행정소송법상 항고소송은 취소소송 · 무효등확인소송 · 부작위위법확인소송 · 당사자소송으로 나눌 수 있다.

㉯ 법원으로 하여금 행정처분을 직접 행하도록 하는 형성판결을 구하는 소송을 무명항고소송이라고 하며 현행법상 허용된다.

㉰ 행정청에 대하여 신축건물의 준공처분을 하여서는 아니 된다는 내용의 부작위를 구하는 원고의 청구는 이른바 금지청구소송으로서 기존 항고소송으로 해결되지 않는 경우에 보충적으로 허용된다는 것이 판례의 입장이다.

㉱ 지방소방공무원의 보수에 관한 법률관계는 사법상의 법률관계이므로 지방소방공무원이 소속 지방자치단체를 상대로 초과근무수당의 지급을 구하는 소송을 제기하려는 경우 행정소송인 당사자소송이 아니라 민사소송절차에 따라야 한다.

① 없음
② ㉮, ㉯
③ ㉯, ㉰
④ ㉱

이므로 지방소방공무원이 소속 지방자치단체를 상대로 초과근무수당의 지급을 구하는 소송은 행정소송상 당사자소송이 아닌 민사소송절차에 따라야 했다. (○, ×)   2021 소방직 9급

9. 지방자치단체와 그 소속 경력직 공무원인 지방소방공무원 사이의 관계(는 공법관계에 해당한다) (○, ×)   2018 경행경채 3차

10. 지방소방공무원이 자신이 소속된 지방자치단체를 상대로 초과근무수당의 지급을 구하는 청구에 관한 소송은 당사자소송의 절차에 따라야 한다. (○, ×)   2014 지방직 7급

11. 지방소방공무원이 소속 지방자치단체를 상대로 초과근무수당의 지급을 구하는 소송은 당사자소송절차에 따라야 한다. (○, ×)   2014 행정사

정답 1. × 2. ○ 3. × 4. ○ 5. ○ 6. ○ 7. × 8. × 9. ○ 10. ○ 11. ○

11   □□□

권리구제방법과 관련한 다음 기술 중 옳은 것은? (다툼이 있는 경우 판례에 의함)

① 지방전문직 공무원 채용계약해지의 의사표시는 공무원의 신분을 박탈하는 일방적인 의사표시로서 처분에 해당하므로 지방자치단체장을 상대로 항고소송으로 해지 의사표시의 무효확인을 청구할 수 있다.

② 국가 또는 공공단체의 기관이 법률에 위반되는 행위를 한 때에 직접 자기의 법률상 이익과 관계없이 그 시정을 구하기 위하여 제기하는 소송은 민중소송이다.

③ 시립합창단원의 위촉은 사법(私法)상의 근로계약이므로 시립합창단원에 대한 재위촉 거부에 대해서는 항고소송으로 다툴 수 없다.

④ 조세부과처분이 당연무효임을 전제로 하여 이미 납부한 세금의 반환을 청구하는 것은 행정상의 부당이득반환청구로서 당사자소송절차에 따라야 한다.

✅ 기출체크

① 관련 기출

1. 공중보건의사 채용계약해지의 의사표시에 대하여는 공법상의 당사자소송으로 그 의사표시의 무효확인을 청구할 수 있다. (○, ×)   2021 지방직 · 서울시 9급

2. 전문직 공무원인 공중보건의사의 채용계약해지의 경우 관할도지사의 일방적인 의사표시에 의하여 그 신분을 박탈하는 불이익처분이므로 당해 채용계약은 공법상 계약이 아니라 항고소송의 대상이 되는 처분의 성질을 가진다. (○, ×)   2021 국회직 8급

3. 지방전문직 공무원 채용계약해지의 의사표시에 대하여는 공법상 당사자소송으로 그 의사표시의 무효확인을 청구할 수 있다. (○, ×)   2019 국가직 7급

4. 전문직 공무원인 공중보건의사의 채용계약해지는 관할도지사의 일방적인 의사표시에 의해 그 신분을 박탈하는 불이익처분으로 항고소송의 대상이 된다. (○, ×)   2019 서울시 1회 7급

5. 대법원은 구「농어촌 등 보건의료를 위한 특별조치법」및 관계법령에 따른 전문직 공무원인 공중보건의사의 채용계약해지의 의사표시는 일반공무원에 대한 징계처분과 같은 성격을 가지며, 따라서 항고소송의 대상이 된다고 본다. (○, ×)   2017 국가직 9급

② 관련 기출

6. 국가 또는 공공단체의 기관이 법률에 위반되는 행위를 한 때에 직접 자기의 법률상 이익과 관계없이 그 시정을 구하기 위하여 제기하는 소송을 기관소송이라 한다. (○, ×)   2021 소방직 9급, 2019 소방직 9급

③ 관련 기출

7. A광역시립합창단원으로서 위촉기간이 만료되는 자들의 재위촉신청에 대하여 A광역시문화예술회관장이 실기와 근무성적에 대한 평정을 실시하여 재위촉을 하지 아니한 것은 항고소송의 대상이 되는 불합격처분에 해당한다. (○, ×)   2020 지방직 · 서울시 7급, 2016 경행경채

8. 광주광역시문화예술회관장의 단원 위촉은 공법상 근로계약이 아니라 행정청으로서 공권력을 행사하여 행하는 행정처분이다. (○, ×)   2019 사회복지직 9급

9. 시립합창단원의 위촉(은 공법관계에 해당한다) (○, ×)   2019 소방직 9급

10. 광주광역시문화예술회관장의 단원 위촉은 광주광역시문화예술회관장이 행정청으로서 공권력을 행사하여 행하는 행정처분에 해당한다. (○, ×)   2012 지방직(하) 9급

④ 관련 기출

11. 조세부과처분의 당연무효를 전제로 하여 이미 납부한 세금의 반환을 청구하는 것은 민사상 부당이득반환청구로서 당사자소송이 아니라 민사소송절차에 따른다. (○, ×)   2021 국가직 7급

12. 판례는 공법상 부당이득반환청구권은 사권(私權)에 해당되며, 그에 관한 소송은 민사소송절차에 따라야 한다고 보고 있다. (○, ×)   2020 소방직 9급

13. 무효인 조세부과처분에 기하여 납부한 세금의 반환을 구하는 것은 무효확인소송절차에 따라야만 한다. (○, ×)   2016 서울시 7급

14. 과세처분의 무효를 원인으로 하는 조세환급청구소송(은 공법상 당사자소송에 해당한다) (○, ×)   2015 지방직 7급

15. 존재와 범위가 확정되어 있는 과오납부액이나 환급세액의 부당이득반환청구는 그 원인행위가 공법적이므로 당사자소송에 의하여야 한다. (○, ×)   2012 국가직 7급

정답 1. ○ 2. × 3. ○ 4. × 5. × 6. × 7. × 8. × 9. ○ 10. × 11. ○ 12. ○ 13. × 14. × 15. ×

12

행정소송법상 당사자소송에 관한 설명 중 옳지 않은 것을 모두 고른 것은? (다툼이 있는 경우 판례에 의함)

㉮ 당사자소송은 일반적으로 대등한 당사자 간의 소송이라는 점에서, 행정청의 우월한 지위가 전제되어 있는 항고소송과는 구별된다.

㉯ 공무원연금법상 급여를 받으려고 하는 자는 관계법령에 따라 공무원연금공단에 급여지급을 신청하지 않고도 곧바로 공무원연금공단을 상대로 한 당사자소송으로 권리의 확인이나 급여의 지급을 소구할 수 있다.

㉰ 법관이 이미 수령한 명예퇴직수당액이 구「법관 및 법원공무원 명예퇴직수당 등 지급규칙」제4조 [별표 1]에서 정한 정당한 수당액에 미치지 못한다고 주장하며 차액의 지급을 신청한 것에 대하여 법원행정처장이 거부하는 의사를 표시한 경우, 위 의사표시는 행정처분에 해당하므로 당사자소송이 아니라 항고소송으로 이를 다투어야 한다.

㉱ 공법상 계약의 한쪽 당사자가 다른 당사자를 상대로 효력을 다투거나 이행을 청구하는 소송은 공법상의 법률관계에 관한 분쟁이므로 특별한 사정이 없는 한 공법상 당사자소송으로 제기하여야 한다.

㉲ 공법상 당사자소송에서 재산권의 청구를 인용하는 판결을 하는 경우에는 가집행선고를 할 수 없다.

① ㉮, ㉯, ㉰   ② ㉮, ㉱, ㉲
③ ㉯, ㉰, ㉲   ④ ㉰, ㉱, ㉲

✓ 기출체크

㉮ 관련 기출

1. 공법관계는 행정소송 중 항고소송의 대상이 되며, 사인 간의 법적 분쟁에 관한 사법관계는 행정소송 중 당사자소송의 대상이 된다. (○, ×)   2020 지방직·서울시 9급

2. 당사자소송이란 행정청의 처분 등을 원인으로 하는 법률관계에 관한 소송 그 밖에 공법상의 법률관계에 관한 소송으로서 그 법률관계의 한쪽 당사자를 피고로 하는 소송이다. (○, ×)
2017 경행경채, 2016 경행경채, 2012 지방직 9급

3. (당사자소송은) 대등 당사자 간에 다투어지는 공법상의 법률관계를 소송의 대상으로 한다. (○, ×)   2013 지방직 9급

4. 당사자소송은 행정청의 우월적 지위에서의 공권력 행사·불행사를 다투는 소송이다. (○, ×)   2011 세무사

㉯ 관련 기출

5. 공무원연금법령상 급여를 받으려고 하는 자는 우선 급여지급을 신

청하여 공무원연금공단이 이를 거부하거나 일부 금액만 인정하는 급여지급결정을 하는 경우 그 결정을 대상으로 항고소송을 제기하는 등으로 구체적 권리를 인정받아야 한다. (○, ×)   2019 지방직 7급

6. 공무원연금법령상 급여를 받으려고 하는 자는 구체적 권리가 발생하지 않은 상태에서 곧바로 공무원연금공단을 상대로 한 당사자소송을 제기할 수 없다. (○, ×)   2018 서울시 2회 7급

㉰ 관련 기출

7. 법관이 이미 수령한 명예퇴직수당액이 구「법관 및 법원공무원 명예퇴직수당 등 지급규칙」에서 정한 정당한 명예퇴직수당액에 미치지 못한다고 주장하며 차액의 지급을 신청한 것에 대하여 법원행정처장이 행한 거부의 의사표시는 행정처분에 해당한다. (○, ×)
2019 지방직 7급

8. 명예퇴직한 법관이 미지급 명예퇴직수당액에 대하여 가지는 권리는 공법상 법률관계에 관한 권리이므로 그 지급을 구하는 소송은 당사자소송에 해당한다. (○, ×)   2019 서울시 2회 7급

9. 명예퇴직한 법관이 명예퇴직수당액의 차액 지급을 신청한 것에 대해 법원행정처장이 거부하는 의사표시를 한 경우 항고소송으로 이를 다투어야 한다. (○, ×)   2018 서울시 2회 7급

10. 명예퇴직한 법관이 미지급 명예퇴직수당액의 지급을 구하는 소송은 당사자소송에 해당한다. (○, ×)   2017 지방직(하) 9급

㉱ 관련 기출

11. 공법상 계약의 한쪽 당사자가 다른 당사자를 상대로 효력을 다투거나 이행을 청구하는 소송은 분쟁의 실질이 공법상 권리·의무의 존부·범위에 관한 다툼이 아니라 손해배상액의 구체적인 산정방법·금액에 국한되는 등의 특별한 사정이 없는 한 공법상 당사자소송으로 제기하여야 한다. (○, ×)   2021 지방직·서울시 7급

12. 공법상 계약의 한쪽 당사자가 다른 당사자를 상대로 효력을 다투거나 이행을 청구하는 소송은 공법상의 법률관계에 관한 분쟁이므로 분쟁의 실질이 공법상 권리·의무의 존부·범위에 관한 다툼에 관해서는 공법상 당사자소송으로 제기하여야 한다. (○, ×)
2021 군무원 9급

㉲ 관련 기출

13. 공법상 당사자소송에서 재산권의 청구를 인용하는 판결을 하는 경우 가집행선고를 할 수 있다. (○, ×)   2020 지방직·서울시 7급

14. 행정소송법 제8조 제2항에 의하면 행정소송에도 민사소송법의 규정이 일반적으로 준용되므로 법원으로서는 공법상 당사자소송에서 재산권의 청구를 인용하는 판결을 하는 경우 가집행선고를 할 수 있다. (○, ×)   2017 서울시 7급

15. (판례에 따르면) 공법상 당사자소송에서 재산권의 청구를 인용하는 판결을 하는 경우에는 가집행선고를 할 수 없다. (○, ×)
2008 국가직 9급

정답 1. × 2. ○ 3. ○ 4. × 5. ○ 6. ○ 7. × 8. ○ 9. × 10. ○
11. ○ 12. ○ 13. ○ 14. ○ 15. ×

13

당사자소송에 관한 다음 기술 중 옳은 것은? (다툼이 있는 경우 판례에 의함)

① 당사자소송은 항고소송과 달리 '행정청'이 아닌 '권리주체'에게 피고적격이 있는바, 여기서의 권리주체는 행정주체에 한정될 뿐 사인(私人)은 포함되지 않는다.

② 국가를 당사자 또는 참가인으로 하는 소송에서는 대통령이 국가를 대표하고, 지방자치단체를 당사자로 하는 소송에서는 지방자치단체의 장이 해당 지방자치단체를 대표한다.

③ 국가가 당사자소송의 피고인 경우에는 대법원 소재지를 피고의 소재지로 본다.

④ 당사자소송에서는 취소소송의 제소기간이 적용되지 않으며, 개별 법령에 제소기간이 정해져 있는 경우에 그 기간은 불변기간이다.

✔ 기출체크

① 관련 기출

1. 당사자소송에는 취소소송의 피고적격에 관한 규정이 준용된다. (○, ×)   2020 군무원 7급

2. 취소소송은 다른 법률에 특별한 규정이 없는 한 그 처분 등을 행한 행정청을 피고로 하며, 당사자소송은 국가·공공단체 그 밖의 권리주체를 피고로 한다. (○, ×)   2018 서울시 9급

3. 국가나 지방자치단체는 행정청과는 달리 당사자소송의 당사자가 될 수 있고 국가배상책임의 주체가 될 수 있다. (○, ×)   2017 서울시 9급

4. 당사자소송의 피고는 원칙적으로 당해 처분을 행한 처분청이 된다. (○, ×)   2015 교육행정직 9급

5. 행정소송법 제39조에 의할 때 공법상 당사자소송의 피고로 옳은 것은?   2007 세무사
　① 국회의장   ② 국가 또는 공공단체
　③ 상급감독청   ④ 처분행정청
　⑤ 지방의회의장

② 관련 기출

6. 국가를 당사자 또는 참가인으로 하는 소송에서는 법무부장관이 국가를 대표하고, 지방자치단체를 당사자로 하는 소송에서는 지방자치단체의 장이 해당 지방자치단체를 대표한다. (○, ×)   2017 서울시 7급

③ 관련 기출

7. 국가가 당사자소송의 피고인 경우에는 관계행정청의 소재지를 피고의 소재지로 본다. (○, ×)   2018 교육행정직 9급

8. 국가 또는 공공단체가 당사자소송의 피고인 경우에는 관계행정청의 소재지를 피고의 소재지로 본다. (○, ×)   2010 국가직 7급 변형

④ 관련 기출

9. 당사자소송에 관하여 법령에 제소기간이 정하여져 있는 경우 그 기간은 불변기간으로 한다. (○, ×)   2019 소방직 9급

10. 당사자소송은 취소소송의 제소기간이 적용되지 않으나, 법령에 제소기간이 정해져 있는 경우에 그 기간은 불변기간이다. (○, ×)   2016 국회직 8급

정답 1. ✕   2. ○   3. ○   4. ✕   5. ②   6. ○   7. ○   8. ○   9. ○   10. ○

14

다음 중 행정소송에 관한 판례의 입장과 부합하는 것으로만 묶인 것은?

㉮ 국가의 부가가치세 환급세액 지급의무는 정의와 공평의 관념에서 수익자와 손실자 사이의 재산상태 조정을 위해 인정되는 부당이득반환의무이므로 국가에 대한 납세의무자의 부가가치세 환급세액 지급청구는 당사자소송에 의한다.

㉯ 폐광대책비의 일종으로 폐광된 광산에서 업무상 재해를 입은 근로자에게 지급하는 재해위로금의 지급청구는 공법상 당사자소송이 아닌 민사소송에 의해야 한다.

㉰ 구 「도시 및 주거환경정비법」상 재개발조합과 조합장 또는 조합임원 사이의 선임·해임 등을 둘러싼 법률관계는 사법상의 법률관계로서 그 조합장 또는 조합임원의 지위를 다투는 소송은 민사소송에 의하여야 한다.

㉱ 구 도시재개발법상 도시재개발조합을 상대로 한 쟁송에 있어서 강제가입제를 특색으로 한 조합원의 자격인정 여부에 관한 다툼은 사법상의 법률관계로서 조합원자격 유무에 관한 확인을 구하는 소송은 민사소송에 의하여야 한다.

㉲ 구 공무원연금법상의 퇴직급여는 공무원연금관리공단의 지급결정으로 구체적 권리가 발생하는 것이므로 공무원연금관리공단의 급여결정은 행정처분으로서 이에 대해서는 항고소송을 제기하여야 한다.

① ㉮, ㉯, ㉰   ② ㉯, ㉰, ㉱

③ ㉰, ㉲   ④ ㉱, ㉲

✔ 기출체크

㉮ 관련 기출

1. 국가에 대한 납세의무자의 부가가치세 환급세액 지급청구는 당사자소송이 아니라 민사소송의 절차에 따라야 한다. (○, ×)   2021 국가직 7급

2. 부가가치세법령상 납세의무자에 대한 국가의 부가가치세 환급세액 지급의무는 부당이득반환의무이므로 그 지급청구는 당사자소송이 아니라 민사소송의 절차에 따라야 한다. (○, ×) 2019 서울시 2회 7급

3. 국가에 대한 납세의무자의 부가가치세 환급세액 지급청구는 당사자소송의 절차에 따라야 한다. (○, ×) 2018 교육행정직 9급

4. 납세의무자에 대한 국가의 부가가치세 환급세액 지급의무에 대응하는 국가에 대한 납세의무자의 부가가치세 환급세액 지급청구는 민사소송이 아니라 당사자소송에 의하여야 한다. (○, ×)
2018 국가직 7급

5. 부가가치세법령에 따른 환급세액 지급의무 등의 규정과 그 입법취지에 비추어 볼 때 부가가치세 환급세액 반환은 공법상 부당이득반환으로서 민사소송의 대상이다. (○, ×) 2017 지방직 9급

㉕ 관련 기출

6. 석탄산업법과 관련하여 피재근로자는 석탄산업합리화 사업단이 한 재해위로금 지급거부의 의사표시에 불복이 있는 경우 공법상의 당사자소송을 제기하여야 한다. (○, ×) 2020 지방직·서울시 7급

7. 폐광대책비의 일종으로 폐광된 광산에서 업무상 재해를 입은 근로자에게 지급하는 재해위로금의 지급청구(는 당사자소송의 대상이다)
(○, ×) 2019 서울시 1회 7급

㉖ 관련 기출

8. 재개발조합은 공법인이므로 재개발조합과 조합장 사이의 선임·해임 등을 둘러싼 법률관계는 공법상 법률관계이고 그 조합장의 지위를 다투는 소송은 공법상 당사자소송이다. (○, ×)
2019 서울시 2회 7급

9. 주택재개발정비사업조합은 공법인에 해당하기 때문에, 조합과 조합장 또는 조합임원 사이의 선임·해임 등을 둘러싼 법률관계는 공법상 법률관계로서 그 조합장 또는 조합임원의 지위를 다투는 소송은 공법상 당사자소송에 의하여야 한다. (○, ×) 2013 지방직 9급

㉗ 관련 기출

10. 재개발조합 조합원의 자격 인정 여부에 관한 다툼(은 당사자소송의 대상이다) (○, ×) 2019 서울시 1회 7급

11. 구 도시재개발법상 재개발조합의 조합원자격 확인(은 당사자소송의 대상이다) (○, ×) 2017 사회복지직 9급

㉘ 관련 기출

12. 판례에 따를 때, 다음 중 당사자소송에 해당하는 것은?
2015 서울시 9급
① 「민주화운동 관련자 명예회복 및 보상 등에 관한 법률」에 의한 보상금지급청구소송
② 「광주민주화운동 관련자 보상 등에 관한 법률」에 의거한 손실보상청구소송
③ 「도시 및 주거환경정비법」상의 주택재건축 정비사업조합이 수립한 관리처분계획에 대하여 관할행정청의 인가·고시가 있은 후에 제기하는 관리처분계획에 대한 소송
④ 공무원연금관리공단의 퇴직급여결정에 대한 소송

13. 공무원연금관리공단의 급여결정에 관한 소송(은 판례상 당사자소송이다) (○, ×) 2015 국회직 8급

정답 1. × 2. × 3. ○ 4. ○ 5. × 6. ○ 7. ○ 8. × 9. × 10. ○
11. ○ 12. ② 13. ×

15

□□□

행정소송의 관할과 관련한 다음 기술 중 옳지 않은 것은?

① 원고와 피고의 소재지가 동일하지 않은 경우 원칙적으로 피고의 소재지가 취소소송의 제1심 관할법원이 된다.

② 중앙행정기관의 부속기관과 합의제 행정기관 또는 그 장에 대하여 취소소송을 제기하는 경우에는 대법원 소재지를 관할하는 행정법원에 제기하여야 한다.

③ 국가의 사무를 위임 또는 위탁받은 공공단체 또는 그 장에 대하여 취소소송을 제기하는 경우에는 대법원 소재지를 관할하는 행정법원에 제기할 수 있다.

④ 토지의 수용 기타 부동산 또는 특정의 장소에 관계되는 처분 등에 대한 취소소송은 그 부동산 또는 장소의 소재지를 관할하는 행정법원에 이를 제기할 수 있다.

✅ **기출체크**

① 관련 기출

1. 식품위생법에 따른 서울특별시 서초구청장의 음식점영업허가취소처분에 대한 취소소송은 서울행정법원에 제기한다. (○, ×)
2016 지방직 7급

2. 서울지방국토관리청의 그 효력을 제한한 사용허가로 인하여 사용허가의 일부거부를 취소하는 소송을 제기할 때 그 소송의 제1심 관할법원은 피고의 소재지를 관할하는 행정법원이 아니라 해당 행정재산의 소재지를 관할하는 행정법원이다. (○, ×) 2016 서울시 7급

3. 취소소송의 제1심 관할법원은 원고의 소재지를 관할하는 행정법원으로 한다. (○, ×) 2015 서울시 7급

4. 피고의 소재지가 서울특별시인 취소소송의 제1심 관할법원은 서울행정법원이다. (○, ×) 2009 세무사

② 관련 기출

5. 경찰청장을 피고로 하여 취소소송을 제기하는 경우, 대법원 소재지를 관할하는 행정법원이 제1심 관할법원으로 될 수 있다. (○, ×)
2018 경행경채 3차

6. 세종특별자치시에 위치한 해양수산부의 장관이 한 처분에 대한 취소소송은 서울행정법원에 제기할 수 있다. (○, ×) 2016 지방직 7급

7. 중앙행정기관의 부속기관과 합의제 행정기관 또는 그 장에 대하여 취소소송을 제기하는 경우에는 대법원 소재지를 관할하는 행정법원에 제기할 수 있다. (○, ×) 2015 서울시 7급

8. 취소소송의 제1심 관할법원은 피고의 소재지를 관할하는 행정법원으로 한다. 다만, 중앙행정기관 또는 그 장이 피고인 경우 관할법원은 대법원 소재지의 행정법원으로 한다. (○, ×) 2014 국회직 8급

③ 관련 기출

9. 경상북도 김천시에 위치한 한국도로공사가 국토교통부장관의 국가사무의 위임을 받아 한 처분에 대한 취소소송은 서울행정법원에 제기할 수 없다. (○, ×) 2016 지방직 7급

10. 국가의 사무를 위임 또는 위탁받은 공공단체 또는 그 장에 대하여 취소소송을 제기하는 경우에는 대법원 소재지를 관할하는 행정법원에 제기할 수 있다. (○, ×) 2015 서울시 7급

④ 관련 기출

11. 경기도 토지수용위원회가 수원시 소재 부동산을 수용하는 재결처분을 한 경우 이에 대한 취소소송은 수원지방법원본원에 제기할 수 있다. (O, X)　　　2016 지방직 7급

12. 토지의 수용 기타 부동산 또는 특정의 장소에 관계되는 처분 등에 대한 취소소송은 그 부동산 또는 장소의 소재지를 관할하는 행정법원에 이를 제기할 수 있다. (O, X)　　　2015 서울시 7급

정답　1. O　2. X　3. X　4. O　5. O　6. O　7. O　8. X　9. X　10. O
　　11. O　12. O

16

☐☐☐

관련청구소송의 이송 및 병합에 관한 설명으로서 옳은 것은? (다툼이 있는 경우 판례에 의함)

① 취소소송에 당해 처분과 관련되는 부당이득반환청구소송이 병합되어 제기된 경우, 부당이득반환청구가 인용되기 위해서는 판결에 의해 당해 처분의 취소가 확정되어야 한다.

② 동일한 처분에 대한 무효확인소송과 취소소송을 병합하는 경우 선택적 청구로서의 병합만이 허용되고 단순병합과 예비적 병합은 허용되지 않는다.

③ 관련청구의 이송은 당사자의 신청이 있어야 가능하며 법원의 직권으로 행해질 수는 없다.

④ 본래의 항고소송이 부적법하여 각하되면 그에 병합된 관련청구도 소송요건을 흠결한 부적합한 것으로 각하되어야 한다.

✔ 기출체크

① 관련 기출

1. 취소소송에 당해 처분과 관련되는 부당이득반환청구소송이 병합되어 제기된 경우, 부당이득반환청구가 인용되기 위해서는 그 소송절차에서 판결에 의해 당해 처분이 취소되면 충분하고 그 처분의 취소가 확정되어야 하는 것은 아니다. (O, X)　　　2018 국가직 7급

2. 행정처분의 취소를 구하는 취소소송에서 그 처분의 취소를 선결문제로 하는 부당이득반환청구가 병합된 경우, 그 청구의 인용을 위해서는 그 소송절차에서 판결에 의해 당해 처분이 취소되면 충분하고 그 처분의 취소가 확정되어야 할 필요는 없다. (O, X)　　　2017 국가직(하) 7급

3. 처분의 취소를 구하는 취소소송에 당해 처분의 취소를 선결문제로 하는 부당이득반환소송이 병합된 경우, 처분을 취소하는 판결이 확정되어야 법원은 부당이득반환청구를 인용할 수 있다. (O, X)　　　2015 서울시 7급

4. 취소소송에 당해 처분의 취소를 선결문제로 하는 부당이득반환청구가 병합된 경우 그 청구가 인용되려면 소송절차에서 당해 처분의 취소가 확정되어야 한다. (O, X)　　　2015 국가직 9급

5. (국민건강보험공단은 甲에게 보험료 부과처분을 하였다. 이에 甲은 그 전액을 납부하였으나 나중에 위 보험료 부과처분에 하자가 있다는 사실을 알게 되었다) 甲이 취소소송과 부당이득반환청구소송을 병합하여 제기한 경우 법원은 보험료 부과처분의 취소가 확정되지 않은 이상 그 효력을 부정할 수 없으므로 甲의 부당이득반환청구를 인용할 수 없게 된다. (O, X)　　　2013 국회직 8급

② 관련 기출

6. 행정처분에 대한 무효확인과 취소청구는 서로 양립할 수 없는 청구로서 선택적 청구로서의 병합만이 가능하고 단순병합은 허용되지 아니한다. (O, X)　　　2019 서울시 2회 7급

7. 행정처분에 대한 무효확인과 취소청구는 서로 양립할 수 없는 청구로서 주위적·예비적 청구로서만 병합이 가능하고 선택적 청구로서의 병합이나 단순병합은 허용되지 않는다. (O, X)　　　2018 소방직 9급

8. 무효확인과 취소청구는 서로 양립할 수 없는 청구이므로 예비적 병합은 허용되지 아니하고, 단순병합이나 선택적 병합만이 가능하다. (O, X)　　　2012 국회직 8급

9. 취소소송과 무효확인소송은 서로 단순병합이나 선택적 병합은 불가능하고, 예비적 병합만이 가능하다. (O, X)　　　2012 세무사

③ 관련 기출

10. 관련청구소송의 이송은 그 소송이 계속되어 있는 법원이 당해 소송을 취소소송이 계속되어 있는 법원에 이송하는 것이 상당하다고 인정하는 때에 당사자의 신청 또는 직권에 의하여 할 수 있다. (O, X)　　　2009 국가직 7급, 2009 지방직(하) 7급

11. 당해 처분의 취소를 선결문제로 하는 부당이득반환청구소송이 다른 법원에 계속되고 있는 경우에, 이를 당해 처분의 취소소송이 계속된 법원으로 이송할 수 있다. (O, X)　　　2009 지방직(하) 7급

12. 당해 처분의 취소소송을 당해 처분이 원인이 되어 발생한 손해배상청구소송이 계속된 법원으로 이송할 수 있다. (O, X)　　　2009 지방직(하) 7급

13. 취소소송과 이와 관련된 부당이득반환청구소송이 각각 다른 법원에 계속되고 있는 경우에는 당사자의 신청이 있는 경우에 한하여 취소소송이 계속된 법원에 관련청구소송을 이송할 수 있다. (O, X)　　　2008 국회직 8급

④ 관련 기출

14. 관련청구소송의 병합은 본래의 항고소송이 적법할 것을 요건으로 하는 것이어서 본래의 항고소송이 부적법하여 각하되면 그에 병합된 관련청구도 소송요건을 흠결한 부적법한 것으로 각하되어야 한다. (O, X)　　　2009 지방직(하) 7급

정답　1. O　2. O　3. X　4. X　5. X　6. X　7. O　8. X　9. O　10. O
　　11. O　12. X　13. X　14. O

항고소송에서의 소의 이익(권리보호의 필요)에 관한 설명 중 옳은 것을 모두 고른 것은? (다툼이 있는 경우 판례에 의함)

㉮ 제재적 행정처분(선행처분)이 제재기간의 경과로 인하여 그 효과가 소멸되었으나, 부령인 시행규칙에서 제재적 행정처분을 받은 것을 가중사유로 삼아 장래의 제재적 행정처분을 하도록 정하고 있다면, 선행처분의 취소를 구할 법률상 이익이 있다.

㉯ 건축법 소정의 이격거리를 두지 아니한 위법한 건축허가에 대해 취소소송으로 다투는 도중에 건축공사가 완료되었다면 인접한 대지의 소유자는 그 건축허가처분의 취소를 구할 소의 이익이 없다.

㉰ 현역입영대상자가 현역병입영통지처분에 따라 현실적으로 입영을 한 후에는 입영으로 처분의 목적이 달성되어 실효되었으므로 입영통지처분을 다툴 법률상 이익이 인정되지 않는다.

㉱ 퇴학처분을 받은 후 고등학교 졸업학력 검정고시에 합격한 경우, 대학입학자격을 회복한 이상 퇴학처분을 받은 자는 퇴학처분의 위법을 주장하여 퇴학처분의 취소를 구할 소송상의 이익이 없다.

㉲ 지방의회의원에 대한 제명의결 취소소송계속 중 임기가 만료되었다면 더 이상 제명의결의 취소로 지방의회의원으로서의 지위를 회복할 수 없으므로 제명의결의 취소를 구할 법률상 이익이 인정되지 않는다.

① ㉮, ㉯   ② ㉮, ㉯, ㉲
③ ㉰, ㉱   ④ ㉰, ㉱, ㉲

✔ **기출체크**

㉮ 관련 기출
1. 가중처벌에 관한 제재적 처분기준이 행정규칙의 형식으로 되어 있는 경우, 실효된 제재처분의 취소를 구하는 소송(은 판례상 행정소송에서의 법률상 이익이 인정된다) (○, ×)   2021 군무원 7급
2. 시행규칙에 법 위반횟수에 따라 가중처분하게 되어 있는 제재적 처분기준이 규정되어 있다 하더라도, 기간의 경과로 효력이 소멸한 제재적 처분을 취소소송으로 다툴 법률상 이익은 없다. (○, ×)   2017 사회복지직 9급
3. 甲은 값싼 외국산 수입재료를 국내산 유기농 재료로 속여 상품을 제조·판매하였음을 이유로 식품위생법령에 따라 관할행정청으로부터 영업정지 3개월 처분을 받았다. 한편, 위 영업정지의 처분기준에는 1차 위반의 경우 영업정지 3개월, 2차 위반의 경우 영업정

지 6개월, 3차 위반의 경우 영업허가취소처분을 하도록 규정되어 있다. 甲은 영업정지 3개월 처분의 취소를 구하는 소송을 제기하였다.   2017 지방직 7급
   (1) 위와 같은 처분기준이 없는 경우라면, 영업정지처분에 정하여진 기간이 경과되어 효력이 소멸한 경우에는 그 영업정지처분의 취소를 구할 법률상 이익은 부정된다. (○, ×)
   (2) 甲에 대한 영업정지 3개월의 기간이 경과되어 효력이 소멸한 경우에 위 처분기준이 식품위생법이나 동법 시행령에 규정되어 있다면 甲은 영업정지 3개월 처분의 취소를 구할 소의 이익이 있지만, 동법 시행규칙에 규정되어 있다면 소의 이익이 인정되지 않는다. (○, ×)
4. 장래의 제재적 가중처분기준을 대통령령이 아닌 부령의 형식으로 정한 경우에는 이미 제재기간이 경과한 제재적 처분의 취소를 구할 법률상 이익이 인정되지 않는다. (○, ×)   2016 국가직 9급
5. 제재적 행정처분이 제재기간의 경과로 인하여 그 효과가 소멸되었고, 제재적 행정처분을 받은 것을 가중사유로 삼아 장래의 제재적 행정처분을 하도록 정한 처분기준이 부령인 시행규칙이라면 처분의 취소를 구할 이익이 없다. (○, ×)   2015 국가직 9급

㉯ 관련 기출
6. 위법한 건축물에 대한 취소소송 중 건축공사가 완료된 경우(에는 판례상 행정소송에서의 법률상 이익이 인정된다) (○, ×)   2021 군무원 7급
7. 건축허가처분의 취소를 구하는 소를 제기하기 전에 건축공사가 완료된 경우에는 소의 이익이 없으나, 소를 제기한 후 사실심변론종결일 전에 건축공사가 완료된 경우에는 소의 이익이 있다. (○, ×)   2018 서울시 1회 7급
8. 건축허가가 건축법에 따른 이격거리를 두지 아니하고 건축물을 건축하도록 되어 있어 위법하다 하더라도 건축이 완료되어 위법한 처분을 취소한다 하더라도 원상회복이 불가능한 경우에는 그 취소를 구할 법률상 이익이 없다. (○, ×)   2016 국가직 9급
9. 건축허가가 건축법 소정의 이격거리를 두지 아니하고 건축하도록 되어 있어 위법하다 하더라도 그 건축허가에 기하여 건축공사가 완료되었다면 인접한 대지의 소유자는 그 건축허가처분의 취소를 구할 소의 이익이 없다. (○, ×)   2013 지방직(하) 7급
10. 건축허가가 건축법 소정의 이격거리를 두지 않아 위법한 경우에 설령 건축공사가 완료되었다고 해도 인접대지의 소유자는 건축허가의 취소를 구할 소의 이익이 인정된다. (○, ×)   2012 서울시 9급

㉰ 관련 기출
11. 현역입영대상자는 현역병입영통지처분에 따라 현실적으로 입영을 하였다 할지라도, 입영 이후의 법률관계에 영향을 미치고 있는 현역병입영통지처분을 한 관할지방병무청장을 상대로 위법을 주장하여 그 취소를 구할 수 있다. (○, ×)   2021 소방직 9급
12. 현역입영대상자가 현역병입영통지처분에 따라 현실적으로 입영을 한 후에는 처분의 집행이 종료되었고 입영으로 처분의 목적이 달성되어 실효되었으므로 입영통지처분을 다툴 법률상 이익이 인정되지 않는다. (○, ×)   2019 국가직 9급
13. 현역입영대상자로서 현실적으로 입영을 한 자가 입영 이후의 법률관계에 영향을 미치고 있는 현역병입영통지처분 등을 한 관할지방병무청장을 상대로 위법을 주장하여 그 취소를 구하는 경우 (협의의 소의 이익(권리보호의 필요)이 인정된다) (○, ×)   2017 서울시 9급

14. 현역입영대상자가 입영한 후에도 현역입영통지처분이 취소되면 원상회복이 가능하므로 이미 처분이 집행된 후라고 할지라도 현역입영통지처분의 취소를 구할 소의 이익이 있다. (○, ×)

2016 국가직 9급

15. 현역입영대상자가 입영한 후에는 현역입영통지처분의 취소를 구할 소의 이익이 없다. (○, ×) 2010 서울시 9급

㉣ 관련 기출

16. 고등학교 졸업이 대학입학자격이나 학력인정으로서의 의미밖에 없다고 할 수는 없으므로, 퇴학처분을 받은 자가 고등학교 졸업학력 검정고시에 합격하였다 하여 퇴학처분의 취소를 구할 소송상의 이익이 없다고 볼 수는 없다. (○, ×) 2016 지방직 7급

17. 고등학교 졸업학력 검정고시에 합격하였다 하더라도, 고등학교에서 퇴학처분을 받은 자는 퇴학처분의 취소를 구할 협의의 소익이 있다. (○, ×) 2015 국가직 9급, 2014 서울시 7급

18. 고등학교에서 퇴학처분을 받은 자가 고등학교 졸업학력 검정고시에 합격하였다면 퇴학처분의 취소를 구할 소의 이익이 없다. (○, ×) 2013 지방직(하) 7급

19. 명예, 신분 등 인격적 이익의 침해만으로는 협의의 소익을 인정할 수 없으므로 검정고시에 합격한 경우 퇴학처분의 취소를 구할 이익이 없다. (○, ×) 2010 지방직 9급

㉤ 관련 기출

20. 월정수당을 받는 지방의회의원에 대한 제명의결 취소소송계속 중 의원의 임기가 만료된 경우 지방의회의원은 그 제명의결의 취소를 구할 법률상 이익이 있다. (○, ×) 2021 지방직·서울시 9급

21. 지방의회의원에 대한 제명의결 취소소송계속 중 의원의 임기가 만료된 경우에도 여전히 제명의결의 취소를 구할 법률상 이익이 인정된다. (○, ×) 2019 국가직 9급

22. 지방의회의원에 대한 제명의결 취소소송계속 중 의원의 임기가 만료된 사안에서, 제명의결의 취소로 의원의 지위를 회복할 수는 없다 하더라도 제명의결시부터 임기만료일까지의 기간에 대한 월정수당의 지급을 구할 수 있는 등 여전히 그 제명의결의 취소를 구할 법률상 이익이 있다. (○, ×) 2018 서울시 1회 7급

23. 지방의회의원의 제명의결 취소소송계속 중 임기만료로 지방의원으로서의 지위를 회복할 수 없는 자는 제명의결의 취소를 구할 소의 이익이 없다. (○, ×) 2017 지방직 9급

24. 지방의회의원의 징계처분에 대한 취소소송계속 중에 의원의 임기가 만료된 경우(는 적법한 소로 볼 수 있다) (○, ×) 2012 국회직 8급

정답 1. ○ 2. × 3. (1) ○ (2) × 4. × 5. × 6. × 7. × 8. ○ 9. ○
10. × 11. ○ 12. × 13. ○ 14. ○ 15. × 16. ○ 17. ○ 18. ×
19. × 20. ○ 21. ○ 22. ○ 23. × 24. ○

18

다음 중 판례가 원고적격 또는 소의 이익을 인정한 것으로 모두 묶은 것은?

⑦ 지방법무사회가 법무사의 사무원 채용승인 신청을 거부하여 사무원이 될 수 없게 된 자가 지방법무사회를 상대로 거부처분의 취소를 구하는 경우

⑭ 현역병입영대상자로 병역처분을 받은 자가 그 취소소송 중 모병에 응하여 현역병으로 자진입대한 경우

⑮ 미얀마 국적의 甲이 위명(僞名)인 乙 명의의 여권으로 대한민국에 입국한 뒤 乙 명의로 난민 신청을 하였으나 법무부장관이 乙 명의를 사용한 甲을 직접 면담하여 조사한 후 甲에 대하여 난민불인정 처분을 한 사안에서의 그 처분의 취소를 구하는 甲

㉣ 학교법인의 임시이사선임처분에 대한 취소소송 제기 후 소송계속 중 임시이사가 교체되어 새로운 임시이사가 선임된 후, 당초의 임시이사선임처분의 취소를 구하는 경우

㉤ 국적법상 귀화불허가처분이나 출입국관리법상 체류자격변경불허가처분, 강제퇴거명령 등을 다투는 외국인

㉥ 중국 국적의 외국인 甲이 결혼이민(F-6) 사증발급을 신청하였다가 중국 소재 한국총영사관 총영사로부터 사증발급을 거부당한 사안에서 그 처분의 취소를 구하는 甲

㉦ 대한민국과의 실질적 관련성 내지 법적으로 보호가치가 있는 이해관계를 형성한 외국인 甲

① ㉮, ㉯, ㉱, ㉲
② ㉮, ㉰, ㉱, ㉳, ㉴
③ ㉯, ㉰, ㉱, ㉵
④ ㉯, ㉰, ㉳, ㉴

✅ **기출체크**

㉮ 관련 기출

1. 지방법무사회가 법무사의 사무원 채용승인신청을 거부하거나 채용승인을 얻어 채용 중인 사람에 대한 채용승인을 취소하는 것은 처분에 해당하고, 이러한 처분에 대해서는 처분 상대방인 법무사뿐 아니라 그 때문에 사무원이 될 수 없게 된 사람도 이를 다툴 원고적격이 인정된다. (○, ×) 2021 국회직 8급

2. 지방법무사회가 법무사의 사무원 채용승인신청을 거부하여 사무원이 될 수 없게 된 자가 지방법무사회를 상대로 거부처분의 취소를 구하는 경우 항고소송의 원고적격이 인정된다. (○, ×) 2021 국가직 9급

㉯ 관련 기출

3. 현역병입영대상자로 병역처분을 받은 자가 그 취소소송 도중에 모병에 응하여 현역병으로 자진입대한 경우에는 권리보호의 필요가 없는 경우로서 소의 이익을 인정할 수 없다. (○, ×) 2018 경행경채

4. 현역병입영대상으로 병역처분을 받은 자가 그 취소소송 중 모병에 응하여 현역병으로 자진입대한 경우 현역병 입영처분의 취소를 구하는 소송은 소의 이익이 없다. (O, X) 2014 사회복지직 9급

5. 현역병입영대상자로 병역처분을 받은 자가 그 취소소송 중 모병에 응하여 현역병으로 자진입대한 경우, 소의 이익이 없다. (O, X) 2013 경행특채

ⓓ 관련 기출
6. 미얀마 국적의 甲이 위명(偽名)인 乙 명의의 여권으로 대한민국에 입국한 뒤 乙 명의로 난민 신청을 하였으나 법무부장관이 乙 명의를 사용한 甲을 직접 면담하여 조사한 후 甲에 대하여 난민불인정 처분을 한 사안에서의 그 처분의 취소를 구하는 甲(은 행정소송의 원고적격을 가지는 자에 해당한다) (O, X) 2019 국회직 8급

ⓔ 관련 기출
7. 학교법인 임원취임승인의 취소처분 후 그 임원의 임기가 만료되고 구 사립학교법 소정의 임원결격사유기간마저 경과한 경우에 취임승인이 취소된 임원은 취임승인취소처분의 취소를 구할 소의 이익이 없다. (O, X) 2018 지방직 9급

8. 취임승인이 취소된 학교법인의 정식이사들에 대해 원래 정해져 있던 임기가 만료되면 그 임원취임승인취소처분의 취소를 구할 소의 이익이 없다. (O, X) 2017 지방직 9급

9. 임원취임승인의 취소처분과 임시이사선임처분의 취소소송을 동시에 제기하여 소송계속 중 임시이사의 임기가 만료되고 새로운 임시이사가 선임된 경우(는 적법한 소로 볼 수 있다) (O, X) 2012 국회직 8급

ⓕⓖⓗ 관련 기출
10. 중국 국적자인 외국인이 사증발급 거부처분의 취소를 구하는 경우(에는 항고소송의 원고적격이 인정된다) (O, X) 2021 국가직 9급

11. 외국인이라고 하더라도 대한민국과의 실질적 관련성 내지 법적으로 보호가치가 있는 이해관계를 형성한 경우에는 사증발급 거부처분의 취소를 구할 원고적격이 인정된다. (O, X) 2021 국회직 8급

12. 사증발급의 법적 성질과 출입국관리법의 입법목적을 고려할 때 외국인은 사증발급 거부처분의 취소를 구할 법률상 이익이 있다. (O, X) 2020 군무원 7급

13. 출입국관리법상의 체류자격 및 사증발급의 기준과 절차에 관한 규정들은 대한민국의 출입국 질서와 국경관리라는 공익을 보호하려는 취지로 해석될 뿐이므로, 동법상 체류자격변경불허가처분, 강제퇴거명령 등을 다투는 외국인에게는 해당 처분의 취소를 구할 법률상 이익이 인정되지 않는다. (O, X) 2019 국가직 7급

정답 1. O 2. O 3. O 4. O 5. O 6. O 7. X 8. X 9. O 10. X 11. O 12. X 13. X

행정소송의 원고에 관한 다음 기술 중 옳은 것은? (다툼이 있는 경우 판례에 의함)

① 국가기관인 시·도선거관리위원회 위원장은 국민권익위원회가 그에게 소속 직원에 대한 중징계요구를 취소하라는 등의 조치요구를 한 것에 대해서 취소소송을 제기하는 것은 국가기관이 국가기관을 상대로 항고소송을 제기하는 것으로 허용될 수 없다.

② 행정주체가 항고소송을 제기할 수 없으므로 지방자치단체에게 다른 지방자치단체장의 건축협의취소를 다툴 원고적격은 인정되기 어렵다.

③ 법령이 특정한 행정기관으로 하여금 다른 행정기관에 제재적 조치를 취할 수 있도록 하면서, 그에 따르지 않으면 그 행정기관에 과태료 등을 과할 수 있도록 정하는 경우, 권리구제나 권리보호의 필요성이 인정된다면 예외적으로 그 제재적 조치의 상대방인 행정기관에게 항고소송의 원고적격을 인정할 수 있다.

④ 교육부장관이 사학분쟁조정위원회의 심의를 거쳐 학교법인의 이사와 임시이사를 선임한 데 대하여 그 대학교의 교수협의회, 총학생회 그리고 직원으로 구성된 노동조합은 이사선임처분을 다툴 법률상 이익을 가진다.

✅ **기출체크**

① 관련 기출
1. 국민권익위원회가 「부패방지 및 국민권익위원회의 설치와 운영에 관한 법률」 소정의 조치를 요구한 경우에 그 요구에 불응하면 제재를 받을 수 있는 데도 불구하고 기관소송을 제기할 수 없는 시·도선거관리위원회 위원장으로서는 그 요구에 대해 항고소송을 제기할 수 있다. (O, X) 2019 경행경채 2차

2. 국가기관인 시·도선거관리위원회 위원장은 국민권익위원회가 그에게 소속 직원에 대한 중징계요구를 취소하라는 등의 조치요구를 한 것에 대해서 취소소송을 제기할 원고적격을 가진다고 볼 수 없다. (O, X) 2016 국가직 9급

② 관련 기출
3. 건축물의 소재지를 관할하는 허가권자인 지방자치단체의 장이 국가의 건축협의를 거부한 행위는 항고소송의 대상인 거부처분에 해당한다. (O, X) 2021 군무원 7급

4. 지방자치단체가 건축물 소재지 관할 허가권자인 지방자치단체의 장을 상대로 건축협의취소의 취소를 구하는 사안에서의 지방자치단체(는 행정소송의 원고적격을 가지는 자에 해당한다) (O, X) 2019 국회직 8급

5. 지방자치단체 등이 건축물을 건축하기 위해 건축물 소재지 관할 허가권자인 지방자치단체의 장과 건축협의를 하였는데 허가권자인 지방자치단체의 장이 그 협의를 취소한 경우, 건축협의취소는 항고소송의 대상인 행정처분에 해당한다. (O, X) 2017 지방직 9급

6. 지방자치단체가 건축물을 건축하기 위하여 구 건축법에 따라 미리 건축물의 소재지를 관할하는 허가권자인 다른 지방자치단체의 장

과 건축협의를 한 경우, 허가권자인 지방자치단체의 장이 건축협의를 취소하는 행위는 항고소송의 대상이 되는 처분에 해당한다. (O, X)

③ 관련 기출

7. 소방청장이 처분성이 인정되는 국민권익위원회의 조치요구에 불복하여 조치요구의 취소를 구하는 경우(에는 항고소송의 원고적격이 인정된다) (O, X)
2021 국가직 9급

8. 처분성이 인정되는 국민권익위원회의 조치요구에 대해 소방청장은 취소소송을 제기할 당사자능력과 원고적격을 갖는다. (O, X)
2020 군무원 7급

9. 법령이 특정한 행정기관으로 하여금 다른 행정기관에 제재적 조치를 취할 수 있도록 하면서, 그에 따르지 않으면 그 행정기관에 과태료 등을 과할 수 있도록 정하는 경우, 권리구제나 권리보호의 필요성이 인정된다면 예외적으로 그 제재적 조치의 상대방인 행정기관에게 항고소송의 원고적격을 인정할 수 있다. (O, X)
2019 국가직 7급

④ 관련 기출

10. 교육부장관이 사학분쟁조정위원회의 심의를 거쳐 이사와 임시이사를 선임한 데 대하여 대학 교수협의회와 총학생회는 제3자로서 취소소송을 제기할 자격이 있다. (O, X)
2017 지방직 9급

11. 교육부장관이 사학분쟁조정위원회의 심의를 거쳐 학교법인의 이사와 임시이사를 선임한 데 대하여 그 대학교의 교수협의회와 총학생회는 이사선임처분을 다툴 법률상 이익을 가지지만, 직원으로 구성된 노동조합은 법률상 이익을 가지지 않는다. (O, X)
2017 국가직(하) 7급

정답 1. O 2. X 3. O 4. O 5. O 6. O 7. O 8. O 9. O 10. O 11. O

20 □□□

항고소송의 피고와 관련한 다음 기술 중 옳은 것을 모두 고른 것은? (다툼이 있는 경우 판례에 의함)

㉮ 조례가 항고소송의 대상이 되는 행정처분에 해당되는 경우 피고적격은 조례를 의결한 의결권자인 지방의회가 된다.

㉯ 처분청과 통지한 자가 다른 경우 통지한 자가 피고가 된다.

㉰ 항고소송에서 원고가 피고를 잘못 지정하였다면 법원으로서는 당연히 석명권을 행사하여 원고로 하여금 피고를 경정하게 하여 소송을 진행하게 하여야 한다.

㉱ 권한의 위임의 경우 원칙적으로 위임청이 피고가 된다.

㉲ 권한의 대리가 있는 경우 대리청이 피고가 됨이 원칙이다.

㉳ 권한의 내부위임의 경우, 내부위임을 받은 자가 자신의 명의로 처분을 한 경우라도 위임청이 피고가 된다.

① ㉮, ㉯, ㉲   ② ㉯, ㉲
③ ㉰   ④ ㉱, ㉳

✅ 기출체크

㉮ 관련 기출

1. 처분적 조례에 대한 무효확인소송을 제기함에 있어서 피고적격이 있는 처분 등을 행한 행정청은 지방의회이다. (O, X)
2020 지방직·서울시 7급

2. 조례가 항고소송의 대상이 되는 경우 피고는 지방자치단체의 의결기관으로서 조례를 제정한 지방의회이다. (O, X) 2018 서울시 9급

3. 교육에 관한 조례에 대한 항고소송을 제기함에 있어서는 그 의결기관인 시·도 지방의회를 피고로 하여야 한다. (O, X)
2016 국가직 7급

4. 초등학교의 공용폐지를 내용으로 하는 조례를 대상으로 관할법원에 취소소송을 제기하였다면, 피고는 조례안을 의결한 지방의회가 되어야 한다. (O, X)
2016 서울시 7급

5. 교육에 관한 시·도의 조례에 대한 무효확인소송은 시·도지사가 아니라 시·도교육감을 피고로 하여 제기하여야 한다. (O, X)
2014 국가직 7급

㉯ 관련 기출

6. 건국훈장 독립장이 수여된 망인에 대하여 사후적으로 친일 행적이 확인되었다는 이유로 대통령에 의하여 망인에 대한 독립유공자서훈취소가 결정되고, 그 서훈취소에 따라 훈장 등을 환수조치하여 달라는 당시 행정안전부장관의 요청에 의하여 국가보훈처장이 망인의 유족에게 독립유공자서훈취소결정을 통보한 사안에서, 독립유공자서훈취소결정에 대한 취소소송에서의 피고적격이 있는 자는 국가보훈처장이다. (O, X)
2016 지방직 9급

7. 처분청과 통지한 자가 다른 경우에는 처분청이 피고가 된다. (O, X)
2012 국회(속기·경위직) 9급

8. 대법원은 처분청과 통지한 자가 다른 경우에는 통지한 자가 피고가 된다고 보았다. (O, X)
2008 국가직 9급

㉰ 관련 기출

9. 취소소송에서 원고가 처분청 아닌 행정관청을 피고로 잘못 지정한 경우, 법원은 석명권의 행사 없이 소송요건의 불비를 이유로 소를 각하할 수 있다. (O, X)
2020 국가직 9급

10. 항고소송에서 원고가 피고를 잘못 지정하였다면 법원은 석명권을 행사하여 피고를 경정하게 하여 소송을 진행하여야 한다. (O, X)
2016 서울시 7급

㉱ 관련 기출

11. 행정권한의 위임 또는 위탁이 있는 때 취소소송에서의 피고는 위임청이 된다. (O, X)
2019 서울시 1회 7급

12. (권한의 위임의 경우) 수임청은 그 권한을 위임청의 이름으로 행사하며 그에 관한 소송의 피고는 위임청이 된다. (O, X)
2014 서울시 7급

13. (항고소송의 경우) 행정안전부장관의 위임을 받아 전자정부국장이 행한 행위에 대한 소송에서 행정안전부장관(이 피고가 된다) (O, X)
2014 국회직 8급

14. 항고소송의 경우 권한을 위임한 경우에는 수임청이 피고가 된다. (O, X)
2013 서울시 9급

◉ 관련 기출

15. 대리기관이 대리관계를 표시하고 피대리 행정청을 대리하여 행정처분을 한 때에는 피대리 행정청이 피고로 되어야 한다. (O, X)
2019 지방직 · 교육행정직 9급

16. (항고소송의 경우) 행정안전부장관을 대리하여 전자정부국장이 행한 행위에 대한 소송에서 전자정부국장(이 피고가 된다) (O, X)
2014 국회직 8급

◉ 관련 기출

17. 권한의 내부위임이 있는 경우 내부수임기관이 착오 등으로 원처분청의 명의가 아닌 자기명의로 처분을 하였다면, 내부수임기관이 그 처분에 대한 항고소송의 피고가 된다. (O, X)
2020 국가직 7급

18. 행정처분을 행할 적법한 권한이 있는 상급행정청으로부터 내부위임을 받은 데 불과한 하급행정청이 권한 없이 자신의 이름으로 행정처분을 한 경우에는 하급행정청이 항고소송의 피고가 된다. (O, X)
2017 국가직(하) 9급

19. 서울지방경찰청장(현 서울경찰청장)은 운전면허와 관련된 처분권한을 각 경찰서장에게 내부위임하였다. 이에 따라 종로경찰서장은 자신의 명의로 甲에게 운전면허정지처분을 하였다. 甲이 적법한 절차에 따라 운전면허정지처분 취소소송을 제기하고자 한다. 피고적격자는? (다툼이 있는 경우 판례에 의함) 2015 지방직 9급
① 서울지방경찰청(현 서울경찰청)
② 서울지방경찰청장(현 서울경찰청장)
③ 종로경찰서
④ 종로경찰서장

20. 항고소송의 경우 권한을 내부위임한 경우로서 수임청의 이름으로 처분을 발하면 위임청이 피고가 된다. (O, X) 2013 서울시 9급

정답 1. X 2. X 3. X 4. X 5. O 6. X 7. O 8. X 9. X 10. O
11. X 12. X 13. X 14. O 15. O 16. X 17. O 18. O 19. ④
20. X

출제 범위 : 제37강 항고소송 2(처분 등)~제40강 항고소송 5(무효등확인소송, 부작위위법확인소송)

📖 해설 p.87 / 옳은 지문 워크북 p.159

01 ☐☐☐

행정소송에 관한 다음 기술 중 옳은 것은? (다툼이 있는 경우 판례에 의함)

① A시장이 감사원으로부터 감사원법에 따라 A시 소속 공무원에 대한 징계요구를 받게 된 경우, 감사원의 징계요구는 항고소송의 대상이 되는 행정처분으로 볼 수 없다.

② 거부처분의 처분성을 인정하기 위한 전제요건이 되는 신청권의 존부는 구체적 사건에서 신청인이 누구인가를 고려하지 않고 관계법규의 해석에 의하여 일반국민에게 그러한 신청권을 인정하고 있는가를 살펴 추상적으로 결정되는 것이고, 신청인이 신청의 인용이라는 만족적 결과를 얻을 권리를 의미한다.

③ 행정규칙은 행정법규가 아니므로 처분의 근거가 행정규칙에 규정되어 있다면 처분성을 인정할 수는 없다.

④ 보건복지부 고시인 「약제급여·비급여목록 및 급여상한금액표」는 일반적·추상적 규율로서 그 자체로서 국민건강보험가입자, 국민건강보험공단, 요양기관 등의 법률관계를 직접 규율하는 성격을 가진다고 볼 수는 없으므로 항고소송의 대상이 되는 행정처분에 해당하지 않는다.

✅ 기출체크

① 관련 기출

1. 甲 시장이 감사원으로부터 감사원법에 따라 乙에 대하여 징계의 종류를 정직으로 정한 징계요구를 받게 되자 감사원에 징계요구에 대한 재심의를 청구하였는데 감사원이 재심의청구를 기각한 사안에서, 감사원의 징계요구와 재심의청구 기각결정은 항고소송의 대상이 되는 행정처분이다. (○, ×)　　　2021 국회직 8급

2. 甲 시장이 감사원으로부터 소속 공무원 乙에 대하여 징계의 종류를 정직으로 정한 징계요구를 받게 되자 감사원에 징계요구에 대한 재심의를 청구하였고 감사원이 재심의청구를 기각한 경우, 감사원의 징계요구와 재심의결정은 항고소송의 대상이 되는 행정처분에 해당하지 않는다. (○, ×)　　　2017 지방직 9급

② 관련 기출

3. 거부처분의 처분성을 인정하기 위한 전제요건이 되는 신청권은 신청인이 그 신청에 따른 단순한 응답을 받을 권리를 넘어서 신청의 인용이라는 만족적 결과를 얻을 권리를 의미한다. (○, ×)
　　　2021 지방직·서울시 9급

4. 신청에 대한 거부행위가 항고소송의 대상인 처분이 되기 위해서는 단순히 신청권의 존재 여부를 넘어서 구체적으로 그 신청이 인용될 수 있는 정도에 이르러야 한다. (○, ×)　　　2020 변호사

5. 거부행위의 처분성을 인정하기 위한 전제요건이 되는 신청권의 존부는 구체적 사건에서 신청인이 누구인가를 고려하지 말고 관계법규에서 일반국민에게 그러한 신청권을 인정하고 있는가를 살펴 추상적으로 결정하여야 한다. (○, ×)　　　2019 사회복지직 9급

6. 취소소송을 제기하기 위해서는 처분 등이 존재하여야 하며, 거부처분이 성립하기 위해서는 개인의 신청권이 존재하여야 하고, 여기서 신청권이란 신청인이 신청의 인용이라는 만족적 결과를 얻을 권리를 의미하는 것이다. (○, ×)　　　2017 사회복지직 9급

7. 신청권은 행정청의 응답을 구하는 권리이며, 신청된 대로의 처분을 구하는 권리는 아니다. (○, ×)　　　2014 지방직 9급

③ 관련 기출

8. 어떠한 처분의 근거나 법적인 효과가 행정규칙에 규정되어 있다면, 그 처분이 행정규칙의 내부적 구속력에 의하여 상대방의 권리·의무에 직접 영향을 미치는 행위라도 항고소송의 대상이 되는 행정처분이라 볼 수 없다. (○, ×)　　　2020 국가직 9급

9. 어떠한 처분의 근거나 법적인 효과가 행정규칙에 규정되어 있다고 하더라도, 그 처분이 행정규칙의 내부적 구속력에 의하여 상대방에게 권리의 설정 또는 의무의 부담을 명하거나 기타 법적인 효과를 발생하게 하는 등 그 상대방의 권리·의무에 직접 영향을 미치는 행위라면, 이는 항고소송의 대상이 되는 행정처분에 해당한다. (○, ×)　　　2018 서울시 1회 7급

10. 행정청의 지침에 의해 내린 행위가 상대방에게 권리의 설정이나 의무의 부담을 명하거나 기타 법적 효과에 직접적 영향을 미치는 경우에는 처분성을 긍정한다. (○, ×)　　　2016 사회복지직 9급

11. 행정규칙에 근거한 처분이라도 상대방의 권리·의무에 직접 영향을 미치는 경우에는 항고소송의 대상이 되는 행정처분에 해당한다. (○, ×)　　　2015 사회복지직 9급

④ 관련 기출

12. 보건복지부 고시인 구 「약제급여·비급여목록 및 급여상한금액표」는 그 자체로서 국민건강보험가입자, 국민건강보험공단, 요양기관 등의 법률관계를 직접 규율하는 성격을 가지므로 항고소송의 대상이 되는 행정처분에 해당한다. (○, ×)　　　2018 국가직 9급

13. 행정규칙인 고시가 집행행위의 개입 없이도 그 자체로서 국민의 구체적인 권리·의무에 직접적인 변동을 초래하는 경우에는 항고소송의 대상이 된다. (○, ×)　　　2017 국회직 8급

14. 어떠한 고시가 일반적·추상적 성격을 가질 때에는 법규명령 또는 행정규칙에 해당할 것이지만, 다른 집행행위의 매개 없이 그 자체로서 직접 국민의 구체적인 권리·의무나 법률관계를 규율하는 성격을 가질 때에는 항고소송의 대상이 되는 행정처분에 해당한다. (○, ×)　　　2017 서울시 7급

정답 1. × 2. ○ 3. × 4. × 5. ○ 6. × 7. ○ 8. × 9. ○ 10. ○
　　11. ○ 12. ○ 13. ○ 14. ○

항고소송의 대상이 되는 처분과 관련한 다음 판례 중 옳은 것을 모두 고른 것은?

㉮ 구 「사회간접자본시설에 대한 민간투자법」에 근거한 서울 – 춘천 간 고속도로 민간투자시설사업의 사업시행자 지정은 행정처분이 아니라 공법상 계약에 해당한다.

㉯ 각 군 참모총장이 '군인 명예전역수당 지급대상자 결정절차'에서 국방부장관에게 수당지급대상자를 추천하거나 신청자 중 일부를 추천하지 않는 행위는 항고소송의 대상이 되는 처분이다.

㉰ 교도소장이 수형자 甲을 '접견내용 녹음 · 녹화 및 접견시 교도관 참여대상자'로 지정한 사안에서, 위 지정행위는 수형자의 구체적 권리 · 의무에 직접적 변동을 가져오는 행정청의 공법상 행위로서 항고소송의 대상이 되는 처분에 해당한다.

㉱ 과학기술기본법령상 사업협약의 해지통보는 행정청이 우월적 지위에서 연구개발비의 회수 및 관련자에 대한 국가연구개발사업 참여제한 등의 법률상 효과를 발생시키는 행정처분이라고 볼 수는 없고 대등당사자의 지위에서 형성된 공법상 계약을 계약당사자의 지위에서 종료시키는 의사표시라고 보아야 한다.

㉲ 인터넷 포털사이트 등의 개인정보 유출사고로 자신들의 주민등록번호 등 개인정보가 불법유출된 경우와 같이 피해자의 의사와 무관하게 주민등록번호가 유출된 경우에는 조리상 주민등록번호의 변경을 요구할 신청권을 인정함이 타당하고, 따라서 구청장의 주민등록번호 변경신청 거부행위는 항고소송의 대상이 되는 행정처분에 해당한다.

① ㉮, ㉯　　　　② ㉯, ㉲

③ ㉰, ㉱　　　　④ ㉱, ㉲

✅ 기출체크

㉮ 관련 기출
1. 구 「사회간접자본시설에 대한 민간투자법」에 근거한 서울 – 춘천 간 고속도로 민간투자시설사업의 사업시행자 지정은 공법상 계약에 해당한다. (○, ×)　　　2020 지방직 · 서울시 7급
2. 「사회기반시설에 대한 민간투자법」상 민간투자사업의 사업시행자 지정은 공법상 계약이 아니라 행정처분에 해당한다. (○, ×)
2016 국가직 9급

㉯ 관련 기출
3. 각 군 참모총장이 군인 명예전역수당 지급대상자 결정절차에서 국방부장관에게 수당지급대상자를 추천하는 행위(는 항고소송의 대상이 되는 행정처분에 해당한다) (○, ×)　　2019 국회직 8급

㉰ 관련 기출
4. 교도소장이 특정 수형자를 '접견내용 녹음 · 녹화 및 접견시 교도관 참여대상자'로 지정한 행위(는 판례상 항고소송의 대상으로 인정된다) (○, ×)
2020 지방직 · 서울시 9급, 2019 소방직 9급, 2016 국회직 8급
5. 교도소장이 특정 수형자를 '접견내용 녹음 · 녹화 및 접견시 교도관 참여대상자'로 지정한 행위는 수형자의 구체적 권리 · 의무에 직접적 변동을 가져오는 행위로서 항고소송의 대상이 되는 행정처분에 해당한다. (○, ×)
2016 국가직 9급

㉱ 관련 기출
6. 과학기술기본법 및 하위법령상 사업협약의 해지통보는 단순히 대등당사자의 지위에서 형성된 공법상 계약을 계약당사자의 지위에서 종료시키는 의사표시에 불과하다. (○, ×)　　2021 국회직 8급
7. 과학기술기본법령상 사업협약의 해지통보는 대등당사자의 지위에서 형성된 공법상 계약을 계약당사자의 지위에서 종료시키는 의사표시에 해당한다. (○, ×)　　2020 지방직 · 서울시 7급
8. 재단법인 한국연구재단이 A대학교 총장에게 연구개발비의 부당집행을 이유로 과학기술기본법령에 따라 '두뇌한국(BK)21 사업' 협약의 해지를 통보한 것은 공법상 계약을 계약당사자의 지위에서 종료시키는 의사표시에 해당한다. (○, ×)　　2019 국가직 7급

㉲ 관련 기출
9. 인터넷 포털사이트 등의 개인정보 유출사고로 주민등록번호가 불법유출되어 그 피해자가 주민등록번호 변경을 신청했으나 구청장이 거부통지를 한 사안에서, 피해자의 의사와 무관하게 주민등록번호가 유출된 경우에는 조리상 주민등록번호의 변경요구신청권을 인정함이 타당하다. (○, ×)　　2021 국가직 9급
10. 인터넷 포털사이트의 개인정보 유출사고로 주민등록번호가 불법유출되었음을 이유로 주민등록번호 변경신청을 하였으나 관할구청장이 이를 거부한 경우, 그 거부행위는 처분에 해당하지 않는다. (○, ×)　　2019 국가직 9급
11. 피해자의 의사와 무관하게 주민등록번호가 유출된 경우라고 하더라도 주민등록번호의 변경을 요구할 신청권은 인정되지 않으므로, 구청장의 주민등록번호 변경신청 거부행위는 항고소송의 대상이 되는 행정처분에 해당하지 않는다. (○, ×)
2019 사회복지직 9급
12. (甲은 A시에 거주할 목적으로 주민등록 전입신고를 하였다) 주민등록 전입신고가 수리된 후 甲의 주민등록번호가 甲의 의사와 무관하게 불법유출되어 甲이 관할행정청에게 주민등록번호 변경을 신청한 경우, 현행법상 주민등록번호 변경신청권이 인정되지 않으므로 관할행정청이 이를 거부하더라도 항고소송의 대상이 되는 거부처분이라고 할 수 없다. (○, ×)　　2018 변호사

정답 1. × 2. ○ 3. × 4. ○ 5. ○ 6. × 7. × 8. × 9. ○ 10. × 11. × 12. ×

다음 중 판례에 의하여 처분성이 인정된 것으로만 모두 연결된 것은?

> ㉮ 구 국세징수법상 가산금 또는 중가산금의 고지
>
> ㉯ 국토교통부 내부지침에 의한 항공노선에 대한 운수권배분처분
>
> ㉰ 검사의 공소제기와 불기소결정
>
> ㉱ 국가보훈처장이 유족에게 한 '망인에 대한 서훈취소 통지'
>
> ㉲ 구 청소년보호법상 청소년유해매체물 결정 및 고시처분
>
> ㉳ 공무원징계양정규칙에 의한 불문경고조치
>
> ㉴ 대학 교원의 임용권자가 임용기간이 만료된 조교수에 대하여 재임용을 거부하는 취지로 한 임용기간만료의 통지

① ㉮, ㉯, ㉰, ㉱, ㉴   ② ㉯, ㉲, ㉳, ㉴
③ ㉰, ㉱, ㉲, ㉳   ④ ㉱, ㉲, ㉳, ㉴

✅ **기출체크**

㉮ 관련 기출

1. 구 국세징수법상 가산금은 국세를 납부기한까지 납부하지 아니하면 과세청의 확정절차 없이도 법률에 의하여 당연히 발생하는 것이므로 가산금의 고지는 항고소송의 대상이 되는 처분이라고 볼 수 없다. (○, ×)   2019 국가직 9급

2. 가산금과 중가산금은 납부기한까지 세금이 납부되지 아니하면 과세권자의 확정절차 없이 관련 법률규정에 의하여 당연히 발생되고 그 액수도 확정된다. (○, ×)   2018 경행경채 3차

3. 국세를 납부기한까지 납부하지 아니하면 과세권자의 가산금 확정절차 없이 (구)국세징수법 제21조에 의하여 가산금이 당연히 발생하고 그 액수도 확정된다. (○, ×)   2017 국가직 9급

4. (구)국세징수법에 따른 가산금은 행정법상 금전급부 불이행에 대한 제재로 가해지는 금전부담이므로 그 고지는 항고소송의 대상이 되는 처분이다. (○, ×)   2013 지방직(하) 7급

㉯ 관련 기출

5. 항공노선에 대한 운수권배분은 항고소송의 대상이 되는 행정처분에 해당한다. (○, ×)   2012 지방직 9급

6. 정부 간 항공노선의 개설에 관한 잠정협정 및 비밀양해각서와 건설교통부(현 국토교통부) 내부지침에 의한 항공노선에 대한 운수권배분처분은 항고소송의 대상이 되는 행정처분이다. (○, ×)   2010 경행특채

7. 건설교통부(현 국토교통부) 내부지침에 의한 항공노선에 대한 운수권배분처분은 행정처분에 해당한다. (○, ×)   2008 국가직 9급

㉰ 관련 기출

8. 검사의 공소에 대하여는 형사소송절차에 의하여서만 다툴 수 있고 행정소송의 방법으로 공소의 취소를 구할 수는 없다. (○, ×)   2018 경행경채

9. 검사의 불기소결정은 공권력의 행사에 포함되므로, 검사의 자의적인 수사에 의하여 불기소결정이 이루어진 경우 그 불기소결정은 처분에 해당한다. (○, ×)   2019 국가직 9급

10. 검사의 불기소결정은 행정소송법상 처분에 해당되어 항고소송을 제기할 수 있다. (○, ×)   2019 지방직·교육행정직 9급

11. 검사의 불기소결정에 대해서는 항고소송을 제기할 수 없다. (○, ×)   2019 서울시 2회 7급

㉲ 관련 기출

12. 항고소송의 대상이 되는 행정처분은? (다툼이 있는 경우 판례에 의함)   2012 지방직 9급
  ① 행정대집행상 제1차 계고처분 후에 이루어진 제2차, 제3차 계고처분
  ② 혁신도시 최종입지 선정행위
  ③ 청소년유해매체물 결정 및 고시처분
  ④ 당연퇴직의 인사발령

13. 정보통신윤리위원회(행위 당시)가 특정 인터넷 웹사이트를 청소년유해매체물로 결정하고 청소년보호위원회(행위 당시)가 효력발생시기를 명시하여 고시하는 행위는 행정소송법상의 처분에 해당한다. (○, ×)   2010 지방직 9급

㉳ 관련 기출

14. 어떠한 처분의 근거나 법적인 효과가 행정규칙에 규정되어 있다면, 그 처분이 행정규칙의 내부적 구속력에 의하여 상대방의 권리·의무에 직접 영향을 미치는 행위라도 항고소송의 대상이 되는 행정처분이라 볼 수 없다. (○, ×)   2020 국가직 9급

15. 행정규칙에 의한 불문경고조치(는 판례상 행정처분으로 인정된다) (○, ×)   2019 소방직 9급

16. 근거규정이 행정규칙에 해당하는 이상, 그 근거규정에 의거한 조치는 행정처분에 해당하지 않는다. (○, ×)   2019 서울시 2회 7급

17. 판례에 의하면, 행정규칙에 의한 불문경고조치는 차후 징계감경사유로 작용할 수 있는 표창대상자에서 제외되는 등의 인사상 불이익을 줄 수 있다 하여도 이는 간접적 효과에 불과하므로 항고소송의 대상인 행정처분에 해당하지 않는다. (○, ×)   2018 서울시 1회 7급

18. 행정규칙에 의거한 불문경고조치도 항고소송의 대상이 된다. (○, ×)   2013 지방직 9급

㉴ 관련 기출

19. 임용기간이 만료된 국립대학 조교수에 대하여 재임용을 거부하는 취지로 한 임용기간만료의 통지(는 취소소송의 대상이 된다) (○, ×)   2021 지방직·서울시 7급

20. 임용기간이 만료된 국·공립대학의 조교수에 대하여 재임용을 거부하는 취지로 한 임용기간만료의 통지는 행정처분에 해당한다. (○, ×)   2017 국회직 8급

21. 기간제로 임용되어 임용기간이 만료된 공립대학의 교원은 재임용 여부에 관하여 심사를 요구할 법규상 또는 조리상의 신청권을 가진다. (○, ×)   2014 서울시 7급

22. 국립대교수 재임용탈락통지는 항고소송의 대상이 되는 행정처분에 해당한다. (○, ×)   2011 사회복지직 9급

정답 1. ○ 2. ○ 3. ○ 4. × 5. ○ 6. ○ 7. ○ 8. ○ 9. × 10. ×
11. ○ 12. ③ 13. ○ 14. × 15. ○ 16. × 17. × 18. ○ 19. ○
20. ○ 21. ○ 22. ○

04

다음 행정소송에 관한 기술 중 옳은 것을 모두 고른 것은? (다툼이 있는 경우 판례에 의함)

⑦ 폐기물처리업의 허가를 받기 위하여는 먼저 사업계획서를 제출하여 허가권자로부터 사업계획에 대한 적정통보를 받아야 하는데, 부적정통보는 허가신청 자체를 제한하는 등 개인의 권리 내지 법률상의 이익을 개별적이고 구체적으로 규제하고 있어 행정처분에 해당한다.

⑭ 자동차운송사업양도·양수계약에 기한 양도·양수인가신청에 대하여 행하여진 내인가의 취소행위는 확약의 취소에 불과하므로 항고소송의 대상이 되는 처분이 아니라는 것이 판례의 입장이다.

⑮ 금융감독원장으로부터 문책경고를 받은 금융기관의 임원이 일정기간 금융업종 임원선임의 자격제한을 받도록 관계법령에 규정되어 있는 경우, 금융기관 임원에 대한 문책경고는 행정처분에 해당한다.

⑯ 행정소송법 제2조의 처분의 개념 정의에는 해당한다고 하더라도 그 처분의 근거법률에서 행정소송 이외의 다른 절차에 의하여 불복할 것을 예정하고 있는 처분은 항고소송의 대상이 될 수 없다.

① ⑦, ⑭   ② ⑦, ⑮, ⑯
③ ⑭, ⑮, ⑯   ④ ⑮, ⑯

✅ 기출체크

⑦ 관련 기출

1. 폐기물처리업 허가 전의 사업계획에 대한 부적정통보는 행정처분에 해당한다. (O, ×)   2019 서울시 2회 7급

2. 구 폐기물관리법 관계법령상의 폐기물처리업허가를 받기 위한 사업계획에 대한 부적정통보는 허가신청 자체를 제한하는 등 개인의 권리 내지 법률상의 이익을 개별적이고 구체적으로 규제하고 있어 행정처분에 해당한다. (O, ×)   2017 국가직 9급

3. 폐기물관리법상의 사업계획서 부적정통보는 처분이다. (O, ×)   2010 지방직 9급

⑭ 관련 기출

4. 행정청이 내인가를 한 후 이를 취소하는 행위는 별다른 사정이 없는 한 인가신청을 거부하는 처분으로 보아야 한다. (O, ×)   2019 서울시 2회 7급

5. 행정청이 내인가를 한 다음 이를 취소하는 행위는 인가신청을 거부하는 처분으로 보아야 한다. (O, ×)   2017 서울시 9급

⑮ 관련 기출

6. 금융기관 임원에 대한 금융감독원장의 문책경고는 상대방의 권리·

의무에 직접 영향을 미치지 않으므로 행정소송의 대상이 되는 처분에 해당하지 않는다. (O, ×)   2018 지방직 9급

7. 금융감독원장으로부터 문책경고를 받은 금융기관의 임원이 일정기간 금융업종 임원선임의 자격제한을 받도록 관계법령에 규정되어 있는 경우, 금융기관 임원에 대한 문책경고는 상대방의 권리·의무에 직접 영향을 미치는 행위이므로 행정처분에 해당한다. (O, ×)   2016 국가직 9급

8. 금융기관의 임원에 대한 금융감독원장의 문책경고는 항고소송의 대상이 되는 행정처분에 해당한다. (O, ×)   2015 경행특채 1차

9. 금융감독원장의 금융기관의 임원에 대한 문책경고(는 처분성을 인정한다) (O, ×)   2014 경행특채 1차

⑯ 관련 기출

10. 행정소송법 제2조 소정의 행정처분이라고 하더라도 그 처분의 근거법률에서 행정소송 이외의 다른 절차에 의하여 불복할 것을 예정하고 있는 처분은 항고소송의 대상이 될 수 없다. (O, ×)   2019 서울시 2회 7급

정답 1. O 2. O 3. O 4. O 5. O 6. × 7. O 8. O 9. O 10. O

05

다음 행정소송에 관한 사항 중 처분성이 인정된 것을 모두 고른다면? (다툼이 있는 경우 판례에 의함)

⑦ 국가인권위원회의 진정 신청에 대한 각하 및 기각 결정

⑭ 문화재보호구역 내 토지소유자의 문화재보호구역 지정해제신청에 대한 행정청의 거부행위

⑮ 원자로시설부지사전승인처분

⑯ 「국가를 당사자로 하는 계약에 관한 법률」에 따라 각 중앙관서의 장이 행하는 입찰참가자격제한조치

⑰ 공정거래위원회가 「표시·광고의 공정화에 관한 법률」에 위반하여 허위광고를 하였다는 이유로 한 경고

⑱ 교육공무원법상 승진후보자 명부에 의한 승진심사 방식으로 행해지는 승진임용에서 승진후보자 명부에 포함되어 있던 후보자를 승진임용 인사발령에서 제외하는 행위

⑲ 국유재산 무단점유자에 대한 변상금 부과처분

① ⑦, ⑭, ⑮, ⑯, ⑰, ⑱, ⑲

② ⑦, ⑮, ⑰, ⑱

③ ⑭, ⑯, ⑱, ⑲

④ ⑭, ⑰, ⑲

㉮ 관련 기출

1. 국가인권위원회가 진정에 대하여 각하 및 기각결정을 할 경우 피해자인 진정인은 인권침해 등에 대한 구제조치를 받을 권리를 박탈당하게 되므로, 국가인권위원회의 진정에 대한 각하 및 기각결정은 처분에 해당한다. (○, ×)   2019 국가직 9급

2. 국가인권위원회의 각하 및 기각결정은 항고소송의 대상이 되는 처분에 해당하지 아니하므로 헌법소원의 보충성 요건을 충족하여 헌법소원의 대상이 된다. (○, ×)   2017 국회직 8급

㉯ 관련 기출

3. 문화재보호구역 내에 있는 토지를 소요하고 있는 자가 문화재보호구역의 지정해제를 요구하였으나 거부된 경우, 그 거부행위는 행정처분에 해당한다. (○, ×)   2018 지방직 7급

4. 문화재보호구역 내에 있는 토지의 소유자는 그 보호구역의 지정해제를 요구할 수 있는 법규상 또는 조리상의 신청권이 있다고 보기 어려우므로 이에 대한 거부행위는 항고소송의 대상이 되는 행정처분으로 보기 어렵다. (○, ×)   2016 사회복지직 9급

5. 문화재보호구역 내에 있는 토지소유자 등으로서는 위 보호구역의 지정해제를 요구할 수 있는 법규상 또는 조리상의 신청권이 없다. (○, ×)   2016 경행경채

6. 문화재보호구역 내의 토지소유자가 문화재보호구역의 지정해제를 신청하는 경우에는 그 신청인에게 조리상 행정계획 변경을 신청할 권리가 인정된다. (○, ×)   2012 지방직(하) 9급

7. 문화재보호구역 내 토지소유자의 문화재보호구역 지정해제신청에 대한 행정청의 거부행위는 항고소송의 대상이 되는 행정처분에 해당한다. (○, ×)   2008 지방직 7급, 2007 국가직 7급

㉰ 관련 기출

8. 구 원자력법상 원자로 및 관계시설의 부지사전승인처분은 그 자체로서 건설부지를 확정하고 사전공사를 허용하는 법률효과를 지닌 독립한 행정처분이다. (○, ×)   2017 국가직(하) 9급

9. 원자로 및 관계시설의 부지사전승인처분은 그 자체로서 독립한 행정처분은 아니므로 이의 위법성을 직접 항고소송으로 다툴 수는 없고 후에 발령되는 건설허가처분에 대한 항고소송에서 다투어야 한다. (○, ×)   2017 국가직 9급

10. 원자력부지사전승인처분(은 항고소송의 대상이다) (○, ×)   2014 국회직 8급

11. 원자력법상 시설부지사전사용승인은 그 자체로서 독립적인 행정처분이 아니므로 취소소송으로 이를 다툴 수 없다. (○, ×)   2008 국회직 8급

㉱ 관련 기출

12. 국가가 당사자가 되는 공사도급계약에서 부정당업자에 대한 입찰참가자격제한조치는 항고소송의 대상이 되는 처분에 해당한다. (○, ×)   2021 군무원 7급

13. 「국가를 당사자로 하는 계약에 관한 법률」상 국가기관에 의한 입찰참가자격제한행위는 사법상 관념의 통지에 해당한다. (○, ×)   2021 국회직 8급

14. 대법원은 지방자치단체가 공공조달계약 입찰을 일정기간 동안 제한하는 부정당업자제재는 사법상의 통지행위에 불과하다고 본다. (○, ×)   2017 국회직 8급

15. 「국가를 당사자로 하는 계약에 관한 법률」에 의하여 국가기관이 특정 기업의 입찰참가자격을 제한하는 경우 이것은 사법관계이므로 이에 대해 다투기 위하여서는 민사소송을 제기하여야 한다. (○, ×)   2016 국회직 8급

16. 「국가를 당사자로 하는 계약에 관한 법률」상 부정당업자에 대한 입찰참가자격제한조치는 취소소송의 대상이 된다. (○, ×)   2011 국가직 7급

㉲ 관련 기출

17. 구 「표시 · 광고의 공정화에 관한 법률」 위반을 이유로 한 공정거래위원회의 경고의결은 당해 표시 · 광고의 위법을 확인하되 구체적인 조치까지는 명하지 않은 것이므로 행정처분에 해당하지 않는다. (○, ×)   2016 국회직 8급

㉳ 관련 기출

18. 교육공무원법상 승진후보자 명부에 의한 승진심사방식으로 행해지는 승진임용에서 승진후보자 명부에 포함되어 있던 후보자를 승진임용인사발령에서 제외하는 행위는 불이익처분으로서 항고소송의 대상인 처분에 해당한다. (○, ×)   2021 국회직 8급, 2019 국회직 8급

19. 교육공무원법상 승진후보자 명부에 의한 승진심사방식으로 행해지는 승진임용에서 승진후보자 명부에 포함되어 있던 후보자를 승진임용인사발령에서 제외하는 행위는 항고소송의 대상인 처분에 해당하지 않는다. (○, ×)   2019 지방직 · 교육행정직 9급

20. 교육공무원법에 따라 승진후보자 명부에 포함되어 있던 후보자를 승진심사에 의해 승진임용인사발령에서 제외하는 행위는 항고소송의 대상인 처분으로 보아야 한다. (○, ×)   2019 지방직 7급

㉴ 관련 기출

21. 국유재산의 무단점유자에 대한 변상금 부과는 관리청이 공권력을 가진 우월한 지위에서 행한 것으로 항고소송의 대상이 되는 행정처분의 성격을 갖는다. (○, ×)   2021 군무원 7급, 2020 군무원 7급

22. 국유재산의 관리청이 그 무단점유자에 대하여 하는 변상금 부과처분은 순전히 사경제주체로서 행하는 사법상의 법률행위라 할 수 없고 이는 공권력을 가진 우월적 지위에서 행한 행정처분이다. (○, ×)   2020 경행경채, 2016 지방직 7급

23. 국유재산의 무단점유자에 대한 변상금의 부과(는 행정소송의 대상이 된다) (○, ×)   2019 서울시 9급

24. 행정재산의 무단점유자에 대한 변상금 부과행위는 처분이나, 대부한 일반재산에 대한 사용료부과고지행위는 처분이 아니다. (○, ×)   2017 지방직(하) 9급

25. 공법상의 법률관계에 해당하는 것은? (다툼이 있는 경우에는 판례에 의함)   2014 행정사
   ① 일반재산인 국유림의 대부
   ② 조세 부과처분이 당연무효임을 전제로 한 이미 납부한 세금의 반환청구
   ③ 한국마사회의 기수면허 취소
   ④ 공익사업을 위한 토지 등의 취득 및 보상에 관한 법령에 따른 협의취득
   ⑤ 국유 일반재산의 무단점유에 대한 변상금 부과

정답 1. ○ 2. × 3. ○ 4. × 5. × 6. ○ 7. ○ 8. ○ 9. × 10. ○ 11. × 12. ○ 13. × 14. × 15. × 16. ○ 17. × 18. ○ 19. × 20. ○ 21. ○ 22. ○ 23. ○ 24. ○ 25. ⑤

항고소송의 대상과 관련한 다음 기술 중 옳지 않은 것을 모두 고른 것은? (다툼이 있는 경우 판례에 의함)

⑦ 성희롱 행위를 이유로 한 국가인권위원회의 인사조치권고는 비권력적 사실행위에 불과하므로 성희롱 행위자로 결정된 자는 항고소송을 통해 다툴 수 없다.

ⓝ 행정청이 금전부과처분을 한 후 감액처분을 한 경우에 감액되고 남은 부분이 위법하다고 다투고자 할 때에는 감액처분 자체를 항고소송의 대상으로 삼아야 한다.

ⓓ 교육부장관이 내신성적산정기준의 통일을 기하기 위해 시·도교육감에게 통보한 대학입시기본계획 내의 내신성적산정지침은 항고소송의 대상이 되는 처분이다.

ⓡ 근로복지공단이 사업주에 대하여 하는 개별 사업장의 사업종류변경결정은 사업종류결정의 주체, 내용과 결정기준을 고려할 때 처분에 해당한다.

ⓜ 한국마사회가 기수의 면허를 취소하는 것은 항고소송의 대상이 되는 행정처분이다.

ⓑ 대학 교원의 신규채용에 있어서 유일한 면접심사대상자로 선정되어 심사단계 중 대부분의 단계를 통과한 경우라도 교원의 임용신청권은 인정되지 않으므로 이러한 자는 임용신청에 대한 임용거부조치는 행정처분에 해당한다고 보기 어렵다.

① ㉮, ㉯, ㉰, ㉱, ㉲　　② ㉯, ㉰, ㉣
③ ㉯, ㉣, ㉱, ㉲　　④ ㉰, ㉣, ㉱

✔️ **기출체크**

㉮ 관련 기출

1. 성희롱 행위를 이유로 한 국가인권위원회의 인사조치권고에 대하여 성희롱 행위자로 결정된 자는 항고소송을 통해 다툴 수 있다. (O, X)　　2021 변호사

2. 국가인권위원회의 성희롱결정과 이에 따른 시정조치의 권고는 불가분의 일체로 행하여지는 것인데, 이는 비권력적 사실행위로서 행정소송의 대상이 되는 행정처분이 아니다. (O, X)　　2018 소방직 9급

3. 구 「남녀차별금지 및 구제에 관한 법률」상 국가인권위원회가 한 성희롱결정과 이에 따른 시정조치의 권고(는 행정소송의 대상인 행정처분에 해당한다) (O, X)　　2017 국가직(하) 9급

4. 「남녀차별금지 및 구제에 관한 법률」에 의한 국가인권위원회의 성희롱결정과 이에 따른 시정조치의 권고는 처분성이 인정되지 않는다. (O, X)　　2015 국회직 8급

㉯ 관련 기출

5. 감액경정처분이 있는 경우, 항고소송의 대상은 당초의 부과처분 중 경정처분에 의하여 아직 취소되지 않고 남은 부분이고, 적법한 전심절차를 거쳤는지 여부도 당초처분을 기준으로 판단하여야 한다. (O, X)　　2019 지방직 7급

6. 산업재해보상보험법상 보험급여의 부당이득 징수결정의 하자를 이유로 징수금을 감액하는 경우 감액처분으로도 아직 취소되지 않고 남아 있는 부분이 위법하다 하여 다툴 때에는, 제소기간의 준수 여부는 감액처분을 기준으로 판단해야 한다. (O, X)　　2017 지방직 9급

㉰ 관련 기출

7. 교육부장관이 대학입시기본계획의 내용에서 내신성적산정기준에 관한 시행지침을 정한 경우, 각 고등학교는 이에 따라 내신성적을 산정할 수밖에 없어 이는 행정처분에 해당된다. (O, X)　　2019 국가직 9급

8. 교육부장관이 내신성적산정기준의 통일을 기하기 위해 시·도교육감에게 통보한 대학입시기본계획 내의 내신성적산정지침(은 판례가 항고소송의 대상인 처분성을 부정한다) (O, X)　　2017 서울시 9급

9. (교육부장관이 내신성적산정기준에 관한 시행지침을 마련하여 시·도교육감에게 통보한 것은 항고소송의 대상이 되는 행정처분으로 볼 수 없다. (O, X)　　2016 경행경채

10. 교육부장관이 내신성적산정지침을 시·도교육감에게 통보한 것은 행정조직 내부에서 내신성적평가에 관한 심사기준을 시달한 것에 불과하여 위 지침을 행정처분으로 볼 수 없다. (O, X)　　2015 경행특채 1차

㉣ 관련 기출

11. 근로복지공단이 사업주에 대하여 하는 개별 사업장의 사업종류변경결정은 사업종류결정의 주체, 내용과 결정기준을 고려할 때 확인적 행정행위로서 처분에 해당한다. (O, X)　　2021 국회직 8급

㉱ 관련 기출

12. 한국마사회의 조교사·기수 면허취소처분(은 취소소송의 대상이 된다) (O, X)　　2021 지방직·서울시 7급

13. (판례에 따르면) 한국마사회가 조교사 또는 기수의 면허를 부여하거나 취소하는 것은 일반사법상의 법률관계에서 이루어지는 단체 내부에서의 징계 내지 제재처분에 불과하다. (O, X)　　2015 경행특채 1차

14. 한국마사회가 조교사 또는 기수의 면허를 부여하거나 취소하는 것은 국가 기타 행정기관으로부터 위탁받은 행정권한의 행사에 해당하므로 처분성이 인정된다. (O, X)　　2015 국회직 8급

㉲ 관련 기출

15. 유일한 면접대상자로 선정된 임용지원자에 대하여 국립대학교총장이 교원신규채용업무를 중단하는 조치는 항고소송의 대상이 아니다. (O, X)　　2012 국가직 7급

16. 대학 교원의 신규채용에 있어서 유일한 면접심사대상자로 선정된 임용지원자에 대한 교원신규채용중단조치는 임용지원자에 대한 신규임용을 사실상 거부하는 종국적인 조치로서 항고소송의 대상이 되는 처분 등에 해당한다. (O, X)　　2009 국회직 8급

정답　1. O　2. X　3. O　4. X　5. O　6. X　7. X　8. O　9. O　10. O
　　11. O　12. X　13. O　14. X　15. X　16. O

다음 중 우리 판례가 처분성을 인정한 것을 모두 고른 것은?

> ㉮ 병역법상 신체등위판정
>
> ㉯ 행정청이 건축물에 관한 건축물대장을 직권말소한 행위
>
> ㉰ 법률에 의하여 당연퇴직된 공무원의 복직 또는 재임용신청에 대한 행정청의 거부행위
>
> ㉱ 건축계획심의신청에 대한 반려
>
> ㉲ 도지사가 도내 특정시를 공공기관이 이전할 혁신도시 최종입지로 선정한 행위
>
> ㉳ 금융감독위원회가 부실금융기관에 대해 법원에 한 파산신청

① ㉮, ㉯, ㉰, ㉳ ② ㉯, ㉱

③ ㉰, ㉱, ㉲ ④ ㉱, ㉲, ㉳

✅ **기출체크**

㉮ 관련 기출
1. 병역법상 신체등위판정은 항고소송의 대상이 된다. (○, ×)
   2019 소방직 9급

2. 병역법에 따른 군의관의 신체등위판정은 처분이 아니지만 그에 따른 지방병무청장의 병역처분은 처분이다. (○, ×)
   2016 사회복지직 9급

3. 병역법상 신체등위판정은 행정청이라고 볼 수 없는 군의관이 하도록 되어 있으며, 그 자체만으로 권리·의무가 정하여지는 것이 아니라 그에 따라 지방병무청장이 병역처분을 함으로써 비로소 병역의무의 종류가 정하여지는 것이므로 항고소송의 대상이 되는 행정처분이라 보기 어렵다. (○, ×)   2013 국가직 9급

4. 병역법상 신체등위판정은 행정처분이 아니다. (○, ×)
   2010 국가직 9급

㉯ 관련 기출
5. 건축물대장 소관 행정청이 건축물에 관한 건축물대장을 직권말소한 행위(는 항고소송의 대상이 되는 처분이다) (○, ×)
   2012 국회직 8급

㉰ 관련 기출
6. 법률에 의하여 당연퇴직된 공무원의 복직 또는 재임용신청에 대한 행정청의 거부행위는 항고소송의 대상이 되는 행정처분에 해당한다. (○, ×)   2015 국회직 8급

㉱ 관련 기출
7. 건축계획심의신청에 대한 반려처분(은 항고소송의 대상이 되는 행정처분이다) (○, ×)   2015 지방직 9급, 2010 국회직 8급
8. 다음 중 판례가 처분성을 인정하지 않은 것은? 2014 경행특채 1차
   ① 공정거래위원회의 표준약관 사용권장행위
   ② 운전면허 행정처분처리대장상의 벌점의 배점
   ③ 금융감독원장의 금융기관의 임원에 대한 문책경고
   ④ 건축계획심의신청에 대한 반려처분

㉲ 관련 기출
9. 「국가균형발전 특별법」에 따른 시·도지사의 혁신도시 최종입지 선정행위(는 항고소송의 대상이 되는 처분에 해당한다) (○, ×)
   2019 서울시 9급, 2012 국가직 9급
10. 도지사가 도(道)내 특정시를 공공기관이 이전할 혁신도시 최종입지로 선정한 행위는 항고소송의 대상이 되는 행정처분이다.
   (○, ×)   2015 서울시 7급
11. 혁신도시 최종입지 선정행위(는 항고소송의 대상이 된다)
   (○, ×)   2012 지방직(상) 9급

㉳ 관련 기출
12. 법적 성질이 다른 나머지 하나는? (다툼이 있는 경우 판례에 의함)
   2013 지방직 9급
   ① 구 원자력법상 부지사전승인제도
   ② 구 도시계획법상 도시기본계획
   ③ 수산업법상 어업권면허에 선행하는 우선순위결정
   ④ 구 「금융산업의 구조개선에 관한 법률」 및 구 상호저축은행법상 금융감독위원회의 파산신청

정답 1.× 2.○ 3.○ 4.○ 5.○ 6.× 7.○ 8.② 9.× 10.×
11.× 12.①

다음 중 판례에 의하여 처분성이 인정된 것을 모두 고른 것은?

> ㉮ 공정거래위원회의 표준약관 사용권장행위
>
> ㉯ 공정거래위원회의 검찰에 대한 고발조치
>
> ㉰ 사법상 계약인 물품구매(제조)계약 추가특수조건에 근거하여 한 나라장터 종합쇼핑몰 거래정지조치
>
> ㉱ 법인세 과세표준결정
>
> ㉲ 「진실·화해를 위한 과거사정리 기본법」 제26조에 따른 진실·화해를 위한 과거사정리위원회의 진실규명결정
>
> ㉳ 지방의회의장에 대한 불신임의결
>
> ㉴ 교육부장관이 대통령에게 국립대학교 총장 임용제청을 하면서 대학에서 추천한 복수의 총장 후보자들 중 일부를 임용제청에서 제외한 행위

① ㉮, ㉯, ㉱, ㉲ ② ㉮, ㉰, ㉲, ㉳, ㉴

③ ㉯, ㉰, ㉱, ㉳ ④ ㉰, ㉱, ㉲, ㉳, ㉴

✅ **기출체크**

㉮ 관련 기출
1. 구 「약관의 규제에 관한 법률」에 따른 공정거래위원회의 표준약관 사용권장행위(는 항고소송의 대상이 되는 처분에 해당한다)
   (○, ×)   2019 서울시 9급

2. (판례에 따르면) 공정거래위원회의 '표준약관 사용권장행위'는 항고소송의 대상이 되는 행정처분이 아니다. (O, X) 2015 경행특채 1차

3. (판례에 의할 경우) 공정거래위원회의 표준약관 사용권장행위(는 항고소송의 대상이 될 수 있다) (O, X) 2014 국회직 8급

4. 공정거래위원회의 표준약관 사용권장행위는 처분이다. (O, X) 2014 경행특채 1차

④ 관련 기출

5. 공정거래위원회의 고발조치(는 행정소송법상 '처분'에 해당한다) (O, X) 2019 서울시 1회 7급

6. 공정거래위원회의 고발조치는 사직당국에 대하여 형벌권 행사를 요구하는 행정기관 상호 간의 행위로서 행정청의 의사결정이므로 항고소송의 대상이 되는 행정처분이다. (O, X) 2012 국회(속기·경위직) 9급

7. 행정소송으로 다툴 사안으로 옳지 않은 것은? (다툼이 있는 경우 판례에 의함) 2012 국가직 7급
   ① 공정거래위원회의 고발조치 및 고발의결에 관한 소
   ② 국유재산의 관리청이 무단점유자에 대하여 하는 변상금 부과처분에 관한 소
   ③ 지방의회의장에 대한 불신임의결에 관한 소
   ④ 지방자치단체에 근무하는 청원경찰에 대한 징계처분에 관한 소

8. 공정거래위원회의 고발조치나 고발의결은 「독점규제 및 공정거래에 관한 법률」 제71조에서 위 기관의 고발을 동 법률위반죄의 소추요건으로 규정하고 있으므로 항고소송의 대상이 되는 처분에 해당한다. (O, X) 2010 국회속기직 9급

④ 관련 기출

9. 조달청이 국가종합전자조달시스템인 나라장터 종합쇼핑몰에 거래정지조치를 하는 것은 처분으로서 공법관계에 속한다. (O, X) 2020 국회직 8급

② 관련 기출

10. 세무서장의 법인세 과세표준결정행위(는 판례에 의해 항고소송의 대상으로 인정된다) (O, X) 2014 지방직 7급

11. 법인세 과세표준의 결정(은 판례상 취소소송의 대상으로서 처분성이 인정된다) (O, X) 2010 세무사

⑩ 관련 기출

12. 「진실·화해를 위한 과거사정리 기본법」이 규정하는 진실규명결정은 국민의 권리·의무에 직접적으로 영향을 미치는 행위로서 항고소송의 대상이 된다. (O, X) 2018 경행경채 3차

⑪ 관련 기출

13. 지방의회의장에 대한 불신임의결은 행정처분으로 볼 수 없으므로 항고소송의 대상이 되지 아니한다. (O, X) 2018 경행경채

14. 지방의회의장에 대한 불신임의결은 의장으로서의 권한을 박탈하는 것으로서 행정처분에 해당한다. (O, X) 2015 국회직 8급

15. 지방의회의장에 대한 지방의회의 불신임의결(은 처분성이 인정된다) (O, X) 2014 사회복지직 9급

⑭ 관련 기출

16. 국립대학교 총장의 임용권한은 대통령에게 있으므로, 교육부장관이 대통령에게 임용제청을 하면서 대학에서 추천한 복수의 총장후보자들 중 일부를 임용제청에서 제외한 행위는 처분에 해당하지 않는다. (O, X) 2019 국가직 9급

정답 1. O 2. X 3. O 4. O 5. X 6. X 7. ① 8. X 9. O 10. X 11. X 12. O 13. X 14. O 15. O 16. X

재결취소소송에 대한 설명으로 옳지 않은 것을 모두 고른 것은? (다툼이 있는 경우 판례에 의함)

㉮ 재결취소소송의 대상이 되는 재결의 고유한 위법이란 재결의 주체, 절차 및 형식상의 위법만을 의미하고 내용상의 위법은 포함되지 않는다.

㉯ 행정심판청구가 부적법하지 않음에도 각하한 재결은 심판청구인의 실체심리를 받을 권리를 박탈한 것으로서 원처분에 없는 고유한 하자가 있는 경우에 해당하므로 그 재결은 취소소송의 대상이 된다.

㉰ 원처분주의가 적용됨에도 재결에 대해 취소소송을 제기하는데 재결 자체에 고유한 위법이 없는 경우라면, 원처분의 당부와는 상관없이 당해 재결취소소송은 이를 각하하여야 한다.

㉱ 이른바 복효적 행정행위, 특히 제3자효를 수반하는 행정행위에 대한 행정심판청구에 있어서 그 청구를 인용하는 내용의 재결로 인하여 비로소 권리이익을 침해받게 되는 자는 재결의 당사자가 아니라고 하더라도 그 인용재결의 취소를 구하는 소를 제기할 수 있다.

① ㉮, ㉯   ② ㉮, ㉰
③ ㉯, ㉰   ④ ㉰, ㉱

☑ 기출체크

㉮ 관련 기출

1. 재결 자체의 내용상 위법도 재결 자체에 고유한 위법이 있는 경우에 포함된다. (O, X) 2020 군무원 9급

2. 재결취소소송에 있어서 재결 자체의 고유한 위법은 재결의 주체, 절차 및 형식상의 위법만을 의미하고, 내용상의 위법은 이에 포함되지 않는다. (O, X) 2016 지방직 9급

3. 재결취소소송의 대상이 되는 재결의 고유한 위법에는 주체·형식·절차상의 위법은 물론, 내용상의 위법도 포함된다. (O, X) 2015 교육행정직 9급

㉯ 관련 기출

4. 행정심판청구가 부적법하지 않음에도 각하한 재결은 심판청구인의 실체심리를 받을 권리를 박탈한 것으로서 원처분에 없는 고유한 하자가 있는 경우에 해당하고, 따라서 위 재결은 취소소송의 대상이 된다. (O, X) 2021 국가직 7급

5. 행정심판청구가 부적법하지 않음에도 각하한 재결은 원처분주의에 의해서 취소소송의 대상이 되지 않는다. (O, X) 2015 지방직 9급

6. 행정심판청구가 부적법하지 않음에도 각하한 재결은 심판청구인의

실체심리를 받을 권리를 박탈한 것으로서 원처분에는 없는 고유한 하자에 해당하고, 이 재결은 취소소송의 대상이 된다. (O. X)

2013 서울시 7급

7. 적법한 행정심판청구를 각하한 재결은 재결 자체에 고유한 위법이 있는 경우에 해당하므로 재결취소소송을 제기할 수 있다. (O. X)

2013 국가직 7급

ⓒ 관련 기출

8. 행정심판을 청구하여 기각재결을 받은 후 재결 자체에 고유한 위법이 있음을 주장하며 그 기각재결에 대하여 취소소송을 제기한 경우, 수소법원은 심리 결과 재결 자체에 고유한 위법이 없다면 각하판결을 하여야 한다. (O. X)

2019 국가직 9급

9. 원처분주의에 반하여 재결에 대해 항고소송을 제기했으나 재결 자체에 고유한 위법이 없다면, 각하판결을 해야 한다. (O. X)

2015 서울시 7급

10. 재결취소소송의 경우 재결 자체에 고유한 위법이 없더라도 원처분의 당부에 따라 기각 여부의 판결을 하여야 한다. (O. X)

2014 국회직 8급

11. 재결 자체의 고유한 위법이 없는 경우에도 재결에 대한 취소소송을 제기한 경우에는 기각판결을 하여야 한다. (O. X)

2012 서울시 9급

ⓓ 관련 기출

12. 제3자효를 수반하는 행정행위에 대한 행정심판청구에 있어서 그 청구를 인용하는 내용의 재결로 인하여 비로소 권리이익을 침해받게 되는 자는 그 인용재결에 대하여 다툴 필요가 있고, 그 인용재결은 원처분과 내용을 달리하는 것이므로 그 인용재결의 취소를 구하는 것은 원처분에는 없는 재결에 고유한 하자를 주장하는 셈이어서 당연히 항고소송의 대상이 된다. (O. X)

2021 국가직 7급

13. 제3자효를 수반하는 행정행위에 대한 행정심판청구에 있어서, 그 청구를 인용하는 내용의 재결로 인해 비로소 권리이익을 침해받게 되는 자라도 인용재결에 대해서는 항고소송을 제기하지 못한다. (O. X)

2015 서울시 7급

14. 제3자효 행정행위에서 인용재결이 있는 경우에 그 인용재결로 인하여 비로소 권리이익을 침해받은 자는 그 인용재결에 대하여 취소를 구할 수 있다. (O. X)

2012 국회직 8급

정답 1. O 2. X 3. O 4. O 5. X 6. O 7. O 8. X 9. X 10. X
11. O 12. O 13. X 14. O

취소소송의 제소기간에 관한 다음 기술 중 옳은 것을 모두 고른 것은? (다툼이 있는 경우 판례에 의함)

㉮ 행정소송법 제20조 제1항이 정한 제소기간의 기산점인 '처분 등이 있음을 안 날'이란 구체적으로 행정처분의 위법 여부를 판단한 날을 가리킨다.

㉯ 통상 불특정 다수인을 상대로 고시 또는 공고에 의하여 행정처분을 하는 경우에는 고시 또는 공고가 효력이 발생하여도 그날에 이해관계인이 처분이 있음을 바로 알 수는 없는 것이므로 이해관계인이 실제로 그 고시 또는 공고된 처분이 있음을 알게 된 날을 제소기간의 기산점으로 삼아야 한다.

㉰ 특정인에 대한 처분을 주소불명 등의 사유로 송달할 수 없어 관보 등에 공고한 경우, 공고가 효력을 발생하는 날에 상대방은 처분이 있음을 알았다고 볼 수 있다는 것이 판례의 입장이다.

㉱ 처분의 불가쟁력이 발생하였고 그 이후에 행정청이 당해 처분에 대해 행정심판청구를 할 수 있다고 잘못 알린 경우, 잘못된 안내에 따라 청구된 행정심판 재결서 정본을 송달받은 날부터 다시 취소소송의 제소기간이 기산되는 것은 아니다.

㉲ 처분의 상대방인 甲이 통보서를 송달받기 전에 정보공개를 청구하여 해당 사건 처분을 하는 내용의 통보서를 비롯한 일체의 서류를 교부받음으로써 적어도 그 무렵에는 처분이 있음을 알았다면 그때로부터 행정소송법 제20조 제1항이 정한 제소기간이 진행된다.

㉳ 조세심판에서의 재결청의 재조사결정에 따른 행정소송의 제소기간은 이의신청인 등이 후속처분의 통지를 받은 날부터 기산된다.

㉴ 행정청이 식품위생법령에 따라 영업자에게 행정제재처분을 한 후 당초 처분을 영업자에게 유리하게 변경하는 처분을 한 경우, 취소소송의 대상 및 제소기간 판단기준은 변경처분이다.

㉵ 행정청이 행정심판청구를 할 수 있다고 잘못 알려 행정심판을 청구한 경우에는 재결서 정본을 송달받은 날로부터 제소기간이 기산된다.

㉶ 행정처분이 있은 날이란, 상대방이 있는 행정처분의 경우는 특별한 규정이 없는 한 의사표시의 일반적 법리에 따라 그 행정처분이 상대방에게 고지되어 효력이 발생한 날을 말한다.

① ㉮, ㉯, ㉰, ㉲   ② ㉯, ㉰, ㉱, ㉴
③ ㉰, ㉲, ㉳, ㉴   ④ ㉱, ㉳, ㉴, ㉶

㉮ 관련 기출

1. 상대방이 있는 행정처분에 대하여 행정심판을 거치지 아니하고 바로 취소소송을 제기하는 경우 처분이 있음을 안 날이란 통지, 공고 기타의 방법에 의해 당해 행정처분이 있었다는 사실을 현실적으로 안 날을 의미한다. (○, ×)　　　　　　　　2017 국가직(하) 7급

2. 처분이 있음을 안 날이란 통지, 공고 기타의 방법에 의하여 당해 처분이 있었다는 사실을 현실적으로 안 날을 의미하고 구체적으로 그 행정처분의 위법 여부를 판단한 날을 가리키는 것은 아니다. (○, ×)　　　　　　　　2012 국회(속기·경위직) 9급

㉯ 관련 기출

3. 고시 또는 공고에 의하여 행정처분을 하는 경우 그 행정처분에 이해관계를 갖는 사람이 고시 또는 공고가 있었다는 사실을 현실적으로 알았는지 여부에 관계없이 고시 또는 공고가 효력을 발생한 날에 행정처분이 있음을 알았다고 보아야 한다. (○, ×)　　　　　　　　2020 지방직·서울시 9급

4. 고시 또는 공고에 의하여 행정처분을 하는 경우에는 고시 또는 공고의 효력발생일을 처분이 있는 날로 보아 그날로부터 180일 이내에 행정심판을 청구할 수 있다. (○, ×)　　2018 서울시 1회 7급

5. 불특정 다수인에 대한 행정처분을 고시 또는 공고에 의하여 하는 경우에는 그 행정처분에 이해관계를 갖는 사람이 고시 또는 공고가 있었다는 사실을 현실적으로 알았는지 여부에 관계없이 고시 또는 공고가 효력을 발생한 날에 행정처분이 있음을 알았다고 보아야 한다. (○, ×)　　　　　　　　2017 지방직(하) 9급

6. 통상 고시 또는 공고에 의하여 행정처분을 하는 경우에 행정처분이 있었음을 안 날이란 행정처분의 이해관계를 갖는 자가 고시 또는 공고가 있었다는 사실을 현실적으로 안 날이 된다. (○, ×)　　　　　　　　2017 사회복지직 9급

㉰ 관련 기출

7. 특정인에 대한 처분을 주소불명 등의 이유로 송달할 수 없어 관보·공보·게시판·일간신문 등에 공고(공시송달)한 경우에는 당해 공고가 효력을 발생하는 날이 처분이 있음을 안 날이 된다. (○, ×)　　　　　　　　2010 국회속기직 9급 변형

㉱ 관련 기출

8. 행정청이 불가쟁력이 발생한 당초처분에 대해 양적 일부취소로서의 감액처분을 하면서 행정심판을 청구할 수 있다고 잘못 알린 경우에는 그에 따라 청구된 행정심판재결서 정본을 송달받은 날부터 90일 이내에 당초처분 중 감액처분에 의하여 취소되지 않고 남은 부분의 취소를 구하는 소송을 제기하여야 한다. (○, ×)　　　　　　　　2021 경행경채

9. 처분의 불가쟁력이 발생하였고 그 이후에 행정청이 당해 처분에 대해 행정심판청구를 할 수 있다고 잘못 알렸다면, 그 처분의 취소소송의 제소기간은 행정심판의 재결서를 받은 날부터 기산한다. (○, ×)　　　　　　　　2017 지방직 9급

㉲ 관련 기출

10. '처분이 있음을 안 날'은 처분이 있었다는 사실을 현실적으로 안 날을 의미하므로, 처분서를 송달받기 전 정보공개청구를 통하여 처분을 하는 내용의 일체의 서류를 교부받았다면 그 서류를 교부받은 날부터 제소기간이 기산된다. (○, ×)　　2021 국가직 9급

㉳ 관련 기출

11. 납세자의 이의신청에 의한 재조사결정에 따른 행정소송의 제소기

간은 이의신청인 등이 재결청으로부터 재조사결정의 통지를 받은 날부터 기산한다. (○, ×)　　　　　　　　2017 지방직 9급

12. 조세심판에서 재결청의 재조사결정에 따른 행정소송의 기산점은 후속처분의 통지를 받은 날이다. (○, ×)　　2016 국회직 8급

13. 국세기본법상의 이의신청에 대한 재조사결정에 따른 심사청구기간이나 심판청구기간은 이의신청인이 후속처분의 통지를 받은 날부터 기산된다. (○, ×)　　　　　　　　2016 국가직 7급

14. 조세심판에서의 재결청의 재조사결정에 따른 행정소송의 제소기간은 이의신청인 등이 후속처분의 통지를 받은 날부터 기산된다. (○, ×)　　　　　　　　2015 지방직 9급

㉴ 관련 기출

15. 변경처분에 의하여 유리하게 변경된 내용의 행정제재가 위법하다는 이유로 그 취소를 구하는 경우 취소소송의 대상은 변경된 내용의 당초 처분이지 변경처분은 아니고, 제소기간의 준수 여부도 변경처분이 아닌 변경된 내용의 당초 처분을 기준으로 판단하여야 한다. (○, ×)　　　　　　　　2019 경행경채 2차

16. 판례에 따를 경우 甲이 제기하는 소송이 적법하게 되기 위한 설명으로 옳은 것은?　　　　　　　　2018 국가직 9급

> A시장은 2016. 12. 23. 식품위생법 위반을 이유로 甲에 대하여 3월의 영업정지처분을 하였고, 甲은 2016. 12. 26. 처분서를 송달받았다. 甲은 이에 대해 행정심판을 청구하였고, 행정심판위원회는 2017. 3. 6. "A시장은 甲에 대하여 한 3월의 영업정지처분을 2월의 영업정지에 갈음하는 과징금 부과처분으로 변경하라."라는 일부인용의 재결을 하였으며, 그 재결서 정본은 2017. 3. 10. 甲에게 송달되었다. A시장은 재결취지에 따라 2017. 3. 13. 甲에 대하여 과징금 부과처분을 하였다. 甲은 여전히 자신이 식품위생법 위반을 이유로 한 제재를 받을 이유가 없다고 생각하여 취소소송을 제기하려고 한다.

① 행정심판위원회를 피고로 하여 2016. 12. 23.자 영업정지처분을 대상으로 취소소송을 제기하여야 한다.

② 행정심판위원회를 피고로 하여 2017. 3. 13.자 과징금 부과처분을 대상으로 취소소송을 제기하여야 한다.

③ 과징금 부과처분으로 변경된 2016. 12. 23.자 원처분을 대상으로 2017. 3. 10.부터 90일 이내에 제기하여야 한다.

④ 2017. 3. 13.자 과징금 부과처분을 대상으로 2017. 3. 6.부터 90일 이내에 제기하여야 한다.

17. 행정청이 식품위생법령에 따라 영업자에게 행정제재처분을 한 후 당초 처분을 영업자에게 유리하게 변경하는 처분을 한 경우, 취소소송의 대상 및 제소기간 판단기준은 변경처분이 아니라 변경된 내용의 당초 처분이다. (○, ×)　　2017 서울시 7급

18. 행정청이 식품위생법령에 따라 영업자에게 행정제재처분을 한 후 당초 처분을 영업자에게 유리하게 변경하는 처분을 한 경우, 취소소송의 대상 및 제소기간 판단기준이 되는 처분은 유리하게 변경된 처분이다. (○, ×)　　　　　　　　2016 사회복지직 9급

㉵ 관련 기출

19. 행정청이 행정심판청구를 할 수 있다고 잘못 알려 행정심판을 청구한 경우에는 재결서 정본을 송달받은 날이 아닌 처분이 있음을 안 날로부터 제소기간이 기산된다. (○, ×)　　2021 국가직 9급

20. 행정청이 행정심판청구를 할 수 있다고 잘못 알려 행정심판청구를 한 경우 취소소송의 제소기간은 행정심판재결서 정본을 송달받은 날부터 기산한다. (○, ×)　　　　　　　　2013 지방직 9급

21. 행정처분이 있은 날이라 함은 그 행정처분의 효력이 발생한 날을 의미한다. (○, ×)

2018 서울시 9급

22. 행정처분이 있은 날이란 상대방이 있는 행정처분의 경우는 특별한 규정이 없는 한 의사표시의 일반적 법리에 따라 그 행정처분이 상대방에게 고지되어 효력이 발생한 날을 말한다. (○, ×)

2012 국회(속기·경위직) 9급

23. 처분 등이 있은 날이란 당해 처분이 그 효력을 발생한 날을 말하며, 상대방이 있는 처분의 경우에는 상대방에게 도달되어야 한다. (○, ×)

2010 국회속기직 9급

정답 1. ○ 2. ○ 3. ○ 4. × 5. ○ 6. × 7. × 8. × 9. × 10. ×
11. × 12. ○ 13. ○ 14. ○ 15. ○ 16. ③ 17. ○ 18. × 19. ×
20. ○ 21. ○ 21. ○ 22. ○ 23. ○

---

11 □□□

다른 법률에 당해 처분에 대한 행정심판의 재결을 거치지 아니하면 취소소송을 제기할 수 없다는 규정이 있음에도 불구하고 행정소송법상 행정심판청구는 하되 행정심판의 재결을 거치지 아니하고 취소소송을 제기할 수 있는 사유에 해당하는 것을 모두 고른 것은?

> ㉮ 법령의 규정에 의한 행정심판기관이 의결 또는 재결을 하지 못할 사유가 있는 때
> ㉯ 서로 내용상 관련되는 처분 또는 같은 목적을 위하여 단계적으로 진행되는 처분 중 어느 하나가 이미 행정심판의 재결을 거친 때
> ㉰ 행정청이 사실심의 변론종결 후 소송의 대상인 처분을 변경하여 당해 변경된 처분에 관하여 소를 제기하는 때
> ㉱ 행정심판청구가 있은 날로부터 60일이 지나도 재결이 없는 때

① ㉮, ㉯
② ㉮, ㉱
③ ㉯, ㉰, ㉱
④ ㉰, ㉱

✔ 기출체크

1. 행정소송법상 필요적 전치주의가 적용되는 사안에서, 행정심판을 청구하여야 하나 당해 처분에 대한 행정심판의 재결을 거치지 아니하고 취소소송을 제기할 수 있는 경우에 해당하는 것은?

2017 지방직 9급

① 동종사건에 관하여 이미 행정심판의 기각재결이 있는 경우
② 서로 내용상 관련되는 처분 또는 같은 목적을 위하여 단계적으로 진행되는 처분 중 어느 하나가 이미 행정심판의 재결을 거친 경우
③ 처분의 집행 또는 절차의 속행으로 생길 중대한 손해를 예방하여야 할 긴급한 필요가 있는 경우

④ 처분을 행한 행정청이 행정심판을 거칠 필요가 없다고 잘못 알린 경우

2. 행정소송법 제18조 제3항에서 규정하고 있는 '행정심판을 거칠 필요가 없는 경우'가 아닌 것은?

2016 서울시 9급

① 동종사건에 관하여 이미 행정심판의 기각재결이 있은 때
② 서로 내용상 관련되는 처분 또는 같은 목적을 위하여 단계적으로 진행되는 처분 중 어느 하나가 이미 행정심판의 재결을 거친 때
③ 행정청이 사실심의 변론종결 후 소송의 대상인 처분을 변경하여 당해 변경된 처분에 관하여 소를 제기하는 때
④ 법령의 규정에 의한 행정심판기관이 의결 또는 재결을 하지 못할 사유가 있는 때

3. 필요적 행정심판전치일 경우에 행정심판을 제기함이 없이 취소소송을 제기할 수 있는 경우가 아닌 것은?

2015 국가직 7급

① 동종사건에 관하여 이미 행정심판의 기각재결이 있은 때
② 처분을 행한 행정청이 행정심판을 거칠 필요가 없다고 잘못 알린 때
③ 처분의 집행 또는 절차의 속행으로 인하여 생길 중대한 손해를 예방하여야 할 긴급한 필요가 있는 때
④ 서로 내용상 관련되는 처분 또는 같은 목적을 위하여 단계적으로 진행되는 처분 중 어느 하나가 이미 행정심판의 재결을 거친 때

정답 1. ③ 2. ④ 3. ③

---

12 □□□

행정소송에 대한 다음 설명 중 옳지 않은 것을 모두 고른 것은? (다툼이 있는 경우 판례에 의함)

> ㉮ 취소소송의 원고적격은 소송요건의 하나이므로 사실심변론종결시는 물론 상고심에서도 존속하여야 하고 이를 흠결하면 부적법한 소가 된다.
> ㉯ 행정처분의 당연무효를 주장하여 그 무효확인을 구하는 행정소송에 있어서는 피고에게 그 행정처분이 무효가 아니라는 점을 입증할 책임이 있다.
> ㉰ 행정처분이 그 재량권의 한계를 벗어난 것이어서 위법하다는 점은 그 행정처분의 효력을 다투는 자가 이를 주장·입증하여야 하고 처분청이 그 재량권의 행사가 정당한 것이었다는 점까지 주장·입증할 필요는 없다.
> ㉱ 행정심판이 필수적인 경우, 행정심판을 거치지 않고 행정소송을 제기하였다면 추후 사실심변론종결시까지 행정심판절차를 거쳤다고 하여도 하자가 치유된다고 볼 수 없다.

① ㉮, ㉯
② ㉯, ㉰
③ ㉯, ㉱
④ ㉰, ㉱

13

행정소송상 가구제에 관한 다음 기술 중 옳은 것은? (다툼이 있는 경우 판례에 의함)

① 행정소송법은 취소소송의 경우에 집행정지뿐만 아니라 임시처분에 관하여도 규정하고 있다.

② 본안의 이유 유무는 본안에서 심리할 문제이며 집행정지단계에서 고려할 내용이 아니므로 본안청구가 이유 없음이 명백하더라도 이를 고려하여 집행정지 여부를 결정할 수는 없다.

③ 행정소송법 제23조에 규정된 집행정지의 요건으로서의 '회복하기 어려운 손해'라 함은 특별한 사정이 없는 한 금전으로 보상할 수 없는 손해를 말하는바 이때 '금전으로 보상할 수 없는 손해'라 함은 금전보상이 불가능한 경우만으로 좁게 해석하여야 한다.

④ 보조금 교부결정의 일부를 취소한 행정청의 처분에 대한 효력정지결정의 효력이 소멸하여 보조금 교부결정 취소처분의 효력이 되살아난 경우, 원칙적으로 취소처분에 의하여 취소된 부분의 보조사업에 대하여 효력정지기간 동안 교부된 보조금의 반환을 명하여야 한다.

수 없거나 또는 참고 견디기가 현저히 곤란한 경우의 유형 · 무형의 손해를 말한다. (○, ×)　　　　　　　　　2015 사회복지직 9급

10. 집행정지요건인 '회복하기 어려운 손해'라 함은 금전배상이 불가능한 경우와 사회통념상 원상회복이나 금전배상이 가능하더라도 금전배상만으로는 수인할 수 없거나 수인하기 어려운 유 · 무형의 손해를 의미하고 손해의 규모가 현저하게 큰 것임을 요한다. (○, ×)　　　　　　　　　2010 국회직 8급

④ 관련 기출

11. 보조금 교부결정 취소처분에 대하여 법원이 효력정지결정을 하면서 주문에서 그 법원에 계속 중인 본안소송의 판결선고시까지 처분의 효력을 정지한다고 선언하였을 경우, 본안소송의 판결선고에 의하여 정지결정의 효력은 소멸하고 이와 동시에 당초의 보조금 교부결정 취소처분의 효력이 당연히 되살아난다. (○, ×)　　　　　　　　　2018 국가직 7급

정답 1. ○ 2. × 3. ○ 4. × 5. ○ 6. × 7. ○ 8. ○ 9. ○ 10. ×
11. ○

14
□□□

처분사유의 추가 · 변경에 대한 다음 기술 중 옳은 것을 모두 고른 것은? (다툼이 있는 경우 판례에 의함)

㉮ 처분사유의 추가 · 변경은 원칙적으로 처분시 이후부터 행정소송제기 이전 사이에 문제된다.

㉯ 처분의 사실관계에 변동이 없더라도 처분의 법률상의 근거를 변경하는 것은 원칙적으로 허용되지 않는다.

㉰ 부정당업자제재처분 당시의 처분사유인 정당한 이유 없이 계약을 이행하지 않았다는 사유와 소송계속 중 추가한 사유인 관계공무원에게 뇌물을 주었다는 사유는, 기본적 사실관계에 있어서 동일성이 인정되지 않는다.

㉱ 액화석유가스판매사업불허가처분의 당초의 처분사유인 사업허가기준에 맞지 않는다는 사유와 소송계속 중 추가하여 주장한 사유인 이격거리 허가기준에 위반된다는 사유는, 기본적 사실관계에 있어서 동일성이 인정된다.

㉲ 토지형질변경 불허가처분의 당초의 처분사유인 국립공원에 인접한 미개발지의 합리적인 이용대책 수립시까지 그 허가를 유보한다는 사유와 소송계속 중 추가하여 주장한 처분사유인 국립공원 주변의 환경 · 풍치 · 미관 등을 크게 손상시킬 우려가 있다는 사유는, 기본적 사실관계에 있어서 동일성이 인정되지 않는다.

① ㉮, ㉯　　　　　　　② ㉯, ㉰
③ ㉰, ㉱　　　　　　　④ ㉱, ㉲

✔ 기출체크

㉮ 관련 기출

1. 처분사유의 추가 · 변경은 원칙적으로 행정소송의 제기 이후부터 사실심변론종결시 이전 사이에 문제된다. (○, ×)　　　　　2013 국가직 7급

㉯ 관련 기출

2. 처분청이 처분 당시에 적시한 구체적 사실을 변경하지 아니하는 범위 내에서 단지 그 처분의 근거법령만을 추가 · 변경하거나 당초의 처분사유를 구체적으로 표시하는 것에 불과한 경우에는 새로운 처분사유를 추가하거나 변경하는 것이라고 볼 수 없다. (○, ×)　　　　　2020 군무원 9급

3. 처분청이 처분 당시에 적시한 구체적 사실을 변경하지 아니하는 범위 내에서 단지 처분의 근거법령만을 추가 · 변경하는 것은 새로운 처분사유의 추가라고 볼 수 없다. (○, ×)　　　　　2017 국가직 7급

4. 처분청이 처분 당시 적시한 구체적 사실을 변경하지 아니하는 범위 내에서 단지 처분의 근거법령만을 추가 · 변경하는 경우에 법원은 처분청이 처분 당시 적시한 구체적 사실에 대하여 처분 후 추가 · 변경한 법령을 적용하여 처분의 적법 여부를 판단할 수 있다. (○, ×)　　　　　2016 국가직 9급

5. 처분 당시 적시한 구체적 사실을 변경하지 않는 한 처분의 법령상 근거만을 추가 · 변경하는 것은 허용된다. (○, ×)　　　　　2012 세무사

㉱ 관련 기출

6. 허가기준에 맞지 않는다는 이유로 허가신청을 반려하였다가 소송 계속 중 이격거리 기준 위배를 반려사유로 주장한 경우(는 처분사유의 추가 · 변경과 관련하여 판례가 기본적 사실관계의 동일성을 인정한 것이다) (○, ×)　　　　　2010 경행특채

㉲ 관련 기출

7. 토지형질변경 불허가처분의 당초의 처분사유인 국립공원에 인접한 미개발지의 합리적인 이용대책 수립시까지 그 허가를 유보한다는 사유와 그 처분의 취소소송에서 추가하여 주장한 처분사유인 국립공원 주변의 환경 · 풍치 · 미관 등을 크게 손상시킬 우려가 있으므로 공공목적상 원형유지의 필요가 있는 곳으로서 형질변경허가 금지 대상이라는 사유는 기본적 사실관계에 있어서 동일성이 인정된다. (○, ×)　　　　　2011 사회복지직 9급

정답 1. ○ 2. ○ 3. ○ 4. ○ 5. ○ 6. ○ 7. ○

다음 행정소송법의 조문 내용 중 현행법의 내용과 동일한 것은?

① **행정소송법 제10조【관련청구소송의 이송 및 병합】**

② 취소소송에는 제1심 변론종결 전까지 관련청구소송을 병합하거나 피고 외의 자를 상대로 한 관련청구소송을 취소소송이 계속된 법원에 병합하여 제기할 수 있다.

② **행정소송법 제16조【제3자의 소송참가】** ① 법원은 소송의 결과에 따라 권리 또는 이익의 침해를 받을 제3자가 있는 경우에는 당사자 또는 제3자의 신청 또는 직권에 의하여 결정으로써 그 제3자를 소송에 참가시킬 수 있다.

② 법원이 제1항의 규정에 의한 결정을 하고자 할 때에는 미리 당사자 및 제3자의 의견을 들어야 한다.

③ **행정소송법 제22조【처분변경으로 인한 소의 변경】**

① 법원은 행정청이 소송의 대상인 처분을 소가 제기된 후 변경한 때에는 원고의 신청 또는 직권에 의하여 결정으로써 청구의 취지 또는 원인의 변경을 허가할 수 있다.

② 제1항의 규정에 의한 신청은 처분의 변경이 있음을 안 날로부터 60일 이내에 하여야 한다.

④ **행정소송법 제31조【제3자에 의한 재심청구】** ①

처분 등을 취소하는 판결에 의하여 권리 또는 이익의 침해를 받은 제3자는 자기에게 책임 없는 사유로 소송에 참가하지 못함으로써 판결의 결과에 영향을 미칠 공격 또는 방어방법을 제출하지 못한 때에는 이를 이유로 확정된 종국판결에 대하여 재심의 청구를 할 수 있다.

② 제1항의 규정에 의한 청구는 확정판결이 있음을 안 날로부터 90일 이내, 판결이 확정된 날로부터 1년 이내에 제기하여야 한다.

✔ **기출체크**

① 관련 기출

1. 취소소송이 계속된 법원은 관련청구소송을 병합하여 심리할 수 있으나, 그 병합은 취소소송의 사실심의 변론종결시까지만 허용된다. (○, ×)   2010 지방직 7급

② 관련 기출

2. 법원은 소송의 결과에 따라 권리 또는 이익을 침해받을 제3자가 있는 경우에는 당사자 또는 제3자의 신청 또는 직권에 의하여 결정으로써 제3자를 소송에 참가시킬 수 있다. (○, ×)   2015 국회직 8급

3. 제3자의 소송참가에는 신청에 의한 경우와 직권에 의한 경우가 있다. (○, ×)   2012 국가직 9급

4. 원고 甲과 행정청 사이의 소송결과에 따라 권리침해를 받을 乙이 존재하는 경우, 법원은 직권에 의하여 乙을 소송에 참가시킬 수 없다. (○, ×)   2010 세무사

5. 법원은 당사자 또는 제3자의 신청 또는 직권에 의하여 결정으로써 제3자를 소송에 참가시킬 수 있다. (○, ×)   2007 세무사

③ 관련 기출

6. (처분변경으로 인한 소변경의 요건에는) (1) 소제기 후 처분의 변경이 있을 것, (2) 원고가 처분의 변경이 있음을 안 날로부터 60일 이내에 소변경 신청을 할 것, (3) 소송이 계속 중이고 사실심변론종결 전일 것, (4) 법원의 변경허가결정이 있을 것, (5) 변경되는 청구가 필요적 행정심판전치의 대상인 경우 행정심판을 거칠 것 등이 있다. (○, ×)   2012 세무사

7. 원고가 당해 처분의 변경이 있음을 안 날로부터 60일 이내에 소변경 신청을 하여야 한다. (○, ×)   2006 세무사

④ 관련 기출

8. 처분을 취소하는 판결에 의하여 권리의 침해를 받은 제3자는 자기에게 책임 없는 사유로 인하여 소송에 참가하지 못함으로써 판결의 결과에 영향을 미칠 공격 또는 방어방법을 제출하지 못한 때에는 이를 이유로 확정된 종국판결에 대하여 재심의 청구를 할 수 있다. (○, ×)   2018 지방직 9급

9. 행정소송법상 제3자에 의한 재심청구는 확정판결이 있음을 안 날로부터 ( )일 이내에 제기하여야 한다.   2011 지방직 7급

정답   1. ○   2. ○   3. ○   4. ×   5. ○   6. ×   7. ○   8. ○   9. 30

16

☐☐☐

다음 취소소송의 심리 등에 관한 기술 중 옳은 것을 모두 고른 것은? (다툼이 있는 경우 판례에 의함)

㉮ 어떠한 처분에 법령상 근거가 있는지, 행정절차법에서 정한 처분절차를 준수하였는지는 소송요건심사 단계에서 고려해야 할 요소이다.

㉯ 사실심에서 변론종결시까지 당사자가 주장하지 않던 직권조사사항에 해당하는 사항을 상고심에서 비로소 주장하는 경우, 그 직권조사사항에 해당하는 사항은 상고심의 심판범위에 해당된다.

㉰ 법원은 당사자의 신청 또는 직권에 의하여 결정으로써 재결을 행한 행정청에 대하여 행정심판에 관한 기록의 제출을 명할 수 있고, 이러한 제출명령을 받은 행정청은 지체 없이 당해 행정심판에 관한 기록을 법원에 제출하여야 한다.

㉱ 행정소송의 대상이 되는 행정처분의 존부는 소송요건으로서 직권조사사항이고, 자백의 대상이 될 수 없는 것이므로 설사 그 존재를 당사자들이 다투지 아니한다 하더라도 그 존부에 관하여 의심이 있는 경우에는 이를 직권으로 밝혀 보아야 한다.

① ㉮, ㉯   ② ㉯, ㉰
③ ㉯, ㉱   ④ ㉰, ㉱

✅ 기출체크

㉮ 관련 기출

1. 어떠한 처분에 법령상 근거가 있는지, 행정절차법에서 정한 처분절차를 준수하였는지는 본안에서 당해 처분이 적법한가를 판단하는 단계에서 고려할 요소이지, 소송요건심사단계에서 고려할 요소가 아니다. (○, ×)   2021 국회직 8급

2. 행정청이 처분절차를 준수하였는지는 취소소송의 본안에서 고려할 요소이지, 소송요건 심사단계에서 고려할 요소가 아니다. (○, ×)   2020 국가직 7급

㉯ 관련 기출

3. 당사자가 확정된 취소판결의 존재를 사실심변론종결시까지 주장하지 아니하였다고 하더라도 상고심에서 새로이 이를 주장·입증할 수 있다. (○, ×)   2021 군무원 7급

4. 행정소송에서 쟁송의 대상이 되는 행정처분의 존부에 관한 사항이 상고심에서 비로소 주장된 경우에 행정처분의 존부에 관한 사항은 상고심의 심판범위에 해당한다. (○, ×)   2020 국가직 9급

5. 사실심에서 변론종결시까지 당사자가 주장하지 않던 직권조사사항에 해당하는 사항을 상고심에서 비로소 주장하는 경우 그 직권조사사항에 해당하는 사항은 상고심의 심판범위에 해당하지 않는다. (○, ×)   2015 지방직 7급

㉰ 관련 기출

6. 행정소송법은 법원이 직권으로 관계행정청에 자료제출을 요구할 수 있음을 규정하고 있다. (○, ×)   2014 국가직 9급

㉱ 관련 기출

7. 행정소송에서 쟁송의 대상이 되는 행정처분의 존재를 당사자들이 다투지 아니한다 하더라도 그 존부에 관하여 의심이 있는 경우 법원은 이를 직권으로 밝혀야 한다. (○, ×)   2019 서울시 2회 7급

8. 행정소송의 대상이 되는 행정처분의 존부는 소송요건으로서 직권조사사항이고, 자백의 대상이 될 수 없는 것이므로, 설사 그 존재를 당사자들이 다투지 아니한다 하더라도 그 존부에 관하여 의심이 있는 경우에는 이를 직권으로 밝혀 보아야 할 것이다. (○, ×)   2015 지방직 9급

9. 행정소송에서 쟁송의 대상이 되는 행정처분의 존부는 자백의 대상이므로 그 존재를 당사자들이 다투지 아니하는 경우, 의심이 있어도 그 존부에 대해 법원이 직권으로 조사할 권한이 없다. (○, ×)   2013 서울시 7급

정답 1. ○ 2. ○ 3. ○ 4. ○ 5. × 6. × 7. ○ 8. ○ 9. ×

17

☐☐☐

판결의 효력에 관한 다음 기술 중 옳지 않은 것을 모두 고른 것은? (다툼이 있는 경우 판례에 의함)

㉮ 취소판결의 형성력은 형성효, 소급효, 제3자효를 내용으로 하는 것으로 처분의 취소판결이 확정되면 처분은 행정청의 별도의 조치 없이도 소급하여 처분 당시부터 소멸된 것으로 된다.

㉯ 취소판결이 확정되면 판결의 기속력으로 인해 행정청은 동일한 사실관계 아래에서 동일한 당사자에 대하여 동일한 내용의 처분 등을 반복해서는 안 되는 의무를 진다.

㉰ 거부처분에 대한 취소판결이 확정된 경우, 처분 당시 이후 발생한 새로운 사유를 들어 처분청이 다시 거부처분을 하는 것은 기속력에 위반되는 것으로 허용될 수 없다.

㉱ 기속력은 후소법원을 구속하는 효력으로서 판결의 주문에 포함된 것에 한해 미치지만, 기판력은 행정청을 구속하는 효력으로서 판결의 주문과 판결이유에 설시된 그 전제가 되는 법률관계의 존부에까지 미친다.

⑩ 취소판결의 기속력은 판결의 주문 및 전제가 되는 처분 등의 구체적 위법사유에 관한 판단에도 미치나, 종전 처분이 판결에 의하여 취소되었더라도 종전 처분과 다른 사유를 들어서 새로이 처분을 하는 것은 가능하다.

① ㉮, ㉯   　　　　② ㉯, ㉰
③ ㉰, ㉱   　　　　④ ㉱, ㉲

✅ 기출체크

㉮ 관련 기출

1. 행정처분을 취소한다는 확정판결이 있으면 그 취소판결의 형성력에 의하여 당해 행정처분의 취소나 취소통지 등의 별도의 절차를 요하지 아니하고 당연히 취소의 효과가 발생한다. (○, ×)
2015 경행특채 1차

2. 제3자효 행정행위를 취소하거나 무효를 확인하는 확정판결은 제3자에 대해서 효력을 미치지 않는다. (○, ×) 2014 국가직 7급

3. 형성소송설에 따를 경우 취소판결이 확정되면 당해 처분의 효력은 행정청이 취소하지 않더라도 소급하여 효력을 상실한다. (○, ×)
2012 지방직 9급

㉯ 관련 기출

4. 청구인용판결이 확정되면 행정청은 동일한 사실관계 아래서 동일 당사자에 대하여 동일한 내용의 처분을 반복할 수 없다. (○, ×)
2004 입법고시

㉰ 관련 기출

5. 거부처분취소의 확정판결을 받은 행정청이 사실심변론종결 이후 발생한 새로운 사유를 내세워 다시 거부처분을 한 경우도 행정소송법 제30조 제2항에 규정된 재처분에 해당한다. (○, ×)
2015 국회직 8급

6. 거부처분 취소판결이 확정된 후, 사실심변론종결 이후에 발생한 새로운 사유를 근거로 다시 거부처분을 하는 것은 기속력에 위반된다. (○, ×)
2015 국가직 7급

㉱ 관련 기출

7. 취소확정판결의 기속력은 판결의 주문(主文)에 대해서만 발생하며, 처분의 구체적 위법사유에 대해서는 발생하지 않는다. (○, ×)
2021 국가직 7급

8. 취소판결의 기속력은 주로 판결의 실효성 확보를 위하여 인정되는 효력으로서 판결의 주문뿐만 아니라 그 전제가 되는 처분 등의 구체적 위법사유에 관한 이유 중의 판단에 대하여도 인정된다. (○, ×)
2020 국가직 9급

9. 점용허가취소처분을 취소하는 확정판결의 기속력은 판결의 주문에 미치는 것으로 그 전제가 되는 처분 등의 구체적 위법사유에 관한 이유 중의 판단에 대해서는 인정되지 않는다. (○, ×)
2018 지방직 9급

10. 기속력은 판결의 취지에 따라 행정청을 구속하는바, 여기에는 판결의 주문과 판결이유 중에 설시된 개개의 위법사유가 포함된다. (○, ×)
2017 서울시 7급

11. 취소판결의 기속력은 판결의 주문(主文)에 대하여서만 발생한다. (○, ×)
2016 국회직 8급

㉲ 관련 기출

12. 취소판결의 기속력은 판결의 주문 및 전제가 되는 처분 등의 구체적 위법사유에 관한 판단에도 미치나, 종전 처분이 판결에 의하여 취소되었더라도 종전 처분과 다른 사유를 들어서 새로이 처분을 하는 것은 기속력에 저촉되지 않는다. (○, ×) 2021 변호사

13. 행정처분이 판결에 의해 취소된 경우, 취소된 처분의 사유와 기본적 사실관계에서 동일성이 인정되지 않는 다른 사유를 들어 새로이 처분을 하는 것은 기속력에 반한다. (○, ×) 2020 국가직 9급

정답 1. ○ 2. × 3. ○ 4. ○ 5. ○ 6. × 7. × 8. ○ 9. × 10. ○
11. × 12. ○ 13. ×

18 □□□

항고소송의 심리와 판결에 관한 다음 기술 중 옳은 것은? (다툼이 있는 경우 판례에 의함)

① 대법원은 기판력의 객관적 범위가 판결의 주문 이외에 판결이유에 설시된 그 전제가 되는 법률관계의 존부에도 미친다고 판시하고 있다.

② 처분청을 피고로 하는 취소소송에 있어서의 기판력은 당해 처분이 귀속하는 국가 또는 공공단체에 미친다.

③ 특정의 행정처분이 절차상의 위법사유로 인하여 취소된 경우, 행정청이 이러한 절차상의 하자를 보완하여 다시 새로운 행정처분을 하는 것은 기속력에 위반되어 허용될 수 없다.

④ 행정소송은 변론주의를 원칙으로 하고 있으므로 비록 행정소송에서 기록상 자료가 나타나 있더라도 당사자가 주장하지 않았다면 주장하지 않은 사실을 판단할 수는 없다.

✅ 기출체크

① 관련 기출

1. 취소판결의 기판력은 소송물로 된 행정처분의 위법성 존부에 관한 판단 그 자체에만 미친다. (○, ×)
2016 국회직 8급, 2015 사회복지직 9급

2. 취소판결의 기판력과 기속력은 판결의 주문과 판결이유 중에 설시된 개개의 위법사유에까지 미친다. (○, ×) 2016 국가직 7급

3. 판례는 기판력의 객관적 범위가 판결의 주문 이외에 판결이유에 설시된 그 전제가 되는 법률관계의 존부에도 미친다고 판시하고 있다. (○, ×) 2011 지방직 9급

② 관련 기출

4. 취소소송의 피고는 처분청이므로 행정청을 피고로 하는 취소소송에 있어서의 기판력은 당해 처분이 귀속하는 국가 또는 공공단체에 미친다. (○, ×) 2010 국가직 9급

③ 관련 기출

5. 판례에 따르면, 처분의 절차적 위법사유로 인용재결이 있었으나 행정청이 절차적 위법사유를 시정한 후 행정청이 종전과 같은 처분을 하는 것은 재결의 기속력에 반한다. (○. ×)

6. 특정의 행정처분이 절차상의 위법사유로 인하여 취소된 경우에는 행정청은 이러한 절차상의 하자를 보완하여 다시 새로운 행정처분을 할 수 있다. (○. ×)

④ 관련 기출

7. 법원은 필요하다고 인정할 때에는 직권으로 증거조사를 할 수 있고, 당사자가 주장하지 아니한 사실에 대하여도 판단할 수 있다. (○. ×)

8. 행정소송법 제26조는 행정소송에서 직권심리주의가 적용되도록 하고 있지만, 행정소송에서도 당사자주의나 변론주의의 기본구도는 여전히 유지된다. (○. ×)

9. 행정소송에서 기록상 자료가 나타나 있다 하더라도 당사자가 주장하지 않았다면 행정소송의 특수성에 비추어 법원은 이를 판단할 수 없다. (○. ×)

10. 법원은 행정소송에서 기록상 자료가 나타나 있다면 당사자가 주장하지 않았더라도 판단할 수 있다. (○. ×)

정답 1.○ 2.× 3.× 4.○ 5.× 6.○ 7.○ 8.○ 9.× 10.○

19

□□□

사정판결에 관한 기술 중 옳지 않은 것은? (다툼이 있는 경우 판례에 의함)

① 사정판결은 본안심리 결과 원고의 청구가 이유 있다고 인정됨에도 불구하고 처분을 취소하는 것이 현저히 공공복리에 적합하지 아니하다고 인정하는 때 원고의 청구를 기각하는 판결을 말한다.

② 법원이 사정판결을 함에 있어서는 미리 원고가 그로 인하여 입게 될 손해의 정도와 배상방법 그 밖의 사정을 조사하여야 한다.

③ 원고는 피고인 행정청이 속하는 국가 또는 공공단체를 상대로 손해배상, 제해시설의 설치 그 밖에 적당한 구제방법의 청구를 당해 취소소송 등이 계속된 법원에 병합하여 제기할 수 있다.

④ 사정판결은 처분이 위법함에도 청구가 기각되는 것으로, 이로 인하여 당해 처분은 위법성이 치유되어 적법하게 된다.

☑️ **기출체크**

① 관련 기출

1. (행정소송법상 사정판결에서) 원고의 청구가 이유가 있다고 인정하는 경우에도 처분 등을 취소하는 것이 현저히 공공복리에 적합하지 아니하다고 인정하는 때에는 법원은 원고의 청구를 각하할 수 있다. (○. ×)

2. 사정판결은 소송요건을 충족하지 못한 경우에 행하는 판결이다. (○. ×)

3. (사정판결은) 원고의 청구가 이유 있는 경우에도 공공복리를 이유로 각하하는 판결이다. (○. ×)

② 관련 기출

4. 법원은 사정판결을 하기 전에 원고가 그로 인하여 입게 될 손해의 정도와 배상방법, 그 밖의 사정을 조사하여야 한다. (○. ×)

③④ 관련 기출

5. 원고는 취소소송이 계속된 법원에 당해 행정청에 대한 손해배상청구 등을 병합하여 제기할 수 없으므로, 손해배상청구를 담당하는 민사법원의 판결이 먼저 내려진 경우라 할지라도 이 판결의 내용은 취소소송에 영향을 미치지 아니한다. (○. ×)

6. 다음 중 사정판결에 대한 내용으로 옳지 않은 것은?

① 사정판결을 함에 있어서는 그 판결의 주문에서 그 처분 등이 위법함을 명시하여야 한다.

② 법원은 처분 등을 취소하는 것이 현저히 공공복리에 적합하지 아니하다고 인정하는 때에는 원고의 청구가 이유 있다고 인정하는 경우에도 원고의 청구를 기각할 수 있다.

③ 법원이 사정판결을 함에 있어서는 미리 원고가 그로 인하여 입게 될 손해의 정도와 배상방법, 그 밖의 사정을 조사하여야 한다.

④ 사정판결이 있는 경우 원고는 피고인 행정청이 속하는 국가 또는 공공단체를 상대로 손해배상청구를 당해 취소소송 등이 계속된 법원에 병합하여 제기할 수 없다.

7. (사정판결과 관련하여) 원고는 처분을 한 행정청을 상대로 손해배상, 제해시설의 설치 그 밖에 적당한 구제방법의 청구를 당해 취소소송이 계속된 법원에 병합하여 제기할 수 있다. (○. ×)

정답 1.× 2.× 3.× 4.○ 5.× 6.④ 7.×

20

행정소송에 관한 다음 기술 중 옳은 것은? (다툼이 있는 경우 판례에 의함)

① 집행정지결정은 부작위위법확인소송에 준용되지 않는다.
② 부작위위법확인소송의 심리권이 신청의 실체적인 내용에까지 미치는지에 대해 판례는 부작위위법확인소송에서는 부작위의 위법성뿐만 아니라 실체적 내용까지 심리할 수 있다는 입장이다.
③ 사적 자치의 원칙을 기반으로 하는 민사소송과 달리 행정소송에서는 처분권주의가 적용되지 않는다.
④ 징계처분의 취소를 구하는 소에서 징계사유가 될 수 없다고 취소확정판결을 한 사유와 다른 징계사유를 내세워 동일한 징계처분을 하는 것은 판결의 기속력에 저촉되는 행정처분으로 허용될 수 없다.

✅ 기출체크

① 관련 기출

1. 행정소송법상 취소소송에 관한 규정 중 부작위위법확인소송에 준용되는 것을 모두 옳게 고른 것은?　2013 국가직 9급

⊙ 행정심판과의 관계	ⓒ 제소기간
ⓒ 집행정지	② 사정판결
ⓜ 거부처분취소판결의 간접강제	

① ⊙, ② 　　　　　　② ⊙, ⓒ, ⓜ
③ ⊙, ⓒ, ⓒ, ② 　　　④ ⊙, ⓒ, ⓒ, ⓜ

2. 부작위위법확인소송에도 취소소송의 집행정지에 관한 규정이 준용된다. (○, ×)　2010 서울교행
3. 법원은 부작위에 대하여 집행정지결정을 할 수 있다. (○, ×)
　2006 대구시 9급

② 관련 기출

4. 법원은 (부작위위법확인의 소에서) 단순히 행정청의 방치행위의 적부에 관한 절차적 심리만 하는 게 아니라, 신청의 실체적 내용이 이유 있는지도 심리하며 그에 대한 적정한 처리방향에 관한 법률적 판단을 해야 한다. (○, ×)　2018 국회직 8급
5. 부작위위법확인소송은 부작위의 위법함을 확인함으로써 행정청의 응답을 신속하게 하여 부작위 내지 무응답이라고 하는 소극적인 위법상태를 제거하는 것을 목적으로 한다. (○, ×)　2016 서울시 7급
6. 甲은 관할행정청에 하천점용허가를 신청하였으나, 이에 대하여 관할행정청은 상당한 기간이 경과하여도 아무런 응답이 없었다. 이 경우 甲의 현행 행정쟁송법상의 권리구제수단에 관한 설명으로 옳은 것은?　2009 국가직 9급
　① 甲은 의무이행심판을 청구하거나 취소소송을 제기하여 권리구제를 받을 수 있다.
　② 甲은 의무이행심판을 제기할 수 있으며, 의무이행심판의 인용재결이 내려질 경우 하천점용허가는 기속행위이므로 관할행정청은 甲의 신청대로 처분을 하여야 한다.

---

　③ 甲은 의무이행소송을 제기하여야 하며, 이 소송에서 법원은 행정청이 발급하여야 할 실체적 처분의 내용까지 심리할 수 있다는 것이 판례의 입장이다.
　④ 甲은 의무이행심판을 청구하거나 부작위위법확인소송을 제기하여 권리구제를 받을 수 있다.

③ 관련 기출

7. 소송에 있어서 처분권주의는 사적 자치에 근거를 둔 법질서에 뿌리를 두고 있으므로 취소소송에는 적용되지 않는다. (○, ×)
　2018 지방직 9급
8. 행정소송에도 처분권주의가 적용되므로 법원은 당사자의 소제기가 있어야만 심리를 개시할 수 있고, 분쟁대상도 원칙적으로 당사자가 청구한 범위에 한정된다. (○, ×)　2007 세무사

④ 관련 기출

9. 다음 사례에 대한 설명으로 옳지 않은 것은?　2017 국가직 9급

> 유흥주점영업허가를 받아 주점을 운영하는 甲은 A시장으로부터 연령을 확인하지 않고 청소년을 주점에 출입시켜 청소년보호법을 위반하였다는 사실을 이유로 한 영업허가취소처분을 받았다. 甲은 이에 불복하여 취소소송을 제기하였고 취소확정판결을 받았다.

① A시장은 甲이 청소년을 유흥접객원으로 고용하여 유흥행위를 하게 하였다는 이유로 다시 영업허가취소처분을 할 수는 있다.
② 영업허가취소처분은 지나치게 가혹하다는 이유로 취소확정판결이 내려졌다면, A시장은 甲에게 연령을 확인하지 않고 청소년을 출입시켰다는 이유로 영업허가정지처분을 할 수는 있다.
③ 청소년들을 주점에 출입시킨 사실이 없다는 이유로 취소확정판결이 내려졌다면, A시장은 甲에게 연령을 확인하지 않고 청소년을 출입시켰다는 이유로 영업허가취소처분을 할 수는 없다.
④ 청문절차를 거치지 않았다는 이유로 취소확정판결이 내려졌다면, A시장은 적법한 청문절차를 거치더라도 甲에게 연령을 확인하지 않고 청소년을 출입시켰다는 이유로 영업허가취소처분을 할 수는 없다.
10. (甲이 관할행정청으로부터 영업허가취소처분을 받았고, 이에 대해 취소소송을 제기하여 취소판결이 확정된 경우) 취소판결이 확정된 이후에는 다른 사유를 근거로 하더라도 다시 영업허가를 취소하는 처분을 할 수 없다. (○, ×)　2016 국회직 8급

정답　1. ②　2. ×　3. ×　4. ×　5. ○　6. ④　7. ×　8. ○　9. ④　10. ×

01

□□□

다음 중 실질적 의미의 행정에 해당하는 것으로만 연결된 것을 모두 고른 것은? (다툼이 있는 경우 판례에 의함)

> ㉮ 일반법관의 임명 – 조세체납처분
> ㉯ 집회의 금지통지 – 통고처분
> ㉰ 외국에의 국군 파견결정 – 국회사무총장의 직원임명
> ㉱ 행정심판의 재결 – 대통령령의 제정

① ㉮
② ㉯
③ ㉯, ㉰
④ ㉰, ㉱

✅ 기출체크

㉮ 관련 기출
1. 일반법관의 임명(은 실질적 의미의 행정에 해당한다) (○, ×)
2015 지방직 7급

2. 조세체납처분(현 조세강제징수)(은 실질적 의미, 형식적 의미 모두 행정에 속한다) (○, ×)
2010 경행경채 변형

㉯ 관련 기출
3. 집회의 금지통지(는 실질적 의미의 행정에 해당한다) (○, ×)
2015 지방직 7급 변형

4. 집회의 금지통지(는 실질적 의미, 형식적 의미 모두 행정에 속한다) (○, ×)
2010 경행경채 변형

5. 통고처분(은 실질적 의미의 행정에 해당한다) (○, ×)
2015 지방직 7급

㉰ 관련 기출
6. 일반사병 이라크파병에 대한 헌법소원사건에서 외국에의 국군의 파견결정은 파견군인의 생명과 신체의 안전뿐만 아니라 국제사회에서의 우리나라의 지위와 역할, 동맹국과의 관계, 국가안보문제 등 궁극적으로 국민 내지 국익에 영향을 미치는 복잡하고도 중요한 문제로서 통치행위로 보고 있다. (○, ×)
2020 경행경채

7. 국회사무총장의 직원임명(은 실질적 의미, 형식적 의미 모두 행정에 속한다) (○, ×)
2010 경행경채 변형

㉱ 관련 기출
8. 행정심판의 재결(은 실질적 의미의 행정에 해당한다) (○, ×)
2015 지방직 7급

9. 행정심판의 재결(은 실질적 의미, 형식적 의미 모두 행정에 속한다) (○, ×)
2010 경행경채 변형

10. 대통령령의 제정(은 실질적 의미의 행정에 해당한다) (○, ×)
2015 지방직 7급

11. 시행규칙 제정(은 실질적 의미, 형식적 의미 모두 행정에 속한다) (○, ×)
2010 경행경채 변형

정답 1. ○ 2. ○ 3. ○ 4. ○ 5. × 6. ○ 7. × 8. × 9. × 10. × 11. ×

02

□□□

행정법의 일반원칙에 관한 다음 기술 옳은 것을 모두 고른 것은? (다툼이 있는 경우 판례에 의함)

> ㉮ 법률유보의 원칙은 행정권의 발동에 있어서 조직규범 외에 작용규범이 요구된다는 것을 의미한다.
> ㉯ 텔레비전방송수신료의 금액은 납부의무자의 범위 등과 함께 수신료에 관한 본질적인 중요한 사항이므로 국회가 스스로 결정·관여하여야 한다.
> ㉰ 재량권 행사의 준칙인 행정규칙의 공표만으로도 상대방은 보호가치 있는 신뢰를 갖게 된다.
> ㉱ 행정청이 폐기물처리업 사업계획에 대하여 적정통보를 한 것만으로도 그 사업부지 토지에 대한 국토이용계획변경신청을 승인하여 주겠다는 취지의 공적인 견해표명을 한 것으로 볼 수 있다.

① ㉮, ㉯
② ㉮, ㉰
③ ㉯, ㉰
④ ㉰, ㉱

✅ 기출체크

㉮ 관련 기출
1. 법률유보의 원칙은 행정권의 발동에 있어서 조직규범의 근거가 필요하다는 것을 말한다. (○, ×)
2019 서울시 1회 7급

2. 법률유보원칙에서 요구되는 법적 근거는 작용법적 근거를 의미하며, 조직법적 근거는 모든 행정권 행사에 있어서 당연히 요구된다. (○, ×)
2018 서울시 9급

3. 법률유보의 원칙에서 요구되는 행정권 행사의 법적 근거는 작용법적 근거를 말하며 원칙적으로 개별적 근거를 의미한다. (○, ×)
2017 국가직 7급

㉯ 관련 기출
4. 수신료금액 결정은 수신료에 관한 본질적인 사항이 아니므로 국회가 반드시 스스로 행하여야 할 필요는 없다. (○, ×)
2019 사회복지직 9급

5. 헌법재판소는 텔레비전방송수신료는 국민의 기본권실현에 관련된 영역에 속하고, 수신료금액의 결정은 납부의무자의 범위 등과 함께 수신료에 관한 본질적인 중요한 사항이라고 판단한 바 있다. (O, X)

2016 사회복지직 9급

6. 다음 판례의 내용 중 괄호 안에 알맞은 원칙은? 2015 교육행정직 9급

> 오늘날 (   )은 단순히 행정작용이 법률에 근거를 두기만 하면 충분한 것이 아니라, 국가공동체와 그 구성원에게 기본적이고도 중요한 의미를 갖는 영역, 특히 국민의 기본권실현과 관련된 영역에 있어서는 국민의 대표자인 입법자가 그 본질적 사항에 대해서 스스로 결정하여야 한다는 요구까지 내포하고 있다.

① 법률우위원칙　　　　　② 법률유보원칙
③ 명확성의 원칙　　　　　④ 소급입법금지의 원칙

7. 중요사항유보설은 행정작용에 법률의 근거가 필요한지 여부에 그치지 않고 법률의 규율정도에 대해서도 설명하는 이론이다. (O, X)

2013 지방직 9급

⑭ 관련 기출
8. 재량권 행사의 준칙인 행정규칙의 공표만으로 상대방은 보호가치 있는 신뢰를 갖게 되었다고 볼 수 있다. (O, X)

2021 지방직·서울시 9급

9. 행정청 내부의 사무처리준칙에 해당하는 지침의 공표만으로도 신청인은 보호가치 있는 신뢰를 갖게 된다. (O, X) 2016 지방직 9급

10. 재량준칙의 공표만으로는 신청인이 보호가치 있는 신뢰를 갖게 되었다고 볼 수 없다. (O, X)

2015 사회복지직 9급

⑭ 관련 기출
11. 폐기물관리법령에 따른 관할관청의 폐기물처리업 사업계획에 대한 적정통보는 그 사업부지 토지에 대한 국토이용계획변경신청을 승인하여 주겠다는 취지의 공적인 견해표명을 한 것으로 볼 수 있다. (O, X)

2022 소방간부

12. 관할관청이 폐기물처리업 사업계획에 대하여 적정통보를 한 것만으로도 그 사업부지 토지에 대한 국토이용계획변경신청을 승인하여 주겠다는 취지의 공적인 견해표명을 한 것으로 볼 수 있다. (O, X)

2020 국가직 9급

13. 행정청이 폐기물처리업 사업계획에 대하여 적정통보를 한 것만으로 그 사업부지 토지에 대한 국토이용계획변경신청을 승인하여 주겠다는 취지의 공적인 견해표명을 한 것으로 볼 수 없다. (O, X)

2019 지방직·교육행정직 9급, 2017 서울시 9급

14. 폐기물관리법령에 의한 폐기물처리업 사업계획에 대한 적정통보와 국토이용관리법령에 의한 국토이용계획변경은 각기 그 제도적 취지와 결정단계에서 고려해야 할 사항들이 다르므로 폐기물처리업 사업계획에 대하여 적정통보를 한 것만으로는 그 사업부지 토지에 대한 국토이용계획변경신청을 승인하여 주겠다는 취지의 공적인 견해표명을 한 것으로 볼 수 없다. (O, X) 2018 경행경채 3차

15. (甲은 폐기물처리업 사업계획에 대하여 적정통보를 받은 상태에서 사업부지 토지에 대한 국토이용계획변경신청을 승인하여 주겠다는 취지의 공적인 견해표명이 없었음에도 불구하고 승인받을 것을 신뢰하고 그에 기해 일정한 처리를 하였다. 그러나 그 후 甲은 국토이용계획변경 승인을 거부당하였다) 폐기물관리법령에 의한 폐기물처리업 사업계획에 대한 적정통보와 국토이용관리법

령에 의한 국토이용계획변경은 각기 그 제도적 취지와 결정단계에서 고려해야 할 사항들이 다르다. 따라서 甲은 신뢰보호원칙에 의해 보호받을 수 없다. (O, X) 2011 국가직 9급

정답　1. X　2. O　3. O　4. X　5. O　6. ②　7. O　8. X　9. X　10. O
　　　11. X　12. X　13. O　14. O　15. O

03　□□□

행정법의 법원과 효력에 대한 다음 내용 중 옳지 않은 것을 모두 고른 것은? (다툼이 있는 경우 판례에 의함)

> ㉮ 「남북 사이의 화해와 불가침 및 교류협력에 관한 합의서」는 법적 구속력이 인정되는 국가 간의 조약이라고 볼 수 없으므로 국내법과 동일한 효력이 인정되지 않는다.
>
> ㉯ 법령은 원칙적으로 대한민국의 영토 전역에 걸쳐 효력을 가지나 예외적으로 일부지역에만 적용될 수도 있다.
>
> ㉰ 대법원의 판례가 법률해석의 일반적인 기준을 제시한 경우라도 사안이 서로 다른 사건을 재판하는 하급심법원을 직접 기속하는 것은 아니다.
>
> ㉱ 헌법재판소에 의한 법률의 위헌결정은 법원과 그 밖의 국가기관 및 지방자치단체를 기속하므로 법원으로서의 성격을 가진다.

① ㉮, ㉯　　　　　② ㉰
③ ㉱　　　　　　　④ 없음

✔ 기출체크

㉮ 관련 기출
1. 「남북 사이의 화해와 불가침 및 교류협력에 관한 합의서」는 국가 간의 조약이다. (O, X) 2017 교육행정직 9급
2. 「남북 사이의 화해와 불가침 및 교류협력에 관한 합의서」는 국가 간의 조약이 아니므로 국내법과 동일한 효력이 인정되는 것이 아니다. (O, X) 2015 경행특채 1차
3. 「남북 사이의 화해와 불가침 및 교류협력에 관한 합의서」는 남북한 당국이 각기 정치적인 책임을 지고 상호 간에 그 성의 있는 이행을 약속한 것으로 법적 구속력이 인정되는 조약에 해당되어 국내법과 동일한 효력을 갖는다. (O, X) 2014 경행특채 1차
4. 대법원은 「남북 사이의 화해와 불가침 및 교류협력에 관한 합의서」를 조약이라고 판시하였다. (O, X) 2012 지방직(상) 9급

㉯ 관련 기출
5. 특정지역만을 규율대상으로 하는 법률은 무효이다. (O, X)

2016 교육행정직 9급

6. 법령은 지역적으로 대한민국의 영토 전역에 걸쳐 효력을 가지는 것이 원칙이나 예외적으로 일부지역에만 적용될 수 있다. (○, ×)

㉰ 관련 기출

7. 대법원의 판례가 법률해석의 일반적인 기준을 제시한 경우에 유사한 사건을 재판하는 하급심법원의 법관은 판례의 견해를 존중하여 재판하여야 하는 것이나, 판례가 사안이 서로 다른 사건을 재판하는 하급심법원을 직접 기속하는 효력이 있는 것은 아니다. (○, ×)

8. 대법원의 판례가 법률해석의 일반적인 기준을 제시하였어도 사안이 서로 다른 사건을 재판하는 하급심법원을 직접 기속하는 것은 아니다. (○, ×)

9. 대법원의 판례는 사안이 서로 다른 사건을 재판하는 하급심법원을 직접 기속하는 효력이 있다. (○, ×)

10. 동종사건에 관하여 대법원의 판례가 있더라도 하급법원은 그 판례와 다른 판단을 하는 것이 가능하다. (○, ×)

11. 대법원은 "유사사건에 관한 대법원 판례가 하급심법원을 직접 기속한다."라고 판시한 바 있다. (○, ×)

㉱ 관련 기출

12. 헌법재판소법 제47조 제1항은 "법률의 위헌결정은 법원과 그 밖의 국가기관 및 지방자치단체를 기속한다."라고 규정하고 있다. (○, ×)

13. 헌법재판소에 의한 법률의 위헌결정은 국가기관과 지방자치단체를 기속한다는 헌법재판소법 제47조에 의해 법원으로서의 성격을 가진다. (○, ×)

14. 헌법재판소가 법률의 위헌 여부를 판단하기 위하여 한 법률해석에 대법원이나 각급 법원이 구속되는 것은 아니다. (○, ×)

정답 1. × 2. ○ 3. × 4. × 5. × 6. ○ 7. ○ 8. ○ 9. × 10. ○
11. × 12. ○ 13. ○ 14. ○

04

□□□

신뢰보호원칙에 관한 다음 기술 중 옳지 않은 것을 모두 고른 것은? (다툼이 있는 경우 판례에 의함)

㉮ 신뢰보호원칙은 국민이 종전의 법률관계나 제도가 장래에도 지속될 것이라는 합리적인 신뢰를 바탕으로 이에 적응하여 법적 지위를 형성하여 온 경우 국가에게 그 국민의 신뢰를 되도록 보호할 것을 요구하는 법치국가원리의 파생원칙이다.

㉯ 행정기관의 추상적 질의에 대한 일반적 견해표명에 대하여도 신뢰보호원칙이 적용될 수 있다.

㉰ 신뢰보호원칙의 적용에 있어서 귀책사유라 함은 행정청의 견해표명의 하자가 상대방 등 관계자의 사실

은폐 등 부정행위에 기인한 것이거나 그러한 부정행위가 없다고 하더라도 하자가 있음을 알았거나 중대한 과실로 알지 못한 경우 등을 말한다.

㉱ 귀책사유의 유무는 상대방을 기준으로 판단하여야 하며, 상대방으로부터 신청행위를 위임받은 수임인의 귀책사유까지 포함시켜 판단할 수는 없다.

㉲ 행정청이 착오로 인하여 국적이탈을 이유로 주민등록을 말소한 행위는 법령에 따라 국적이탈이 처리되었다는 견해를 표명한 것으로 볼 수 있으며, 상대방이 이러한 주민등록말소를 통하여 자신의 국적이탈이 적법하게 처리된 것으로 신뢰하였다면 이는 보호할 가치 있는 신뢰에 해당한다.

㉳ 담당공무원으로부터 국립공원 인근 자연녹지지역에서 토석채취허가가 법적으로 가능할 것이라는 말을 듣고 관련 토지를 매수하는 등 많은 비용을 투자하고 형질변경 및 토석채취허가를 신청한 사람에 대해, 관할행정청이 해당 토지에서 토석채취작업을 하면, 주변의 환경·풍치·미관 등이 크게 손상될 우려가 있다는 이유를 들어 이를 불허가처분하는 것은 신뢰보호원칙에 반한다.

① ㉮, ㉯, ㉲
② ㉯, ㉰, ㉲
③ ㉯, ㉱, ㉳
④ ㉰, ㉱, ㉳

✔ 기출체크

㉮ 관련 기출

1. 신뢰보호의 원칙은, 국민이 법률적 규율이나 제도가 장래에 지속할 것이라는 합리적인 신뢰를 바탕으로 개인의 법적 지위를 형성해 왔을 때에는 국가에게 그 국민의 신뢰를 되도록 보호할 것을 요구하는 법치국가원리의 파생원칙이다. (○, ×)

2. 헌법재판소와 대법원은 (신뢰보호원칙의) 이론적 근거를 사회국가원리에서 찾고 있다. (○, ×)

㉯ 관련 기출

3. 과세관청의 의사표시가 일반론적인 견해표명인 경우에는 신뢰보호원칙을 적용하지 않는다. (○, ×)

4. 대법원 판례는 행정기관의 추상적 질의에 대한 일반적 견해표명에 대하여도 신뢰보호원칙이 적용될 수 있다고 보았다. (○, ×)

㉰ 관련 기출

5. 신뢰보호원칙의 요건 중 귀책사유라 함은 행정청의 견해표명의 하자가 상대방 등 관계자의 사실은폐 등 부정행위에 기인한 것이거나 그러한 부정행위가 없다고 하더라도 하자가 있음을 알았거나 중대한 과실로 알지 못한 경우 등을 의미한다. (○, ×)

6. 사후에 선행조치가 변경될 것을 사인이 예상하였거나 중대한 과실로 알지 못한 경우에는 보호가치 있는 신뢰라고 할 수 없다. (○, ×) 2012 사회복지직 9급
7. 공적 견해표명을 신뢰한 자가 사실은폐 등 적극적 부정행위를 하지 않는 한 귀책사유가 인정되지 않는다. (○, ×) 2009 국회직 8급
8. 행정청의 견해표명을 신뢰함에 있어서 개인에게 귀책사유가 존재하지 아니하여야 한다는 것도 신뢰보호원칙의 적용요건 중 하나이다. (○, ×) 2004 행정고시

㉣ 관련 기출
9. 신뢰보호의 원칙이 적용되기 위한 요건 중 귀책사유의 유무는 상대방과 그로부터 신청행위를 위임받은 수임인 등 관계자 모두를 기준으로 판단하여야 한다. (○, ×) 2021 국가직 7급
10. 신뢰보호원칙의 적용에 있어서 귀책사유의 유무는 상대방을 기준으로 판단하여야 하며, 상대방으로부터 신청행위를 위임받은 수임인 등 관계자까지 포함시켜 판단할 것은 아니다. (○, ×) 2019 국가직 7급
11. 신뢰보호원칙에서 행정청의 견해표명이 정당하다고 신뢰한 데 대한 개인의 귀책사유의 유무는 상대방뿐만 아니라 그로부터 신청행위를 위임받은 수임인 등 관계자 모두를 기준으로 판단하여야 한다. (○, ×) 2018 지방직 9급
12. (신뢰보호원칙과 관련하여) 귀책사유의 유무는 상대방과 그로부터 신청행위를 위임받은 수임인 등 관계자 모두를 기준으로 판단한다. (○, ×) 2015 사회복지직 9급
13. 건축설계를 위임받은 건축사가 건축한계선의 제한이 있다는 사실을 간과한 채 건축설계를 하고 이를 토대로 건축물의 신축허가를 받은 경우, 신축허가에 대한 건축주의 신뢰는 보호되어야 한다. (○, ×) 2008 국가직 9급

㉤ 관련 기출
14. 행정청이 착오로 인하여 국적이탈을 이유로 주민등록을 말소한 행위를 법령에 따라 국적이탈이 처리되었다는 견해를 표명한 것으로 볼 수는 없으며, 상대방이 이러한 주민등록말소를 통하여 자신의 국적이탈이 적법하게 처리된 것으로 신뢰하였다고 하더라도 이는 보호할 가치 있는 신뢰에 해당하지 않는다. (○, ×) 2022 소방간부

㉥ 관련 기출
15. 담당공무원으로부터 국립공원 인근 자연녹지지역에서 토석채취허가가 법적으로 가능할 것이라는 말을 듣고 관련 토지를 매수하는 등 많은 비용을 투자하고 형질변경 및 토석채취허가를 신청한 사람에 대해 관할행정청이, 해당 토지에서 토석채취작업을 하면, 주변의 환경 · 풍치 · 미관 등이 크게 손상될 우려가 있다는 이유를 들어 이를 불허가처분하는 것은 신뢰보호원칙에 반한다고 볼 수 없다. (○, ×) 2022 소방간부

정답 1. ○ 2. × 3. ○ 4. × 5. ○ 6. ○ 7. × 8. ○ 9. ○ 10. × 11. ○ 12. ○ 13. × 14. × 15. ○

05

다음 기술 중 옳은 것을 모두 고른 것은? (다툼이 있는 경우 판례에 의함)

㉮ 대법원은 제재적 처분의 기준이 대통령령의 형식으로 정해진 경우 당해 기준을 법규명령으로 보아 대외적 구속력을 인정한다.
㉯ 재량권행사의 준칙인 행정규칙이 그 정한 바에 따라 되풀이 시행되어 행정관행이 이루어지게 되면 행정기관은 그 상대방에 대한 관계에서 그 규칙에 따라야 할 자기구속을 받게 된다.
㉰ 자기구속의 원칙은 신뢰보호의 원칙과는 무관하다.
㉱ 자기구속의 원칙은 재량준칙이 공표된 것만으로는 적용될 수 없다.
㉲ 반복적으로 행하여진 행정처분이 위법한 것일 경우에는 행정청에 대하여 자기구속력을 갖게 된다고 볼 수 없다.

① ㉮, ㉯, ㉰　② ㉮, ㉯, ㉱, ㉲
③ ㉮, ㉰, ㉱　④ ㉯, ㉰, ㉱, ㉲

기출체크

㉮ 관련 기출
1. 주택건설촉진법 시행령 제10조의3 제1항 [별표 1]은 주택건설촉진법 제7조 제2항의 위임규정에 터잡은 규정형식상 대통령령이므로 대외적으로 국민이나 법원을 구속하는 힘이 있다. (○, ×) 2013 국가직 9급
2. 대법원은 제재적 처분의 기준이 대통령령의 형식으로 정해진 경우 당해 기준을 법규명령으로 보고 있다. (○, ×) 2010 지방직 9급

㉯ 관련 기출
3. 재량준칙은 일반적으로 행정조직 내부에서만 효력을 가질 뿐 대외적인 구속력을 갖는 것은 아니므로 행정처분이 이를 위반하였다고 하여 그러한 사정만으로 곧바로 위법하게 되는 것은 아니다. 다만, 그 재량준칙이 정한 바에 따라 되풀이 시행되어 행정관행이 이루어지게 되면 평등의 원칙이나 신뢰보호의 원칙에 따라 행정기관은 상대방에 대한 관계에서 그 규칙에 따라야 할 자기구속을 받는다. (○, ×) 2021 경행경채
4. 행정의 자기구속의 원칙이 인정되는 경우에는 행정관행과 다른 처분은 특별한 사정이 없는 한 위법하다. (○, ×) 2021 군무원 9급, 2020 소방직 9급
5. 재량권행사의 준칙인 행정규칙이 그 정한 바에 따라 되풀이 시행되어 행정관행이 이루어지게 되면 평등의 원칙이나 신뢰보호의 원칙에 따라 행정기관은 그 상대방에 대한 관계에서 그 규칙에 따라야 할 자기구속을 받게 된다. (○, ×) 2020 지방직 · 서울시 9급, 2016 국가직 7급
6. 재량준칙이 정한 바에 따라 되풀이 시행되어 행정관행이 이루어지게 되면 평등의 원칙이나 신뢰보호의 원칙에 따라 행정청은 상대방에 대한 관계에서 그 규칙에 따라야 할 자기구속을 받게 되므로,

이러한 경우에는 특별한 사정이 없는 한 그에 반하는 처분은 평등의 원칙이나 신뢰보호의 원칙에 어긋나 재량권을 일탈·남용한 위법한 처분이 된다. (○, ×) 2018 서울시 2회 7급

ⓒ 관련 기출

7. 행정의 자기구속의 원칙은 평등원칙 및 신뢰보호의 원칙과 밀접한 관련을 지니고 있다. (○, ×) 2018 소방직 9급

8. 재량권행사의 준칙인 규칙이 그 정한 바에 따라 되풀이 시행되어 행정관행이 이루어지게 되면 평등의 원칙이나 신뢰보호의 원칙에 따라 행정기관은 그 상대방에 대한 관계에서 그 규칙에 따라야 할 자기구속을 당하게 되는 경우에는 대외적인 구속력을 가지게 된다. (○, ×) 2017 경행경채

9. 재량권행사의 준칙인 규칙이 그 정한 바에 따라 되풀이 시행되어 행정관행이 이루어지면 평등의 원칙에 따라 행정기관은 그 상대방에 대한 관계에서 그 규칙에 따라야 할 자기구속을 당하게 되고, 그러한 경우에는 대외적인 구속력을 가지게 된다는 것이 판례의 입장이며, 이러한 원칙은 신뢰보호의 원칙과는 무관하다고 한다. (○, ×) 2014 국가직 9급

10. 다음은 행정규칙이 법규성을 가질 수 있는 경우에 관한 헌법재판소 결정 내용이다. 괄호 안에 들어갈 용어로 옳지 않은 것은? 2011 국가직 9급

> 행정규칙이 그 정한 바에 따라 되풀이 시행되어 행정관행이 이룩되게 되면, 평등의 원칙이나 (㉠)에 따라 행정기관은 그 (㉡)에 대한 관계에서 그 규칙에 따라야 할 (㉢)을/를 당하게 되고, 그러한 경우에는 (㉣)을/를 가지게 된다 할 것이다.

① ㉠ - 신뢰보호의 원칙
② ㉡ - 상대방
③ ㉢ - 법률에 의한 구속
④ ㉣ - 대외적인 구속력

ⓓ 관련 기출

11. 재량준칙이 공표된 것만으로는 행정의 자기구속의 원칙이 적용될 수 없고, 재량준칙이 되풀이 시행되어 행정관행이 성립한 경우에 적용될 수 있다. (○, ×) 2021 군무원 9급

12. 재량권행사의 준칙인 행정규칙이 있으면 그에 따른 관행이 없더라도 평등의 원칙에 따라 행정기관은 상대방에 대한 관계에서 그 규칙에 따라야 할 자기구속을 받게 된다. (○, ×) 2019 서울시 1회 7급

13. 재량준칙이 공표된 것만으로는 행정의 자기구속의 원칙이 적용될 수 없고, 재량준칙이 되풀이 시행되어 행정관행이 성립한 경우에 행정의 자기구속의 원칙이 적용될 수 있다. (○, ×) 2018 국가직 9급

14. 재량준칙이 공표된 것만으로도 자기구속의 원칙이 적용될 수 있으며, 재량준칙이 되풀이 시행되어 행정관행이 성립될 필요는 없다. (○, ×) 2017 국가직(하) 9급

15. 재량준칙이 일단 공표되었다면 재량준칙이 되풀이 시행되지 않은 경우라도 행정의 자기구속원칙이 적용될 수 있다. (○, ×) 2016 사회복지직 9급

ⓔ 관련 기출

16. 행정청이 조합설립추진위원회의 설립승인심사에서 위법한 행정처분을 한 선례가 있는 경우에는, 행정청에 대해 자기구속력을 갖게 되어 이후에도 그러한 기준에 따라야 한다. (○, ×) 2021 국가직 9급

17. 행정의 자기구속의 원칙을 적용함에 있어 종전 행정관행의 내용이 위법적인 경우에는 위법인 수익적 내용의 평등한 적용을 요구하는 청구권은 인정될 수 없다. (○, ×) 2020 군무원 7급

18. 반복적으로 행하여진 행정처분이 위법한 것일 경우 행정청은 자기구속원칙에 구속되지 않는다. (○, ×) 2019 국회직 8급

19. 처분이 위법하더라도 그 처분이 수차례 반복적으로 행하여졌다면 그러한 처분은 행정청에 대하여 자기구속력을 갖게 된다. (○, ×) 2016 교육행정직 9급

20. 위법한 행정처분이 수차례에 걸쳐 반복적으로 행하여졌다고 하더라도 그러한 처분이 위법한 것인 때에는 행정청에 대하여 자기구속력을 갖게 된다고 할 수 없다. (○, ×) 2016 사회복지직 9급

정답 1. ○ 2. ○ 3. ○ 4. ○ 5. ○ 6. ○ 7. ○ 8. ○ 9. × 10. ③
11. ○ 12. × 13. ○ 14. × 15. × 16. × 17. ○ 18. ○ 19. ×
20. ○

06 □□□

부당결부금지원칙에 관한 다음 기술 중 옳은 것을 모두 고른 것은? (다툼이 있는 경우 판례에 의함)

> ㉮ 부당결부금지의 원칙이란 행정주체가 행정작용을 함에 있어서 상대방에게 이와 실질적인 관련이 없는 의무를 부과하거나 그 이행을 강제하여서는 아니 된다는 원칙이다.
>
> ㉯ 지방자치단체장이 사업자에게 주택사업계획승인을 하면서 그 주택사업과는 아무런 관련이 없는 토지를 기부채납하도록 하는 부관은 행정작용과 실질적 관련성이 없는 의무를 부과하는 것으로서 부당결부금지의 원칙에 위반된다.
>
> ㉰ 고속국도의 관리청이 고속도로 부지와 접도구역에 송유관 매설을 허가하면서 상대방과 체결한 협약에 따라 송유관 시설을 이전하게 될 경우 상대방에게 그 비용을 부담하도록 한 부관은 부당결부금지원칙에 위반된다.
>
> ㉱ 행정청이 여러 종류의 자동차운전면허를 취득한 자에 대해 그 운전면허를 취소하는 경우, 여러 종류의 자동차운전면허는 서로 별개의 것으로 취급하는 것이 원칙이지만 취소사유가 특정 면허에 관한 것이 아니고 다른 면허와 공통된 것이거나 운전면허를 받은 사람에 관한 것일 경우에는 여러 면허를 전부 취소할 수 있다.

① ㉮, ㉯, ㉱
② ㉮, ㉱
③ ㉯, ㉰, ㉱
④ ㉰, ㉱

㉮ 관련 기출

1. 행정주체가 행정작용을 함에 있어서 상대방에게 이와 실질적 관련이 없는 의무를 부과하거나 그 이행을 강제하여서는 아니 된다. (○, ×)
2020 소방직 9급

2. 판례는 부당결부금지의 원칙의 적용을 긍정하고 있다. (○, ×)
2019 국회직 8급

3. 부당결부금지의 원칙이란 행정주체가 행정작용을 함에 있어서 상대방에게 이와 실질적인 관련이 없는 의무를 부과하거나 그 이행을 강제하여서는 아니 된다는 원칙을 말한다. (○, ×) 2018 경행경채

4. 부당결부금지원칙은 행정작용을 함에 있어서 상대방에게 이와 실질적인 관련이 없는 의무를 부과하지 말도록 하는 것인데, 판례는 이러한 부당결부금지원칙의 적용을 부정하고 있다. (○, ×)
2015 서울시 7급

㉯ 관련 기출

5. 지방자치단체장이 사업자에게 주택사업계획승인을 하면서 그 주택사업과는 아무런 관련이 없는 토지를 기부채납하도록 하는 부관을 붙인 경우, 그 부관은 부당결부금지의 원칙에 위반되어 위법하다. (○, ×)
2019 지방직 · 교육행정직 9급

6. 사업자에게 주택사업계획승인을 하면서 그 주택사업과 아무런 관련이 없는 토지를 기부채납하도록 하는 부관을 주택사업계획승인에 붙인 경우 부당결부금지원칙 위배로 위법하다. (○, ×)
2018 서울시 1회 7급

7. 지방자치단체장이 사업자에게 주택사업계획승인을 하면서 그 주택사업과는 아무런 관련이 없는 토지를 기부채납하도록 하는 부관은 부당결부금지의 원칙에 위반되어 위법하지만 당연무효라고 볼 수 없다. (○, ×)
2016 국가직 7급

8. 주택사업계획승인을 발령하면서 주택사업계획승인과 무관한 토지를 기부채납하도록 부관을 붙인 경우는 부당결부금지원칙에 반해 위법하다. (○, ×)
2015 국가직 9급

9. "지방자치단체장이 사업자에게 주택사업계획승인을 하면서 그 주택사업과는 아무런 관련이 없는 토지를 기부채납하도록 하는 부관을 주택사업계획승인에 붙인 경우, 그 부관은 (   )에 위반되어 위법하다."라는 판결의 내용에서 괄호 안에 들어갈 행정법의 일반원칙으로 가장 적절한 것은 부당결부금지의 원칙이다. (○, ×)
2014 경행특채 2차

㉰ 관련 기출

10. 고속국도의 관리청이 고속도로 부지와 접도구역에 송유관 매설을 허가하면서 상대방과 체결한 협약에 따라 송유관 시설을 이전하게 될 경우 상대방에게 그 비용을 부담하도록 한 부관은 행정작용과 실질적 관련성이 없는 의무를 부과하는 것으로서 부당결부금지원칙에 위반된다. (○, ×)
2021 경행경채

11. 고속국도 관리청이 고속도로 부지와 접도구역에 송유관 매설을 허가하면서 상대방과 체결한 협약에 따라 송유관 시설을 이전하게 될 경우 그 비용을 상대방에게 부담하도록 한 부관은 부당결부금지의 원칙에 반하지 않는다. (○, ×)
2019 국회직 8급

㉱ 관련 기출

12. 제1종 보통면허로 운전할 수 있는 차량을 운전면허정지기간 중에 운전한 경우 이와 관련된 원동기장치자전거면허까지 취소할 수 있다. (○, ×)
2022 소방간부

13. 행정청이 여러 종류의 자동차운전면허를 취득한 자에 대해 그 운전면허를 취소하는 경우, 취소사유가 특정 면허에 관한 것이 아니고 다른 면허와 공통된 것이거나 운전면허를 받은 사람에 관한 것일 경우에는 여러 면허를 전부 취소할 수 있다. (○, ×)
2018 지방직 9급

14. 여러 종류의 자동차운전면허는 서로 별개의 것으로 취급하는 것이 원칙이나, 취소사유가 특정 면허에 관한 것이 아니고 다른 면허와 공통된 것이거나 운전면허를 받은 사람에 관한 것일 경우에는 여러 면허를 전부 취소할 수도 있다. (○, ×) 2016 서울시 7급

15. 제1종 보통면허로 운전할 수 있는 차량을 음주운전한 경우 제1종 보통면허의 취소 외에 동일인이 소지하고 있는 제1종 대형면허와 원동기장치자전거면허는 취소할 수 없다. (○, ×)
2015 국가직 9급

16. 운전면허 취소사유가 그 사람이 가진 여러 면허에 공통된 것이라면 그 면허 전부를 취소할 수 있다. (○, ×) 2015 경행특채 1차

정답 1. ○ 2. ○ 3. ○ 4. × 5. ○ 6. ○ 7. ○ 8. ○ 9. ○ 10. ×
11. ○ 12. ○ 13. ○ 14. ○ 15. × 16. ○

07

☐☐☐

신뢰보호원칙과 평등원칙에 관한 다음 기술 중 옳은 것을 모두 고른 것은? (다툼이 있는 경우 판례에 의함)

㉮ 신뢰보호의 원칙에서 신뢰의 대상인 행정청의 선행조치에는 적극적 · 소극적 언동이 모두 포함되지만, 위법한 선행조치에 대한 신뢰보호는 허용되지 않는다.

㉯ 신뢰보호의 원칙과 행정의 법률적합성의 원칙이 충돌하는 경우 법률적합성의 원칙이 우선한다.

㉰ 일반직 직원의 정년을 58세로 규정하면서 전화교환직렬 직원만은 정년을 53세로 규정하여 5년간의 정년차등을 둔 것은 사회통념상 합리성이 없는 차별로 볼 수 없다.

㉱ 같은 정도의 비위를 저지른 자들임에도 불구하고 그 직무의 특성 등에 비추어 개전의 정이 있는지 여부에 따라 징계 종류의 선택과 양정에서 다르게 취급하는 것은 평등의 원칙에 반한다.

㉲ 청원경찰의 인원감축을 위하여 초등학교 졸업 이하 학력소지자 집단과 중학교 중퇴 이상 학력소지자 집단으로 나누어 각 집단별로 같은 감원비율의 인원을 선정한 것은 합리적 차별로서 평등원칙에 반하는 위법한 재량권행사로 볼 수 없다.

① ㉮, ㉯   ② ㉰

③ ㉱, ㉲   ④ 없음

㉮ 관련 기출
1. 신뢰보호원칙의 요건은 행정청의 적법한 선행조치, 보호가치가 있는 사인의 신뢰, 신뢰에 기한 사인의 처리, 인과관계, 선행행위에 반하는 후행처분이다. (○, ×) 　2015 서울시 9급

2. 신뢰의 대상인 행정청의 선행조치에는 적극적·소극적 언동이 모두 포함되지만, 적어도 적법한 선행조치일 것이 요구되므로 위법한 선행조치에 대한 신뢰보호는 허용되지 않는다. (○, ×) 　2008 국회직 8급

㉯ 관련 기출
3. 신뢰보호의 원칙과 행정의 법률적합성의 원칙이 충돌하는 경우 국민보호를 위해 원칙적으로 신뢰보호의 원칙이 우선한다. (○, ×) 　2020 지방직·서울시 7급

4. 신뢰보호의 원칙은 행정의 적법성원칙과 갈등관계가 형성될 수 있으며, 후자의 원칙을 배제할 만한 우월한 사정이 있을 때 그 효력을 인정할 수 있게 된다. (○, ×) 　2009 국가직 7급

㉰ 관련 기출
5. 일반직 직원의 정년을 58세로 규정하면서 전화교환직렬 직원만은 정년을 53세로 규정하여 5년간의 정년차등을 둔 것은 사회통념상 합리성이 없는 차별로서 평등원칙에 위반된다. (○, ×) 　2011 국회직 8급

㉱ 관련 기출
6. 같은 정도의 비위를 저지른 자들임에도 불구하고 그 직무의 특성 등에 비추어 개전의 정이 있는지 여부에 따라 징계 종류의 선택과 양정에서 다르게 취급하는 것은 평등의 원칙에 반하지 않는다. (○, ×) 　2020 군무원 7급

7. 동일한 사항을 다르게 취급하는 것은 합리적 이유가 없는 차별이므로, 같은 정도의 비위를 저지른 자들은 비록 개전의 정이 있는지 여부에 차이가 있다고 하더라도 징계 종류의 선택과 양정에 있어 동일하게 취급받아야 한다. (○, ×) 　2020 지방직·서울시 9급

8. 같은 정도의 비위를 저지른 자들 사이에 있어서도 그 직무의 특성 등에 비추어 개전의 정이 있는지 여부에 따라 징계 종류의 선택과 양정에서 차별적으로 취급하는 것은 평등원칙에 반하지 아니한다. (○, ×) 　2014 사회복지직 9급

9. 같은 정도의 비위를 저지른 자들에 대해 그 직무의 특성 및 개전의 정이 있는지 여부에 따라 징계의 종류 및 양정에 있어서 차별적으로 취급하는 것은 합리적 차별로서 평등의 원칙에 반하지 않는다. (○, ×) 　2014 경행특채 1차

㉲ 관련 기출
10. 청원경찰의 인원감축을 위하여 초등학교 졸업 이하 학력소지자 집단과 중학교 중퇴 이상 학력소지자 집단으로 나누어 각 집단별로 같은 감원비율의 인원을 선정한 것은 위법한 재량권행사이다. (○, ×) 　2008 국가직 9급

정답 1. × 2. × 3. × 4. ○ 5. × 6. ○ 7. × 8. ○ 9. ○ 10. ○

08　□□□

다음 중 판례가 사법관계로 보고 있는 것만으로 연결된 것은?

> ㉮ 귀속재산처리법에 의한 귀속재산의 매각행위
> ㉯ 서울시립무용단원의 위촉
> ㉰ 종합유선방송위원회 직원들의 근로관계
> ㉱ 「공익사업을 위한 토지 등의 취득 및 보상에 관한 법률」에 의한 협의취득
> ㉲ 개발부담금 부과처분이 취소된 경우, 그 과오납금 반환

① ㉮, ㉯ 　　　　② ㉮, ㉯, ㉰, ㉲
③ ㉯, ㉰, ㉱ 　　④ ㉰, ㉱, ㉲

㉮ 관련 기출
1. 귀속재산처리법에 의한 귀속재산의 매각행위(는 공법관계라는 것이 판례의 입장이다) (○, ×) 　2017 국가직(하) 7급

㉯ 관련 기출
2. 시립무용단원의 해촉(은 행정소송의 대상이 된다) (○, ×) 　2019 서울시 9급

3. 시립무용단원의 채용계약과 공중보건의사 채용계약은 공법상 계약에 해당한다. (○, ×) 　2017 서울시 7급

4. 시립무용단원의 해촉에 대해서는 항고소송으로 다투어야 하고 당사자소송으로 다툴 수는 없다. (○, ×) 　2016 교육행정직 9급

5. 서울특별시립무용단원의 위촉은 공법상 계약에 해당하며, 따라서 그 단원의 해촉에 대하여는 공법상의 당사자소송으로 무효확인을 청구할 수 있다. (○, ×) 　2015 지방직 7급

㉰ 관련 기출
6. 구 종합유선방송법상 종합유선방송위원회 직원의 근무관계(는 공법관계이다) (○, ×) 　2016 경행경채, 2011 경행특채

㉱ 관련 기출
7. 「공익사업을 위한 토지 등의 취득 보상에 관한 법률」상의 사업시행자가 토지소유자 및 관계인과 협의가 성립되어 체결하는 계약(은 공법상 계약에 해당한다) (○, ×) 　2021 군무원 7급

8. 공익사업을 위한 토지 등의 취득 및 보상에 관한 법령에 의한 협의취득은 사법상의 법률행위이다. (○, ×) 　2020 국가직 7급

9. 공익사업을 위한 토지 등의 취득 및 보상에 관한 법령에 의한 협의취득은 사법상의 법률행위이므로, 이에 관한 분쟁은 민사소송의 대상이다. (○, ×) 　2019 국가직 9급

10. 「공익사업을 위한 토지 등의 취득 및 보상에 관한 법률」에 따른 협의취득(은 공법관계에 해당한다) (○, ×) 　2019 소방직 9급

11. 구 도시계획법상 도시계획사업의 시행자가 그 사업에 필요한 토지를 협의취득하는 행위는 사경제주체로서 행하는 사법상의 법률행위이므로 행정소송의 대상이 되지 않는다. (○, ×) 　2018 국가직 9급

ⓜ 관련 기출

12. 개발부담금 부과처분이 취소된 후의 부당이득으로서의 과오납금 반환에 관한 법률관계는 공법상 법률관계이다. (○, ×)

2020 국가직 7급

정답 1.○ 2.○ 3.○ 4.× 5.○ 6.× 7.× 8.○ 9.○ 10.×
11.○ 12.×

09

□□□

소송의 형식 또는 법률관계와 관련된 다음 기술 중 옳지 않은 것을 모두 고른 것은? (다툼이 있는 경우 판례에 의함)

⑦ 행정재산의 무단점유자에 대한 변상금부과행위는 처분에 해당하나, 대부한 일반재산에 대한 사용료부과 고지행위는 처분이 아니라 사법상의 행위에 해당한다.

⑭ 국유임야의 매각 및 매각신청에 대한 반려행위는 취소소송의 대상이 되는 처분이 아니라 사법상의 행위에 불과하다.

⑭ 공립유치원의 임용기간을 정한 전임강사의 근무관계는 공법관계로서 공립유치원 전임강사에 대한 해임처분의 시정 및 수령지체된 보수의 지급을 구하는 소송은 행정소송이다.

⑭ 한국전력공사의 수신료 부과행위는 공법관계로서 TV 방송수신료 통합징수권한의 부존재확인은 행정소송 중 당사자소송의 대상이다.

⑭ 행정재산의 목적 외 사용·수익허가의 법적 성질은 사경제주체로서 행하는 사법상의 행위가 아니라 특정인에게 행정재산을 사용할 수 있는 권리를 설정하여 주는 강학상 특허이다.

⑭ 국유재산의 관리청이 행정재산의 사용·수익을 허가한 다음, 사용·수익하는 자에 대해 사용료를 부과하는 것은 행정처분에 해당한다.

① ⑦, ⑭
② ⑭, ⑭
③ ⑭, ⑭
④ 없음

✅ 기출체크

⑦ 관련 기출

1. 산림청장이 산림법령이 정하는 바에 따라 국유임야를 대부하는 행위는 사경제주체로서 하는 사법상의 행위이다. (○, ×)

2021 군무원 7급

2. 행정재산의 무단점유자에 대한 변상금부과행위는 처분이나, 대부한 일반재산에 대한 사용료부과고지행위는 처분이 아니다. (○, ×)

2017 지방직(하) 9급

3. 국유재산의 대부계약에 따른 대부료 부과는 처분성이 있다. (○, ×)

2017 사회복지직 9급

4. 국유재산법상 일반재산의 대부는 행정처분이 아니며 그 계약은 사법상 계약이다. (○, ×)

2016 지방직 9급

5. 산림청장의 국유임야 대부에 따른 대부료부과행위(는 판례에 따를 때 사법관계의 행위에 해당한다) (○, ×)

2014 서울시 7급

6. 국유 일반재산에 관한 사용료의 납입고지는 항고소송의 대상이 되는 행정처분이다. (○, ×)

2011 사회복지직 9급

⑭ 관련 기출

7. 국유재산법의 규정에 의하여 총괄청 또는 그 권한을 위임받은 기관이 국유재산을 매각하는 행위는 사경제주체로서 행하는 사법상의 법률행위에 지나지 아니한다. (○, ×)

2015 국회직 8급

8. 국유임야대부·매각행위 및 대부계약에 의한 대부료 부과조치는 취소소송의 대상이 되는 처분에 해당하지 않는다. (○, ×)

2012 지방직(상) 9급

⑭ 관련 기출

9. 공립유치원 전임강사에 대한 해임처분의 시정 및 수령지체된 보수의 지급을 구하는 소송(은 판례가 민사소송의 대상이라고 판단하고 있다) (○, ×)

2018 서울시 9급

10. 다음 중 공법관계로 인정되는 것은 모두 몇 개인가? (다툼이 있으면 판례에 의함)

2016 경행경채

> ⊙ 공무원연금관리공단의 급여결정
> ⓛ 국가나 지방자치단체에 근무하는 청원경찰의 근무관계
> ⓒ 구 예산회계법에 의한 입찰보증금의 국고귀속조치
> ⓔ 공유재산의 관리청이 행하는 행정재산의 사용·수익에 대한 허가
> ⓜ 「징발재산정리에 관한 특별조치법」 제20조 소정의 환매권의 행사
> ⓗ 구 종합유선방송법상 종합유선방송위원회 직원의 근무관계
> ⓢ 국유재산의 관리청이 그 무단점유자에 대하여 하는 변상금 부과처분
> ⓞ 「도시 및 주거환경정비법」상 관리처분계획안에 대한 조합총회결의의 효력을 다투는 소송
> ⓩ 공립유치원의 임용기간을 정한 전임강사의 근무관계

① 5개
② 6개
③ 7개
④ 8개

⑭ 관련 기출

11. TV방송수신료 통합징수권한의 부존재확인은 당사자소송으로 다툴 수 있다. (○, ×)

2016 교육행정직 9급

12. 한국전력공사가 텔레비전방송수신료 징수권한이 있는지 여부를 다투는 소송(은 당사자소송이다) (○, ×)

2015 국회직 8급

13. 텔레비전방송수신료 통합징수권한 부존재확인(은 판례에 의하면 당사자소송의 대상이다) (○, ×)

2009 세무사

⑭⑭ 관련 기출

14. 행정재산의 목적 외 사용·수익허가의 법적 성질은 특정인에게 행정재산을 사용할 수 있는 권리를 설정하여 주는 강학상 특허에 해당한다. (○, ×)

2021 군무원 7급

15. 행정재산의 사용·수익허가는 강학상 특허로서 공법관계의 일종에 해당한다. (○, ×)

2021 국회직 8급

16. 공유재산의 관리청이 행하는 행정재산의 사용·수익에 대한 허가는 순전히 사경제주체로서 행하는 사법상의 법률행위이다.
(○, ×) 2020 국가직 7급

17. 행정재산의 사용·수익허가 신청의 거부(는 행정소송의 대상이 된다) (○, ×) 2019 서울시 9급

18. 국유재산의 관리청이 행정재산의 사용·수익을 허가하는 행위는 강학상 특허에 해당하나, 그 후 사용·수익하는 자에 대한 사용료 부과는 사경제주체로서 행하는 사법상의 이행청구이다.
(○, ×) 2017 서울시 7급

정답 1. ○ 2. ○ 3. × 4. ○ 5. ○ 6. × 7. ○ 8. ○ 9. ×
10. ②(ⓒⓚⓛⓔⓑⓞⓧ) 11. ○ 12. ○ 13. ○ 14. ○ 15. ○ 16. ×
17. ○ 18. ×

10

☐☐☐

행정주체에 관한 다음 기술 중 옳은 것을 모두 고른 것은? (다툼이 있는 경우 판례에 의함)

㉮ 국가가 공무수탁사인의 공무수탁사무수행을 감독하는 경우 수탁사무수행의 합법성은 감독할 수 있으나 합목적성은 감독할 수 없다.

㉯ 「도시 및 주거환경정비법」상 주택재건축정비사업조합은 공법인으로서 목적범위 내에서 법령이 정하는 바에 따라 일정한 행정작용을 행하는 행정주체의 지위를 갖는다.

㉰ 소득세법에 의한 원천징수의무자의 원천징수행위는 법령에서 규정된 징수 및 납부의무를 이행하기 위한 것에 불과한 것으로서, 공권력의 행사로서의 행정처분에 해당되지 아니한다.

㉱ 경찰과의 계약을 통해 주차위반차량을 견인하는 민간사업자는 공무수탁사인에 해당한다.

① ㉮, ㉯
② ㉮, ㉰
③ ㉯, ㉰
④ ㉰, ㉱

✅ **기출체크**

㉮ 관련 기출
1. 국가가 공무수탁사인의 공무수탁사무수행을 감독하는 경우 수탁사무수행의 합법성뿐만 아니라 합목적성까지도 감독할 수 있다.
(○, ×) 2017 서울시 7급

㉯ 관련 기출
2. 「도시 및 주거환경정비법」에 따른 주택재건축정비조합은 공법인으로서 행정주체의 지위를 가진다고 보기 어렵다. (○, ×)
2017 서울시 9급

3. 「도시 및 주거환경정비법」에 따른 주택재건축정비사업조합은 주택재건축사업을 시행하는 공법인으로서 행정주체의 지위를 갖는다. (○, ×) 2015 국회직 8급

4. 행정주체가 될 수 없는 것은? (다툼이 있는 경우 판례에 의함)
2013 국가직 9급

① 대한민국
② 「도시 및 주거환경정비법」에 따른 주택재건축정비사업조합
③ 서울특별시
④ 행정안전부장관

㉰ 관련 기출
5. 소득세법에 의한 원천징수의무자의 원천징수행위는 법령에서 규정된 징수 및 납부의무를 이행하기 위한 것에 불과한 것이지, 공권력의 행사로서의 행정처분에 해당되지 아니한다고 보는 것이 판례의 입장이다. (○, ×) 2010 지방직 9급, 2008 국가직 9급

㉱ 관련 기출
6. 도로교통법상 견인업무를 대행하는 자동차견인업자(는 공무수탁사인에 해당된다) (○, ×) 2018 서울시 1회 7급

7. 경찰과의 사법상 용역계약에 의해 주차위반차량을 견인하는 민간사업자는 공무수탁사인이 아니다. (○, ×) 2017 사회복지직 9급

8. 사법상의 계약에 의하여 단순히 경영위탁을 받은 사인은 공무수탁사인이 아니다. (○, ×) 2011 국회(속기·경위직) 9급

정답 1. ○ 2. × 3. ○ 4. ④ 5. ○ 6. × 7. ○ 8. ○

11

☐☐☐

개인적 공권과 공의무에 관련된 다음 기술 중 옳은 것을 모두 고른 것은? (다툼이 있는 경우 판례에 의함)

㉮ 처분의 근거법규가 공익뿐만 아니라 개인의 이익도 아울러 보호하고 있는 경우에 공권이 인정될 수 있다.

㉯ 공권은 그 성립요건으로 강행법규에 의한 의무부과를 요구하므로 처분의 근거법규가 재량규정으로 되어 있는 경우에는 공권이 성립될 수 없다.

㉰ 인·허가 등 수익적 처분을 신청한 여러 사람이 상호 경쟁관계에 있다면, 그 처분이 타방에 대한 불허가 등으로 될 수밖에 없는 경우에도 수익적 처분을 받지 못한 사람은 처분의 직접 상대방이 아니므로 원칙적으로 당해 수익적 처분의 취소를 구할 원고적격이 없다.

㉱ 근로자가 퇴직급여를 청구할 수 있는 권리와 같은 이른바 사회적 기본권은 헌법규정에 의하여 바로 도출되는 개인적 공권이다.

㉲ 구 산림법에 의해 형질변경허가를 받지 아니하고 산림을 형질변경한 자가 사망한 경우, 해당 토지의 소유

권을 승계한 상속인은 그 복구의무를 부담하므로 행정청은 그 상속인에 대하여 복구명령을 할 수 있다.

㉟ 환경영향평가대상지역 밖에 거주하는 주민은 헌법상의 환경권 또는 환경정책기본법에 근거하여 공유수면매립면허처분과 농지개량사업시행인가처분의 무효확인을 구할 수 있다.

㉠ 행정소송에 있어서의 소권은 개인의 국가에 대한 공권이지만 당사자의 합의로써 포기할 수 있다.

① ㉮, ㉲
② ㉯, ㉱, ㉲
③ ㉰, ㉱
④ ㉱, ㉟, ㉠

✅ 기출체크

㉮ 관련 기출

1. 일반적인 개인적 공권의 성립요건인 사익보호성은 무하자재량행사청구권이나 행정개입청구권에는 적용되지 않는다. (O, X)
2015 국가직 9급

2. 개인적 공권은 강행적인 행정법규에 의하여 행정청을 기속함으로써 비로소 성립하는 것일 뿐 개인의 사익보호성은 성립요건이 아니라는 것이 일반적인 견해이다. (O, X) 2012 국가직 9급

㉯ 관련 기출

3. 신청에 대하여 처분을 하여야 할 법률상 의무란 처분요건이 충족된 경우에 상대방의 신청에 따라 처분을 하여야만 하는 기속행위에만 인정되고, 처분의 가부, 선택 여부가 행정청의 재량에 달려 있는 재량행위에는 인정되지 않는다. (O, X)
2022 소방간부

4. 개인적 공권이 성립하려면 공법상 강행법규가 국가 기타 행정주체에게 행위의무를 부과해야 한다. 과거에는 그 의무가 기속행위의 경우에만 인정되었으나, 오늘날에는 재량행위에도 인정된다고 보는 것이 일반적이다. (O, X) 2017 국가직 9급

5. 처분의 근거법규가 재량규정으로 되어 있는 경우에는 공권이 성립될 수 없다. (O, X) 2015 교육행정직 9급

6. 개인의 신체, 생명 등 중요한 법익에 급박하고 현저한 침해의 우려가 있는 경우 재량권이 영(0)으로 수축된다. (O, X)
2015 국가직 9급

7. 재량권이 영(0)으로 수축하는 경우 행정개입청구권은 무하자재량행사청구권으로 전환된다. (O, X) 2011 사회복지직 9급

㉰ 관련 기출

8. 법학전문대학원 설치인가신청을 하였으나 인가처분을 받지 못한 대학은 처분의 상대방이 아니더라도 다른 대학에 대하여 이루어진 설치인가처분의 취소를 구할 법률상 이익이 있다. (O, X)
2022 소방간부

9. 대법원은 경업자(競業者)에게는 개인적 공권을 인정하면서도, 경원자(競願者)에게는 이를 부인하였다. (O, X) 2018 교육행정직 9급

10. 인·허가 등 수익적 처분을 신청한 여러 사람이 상호 경쟁관계에 있다면, 그 처분이 타방에 대한 불허가 등으로 될 수밖에 없는 때에도 수익적 처분을 받지 못한 사람은 처분의 직접 상대방이 아니므로 원칙적으로 당해 수익적 처분의 취소를 구할 수 없다. (O, X)
2017 지방직 9급

---

11. 다음 사례에 대한 설명으로 옳은 것은? (다툼이 있는 경우 판례에 의함) 2017 국가직(하) 9급

> 국토교통부장관은 몰디브 직항 항공노선 1개의 면허를 국내 항공사에 발급하기로 결정하고, 이 사실을 공고하였다. 이에 따라 A항공사와 B항공사는 각각 노선면허취득을 위한 신청을 하였는데, 국토교통부장관은 심사를 거쳐 A항공사에게 노선면허를 발급(이하 '이 사건 노선면허발급처분'이라 한다)하였다.

① B항공사는 이 사건 노선면허발급처분에 대해 취소소송을 제기할 원고적격이 인정되지 않는다.

② B항공사가 자신에 대한 노선면허발급거부처분에 대해 취소소송을 제기하여 인용판결을 받더라도 이 사건 노선면허발급처분이 취소되지 않는 이상 자신이 노선면허를 발급받을 수는 없으므로 B항공사에게는 자신에 대한 노선면허발급거부처분의 취소를 구할 소의 이익이 인정되지 않는다.

③ 만약 B항공사가 이 사건 노선면허발급처분에 대한 행정심판을 청구하여 인용재결을 받는다면, A항공사는 그 인용재결의 취소를 구하는 소송을 제기할 수 있다.

④ 만약 위 사례와 달리 C항공사가 몰디브 직항 항공노선에 관하여 이미 노선면허를 가지고 있었는데, A항공사가 국토교통부장관에게 몰디브 직항 항공노선면허를 신청하였고 이에 대해 국토교통부장관이 A항공사에게도 신규로 노선면허를 발급한 것이라면, C항공사는 A항공사에 대한 노선면허발급처분에 대해 취소소송을 제기할 원고적격이 없다.

12. 경원관계에서 허가처분을 받지 못한 사람은 자신에 대한 거부처분이 취소되더라도, 그 판결의 직접적 효과로 경원자에 대한 허가처분이 취소되거나 효력이 소멸하는 것은 아니므로 자신에 대한 거부처분의 취소를 구할 소의 이익이 없다. (O, X)
2016 지방직 7급

㉱ 관련 기출

13. 헌법 제32조 제1항이 규정하는 근로의 권리는 사회적 기본권으로서 국가에 대하여 직접 일자리를 청구하거나 일자리에 갈음하는 생계비의 지급청구권을 의미하는 것이 아니라 고용증진을 위한 사회적·경제적 정책을 요구할 수 있는 권리에 그치며, 근로의 권리로부터 국가에 대한 직접적인 직장존속청구권이 도출되는 것도 아니다. (O, X) 2017 경행경채

14. 헌법상의 모든 기본권은 법률에 의해 구체화되지 않더라도 재판상 주장될 수 있는 구체적 공권이다. (O, X) 2015 교육행정직 9급

15. 근로자가 퇴직급여를 청구할 수 있는 권리와 같은 이른바 사회적 기본권은 헌법규정에 의하여 바로 도출되는 개인적 공권이라 할 수 없다. (O, X) 2012 국가직 9급

㉲ 관련 기출

16. 구 산림법에 의해 형질변경허가를 받지 아니하고 산림을 형질변경한 자가 사망한 경우, 해당 토지의 소유권을 승계한 상속인은 그 복구의무를 부담하지 않으므로, 행정청은 그 상속인에 대하여 복구명령을 할 수 없다. (O, X) 2021 국가직 7급

㉟ 관련 기출

17. 환경정책기본법 제6조의 규정내용 등에 비추어 국민에게 구체적인 권리를 부여한 것으로 볼 수 없더라도 환경영향평가대상지역 밖에 거주하는 주민에게 헌법상의 환경권 또는 환경정책기본법에

근거하여 공유수면매립면허처분과 농지개량사업시행인가처분의 무효확인을 구할 원고적격이 있다. (O, X)　　2017 지방직 9급

18. 환경영향평가대상지역 밖에 거주하는 주민은 관계법령의 내용과는 상관없이 헌법상의 환경권에 근거하여 제3자에 대한 공유수면매립면허처분을 취소할 것을 청구할 수 있는 공권을 가진다.
(O, X)　　2017 국회직 8급

19. 환경영향평가대상지역 밖에 거주하는 주민에게 헌법상의 환경권 또는 환경정책기본법에 근거하여 공유수면매립면허처분과 농지개량사업시행인가처분의 무효확인을 구할 원고적격은 인정되지 아니한다. (O, X)　　2010 지방직 7급

㉔ 관련 기출

20. 행정소송에 있어서의 소권은 개인의 국가에 대한 공권이므로 당사자의 합의로써 이를 포기할 수 없다. (O, X)　　2017 경행경채

정답　1. X　2. X　3. X　4. O　5. X　6. O　7. X　8. O　9. X　10. X
11. ③　12. X　13. O　14. X　15. O　16. X　17. X　18. X　19. O
20. O

12　□□□

특별권력관계에 대한 다음 기술 중 옳은 것을 모두 고른 것은? (다툼이 있는 경우 판례에 의함)

㉮ 특별권력관계의 성립은 직접 법률에 의거하는 경우와 상대방의 동의에 의하는 경우가 있는데, 상대방의 동의는 자유로운 의사에 기한 자발적인 동의만을 인정한다.

㉯ 국립대학에 재학 중인 대학생이 퇴학처분을 받은 경우 특별권력관계 내에서의 행위이므로 이에 대하여 사법심사를 청구할 수 없다.

㉰ 특별권력관계를 기본관계와 경영수행관계로 나누는 견해에 따르면, 공무원에 대한 직무상 명령에 대해서 사법심사가 가능하지 않다.

㉱ 동장과 구청장과의 관계는 공법상 특별권력관계이므로 위법한 처분에 대하여 행정소송을 제기할 수 없다.

㉲ 육군3사관학교의 구성원인 사관생도가 학교 입학일부터 특수한 신분관계에 놓이게 될지라도 그 기본권을 제한함에 있어서 법률유보원칙은 적용된다.

① ㉮, ㉱, ㉲　　　　② ㉯, ㉰
③ ㉰, ㉱, ㉲　　　　④ ㉰, ㉲

✔ **기출체크**

㉮ 관련 기출

1. 전통적인 특별권력관계의 성립원인으로는 직접 법률의 규정에 의한 경우와 본인의 동의에 의한 경우를 들 수 있다. (O, X)
2005 국회직 8급

㉯ 관련 기출

2. 국립교육대학 학생에 대한 퇴학처분은 행정처분으로서 행정소송의 대상이 된다. (O, X)　　2015 경행특채 1차
3. 판례에 의하면 국립교육대학 학생에 대한 퇴학처분은 사법심사의 대상이 되는 행정처분이다. (O, X)　　2013 지방직(하) 7급

㉰ 관련 기출

4. 특별권력관계를 기본관계와 경영수행관계로 나누는 견해에 따르면, 공무원에 대한 직무상 명령에 대해서 사법심사가 가능하게 된다. (O, X)　　2011 국회(속기·경위직) 9급

㉱ 관련 기출

5. 특별행정법관계에서의 행위도 행정소송법상 처분개념에 해당하면 사법심사의 대상이 된다. (O, X)　　2013 지방직(하) 7급
6. 특별권력관계에 있어서 권리를 침해당한 자는 행정소송을 제기할 수 있다. (O, X)　　2011 사회복지직 9급
7. 우리 판례에 의하면 동장과 구청장과의 관계는 공법상 특별권력관계로 인정될 수 없기 때문에 위법·부당한 처분에 대하여 행정소송을 제기할 수 없다고 한다. (O, X)　　2005 국회직 8급

㉲ 관련 기출

8. 육군3사관학교의 구성원인 사관생도는 학교 입학일부터 특수한 신분관계에 놓이게 되므로 법률유보원칙은 적용되지 아니한다.
(O, X)　　2021 군무원 7급

정답　1. O　2. O　3. O　4. X　5. O　6. O　7. X　8. X

13　□□□

다음 기술 중 옳지 않은 것은? (다툼이 있는 경우 판례에 의함)

① 국가재정법상의 5년의 소멸시효는 국가의 국민에 대한 금전채권은 물론이고 국민의 국가에 대한 금전채권에도 적용된다.

② 국가재정법상 5년의 소멸시효가 적용되는 '금전의 급부를 목적으로 하는 국가의 권리'에는 국가의 사법(私法)상 행위에서 발생한 국가에 대한 금전채무는 포함되지 않는다.

③ 국유재산 또는 공유재산 중 일반재산을 제외한 공물은 공용폐지가 없는 한 취득시효의 대상이 되지 않는다.

④ 구 지방재정법에 의한 변상금 부과처분이 당연무효인 경우, 해당 변상금 부과처분에 의하여 납부자가 납부한 오납금은 지방자치단체가 법률상 원인 없이 취득한 부당이득에 해당한다.

14

기출체크

① ② 관련 기출

1. 소멸시효에 대해 국가재정법은 국가의 국민에 대한 금전채권은 물론이고 국민의 국가에 대한 금전채권에도 적용된다. (○, ×)
2020 소방직 9급

2. 현행법상 국가에 대한 금전채권의 소멸시효에 대하여는 민법의 규정이 그대로 적용된다. (○, ×)
2016 국가직 9급

3. 국가재정법상 5년의 소멸시효 적용되는 '금전의 급부를 목적으로 하는 국가의 권리'에는 국가의 사법(私法)상 행위에서 발생한 국가에 대한 금전채무도 포함된다. (○, ×)
2016 지방직 9급

4. 금전의 급부를 목적으로 하는 국가의 권리로서 시효에 관하여 다른 법률에 규정이 없는 것은 10년 동안 행사하지 아니하면 소멸한다. (○, ×)
2016 교육행정직 9급

5. 국가에 대한 금전채권은 다른 법률에 특별한 규정이 없는 한 5년간 행사하지 않으면 소멸된다. (○, ×)
2009 지방직 9급

③ 관련 기출

6. 국유재산 또는 공유재산 중 일반재산을 제외한 공물은 공용폐지가 없는 한 시효취득의 대상이 되지 않는다. (○, ×)
2017 서울시 7급

7. 현행법상 행정목적을 위하여 제공된 행정재산에 대해서는 공용폐지가 되지 않는 한 민법상 취득시효규정이 적용되지 않는다.
(○, ×)
2016 국가직 9급

8. 행정재산은 민법 제245조에도 불구하고 시효취득의 대상이 되지 아니한다. (○, ×)
2016 경행경채

④ 관련 기출

9. 구 지방재정법에 의한 변상금 부과처분이 당연무효인 경우, 이 변상금 부과처분에 의하여 납부자가 납부한 오납금은 지방자치단체가 법률상 원인 없이 취득한 부당이득에 해당한다. (○, ×)
2021 국가직 7급

10. 변상금 부과처분이 당연무효인 경우, 당해 변상금 부과처분에 의하여 납부한 오납금에 대한 납부자의 부당이득반환청구권의 소멸시효는 변상금 부과처분의 부과시부터 진행한다. (○, ×)
2020 국가직 9급

정답 1. ○ 2. × 3. ○ 4. × 5. ○ 6. ○ 7. ○ 8. ○ 9. ○ 10. ×

사인의 공법행위에 관한 다음 기술 중 옳은 것을 모두 고른 것은? (다툼이 있는 경우 판례에 의함)

㉮ 양도인이 자신의 의사에 따라 양수인에게 영업을 양도하면서 양수인으로 하여금 영업을 하도록 허락하였더라도 영업승계신고 및 수리처분이 있기 전에 발생한 양수인의 위반행위에 대한 행정적 책임이 양도인에게 귀속된다고 볼 수 없다.

㉯ 채석허가를 받은 자로부터 영업양수 후 명의변경신고 이전에 양도인의 법위반사유를 이유로 채석허가가 취소된 경우, 양수인은 수허가자의 지위를 사실상 양수받았다고 하더라도 그 처분의 취소를 구할 법률상 이익은 없다.

㉰ 사인의 공법행위도 행정행위와 마찬가지로 공정력·집행력 등과 같은 우월적 효력을 가진다.

㉱ 현행 행정절차법은 수리를 요하는 신고와 수리를 요하지 않는 신고를 구분하여 별도로 규정하고 있다.

㉲ 유료노인복지주택의 설치신고를 받은 행정관청은 그 유료노인복지주택의 시설 및 운용기준이 법령에 부합하는지와 설치신고 당시 부적격자들이 입소하고 있는지 여부까지 심사하여 신고의 수리 여부를 결정할 수 있다.

① ㉮, ㉯   ② ㉯, ㉰
③ ㉱, ㉲   ④ ㉲

기출체크

㉮ 관련 기출

1. 양도인이 자신의 의사에 따라 양수인에게 영업을 양도하면서 양수인으로 하여금 영업을 하도록 허락하였다면 영업승계신고 및 수리처분이 있기 전에 발생한 양수인의 위반행위에 대한 행정적 책임은 양도인에게 귀속된다. (○, ×)
2014 국가직 9급

2. 甲은 식품위생법상 영업허가를 받아 영업을 하는 자로서 자신의 영업을 乙에게 양도하였고, 乙은 관련법령에 따라 관할행정청에 영업자지위승계신고를 하였다. 이에 대한 설명으로 옳지 않은 것은? (다툼이 있는 경우 판례에 의함)
2014 사회복지직 9급

① 관할행정청이 乙의 신고를 수리하려면 행정절차법에 따라 甲에 대해 처분의 사전통지를 하고 의견제출의 기회를 주어야 한다.

② 관할행정청은 乙의 신고가 수리된 후에는 위해식품판매를 이유로 甲에 대해 진행 중이던 제재처분절차를 乙에 대해 계속할 수 없다.

③ 영업양도계약이 적법하게 이루어졌더라도 아직 乙의 신고가 수리되기 전이라면 관할행정청의 영업허가취소처분의 상대방은 甲이 된다.

④ 영업양도계약이 무효임에도 불구하고 관할행정청이 乙의 신고를 수리하였다면 甲은 영업양도의 무효를 이유로 신고수리에 대해 무효확인소송을 제기할 수 있다.

3. (甲은 영업허가를 받아 영업을 하던 중 자신의 영업을 乙에게 양도하고자 乙과 사업양도·양수계약을 체결하고 관련법령에 따라 관할행정청 A에게 지위승계신고를 하였다) 甲과 乙이 사업양도·양수계약을 체결하였으나 지위승계신고 이전에 甲에 대해 영업허가가 취소되었다면, 乙은 이를 다툴 법률상 이익이 있다. (○, ×)
2019 서울시 9급

4. (甲은 식품위생법 제37조 제1항에 따라 허가를 받아 식품조사처리업 영업을 하고 있던 중 乙과 영업양도계약을 체결하였다. 당해 계약은 하자 있는 계약이었음에도 불구하고, 乙은 같은 법 제39조에 따라 식품의약품안전처장에게 영업자지위승계신고를 하였다) 식품의약품안전처장이 乙의 신고를 수리하기 전에 甲의 영업허가처분이 취소된 경우, 乙이 甲에 대한 영업허가처분의 취소를 구하는 소송을 제기할 법률상 이익은 없다. (○, ×)
2018 지방직 9급

5. 채석허가를 받은 자로부터 영업양수 후 명의변경신고 이전에 양도인의 법위반사유를 이유로 채석허가가 취소된 경우, 양수인은 수허가자의 지위를 사실상 양수받았다고 하더라도 그 처분의 취소를 구할 법률상 이익을 가지지 않는다. (○, ×)
2017 국가직(하) 7급

6. 갑(甲)은 식품위생법상 식품접객업 영업허가를 받아 영업을 하던 중, 자신의 영업을 을(乙)에게 양도하기로 계약을 체결하였고, 을(乙)은 같은 법이 정한 바에 따라 영업자지위승계신고를 하였다. 이에 대한 설명으로 옳은 것은? (다툼이 있는 경우 판례에 의함)
2015 국가직 7급

① 관할행정청이 신고를 수리하기 위해서는 갑(甲)에 대해 행정절차법상 불이익처분절차를 거쳐야 한다.

② 법령상 신고요건을 갖춘 적법한 신고가 있었다면, 관할행정청의 수리 여부와 관계없이 영업양도는 효력을 발생한다.

③ 관할행정청에 의해 신고가 수리되었다면, 갑(甲)과 을(乙) 사이의 양도계약이 무효이더라도 신고는 효력을 발생한다.

④ 관할행정청이 을(乙)의 신고를 수리하기 전에 갑(甲)의 영업허가가 취소되었을 경우, 을(乙)은 갑(甲)에 대한 영업허가취소에 대하여는 취소소송을 제기할 수 있는 원고적격이 없다.

7. 법령상 채석허가를 받은 자의 명의변경제도를 두고 있는 경우, 명의변경신고를 할 수 있는 양수인은 관할행정청이 양도인의 허가를 취소하는 처분에 대해 취소를 구할 법률상 이익이 인정된다. (○, ×)
2013 국가직 7급

8. 사인의 공법행위에는 행정행위에 인정되는 공정력, 존속력, 집행력 등이 인정되지 않는다. (○, ×)
2015 지방직 7급

9. 사인의 공법행위도 공정력과 집행력을 갖는다. (○, ×)
2010 국가직 7급

10. (사인의 공법행위는) 행정행위와 마찬가지로 구속력·공정력·집행력 등과 같은 행정우월적 효력을 가진다. (○, ×) 2009 관세사

11. 신고는 사인이 행하는 공법행위로 행정기관의 행위가 아니므로 행정절차법에는 신고에 관한 규정을 두고 있지 않다. (○, ×)
2018 국가직 9급

12. 행정절차법은 수리를 요하는 신고와 수리를 요하지 않는 신고를 구분하여 별도로 규정하고 있다. (○, ×) 2015 교육행정직 9급

13. 행정절차법은 수리를 요하는 신고를 규정하고 있다. (○, ×)
2011 지방직 9급

14. 유료노인복지주택의 설치신고를 받은 행정관청은 그 유료노인복지주택의 시설 및 운용기준이 법령에 부합하는지와 설치신고 당시 부적격자들이 입소하고 있는지 여부를 심사할 수 있다. (○, ×)
2014 국가직 9급

15. 수리를 요하는 신고의 경우 행정청은 형식적 심사를 하는 것으로 족하다. (○, ×)
2013 국가직 7급

정답 1. ○ 2. ② 3. ○ 4. × 5. × 6. ① 7. ○ 8. ○ 9. × 10. ×
11. × 12. × 13. × 14. ○ 15. ×

15

사인의 공법행위에 관한 다음 기술 중 옳은 것을 모두 고른 것은? (다툼이 있는 경우 판례에 의함)

㉮ 납골당설치신고는 이른바 '수리를 요하는 신고'이므로 납골당설치신고가 관련규정의 모든 요건에 맞는 신고라 하더라도 행정청의 수리처분이 있어야만 신고한 대로 납골당을 설치할 수 있다.

㉯ 건축법에 의한 인·허가 의제 효과를 수반하는 건축신고는 건축을 하고자 하는 자는 건축법상의 적법한 요건을 갖춘 신고만 하면 건축을 할 수 있고 행정청의 수리 등 별단의 조처를 기다릴 필요가 없다.

㉰ 식품접객업에 관하여 식품위생법이 건축법에 우선하여 배타적으로 적용되는 관계에 있다고 볼 수 없으므로 식품위생법에 따른 식품접객업(일반음식점영업)의 영업신고의 요건을 갖춘 자라고 하더라도, 그 영업신고를 한 당해 건축물이 건축법 소정의 허가를 받지 아니한 무허가건물이라면 적법한 신고를 할 수 없다.

㉱ 정보통신매체를 이용하여 학습비를 받고 불특정 다수인에게 원격평생교육을 실시하기 위해 구 평생교육법에서 정한 형식적 요건을 모두 갖추어 신고한 경우라도, 행정청은 신고대상이 된 교육이나 학습이 공익적 기준에 적합하지 않는다는 등의 실체적 사유를 들어 신고수리를 거부할 수 있다.

㉲ 노인의료복지시설의 폐지신고는 수리를 필요로 하는 신고로서 일단 행정청이 그 신고를 수리하였다면, 위조 등의 사유가 있어 신고행위 자체가 효력이 없더라도 그 수리행위를 당연무효로 볼 수는 없다.

① ㉮, ㉰

② ㉯, ㉰, ㉲

③ ㉯, ㉱, ㉲

④ ㉰, ㉱

㉮ 관련 기출

1. 납골당설치신고(는 수리를 요하는 신고에 해당한다) (O, ×)
2020 경행경채

2. 납골당설치신고는 이른바 '수리를 요하는 신고'이므로 납골당설치신고가 관련법령 규정의 모든 요건을 충족하는 신고라 하더라도 행정청의 수리처분이 있어야만 그 신고한 대로 납골당을 설치할 수 있다. (O, ×)
2019 국회직 8급

3. 납골당설치신고가 구 장사법 관련규정의 모든 요건에 맞는 신고라 하더라도 신고인은 곧바로 납골당을 설치할 수는 없고, 이에 대한 행정청의 수리처분이 있어야만 신고한 대로 납골당을 설치할 수 있다. (O, ×)
2019 사회복지직 9급

㉯ 관련 기출

4. 건축법에 의한 인·허가 의제 효과를 수반하는 건축신고는 건축을 하고자 하는 자가 적법한 요건을 갖춘 신고만 하면 건축을 할 수 있고, 행정청의 수리 등 별단의 조처를 기다릴 필요가 없다. (O, ×)
2021 지방직·서울시 9급

5. 「국토의 계획 및 이용에 관한 법률」상의 개발행위허가가 의제되는 건축신고는 특별한 사정이 없는 한 행정청이 그 실체적 요건에 관한 심사를 한 후 수리하여야 하는 이른바 '수리를 요하는 신고'로 보아야 한다. (O, ×)
2020 지방직·서울시 9급

6. 「국토의 계획 및 이용에 관한 법률」상의 개발행위허가로 의제되는 건축신고가 개발행위허가의 기준을 갖추지 못하더라도, 건축법상 적법한 요건을 갖춘 신고만 하면 건축을 할 수 있고 행정청의 수리 등 별단의 조처를 기다릴 필요는 없다. (O, ×) 2019 경행경채 2차

7. 인·허가 의제 효과를 수반하는 건축신고는 일반적인 건축신고와는 달리, 특별한 사정이 없는 한 행정청이 그 실체적 요건에 관한 심사를 한 후 수리하여야 하는 이른바 '수리를 요하는 신고'에 해당한다. (O, ×)
2019 지방직 7급

8. 「국토의 계획 및 이용에 관한 법률」상의 개발행위허가가 의제되는 건축허가신청이 동 법령이 정한 개발행위허가기준에 부합하지 아니하면, 행정청은 건축허가를 거부할 수 있다. (O, ×)
2018 국가직 7급

㉰ 관련 기출

9. 식품위생법에 따른 식품접객업(일반음식점영업)의 영업신고의 요건을 갖춘 자라고 하더라도, 그 영업신고를 한 당해 건축물이 건축법 소정의 허가를 받지 아니한 무허가건물이라면 적법한 신고를 할 수 없다. (O, ×) 2020 지방직·서울시 9급, 2014 사회복지직 9급

10. 식품접객업 영업신고에 대해서는 식품위생법이 건축법에 우선 적용되므로, 영업신고가 식품위생법상의 신고요건을 갖춘 경우라면 그 영업신고를 한 해당 건축물이 건축법상 무허가건축물이라도 적법한 신고에 해당된다. (O, ×)
2016 국가직 9급

11. 자기완결적 신고를 규정한 법률상의 요건 외에 타법상의 요건도 충족하여야 하는 경우, 타법상의 요건을 충족시키지 못하는 한 적법한 신고를 할 수 없다. (O, ×)
2015 지방직 9급

12. 식품접객업 영업신고와 관련해서는 식품위생법이 건축법에 우선 적용되므로, 영업신고가 식품위생법상의 신고요건을 갖춘 경우라면 그 영업신고를 한 해당 건축물이 무허가건축물이라도 적법한 신고에 해당한다. (O, ×)
2015 국회직 8급

㉱ 관련 기출

13. 정보통신매체를 이용하여 학습비를 받고 불특정 다수인에게 원격평생교육을 실시하기 위해 구 평생교육법에서 정한 형식적 요건을 모두 갖추어 신고한 경우, 행정청은 신고대상이 된 교육이나

학습이 공익적 기준에 적합하지 않는다는 등의 실체적 사유를 들어 신고수리를 거부할 수 없다. (O, ×) 2021 지방직·서울시 9급

14. 불특정 다수인을 대상으로 학습비를 받고 정보통신매체를 이용하여 원격평생교육을 실시하고자 하는 경우에는 누구든지 관계법령에 따라 이를 신고하여야 하나 신고서의 기재사항에 흠결이 없고 소정의 서류가 구비된 때에는 이를 수리하여야 한다. (O, ×)
2019 국회직 8급

15. 정보통신매체를 이용하여 원격평생교육을 불특정 다수인에게 학습비를 받고 실시하기 위해 인터넷 침·뜸 학습센터를 평생교육시설로 신고한 경우, 관할행정청은 신고서 기재사항에 흠결이 없고 형식적 요건을 모두 갖추었더라도 신고대상이 된 교육이나 학습이 공익적 기준에 적합하지 않는다는 등의 실체적 사유를 들어 신고수리를 거부할 수 있다. (O, ×) 2016 지방직 9급

㉲ 관련 기출

16. 노인의료복지시설의 폐지신고는 수리를 필요로 하는 신고로서 행정청이 그 신고를 수리하였더라도 위조 등의 사유가 있어 신고행위 자체가 효력이 없다면, 그 수리행위는 수리행위 자체에 중대·명백한 하자가 있는지를 따질 것도 없이 당연히 무효이다.
(O, ×) 2022 소방간부 변형

17. 장기요양기관의 폐업신고 자체가 효력이 없음에도 행정청이 이를 수리한 경우, 그 수리행위가 당연무효로 되는 것은 아니다.
(O, ×) 2020 국가직 7급

정답 1. O 2. O 3. O 4. × 5. O 6. × 7. O 8. O 9. O 10. ×
11. O 12. × 13. O 14. O 15. × 16. O 17. ×

16

☐☐☐

사인의 공법행위에 관한 다음 기술 중 옳은 것을 모두 고른 것은? (다툼이 있는 경우 판례에 의함)

㉮ 구 수산업법 제44조 소정의 어업신고는 행정청의 수리에 의하여 비로소 그 효과가 발생하는 이른바 '수리를 요하는 신고'에 해당한다.

㉯ 골프장이용료 변경신고와 같은 구 「체육시설의 설치·이용에 관한 법률」 제18조에 의한 신고는 행정청의 수리에 의하여 비로소 그 효과가 발생하는 이른바 '수리를 요하는 신고'에 해당한다.

㉰ 다른 법령에 의한 인·허가가 의제되지 않는 일반적인 건축신고는 자기완결적 신고이므로 이에 대한 신고반려행위 또는 수리거부행위는 항고소송의 대상이 되지 않는다.

㉱ 구 「체육시설의 설치·이용에 관한 법률」의 규정에 따라 체육시설의 회원을 모집하고자 하는 자의 '회원모집계획서 제출'은 수리를 요하는 신고로서, 이에 대하여 회원모집계획을 승인하는 시·도지사 등의 검토결과 통보는 수리행위로서 행정처분에 해당한다.

① ㉮, ㉯   ② ㉮, ㉱
③ ㉯, ㉰   ④ ㉰, ㉱

㉮ 관련 기출

1. 수산업법 제44조 소정의 어업신고(는 수리를 요하는 신고에 해당한다) (○, ×)　　2020 경행경채

2. 수산업법상의 어업의 신고는 행정청의 수리에 의하여 비로소 그 효과가 발생하는 이른바 '수리를 요하는 신고'에 해당한다. (○, ×)　　2019 사회복지직 9급, 2017 서울시 9급

3. 수산업법상 어업신고를 적법하게 하였으나, 관할행정청이 수리를 거부한 경우(에 신고의 효과가 발생한다) (○, ×)　2017 국가직(하) 7급

㉯ 관련 기출

4. 골프장이용료 변경신고와 같은 구 「체육시설의 설치 · 이용에 관한 법률」(1993. 3. 6, 법률 제4541호로 개정된 것) 제18조에 의한 신고는 행정청의 수리를 요한다. (○, ×)　　2018 경행경채 3차

5. 「체육시설의 설치 · 이용에 관한 법률」상 신고체육시설업에 대한 변경신고를 적법하게 하였으나, 관할행정청이 수리를 거부한 경우(에는 신고의 효과가 발생하지 않는다) (○, ×)　　2017 국가직(하) 7급

6. 구 「체육시설의 설치 · 이용에 관한 법률」에 의한 골프장이용료 변경신고서는 행정청에 제출하여 접수된 때에 신고가 있었다고 볼 것이고, 행정청의 수리행위가 있어야만 하는 것은 아니다. (○, ×)　　2014 국가직 9급

㉰ 관련 기출

7. 다른 법령에 의한 인 · 허가가 의제되지 않는 일반적인 건축신고는 자기완결적 신고이므로 이에 대한 수리거부행위는 항고소송의 대상이 되는 처분이 아니다. (○, ×)　　2020 지방직 · 서울시 9급

8. 건축신고는 자기완결적 신고이므로 신고반려행위 또는 수리거부행위는 항고소송의 대상이 되지 않는다. (○, ×)　2019 서울시 1회 7급

9. 건축법에 따른 건축신고를 반려하는 행위는 장차 있을지도 모르는 위험에서 미리 벗어날 수 있도록 길을 열어 주고 위법한 건축물의 양산과 그 철거를 둘러싼 분쟁을 조기에 근본적으로 해결할 수 있게 하여야 한다는 점에서 항고소송의 대상이 된다. (○, ×)　　2017 서울시 9급

10. 건축법상 건축신고에 대한 수리거부행위는 항고소송의 대상이 되지 않는다. (○, ×)　　2013 국회직 8급

11. 건축법에 의한 행정청의 건축신고 반려행위 또는 수리거부행위는 항고소송의 대상이 된다. (○, ×)　　2012 국회직 8급

㉱ 관련 기출

12. 체육시설의 회원을 모집하고자 하는 자의 시 · 도지사 등에 대한 회원모집계획서 제출(은 수리를 요하는 신고에 해당한다) (○, ×)　　2020 경행경채

13. 구 「체육시설의 설치 · 이용에 관한 법률」의 규정에 따라 체육시설의 회원을 모집하고자 하는 자의 '회원모집계획서 제출'은 수리를 요하는 신고이며, 이에 대하여 회원모집계획을 승인하는 시 · 도지사 등의 검토결과 통보는 수리행위로서 행정처분에 해당한다. (○, ×)　　2020 국가직 7급

14. 타인의 행위를 유효한 행위로 받아들이는 행정행위를 수리라 하며, 이러한 수리 중 '체육시설업자 등이 제출한 회원모집계획서에 대한 시 · 도지사의 검토결과 통보'의 경우 대법원은 법적 효과를 발생하지 아니하는 수리행위로서 처분성이 인정되지 않는다고 보았다. (○, ×)　　2012 경행특채

정답　1. ○　2. ○　3. ×　4. ×　5. ×　6. ○　7. ×　8. ×　9. ○　10. ×
　　　11. ○　12. ○　13. ○　14. ×

17

□□□

「공공기관의 정보공개에 관한 법률」에 관한 설명 중 옳은 것을 모두 고른 것은? (다툼이 있는 경우 판례에 의함)

㉮ 적법한 공개청구요건을 갖추고 있는 경우라면, 비록 정보공개제도를 이용하여 사회통념상 용인될 수 없는 부당한 이득을 얻으려 하거나 오히려 공공기관의 담당공무원을 괴롭힐 목적으로 정보공개청구를 하는 경우라 하더라도, 정보공개청구권 행사 자체를 권리남용으로 볼 수는 없다.

㉯ 공개청구의 대상이 되는 정보가 이미 다른 사람에게 널리 알려져 있거나 인터넷 검색을 통해 쉽게 알 수 있는 경우에는 비공개결정이 정당화될 수 있다.

㉰ 공무원이 '직무와 관련 없이' 개인적인 자격으로 간담회 · 연찬회 등 행사에 참석하고 금품을 수령한 정보는 「공공기관의 정보공개에 관한 법률」에서 정한 '공개하는 것이 공익을 위하여 필요하다고 인정되는 정보'에 해당하지 않는다.

㉱ 국가정보원이 직원에게 지급하는 현금급여 및 수당에 관한 정보는 「공공기관의 정보공개에 관한 법률」에서 규정하고 있는 '다른 법률에 의하여 비공개사항으로 규정된 정보'에 해당된다.

① ㉮, ㉯　　　　　　② ㉮, ㉰

③ ㉯, ㉱　　　　　　④ ㉰, ㉱

㉮ 관련 기출

1. 오로지 공공기관의 담당공무원을 괴롭힐 목적으로 정보공개청구를 하는 경우에도 정보공개청구권의 행사는 허용되어야 한다. (○, ×)　　2021 지방직 · 서울시 9급

2. 정보를 취득 또는 활용할 의사가 전혀 없이 사회통념상 용인될 수 없는 부당이득을 얻으려는 목적의 정보공개청구는 권리남용행위로서 허용되지 않는다. (○, ×)　　2019 서울시 9급

3. 정보공개신청이 오로지 권리남용의 목적임이 명백하다면 행정청은 공개를 거부할 수 있다. (○, ×)　　2018 교육행정직 9급

4. 정보공개제도를 이용하여 사회통념상 용인될 수 없는 부당한 이득을 얻으려 하거나, 오히려 공공기관의 담당공무원을 괴롭힐 목적으로 정보공개청구를 하는 경우라 하더라도 적법한 공개청구요건을 갖추고 있는 경우라면 정보공개청구권 행사 자체를 권리남용으로 볼 수는 없다. (○, ×)　　2017 지방직(하) 9급

5. 정보공개청구권은 국민의 알권리에 근거한 헌법상 기본권이므로, 권리남용을 이유로 정보공개를 거부하는 것은 허용되지 아니한다. (○, ×)　　2017 지방직 7급

⑭ 관련 기출
6. 공개청구의 대상이 되는 정보가 인터넷 등을 통하여 공개되어 인 터넷검색 등을 통하여 쉽게 알 수 있는 경우에는 비공개결정이 정 당화될 수 있다. (○, ×)   2021 국가직 7급

7. 공개청구의 대상정보가 이미 다른 사람에게 널리 알려져 있거나 인터넷 검색을 통해 쉽게 알 수 있는 경우에는 비공개결정을 할 수 있다. (○, ×)   2019 서울시 9급

8. (「공공기관의 정보공개에 관한 법률」상) 공개청구된 정보가 인터 넷을 통하여 공개되어 인터넷 검색을 통하여 쉽게 알 수 있다는 사정만으로 비공개결정이 정당화될 수는 없다. (○, ×)
                                          2019 국가직 9급

9. 공개청구의 대상이 되는 정보가 인터넷에 공개되어 인터넷 검색 등을 통하여 쉽게 알 수 있다면 정보공개청구권자는 공개거부처분 의 취소를 구할 법률상의 이익이 없다. (○, ×)   2018 지방직 9급

10. 이미 다른 사람에게 공개하여 널리 알려져 있다거나 인터넷이나 관보 등을 통하여 공개하여 인터넷 검색이나 도서관에서의 열람 등을 통하여 쉽게 알 수 있다는 사정만으로는 소의 이익이 없다 고 할 수 없다. (○, ×)   2018 서울시 9급

⑭ 관련 기출
11. 공무원이 직무와 관련 없이 개인적 자격으로 금품을 수령한 정보 는 공개대상이 되는 정보이다. (○, ×)   2015 사회복지직 9급

12. 공무원이 직무와 관련 없이 개인적인 자격으로 행사에 참석하고 금품을 수령한 정보는 '공개하는 것이 공익을 위하여 필요하다고 인정되는 정보'에 해당한다. (○, ×)   2013 국회직 8급

13. 대법원은 공무원이 직무와 관련 없이 개인적인 자격으로 금품을 수령한 경우에도 해당 정보를 공개하여야 한다고 본다. (○, ×)
                                          2011 서울시 9급

⑭ 관련 기출
14. (「공공기관의 정보공개에 관한 법률」상) 국가정보원이 직원에게 지급하는 현금급여 및 월초수당에 대한 정보는 비공개대상에 해 당하지 아니한다. (○, ×)   2018 서울시 2회 7급

15. 국가정보원이 그 직원에게 지급하는 현금급여 및 월초수당에 관 한 정보는 비공개대상정보에 해당한다. (○, ×)   2014 지방직 9급

16. 국가정보원이 그 직원에게 지급하는 현금급여 및 월초수당에 관한 정보는 공개대상이다. (○, ×) 2014 경행특채 1차, 2011 국가직 7급

정답 1. × 2. ○ 3. ○ 4. × 5. × 6. × 7. × 8. ○ 9. × 10. ○
      11. × 12. × 13. × 14. × 15. ○ 16. ×

18

「공공기관의 정보공개에 관한 법률」에 관한 다음 기술 중 옳 은 것을 모두 고른 것은? (다툼이 있는 경우 판례에 의함)

> ⑦ 공공기관은 정보공개의 청구를 받으면 그 청구를 받 은 날부터 10일 이내에 공개 여부를 결정하여야 하 나 부득이한 사유로 이 기간 이내에 공개 여부를 결 정할 수 없는 때에는 그 기간이 끝나는 날의 다음 날 부터 기산하여 10일의 범위에서 공개 여부 결정기간 을 연장할 수 있다.
>
> ⑭ 구 「공공기관의 정보공개에 관한 법률」 제9조 제1항 제6호 본문에서 정한 '당해 정보에 포함되어 있는 성 명·주민등록번호 등 개인에 관한 사항으로서 공개 될 경우 사생활의 비밀 또는 자유를 침해할 우려가 있다고 인정되는 정보'는 이름·주민등록번호 등 정 보 형식이나 유형을 기준으로 비공개대상정보에 해 당하는지를 판단하는 '개인식별정보'에 한정된다.
>
> ⑭ 공공기관이 공개를 구하는 정보를 보유·관리하고 있을 것이라는 개연성에 대한 입증책임은 원칙적으 로 정보공개청구자에게 있다.
>
> ⑭ 정보의 공개 및 우송 등에 드는 비용은 실비의 범위 에서 청구인이 부담하나, 다만 공개를 청구하는 정 보의 사용목적이 공공복리의 유지·증진을 위하여 필요하다고 인정되는 경우에는 그 비용을 감면할 수 있다.

① ⑦, ⑭, ⑭   ② ⑦, ⑭, ⑭
③ ⑭, ⑭   ④ ⑭, ⑭

✔ 기출체크

⑦ 관련 기출
1. 공공기관은 정보공개의 청구를 받으면 그 청구를 받은 날부터 10 일 이내에 공개 여부를 결정하여야 하나 부득이한 사유로 이 기간 이내에 공개 여부를 결정할 수 없는 때에는 그 기간이 끝나는 날 의 다음 날부터 기산하여 10일의 범위에서 공개 여부 결정기간을 연장할 수 있다. (○, ×)   2017 국가직 9급

2. 공공기관은 정보공개의 청구를 받으면 그 청구를 받은 날부터 20 일 이내에 공개 여부를 결정하여야 한다. (○, ×)   2016 경행경채

⑭ 관련 기출
3. 국민의 알권리를 두텁게 보호하기 위해 「공공기관의 정보공개에 관한 법률」 제9조 제1항 제6호 본문의 규정에 따라 비공개대상이 되는 정보는 이름·주민등록번호 등 '개인식별정보'로 한정된다. (○, ×)   2020 지방직·서울시 9급

4. 「공공기관의 정보공개에 관한 법률」 제9조 제1항 제6호 소정의 '당해 정보에 포함되어 있는 이름, 주민등록번호 등 개인에 대한 사항으로서 공개될 경우 개인의 사생활의 비밀 또는 자유를 침해할 우려가 있다고 인정되는 정보'의 의미와 범위는 구법과 마찬가지로 개인식별정보에 제한된다고 해석해야 한다. (○, ×)
2013 국회직 8급

ⓓ 관련 기출
5. 정보공개를 청구하는 자가 공개를 구하는 정보를 행정기관이 보유·관리하고 있을 상당한 개연성이 있다는 점을 입증하여야 한다. (○, ×)
2020 지방직·서울시 7급

ⓔ 관련 기출
6. (「공공기관의 정보공개에 관한 법률」상) 정보의 공개 및 우송 등에 드는 비용은 실비의 범위에서 청구인이 부담한다. (○, ×)
2021 지방직·서울시 9급, 2018 소방직 9급

7. (「공공기관의 정보공개에 관한 법률」상) 정보의 공개 및 우송 등에 드는 비용은 정보공개청구를 받은 행정청이 부담한다. (○, ×)
2019 국가직 9급

8. 정보의 공개 및 우송 등에 소요되는 비용은 실비의 범위에서 청구인의 부담으로 한다. 다만, 그 액수가 너무 많아서 청구인에게 과중한 부담을 주는 경우에는 비용을 감면할 수 있다. (○, ×)
2018 서울시 1회 7급

9. 정보의 공개 및 우송 등에 소요되는 비용은 실비의 범위에서 청구인이 부담하나, 공개를 청구하는 정보의 사용목적이 공공복리의 유지·증진을 위하여 필요하다고 인정되는 경우에는 그 비용을 감면할 수 있다. (○, ×)
2015 지방직 9급

정답 1. ○ 2. × 3. × 4. × 5. ○ 6. ○ 7. × 8. × 9. ○

19
□□□

「공공기관의 정보공개에 관한 법률」에 관한 다음 기술 중 옳은 것을 모두 고른 것은? (다툼이 있는 경우 판례에 의함)

⑦ 정보공개거부처분의 취소를 구하는 경우, 청구인이 공공기관에 대하여 정보공개를 청구하였다가 거부처분을 받은 것 자체가 법률상 이익의 침해에 해당하는 것이고, 거부처분을 받은 것 이외에 추가로 어떤 법률상의 이익을 가질 것을 요구하는 것은 아니라는 것이 판례의 입장이다.

ⓝ 수용자 자비부담물품의 판매수익금과 관련한 수익금 총액, 수용자신문구독현황과 관련한 각 신문별 구독신청자 수 등에 관한 정보 등에 관한 정보는 비공개대상정보에 해당한다.

ⓓ 직무를 수행한 공무원의 성명과 직위는 「공공기관의 정보공개에 관한 법률」상 공개대상정보에 해당한다.

ⓡ 정보공개청구 후 20일이 경과하도록 정보공개결정이 없는 때에는 정보공개청구 후 20일이 경과한 날부터 30일 이내에 해당 공공기관에 문서로 이의신청을 할 수 있다.

ⓜ 「공공기관의 정보공개에 관한 법률」에서 말하는 공개대상정보는 동법 제2조 제1호에서 예시하고 있는 매체 등에 기록된 사항을 의미하는 것이 아니라 매체 그 자체를 의미한다.

① ⑦, ⓝ, ⓓ   ② ⑦, ⓓ, ⓡ
③ ⓝ, ⓡ, ⓜ   ④ ⓓ, ⓡ, ⓜ

✅ 기출체크

⑦ 관련 기출
1. 청구인이 공공기관에 대하여 정보공개를 청구하였다가 거부처분을 받은 것 자체가 법률상 이익의 침해에 해당한다고 할 것이고, 거부처분을 받은 것 이외에 추가로 어떤 법률상의 이익을 가질 것을 요구하는 것은 아니다. (○, ×)
2021 지방직·서울시 7급

2. 청구인이 공공기관에 대하여 정보공개를 청구하였다가 거부처분을 받은 것 자체가 법률상 이익의 침해에 해당한다. (○, ×)
2021 지방직·서울시 9급, 2020 군무원 7급

3. 정보공개청구권은 법률상 보호되는 구체적인 권리이므로 청구인이 공공기관에 대하여 정보공개를 청구하였다가 거부처분을 받은 것 자체가 법률상 이익의 침해에 해당한다. (○, ×) 2021 국가직 9급

4. (甲은 행정청 A가 보유·관리하는 정보 중 乙과 관련이 있는 정보를 사본 교부의 방법으로 공개하여 줄 것을 청구하였다) 甲이 공개청구한 정보가 甲과 아무런 이해관계가 없는 경우라면, 정보공개가 거부되더라도 甲은 이를 항고소송으로 다툴 수 있는 법률상 이익이 없다. (○, ×)
2017 국가직(하) 9급

ⓝ 관련 기출
5. 수용자 자비부담물품의 판매수익금과 관련한 수익금 총액, 수용자신문구독현황과 관련한 각 신문별 구독신청자 수 등에 관한 정보 등에 관한 정보는 비공개대상정보에 해당하지 않는다. (○, ×)
2012 지방직(상) 9급

ⓓ 관련 기출
6. (「공공기관의 정보공개에 관한 법률」상) 직무를 수행한 공무원의 성명·직위는 비공개대상정보이다. (○, ×) 2019 사회복지직 9급

7. 직무를 수행한 공무원의 성명과 직위는 「공공기관의 정보공개에 관한 법률」에 의하여 공개대상정보에 해당한다. (○, ×)
2016 국가직 7급

8. 직무를 수행한 공무원의 성명과 직위는 공개될 경우 개인의 사생활의 비밀 또는 자유를 침해할 우려가 있다면 비공개대상정보에 해당한다. (○, ×)
2015 지방직 9급

ⓡ 관련 기출
9. 정보공개청구자는 정보공개와 관련한 공공기관의 비공개결정에 대

해서는 이의신청을 할 수 있지만, 부분공개의 결정에 대해서는 따로 이의신청을 할 수 없다. (O, X)   2016 국가직 9급

10. 공공기관의 비공개결정에 대하여 불복이 있는 청구인은 해당 공공기관의 상급기관에 이의신청을 하여야 한다. (O, X)
2015 교육행정직 9급

11. 정보공개청구 후 20일이 경과하도록 정보공개결정이 없는 때에는 정보공개청구 후 20일이 경과한 날부터 30일 이내에 해당 공공기관에 문서로 이의신청을 할 수 있다. (O, X)   2015 서울시 7급

⑩ 관련 기출

12. 「공공기관의 정보공개에 관한 법률」에서 정한 공개대상정보는 정보 그 자체가 아닌 제2조 제1호에서 예시하고 있는 매체 등에 기록된 사항을 의미한다. (O, X)   2022 소방간부

13. (「공공기관의 정보공개에 관한 법률」상) '정보'란 공공기관이 직무상 작성 또는 취득하여 관리하고 있는 문서(전자문서를 포함) 및 전자매체를 비롯한 모든 형태의 매체 등에 기록된 사항을 말한다. (O, X)   2011 지방직 9급 변형

정답   1. O 2. O 3. O 4. X 5. O 6. X 7. O 8. X 9. X 10. X
11. O 12. O 13. O

---

20   □□□

「공공기관의 정보공개에 관한 법률」에 관한 다음 기술 중 옳지 않은 것을 모두 고른 것은? (다툼이 있는 경우 판례에 의함)

㉮ 사면대상자들의 사면실시건의서와 그와 관련된 국무회의 안건자료는 비공개대상이 되는 정보이다.

㉯ 공공기관은 공개대상정보가 제3자와 관련이 있다고 인정할 경우에는 반드시 공개청구된 사실을 제3자에게 통지하여 그에 대한 의견을 청취한 후에 공개 여부를 결정하여야 한다.

㉰ 정보공개청구에 대하여 공공기관의 비공개결정이 있는 경우 청구인은 이의신청절차를 거치지 아니하면 행정심판을 청구할 수 없다.

㉱ 공개될 경우 부동산 투기 등으로 특정인에게 이익 또는 불이익을 줄 우려가 있다고 인정되는 정보는 공개하지 아니할 수 있다.

㉲ 공개를 구하는 정보를 공공기관이 한때 보유·관리하였으나 후에 그 정보가 담긴 문서들이 폐기되어 존재하지 않게 된 것이라면 그 정보를 더 이상 보유·관리하고 있지 않다는 점에 대한 증명책임은 공공기관에 있다.

㉳ 「공공기관의 정보공개에 관한 법률」에서 규정한 정보의 사본 또는 복제물의 교부를 제한할 수 있는 사유에 해당하지 아니하는 한 정보공개청구자가 선택한 공개방법에 따라 공개하여야 하므로 공공기관은 정보공개방법을 선택할 재량권이 없다.

① ㉮, ㉯, ㉰   ② ㉯, ㉰, ㉱
③ ㉯. ㉱, ㉲   ④ ㉰, ㉱, ㉳

✔ 기출체크

㉮ 관련 기출
1. 사면대상자들의 사면실시건의서와 그와 관련된 국무회의 안건자료는 공개대상이 되는 정보이다. (O, X)   2015 사회복지직 9급
2. 대통령의 사면권 행사는 고도의 정치적 행위이므로 그 정보의 공개가 사면권 자체를 부정하게 될 위험이 있고 해당 정보의 당사자들의 사생활의 비밀도 침해할 우려가 있기 때문에 「공공기관의 정보공개에 관한 법률」상의 비공개사유에 해당된다. (O, X)
2010 국회직 8급

㉯ 관련 기출
3. 공공기관은 정보공개청구의 대상이 된 정보가 제3자와 관련된 경우 해당 제3자의 의견을 청취할 수 있으나, 그에게 통지할 의무는 없다. (O, X)   2018 교육행정직 9급
4. 공공기관은 공개대상정보가 제3자와 관련이 있다고 인정할 경우에는 반드시 공개청구된 사실을 제3자에게 통지하고 그에 대한 의견을 청취한 다음에 공개 여부를 결정하여야 한다. (O, X)
2013 서울시 9급
5. 공공기관은 공개청구된 공개대상정보의 전부 또는 일부가 제3자와 관련이 있다고 인정할 때에는 그 사실을 제3자에게 지체 없이 통지하여야 하며, 필요한 경우에는 그의 의견을 들을 수 있다. (O, X)   2009 국가직 9급

㉰ 관련 기출
6. (「공공기관의 정보공개에 관한 법률」상) 정보공개청구인은 공공기관의 비공개결정에 대해 이의신청절차를 거치지 아니하면 행정심판을 청구할 수 없다. (O, X)   2019 사회복지직 9급, 2015 교육행정직 9급
7. 정보공개청구에 대하여 공공기관이 비공개결정을 한 경우 청구인이 이에 불복한다면 이의신청절차를 거치지 않고 행정심판을 청구할 수 있다. (O, X)   2017 국가직 9급, 2016 국가직 9급, 2012 국가직 7급

㉱ 관련 기출
8. 공개될 경우 부동산 투기로 특정인에게 이익 또는 불이익을 줄 우려가 있다고 인정되는 정보는 비공개대상에 해당한다. (O, X)
2019 소방직 9급, 2018 지방직 9급
9. 공개될 경우 부동산 투기 등으로 특정인에게 이익을 줄 우려가 있다고 인정되는 정보는 공개하지 아니할 수 있다. (O, X)
2010 국가직 7급

㉲ 관련 기출
10. 공개를 구하는 정보를 공공기관이 한때 보유·관리하였으나 후에

그 정보가 담긴 문서 등이 폐기되어 존재하지 않게 된 것이라면 그 정보를 더 이상 보유·관리하고 있지 않다는 점에 대한 입증책임은 공공기관에게 있다. (○, ×)

2020 경행경채, 2020 지방직·서울시 7급

11. 공개청구된 정보를 공공기관이 한때 보유·관리하였으나 후에 그 정보가 담긴 문서가 정당하게 폐기되어 존재하지 않게 된 경우, 정보 보유·관리 여부의 입증책임은 정보공개청구자에게 있다. (○, ×) 2019 국가직 7급

12. 공공기관이 정보를 한때 보유·관리하였으나 후에 그 정보를 더 이상 보유·관리하고 있지 아니하다는 점에 대한 증명책임의 소재는 정보공개청구권자에게 있다. (○, ×) 2017 국가직(하) 7급

13. 문서 등이 이미 폐기되어 존재하지 않는 경우 그 정보를 더 이상 보유·관리하고 있지 않다는 점에 대한 증명책임은 공공기관에 있다. (○, ×) 2015 경행특채 1차

⑭ 관련 기출

14. (甲은 행정청 A가 보유·관리하는 정보 중 乙과 관련이 있는 정보를 사본 교부의 방법으로 공개하여 줄 것을 청구하였다) A는 甲이 청구한 사본 교부의 방법이 아닌 열람의 방법으로 정보를 공개할 수 있는 재량을 가진다. (○, ×) 2017 국가직(하) 9급

15. 정보공개법 제13조 제2항에서 규정한 정보의 사본 또는 복제물의 교부를 제한할 수 있는 사유에 해당하지 아니하는 한 정보공개청구자가 선택한 공개방법에 따라 공개하여야 하므로 공공기관은 정보공개방법을 선택할 재량권이 없다. (○, ×) 2017 국회직 8급

16. 공개방법을 선택하여 정보공개를 청구하였더라도 공공기관은 정보공개청구자가 선택한 방법에 따라 정보를 공개하여야 하는 것은 아니며, 원칙적으로 그 공개방법을 선택할 재량권이 있다. (○, ×) 2016 국가직 9급

정답 1. ○ 2. × 3. × 4. × 5. ○ 6. × 7. ○ 8. ○ 9. ○ 10. ○
11. × 12. × 13. ○ 14. × 15. ○ 16. ×

01 □□□

행정조사에 관한 다음 설명 중 옳은 것을 모두 고른 것은? (다툼이 있는 경우 판례에 의함)

㉮ 행정청의 세무조사결정은 그 자체로 납세의무자의 권리·의무에 직접적인 영향을 미치는 것은 아니므로 항고소송의 대상이 되지 않는다.

㉯ 행정조사는 법령 등을 준수하도록 유도하는 데 중점을 두기보다는 법령 등의 위반에 대한 처벌을 하는 데 중점을 두어야 한다.

㉰ 행정조사는 법령 등 또는 행정조사운영계획으로 정하는 바에 따라 수시 실시함을 원칙으로 한다.

㉱ 조사대상자가 동의한 경우에도 해가 뜨기 전이나 해가 진 뒤에는 현장조사를 하여서는 아니 된다.

㉲ 수출입물품을 검사하는 과정에서 마약류가 감추어져 있다고 밝혀지거나 그러한 의심이 드는 경우, 「마약류 불법거래 방지에 관한 특례법」에 따른 조치의 일환으로 세관장이 특정한 수출입물품을 개봉하여 검사하고 그 내용물의 점유를 취득한 행위는 범죄수사인 압수 또는 수색에 해당하므로 사전 또는 사후에 영장을 받아야 한다.

① 없음
② ㉮, ㉲
③ ㉯, ㉰, ㉱
④ ㉲

✅ 기출체크

㉮ 관련 기출

1. 세무조사결정은 납세의무자의 권리·의무에 직접 영향을 미치는 공권력의 행사에 따른 행정작용으로 보기 어려우므로 항고소송의 대상이 될 수 없다. (○, ×) 2021 군무원 9급

2. 행정조사는 처분성이 인정되지 않으므로 세무조사결정이 위법하더라도 이에 대해서는 항고소송을 제기할 수 없다. (○, ×) 2018 국가직 9급

3. 지방자치단체장의 세무조사결정은 납세의무자의 권리·의무에 간접적 영향을 미치는 행정작용으로서 항고소송의 대상이 되지 않는다. (○, ×) 2018 서울시 2회 7급

4. 세법상의 세무조사결정은 납세의무자의 권리·의무에 직접 영향을

미치는 공권력의 행사이므로 항고소송의 대상이 된다. (○, ×) 2017 지방직 9급

5. 판례에 의하면 세무조사결정은 납세의무자의 권리·의무에 직접 영향을 미치는 것이 아니라 행정내부의 행위로서 항고소송의 대상이 아니다. (○, ×) 2017 국회직 8급

㉯ 관련 기출

6. 행정조사는 법령 등의 위반에 대한 처벌에 중점을 두되 법령 등을 준수하도록 유도하여야 한다. (○, ×) 2021 군무원 9급

7. 행정조사는 법령 등의 준수를 유도하기보다는 법령 등의 위반에 대한 처벌에 중점을 두어야 한다. (○, ×) 2020 소방직 9급, 2009 국회속기직 9급

8. 다음 중 행정조사기본법상 행정조사의 원칙인 것은 모두 몇 개인가? 2016 경행경채

㉠ 행정조사는 조사목적을 달성하는 데 필요한 최소한의 범위 안에서 실시하여야 한다.

㉡ 행정조사는 법령 등의 위반에 대한 처벌보다는 법령 등을 준수하도록 유도하는 데 중점을 두어야 한다.

㉢ 행정기관이 유사하거나 동일한 사안이라고 하여 공동조사 등을 실시하는 것은 국민의 권익을 침해할 수 있으므로 허용되지 않는다.

㉣ 다른 법률에 따르지 아니하고는 행정조사의 대상자 또는 행정조사의 내용을 공표하거나 직무상 알게 된 비밀을 누설하여서는 아니 된다.

㉤ 행정기관은 조사목적에 적합하도록 조사대상자를 선정하여 행정조사를 실시하여야 한다.

① 2개
② 3개
③ 4개
④ 5개

9. 행정조사는 조사를 통해 법령 등의 위반사항을 발견하고 처벌하는 데 중점을 두어야 한다. (○, ×) 2014 서울시 9급

10. 행정조사는 법령 등의 위반에 대한 처벌보다는 법령 등을 준수하도록 유도하는 데 중점을 두어야 한다. (○, ×) 2014 경행특채 1차, 2008 지방직(하) 7급

㉰ 관련 기출

11. 행정조사는 그 실효성 확보를 위해 수시조사를 원칙으로 한다. (○, ×) 2021 소방직 9급, 2014 국회직 8급, 2009 국회직 8급

12. 행정조사는 수시로 실시함을 원칙으로 한다. (○, ×) 2015 경행특채 1차

13. 행정조사는 법령 등 또는 행정조사운영계획으로 정하는 바에 따라 정기적으로 실시함을 원칙으로 한다. (○, ×) 2010 경행특채

㉱ 관련 기출

14. 조사대상자의 동의가 있는 경우 해가 뜨기 전이나 해가 진 뒤에도 현장조사가 가능하다. (○, ×) 2017 서울시 9급

15. 현장조사는 조사대상자가 동의한 경우에도 해가 뜨기 전이나 해
가 진 뒤에는 할 수 없다. (○, ×)　　　　　　　　2009 국가직 9급

⑯ 관련 기출

16. 「마약류 불법거래 방지에 관한 특례법」에 따른 조치의 일환으로
특정한 수출입물품을 개봉하여 검사하고 그 내용물의 점유를 취
득한 행위는 사전 또는 사후에 영장을 받아야 한다. (○, ×)
　　　　　　　　　　　　　　　　　　　　　　　2022 소방간부

정답　1. ×　2. ×　3. ×　4. ○　5. ×　6. ×　7. ×　8. ③(㉠㉢㉣㉤)
　　　9. ×　10. ○　11. ×　12. ×　13. ○　14. ○　15. ×　16. ○

02　　　　　　　　　　　　　　　　　　　　　　　□□□

**질서위반행위규제법에 관한 다음 설명 중 옳은 것은? (다툼이
있는 경우 판례에 의함)**

① 과태료는 행정질서유지를 위한 의무위반이라는 객관적
사실에 대하여 과하는 제재이므로 고의 또는 과실이 없
는 질서위반행위에 대해서도 과태료를 부과할 수 있다.

② 과태료의 부과·징수, 재판 및 집행 등의 절차에 관한
다른 법률의 규정 중 질서위반행위규제법의 규정에 저
촉되는 것은 다른 법률이 정하는 바에 따른다.

③ 행정청의 과태료 부과에 불복하는 자는 서면으로 이의
제기를 할 수 있지만, 이의제기가 있더라도 과태료 부과
처분은 그 효력을 유지한다.

④ 질서위반행위 후 법률이 변경되어 그 행위가 질서위반
행위에 해당하지 아니하게 되거나 과태료가 변경되기
전의 법률보다 가볍게 된 때에는 법률에 특별한 규정이
없는 한 변경된 법률을 적용한다.

✅ 기출체크

① 관련 기출

1. 과태료는 행정질서유지를 위한 의무위반이라는 객관적 사실에 대
하여 과하는 제재이므로 과태료 부과에는 고의·과실을 요하지 않
는다. (○, ×)　　　　　　　　　　　　　　　　　2017 서울시 9급

2. (질서위반행위규제법상 과태료는) 행정형벌이 아니므로 고의 또는
과실과 무관하게 부과할 수 있다. (○, ×)　　　　2016 지방직 7급

3. 질서위반행위규제법에 의하면 고의 또는 과실이 없는 질서위반행위
에 대해서도 과태료를 부과할 수 있다. (○, ×)　　2015 지방직 7급

② 관련 기출

4. 과태료의 부과·징수, 재판 및 집행 등의 절차에 관하여 질서위반
행위규제법과 타 법률이 달리 규정하고 있는 경우에는 후자를 따
른다. (○, ×)　　　　　　　　　　　　　　　　　2017 서울시 9급

5. 과태료의 부과·징수, 재판 및 집행 등의 절차에 관한 다른 법률의
규정 중 이 법(질서위반행위규제법)의 규정에 저촉되는 것은 다른
법률이 정하는 바에 따른다. (○, ×)　　　　　　　2017 경행경채

6. 과태료의 부과·징수의 절차에 관해 질서위반행위규제법의 규정에
저촉되는 다른 법률의 규정이 있는 경우에는 그 다른 법률의 규정
이 정하는 바에 따른다. (○, ×)　　　　　　　　　2017 국회직 8급

7. 과태료의 부과·징수, 재판 및 집행 등의 절차에 대해 다른 법률에
서 질서위반행위규제법과 달리 정하고 있는 경우에는 그 법률이
우선한다. (○, ×)　　　　　　　　　　　　　　　2015 서울시 7급

8. 과태료의 부과요건·절차 등에 관해 질서위반행위규제법의 규정과
다른 법률 규정이 있으면 그 규정을 우선 적용한다. (○, ×)
　　　　　　　　　　　　　　　　　　　　　　　2012 국회직 8급

③ 관련 기출

9. 질서위반행위규제법에 따르면 행정청의 과태료 부과처분에 대하여
당사자가 이의제기를 통해 불복할 수 있고, 이의제기가 있게 되면
행정청의 과태료 부과처분은 그 효력을 상실한다. (○, ×)
　　　　　　　　　　　　　　　　　　　　　　　2022 소방간부

10. 행정청의 과태료 부과에 불복하는 자는 서면으로 이의제기를 할
수 있으나, 이의제기가 있더라도 과태료 부과처분은 그 효력을
유지한다. (○, ×)　　　　　　　　　　　2020 지방직·서울시 9급

11. 행정청의 과태료 부과에 불복하는 당사자는 과태료 부과통지를
받은 날부터 60일 이내에 해당 행정청에 서면으로 이의제기를
할 수 있다. (○, ×)　　　　　2020 국회직 8급 변형, 2019 국회직 8급

12. (질서위반행위규제법상) 행정청의 과태료 부과에 불복하려는 당
사자는 과태료 부과통지를 받은 날부터 90일 이내에 해당 행정
청에 서면으로 이의제기를 할 수 있다. (○, ×)
　　　　　　　　　　　　　　　　　　　　　2019 서울시 2회 7급

13. 행정청의 과태료 부과에 불복하는 당사자는 과태료 부과통지를
받은 날부터 60일 이내에 해당 행정청에 서면으로 이의제기를
할 수 있는바, 이의제기가 있는 경우에는 행정청의 과태료 부과
처분은 그 효력을 상실한다. (○, ×)　　　　　　2015 서울시 9급

④ 관련 기출

14. 질서위반행위 후 법률이 변경되어 그 행위가 질서위반행위에 해
당하지 아니하게 되거나 과태료가 변경되기 전의 법률보다 가볍
게 된 때에는 법률에 특별한 규정이 없는 한 변경된 법률을 적용
한다. (○, ×)　　　　　　　　　　2016 경행경채, 2011 국회직 8급

정답　1. ×　2. ×　3. ×　4. ×　5. ×　6. ×　7. ×　8. ×　9. ○　10. ×
　　　11. ○　12. ×　13. ○　14. ○

행정의 실효성 확보수단에 관련된 다음 설명 중 옳은 것을 모두 고른 것은? (다툼이 있는 경우 판례에 의함)

㉮ 신규등록신청을 위한 임시운행허가를 받고 그 기간이 끝났음에도 자동차등록원부에 등록하지 않은 채 허가기간의 범위를 넘어 운행한 차량소유자가 관련 법조항에 의한 과태료를 부과받아 납부하였다면 그 차량소유자에 대해 다시 형사처벌을 하는 것은 일사부재리원칙에 위반된다.

㉯ 죄형법정주의원칙 등 형벌법규의 해석원리는 행정형벌에 관한 규정을 해석할 때에도 적용된다.

㉰ 지방자치단체 소속 공무원이 지방자치단체 고유의 자치사무를 수행하던 중 도로법 규정에 의한 위반행위를 한 경우 지방자치단체는 도로법의 양벌규정에 따라 처벌대상이 되는 법인에 해당한다.

㉱ 일반형사소송절차에 앞선 절차로서의 통고처분은 그 자체로 상대방에게 금전납부의무를 부과하는 행위로서 항고소송의 대상이 되는 처분이다.

㉲ 「독점규제 및 공정거래에 관한 법률」상 부당지원행위에 대한 과징금의 경우 행정상 의무위반에 대한 금전적 제재라는 면에서 벌금과 동일한 성격을 가지므로 동일한 의무위반행위에 대해 과징금을 부과하였다면 벌금을 병과할 수 없다.

㉳ 공정거래위원회가 위반행위에 대한 과징금을 부과하면서 여러 개의 위반행위에 대하여 외형상 하나의 과징금 납부명령을 하였으나 여러 개의 위반행위 중 일부 위반행위에 대한 과징금 부과만 위법하고 소송상 그 일부 위반행위를 기초로 한 과징금액을 산정할 수 있는 자료가 있는 경우라도, 법원은 과징금 부과처분 전부를 취소하여야 한다.

㉴ 세법상 가산세는 행정상 제재로서 납세자의 고의·과실은 고려되지 않지만, 납세자에게 그 의무해태를 탓할 수 없는 정당한 사유가 있는 경우에는 이를 부과할 수 없다.

㉵ 국가기관이 행정목적 달성을 위하여 언론을 통해 행정상 공표의 방법으로 실명을 공개함으로써 타인의 명예를 훼손한 경우, 국가기관이 공표 당시 이를 진실이라고 믿었고 또 그렇게 믿을 만한 상당한 이유가 있다면 위법성이 인정되지 않지만, 상당한 이유의 존부의 판단에 있어서는 사인의 행위에 의한 경우보다 훨씬 엄격한 기준이 요구된다.

㉶ 경찰서장이 범칙행위에 대하여 경범죄처벌법상 통고처분을 하였다면, 통고처분에서 정한 범칙금 납부기간까지는 원칙적으로 경찰서장은 즉결심판을 청구할 수 없고, 검사도 동일한 범칙행위에 대하여 공소를 제기할 수 없다.

① ㉮, ㉯, ㉳, ㉶ ② ㉯, ㉰, ㉴, ㉵, ㉶
③ ㉰, ㉱, ㉲, ㉴ ④ ㉱, ㉲, ㉵, ㉶

✅ 기출체크

㉮ 관련 기출

1. 신규등록신청을 위한 임시운행허가를 받고 그 기간이 끝났음에도 자동차등록원부에 등록하지 않은 채 허가기간의 범위를 넘어 운행한 차량소유자가 관련 법조항에 의한 과태료를 부과받아 납부하였다 하더라도 그 차량소유자에 대해 형사처벌을 하는 것은 일사부재리원칙에 위반하는 것이 아니다. (○, ×) 2018 경행경채

2. 과태료처분을 받고 이를 납부한 후에 형사처벌을 한다고 하여 일사부재리원칙에 반하지 않는다는 것이 대법원의 입장이다. (○, ×) 2015 사회복지직 9급

3. 대법원은 과태료 부과처분과 형사처벌은 그 성질이나 목적을 달리하는 별개의 것이므로 과태료를 납부한 후에 형사처벌을 한다고 하여 일사부재리의 원칙에 반한다고 볼 수 없다고 하고 있다. (○, ×) 2013 지방직(하) 7급

4. 대법원은 행정형벌과 행정질서벌은 그 성질이나 목적을 달리하는 별개의 것이므로 행정질서벌인 과태료를 납부한 후에 형사처벌을 한다고 하여 이를 일사부재리의 원칙에 반하는 것이라고 할 수는 없다고 보고 있다. (○, ×) 2012 경행특채

5. 대법원 판례에 따르면 행정질서벌과 형사벌을 병과해도 일사부재리원칙에 반하지 아니한다. (○, ×) 2009 국회속기직 9급

㉯ 관련 기출

6. 죄형법정주의원칙 등 형벌법규의 해석원리는 행정형벌에 관한 규정을 해석할 때에도 적용되어야 한다. (○, ×) 2019 서울시 9급

7. 형사벌의 경우와는 달리 행정형벌에 대해서는 죄형법정주의의 원칙이 적용되지 아니한다. (○, ×) 2011 사회복지직 9급

㉰ 관련 기출

8. 지방자치단체가 국가의 기관위임사무를 처리하는 경우에도 별도의 독립한 공법인으로서 자동차관리법 제83조의 양벌규정에 의한 처벌대상이 된다. (○, ×) 2022 소방간부

9. 지방자치단체 소속 공무원이 지방자치단체 고유의 자치사무를 수행하던 중 도로법 규정에 의한 위반행위를 한 경우 지방자치단체는 도로법의 양벌규정에 따라 처벌대상이 되는 법인에 해당한다. (○, ×) 2020 국가직 7급

10. 지방자치단체가 그 고유의 자치사무를 처리하는 경우 지방자치단체는 양벌규정에 의한 처벌대상이 되지 않는다. (○, ×) 2019 국가직 7급

11. 지방자치단체 소속 공무원이 자치사무를 수행하던 중 법 위반행위를 한 경우 지방자치단체는 같은 법의 양벌규정에 따라 처벌되는 법인에 해당한다. (○, ×) 2019 서울시 9급

12. 지방자치단체가 국가로부터 위임받은 기관위임사무를 처리하는 경우, 지방자치단체는 양벌규정에 의한 처벌대상이 되는 법인에 해당된다. (○, ×) 2018 경행경채 3차

㉣ 관련 기출

13. 도로교통법상 경찰서장의 통고처분은 행정청에 의한 행정처분에 해당하여 그 처분에 대하여 이의가 있는 경우 처분의 취소를 구하는 행정소송을 제기하거나 그 범칙금의 납부를 이행하지 아니함으로써 경찰서장의 즉결심판청구에 의하여 법원의 심판을 받을 수 있다. (○, ×) 2022 소방간부

14. 도로교통법에서 규정하는 경찰서장의 통고처분은 행정소송의 대상이 되는 행정처분이다. (○, ×) 2018 서울시 2회 7급

15. 일반형사소송절차에 앞선 절차로서의 통고처분은 그 자체로 상대방에게 금전납부의무를 부과하는 행위로서 항고소송의 대상이 된다. (○, ×) 2017 국가직 9급

16. 도로교통법상 통고처분에 대하여 이의가 있는 자는 통고처분에 따른 범칙금의 납부를 이행한 후에 행정쟁송을 통해 통고처분을 다툴 수 있다. (○, ×) 2017 지방직 9급

㉤ 관련 기출

17. 행정법규위반에 대하여 벌금 이외에 과징금을 함께 부과하는 것은 이중처벌금지원칙에 위반된다. (○, ×) 2018 교육행정직 9급

18. 「독점규제 및 공정거래에 관한 법률」상 부당지원행위에 대한 과징금은 부당지원행위 억지라는 행정목적을 실현하기 위한 행정상 제재금으로서의 기본적 성격에 부당이득환수적 요소도 부가되어 있는 것으로서, 행정벌과 병과하더라도 이중처벌금지원칙에 위반되지 않는다. (○, ×) 2014 사회복지직 9급

19. 헌법재판소 결정에 따르면 과징금은 국가형벌권 행사로서의 처벌이 아니므로, 법에서 형사처벌과 아울러 과징금의 부과처분을 규정하고 있더라도 이중처벌금지원칙에 반하지 아니한다. (○, ×) 2012 국가직 7급

20. 「독점규제 및 공정거래에 관한 법률」상 부당지원행위에 대한 과징금의 경우 행정상 의무위반에 대한 금전적 제재라는 면에서 벌금과 동일한 성격을 가지므로 동일한 의무위반행위에 대해 과징금을 부과한 경우 벌금을 병과할 수 없다. (○, ×) 2010 국회속기직 9급

㉥ 관련 기출

21. 공정거래위원회가 위반행위에 대한 과징금을 부과하면서 여러 개의 위반행위에 대하여 외형상 하나의 과징금 납부명령을 하였으나 여러 개의 위반행위 중 일부의 위반행위에 대한 과징금 부과만이 위법하고 소송상 그 일부의 위반행위를 기초로 한 과징금액을 산정할 수 있는 자료가 있는 경우에는, 하나의 과징금 납부명령일지라도 그 일부의 위반행위에 대한 과징금액에 해당하는 부분만을 취소하여야 한다. (○, ×) 2022 소방간부

22. 「독점규제 및 공정거래에 관한 법률」을 위반한 수개의 행위에 대하여 공정거래위원회가 하나의 과징금 부과처분을 하였으나 수개의 위반행위 중 일부의 위반행위에 대한 과징금부과만이 위법하고, 그 일부의 위반행위를 기초로 한 과징금액을 산정할 수 있는 자료가 있는 경우에도 법원은 과징금 부과처분 전부를 취소하여야 한다. (○, ×) 2019 서울시 9급

㉦ 관련 기출

23. 세법상 가산세는 행정상 제재로서 납세자의 고의·과실은 고려되지 않으므로 설령 납세자에게 그 의무해태를 탓할 수 없는 정당한 사유가 있는 경우라도 이를 부과할 수 있다. (○, ×) 2022 소방간부

24. 법인세법상 가산세는 형벌이 아니므로 행위자의 고의 또는 과실·책임능력·책임조건 등을 고려하지 아니하며, 조세의 부과절차에 따라 과징할 수 있다. (○, ×) 2021 지방직·서울시 7급

25. 세법상 가산세는 납세의무자가 정당한 이유 없이 법에 규정된 신고, 납세 등 각종 의무를 위반한 경우에 법이 정하는 바에 따라 부과하는 행정상의 제재로서, 그 의무를 게을리한 점을 탓할 수 없는 정당한 사유가 있는 경우에는 부과할 수 없다. (○, ×) 2021 경행경채

26. 구 법인세법 제76조 제9항에 근거하여 부과하는 가산세는 형벌이 아니므로 행위자의 고의 또는 과실·책임능력·책임조건 등을 고려하지 아니하며, 조세의 부과절차에 따라 과징할 수 있다. (○, ×) 2020 지방직·서울시 7급

27. 세법상 가산세는 과세권 행사 및 조세채권 실현을 용이하게 하기 위하여 납세자가 정당한 이유 없이 법에 규정된 신고, 납세 등의 의무를 위반한 경우에 개별 세법에 따라 부과하는 행정상 제재로서, 납세자의 고의·과실은 고려되지 아니하고 법령의 부지·착오 등은 그 의무위반을 탓할 수 없는 정당한 사유에 해당하지 아니한다. (○, ×) 2019 국가직 9급

㉧ 관련 기출

28. 국가기관이 행정목적 달성을 위하여 언론을 통해 행정상 공표의 방법으로 실명을 공개함으로써 타인의 명예를 훼손한 경우라면 사인의 행위에 의한 경우보다 훨씬 엄격한 기준이 요구되므로 국가기관이 공표 당시 이를 진실이라고 믿었고 또 그렇게 믿을 만한 상당한 이유가 있더라도 위법성이 인정된다. (○, ×) 2022 소방간부

29. 공표로 타인의 명예를 훼손한 경우에도 국가기관이 공표 당시 이를 진실이라고 믿었고 또 그렇게 믿을 만한 상당한 이유가 있다면 위법성이 없다. (○, ×) 2007 관세사

㉨ 관련 기출

30. 경찰서장이 범칙행위에 대하여 경범죄처벌법상 통고처분을 하였다면, 통고처분에서 정한 범칙금 납부기간까지는 원칙적으로 경찰서장은 즉결심판을 청구할 수 없지만 검사는 동일한 범칙행위에 대하여 공소를 제기할 수 있다. (○, ×) 2022 소방간부

31. 경찰서장이 범칙행위에 대하여 통고처분을 한 이상, 통고처분에서 정한 범칙금 납부기간까지는 원칙적으로 경찰서장은 즉결심판을 청구할 수 없고, 검사도 동일한 범칙행위에 대하여 공소를 제기할 수 없다. (○, ×) 2021 지방직·서울시 9급

정답 1.○ 2.○ 3.○ 4.○ 5.○ 6.○ 7.× 8.× 9.○ 10.× 11.○ 12.× 13.× 14.× 15.× 16.× 17.× 18.○ 19.○ 20.× 21.○ 22.× 23.× 24.○ 25.○ 26.○ 27.○ 28.× 29.○ 30.× 31.○

□□□

질서위반행위규제법상 과태료에 관한 다음 설명 중 옳은 것을 모두 고른 것은? (다툼이 있는 경우 판례에 의함)

㉮ 지방자치단체는 조례로써 과태료를 부과할 수 있으며, 조례상의 의무를 위반하여 과태료를 부과하는 행위도 질서위반행위규제법상의 질서위반행위에 해당된다.

㉯ 과태료 사건은 다른 법령에 특별한 규정이 있는 경우를 제외하고는 과태료를 부과한 행정청 소재지의 지방법원 또는 그 지원의 관할로 한다.

㉰ 질서위반행위규제법에 따른 과태료는 행정청의 과태료 부과처분이나 법원의 과태료재판이 확정된 후 5년간 징수하지 아니하거나 집행하지 아니하면 시효로 소멸한다.

㉱ 대통령령으로 정하는 사법(私法)의무를 위반하여 과태료를 부과하는 행위도 질서위반행위규제법상 질서위반행위에 해당한다.

㉲ 당사자는 과태료재판에 대하여 즉시항고할 수 있으나 이 경우의 항고는 집행정지의 효력이 없다.

① ㉮, ㉯, ㉲   ② ㉮, ㉰
③ ㉯, ㉰, ㉱   ④ ㉱, ㉲

✅ 기출체크

㉮ 관련 기출
1. 지방자치단체의 조례상의 의무를 위반하여 과태료를 부과하는 행위는 질서위반행위에 해당되지 않는다. (O, ✕)
   2019 지방직·교육행정직 9급
2. 지방자치단체의 조례도 과태료 부과의 근거가 될 수 있다. (O, ✕)
   2016 국가직 9급
3. 지방자치단체는 조례를 통하여 행정질서벌을 정할 수 있다. (O, ✕)
   2011 사회복지직 9급

㉯ 관련 기출
4. 과태료 사건은 다른 법령에 특별한 규정이 있는 경우를 제외하고는 과태료 부과관청의 소재지의 지방법원 또는 그 지원의 관할로 한다. (O, ✕)
   2020 국가직 9급
5. 과태료 사건은 다른 법령에 특별한 규정이 있는 경우를 제외하고는 당사자의 주소지의 지방법원 또는 그 지원의 관할로 한다. (O, ✕)
   2019 서울시 9급
6. 과태료 사건은 다른 법령에 특별한 규정이 있는 경우를 제외하고는 과태료를 부과한 행정청의 소재지를 관할하는 행정법원의 관할로 한다. (O, ✕)
   2015 서울시 9급

㉰ 관련 기출
7. 행정청에 의해 부과된 과태료는 질서위반행위가 종료된 날(다수인이 질서위반행위에 가담한 경우에는 최종행위가 종료된 날을 말한

다)부터 5년간 징수하지 아니하거나 집행하지 아니하면 시효로 인하여 소멸한다. (O, ✕)
   2020 국가직 9급
8. 질서위반행위규제법에 따른 과태료는 행정청의 과태료 부과처분이나 법원의 과태료재판이 확정된 후 5년간 징수하지 아니하거나 집행하지 아니하면 시효로 소멸한다. (O, ✕) 2020 지방직·서울시 9급
9. 과태료는 행정청의 과태료 부과처분이 있은 후 3년간 징수하지 아니하면 시효로 인하여 소멸한다. (O, ✕)
   2019 지방직·교육행정직 9급, 2018 서울시 2회 7급
10. 과태료는 행정청의 과태료 부과처분이나 법원의 과태료재판이 확정된 후 3년간 징수하지 아니하거나 집행하지 아니하면 시효로 인하여 소멸한다. (O, ✕) 2019 서울시 9급, 2016 경행경채
11. 과태료에는 소멸시효가 없으므로 행정청의 과태료처분이나 법원의 과태료재판이 확정된 이상 일정한 시간이 지나더라도 그 처벌을 면할 수는 없다. (O, ✕) 2017 서울시 9급

㉱ 관련 기출
12. 민법상의 의무를 위반하여 과태료를 부과하는 행위는 질서위반행위규제법상 질서위반행위에 해당한다. (O, ✕) 2019 서울시 9급
13. 다음은 현행 질서위반행위규제법의 일부이다. 괄호 안에 공통적으로 들어갈 용어는? 2011 국가직 9급

'질서위반행위'란 법률(지방자치단체의 조례를 포함한다. 이하 같다)상의 의무를 위반하여 (　)을/를 부과하는 행위를 말한다. 다만, 다음 각 목의 어느 하나에 해당하는 행위를 제외한다.
가. 대통령령으로 정하는 사법(私法)상·소송법상 의무를 위반하여 (　)을/를 부과하는 행위
나. 대통령령으로 정하는 법률에 따른 징계사유에 해당하여 (　)을/를 부과하는 행위

① 가산금   ② 과태료
③ 부당이득세   ④ 이행강제금

14. 질서위반행위란 '법률(조례를 포함한다)상의 의무를 위반하여 과태료를 부과하는 행위'를 말하고, 이에는 대통령령으로 정하는 법률에 따른 징계사유에 해당하여 과태료를 부과하는 행위가 포함된다. (O, ✕)
   2009 국가직 7급

㉲ 관련 기출
15. 과태료재판은 이유를 붙인 결정으로써 하며, 결정은 당사자와 검사에게 고지함으로써 효력이 발생하고, 당사자와 검사는 과태료재판에 대하여 즉시항고할 수 있으며 이 경우 항고는 집행정지의 효력이 있다. (O, ✕) 2021 소방직 9급
16. 당사자와 검사는 과태료재판에 대하여 즉시항고를 할 수 있다. 이 경우 항고는 집행정지의 효력이 있다. (O, ✕) 2018 소방직 9급
17. 질서위반행위규제법에 의하면 과태료재판에 대한 검사의 즉시항고는 당사자가 제기하는 즉시항고와는 달리 집행정지의 효력을 가지지 않는다. (O, ✕) 2018 경행경채
18. 과태료의 재판은 이유를 붙인 결정으로써 한다. (O, ✕)
   2012 국회(속기·경위직) 9급

정답 1. ✕ 2. O 3. O 4. ✕ 5. O 6. ✕ 7. ✕ 8. O 9. ✕ 10. ✕
11. ✕ 12. ✕ 13. ② 14. ✕ 15. O 16. O 17. ✕ 18. O

□□□

행정상 손해배상에 관한 다음 설명 중 옳은 것을 모두 고른 것은? (다툼이 있는 경우 판례에 의함)

⑦ 국가가 공무원의 불법행위로 인한 손해배상을 한 경우에 공무원에게 고의 또는 중대한 과실이 있으면 국가는 그 공무원에게 구상권을 행사할 수 있다.

⑭ 공무원 개인이 고의 또는 중과실이 있는 경우에는 불법행위로 인한 손해배상책임을 부담하지만, 공무원의 위법행위가 경과실에 기한 경우에는 공무원은 손해배상책임을 지지 않는다.

⑮ 경찰공무원이 전투·훈련 등 직무집행과 관련하여 순직을 한 경우에는 전투·훈련 또는 이에 준하는 직무집행뿐만 아니라 일반직무집행에 관하여도 국가나 지방자치단체의 배상책임이 제한된다는 것이 판례의 입장이다.

⑯ 민간인과 직무집행 중인 군인의 공동불법행위로 인하여 직무집행 중인 다른 군인이 피해를 입은 경우, 민간인이 피해군인에게 자신의 과실비율에 따라 내부적으로 부담할 부분을 초과하여 피해금액 전부를 배상하였다면 민간인은 국가에 대해 가해군인의 과실비율에 대한 구상권을 행사할 수 있다는 것이 대법원 판례의 입장이다.

① ⑦, ⑭, ⑮ ② ⑦, ⑮
③ ⑭, ⑮, ⑯ ④ ⑮, ⑯

✅ **기출체크**

⑦ 관련 기출
1. 직무를 집행하는 공무원에게 고의 또는 중대한 과실이 있으면 국가나 지방자치단체는 그 공무원에게 구상(求償)할 수 있다. (○, ×) *2021 군무원 9급*
2. 국가 또는 지방자치단체가 공무원의 위법한 직무집행으로 발생한 손해에 대해 국가배상법에 따라 배상한 경우에 당해 공무원에게 구상권을 행사할 수 있는지에 대해 국가배상법은 규정을 두고 있지 않으나, 판례에 따르면 당해 공무원에게 고의 또는 중과실이 인정될 경우 국가 또는 지방자치단체는 그 공무원에게 구상권을 행사할 수 있다. (○, ×) *2018 국가직 9급*
3. 국가가 공무원의 불법행위로 인한 손해배상을 한 경우에 공무원에게 고의 또는 중대한 과실이 있으면 국가는 그 공무원에게 구상권을 행사할 수 있다. (○, ×) *2018 서울시 1회 7급*
4. 헌법 제29조 제1항에서는 가해공무원에게 고의 또는 중과실이 있는 경우에 국가가 가해공무원에 대하여 구상권을 행사할 수 있다고 규정하고 있다. (○, ×) *2005 부산시 9급*

---

5. <보기 1>의 내용을 근거로 판단할 때 <보기 2> 설명의 옳고 그름이 바르게 나열된 것은? (다툼이 있는 경우 판례에 의함) *2014 국가직 9급*

보기 1
「건강기능식품에 관한 법률」 제20조에 따라 식품의약품안전처장은 위생적 관리 및 영업의 질서유지를 위해 필요하다고 인정하는 때에는 관계공무원으로 하여금 영업장소 등을 검사하게 할 수 있다. 식품의약품안전처 소속 공무원 甲은 식품회사 乙의 영업시설 등을 검사하면서 심각한 주의의무 태만으로 영업시설 등의 일부를 손괴하였다. 甲의 행위에 대하여 정직 3개월의 징계처분이 내려졌다.

보기 2
㉠ 甲은 징계처분에 대하여 소청심사위원회의 심사·결정을 거치지 아니하고 행정소송을 바로 제기할 수 있다.
㉡ 국가가 乙에 대한 손해배상책임을 부담한 경우, 국가는 甲에 대한 구상권을 행사할 수 있다.
㉢ 乙이 甲에 대하여 불법행위에 기한 손해배상청구소송을 제기할 경우, 甲의 민사상 책임이 인정될 수 있다.

	㉠	㉡	㉢		㉠	㉡	㉢
①	○	○	○	②	×	○	○
③	○	×	×	④	×	×	×

⑭ 관련 기출
6. 공무원이 고의 또는 중과실로 직무상 불법행위를 한 경우에는 피해자는 공무원에 대해 선택적 청구가 가능하나 단순 경과실에 의한 경우에는 선택적 청구가 부정된다. (○, ×) *2022 소방간부*
7. 공무원 개인이 고의 또는 중과실이 있는 경우에는 불법행위로 인한 손해배상책임을 진다고 할 것이지만, 공무원의 위법행위가 경과실에 기한 경우에는 공무원은 손해배상책임을 부담하지 않는다. (○, ×) *2021 지방직·서울시 9급*
8. 공무원이 직무수행 중 불법행위로 타인에게 손해를 입힌 경우에 국가 등이 국가배상책임을 부담하는 것 외에 공무원 개인도 고의 또는 중과실이 있는 경우에는 불법행위로 인한 손해배상책임을 진다. (○, ×) *2021 국회직 8급*
9. 공무원이 직무수행 중 불법행위로 타인에게 손해를 입힌 경우에 국가 등이 국가배상책임을 부담하는 외에 공무원 개인도 고의가 있는 경우에만 불법행위로 인한 손해배상책임을 부담한다. (○, ×) *2018 경행경채*
10. 공무원의 불법행위에 고의 또는 중과실이 있는 경우 피해자는 국가·지방자치단체나 가해공무원 어느 쪽이든 선택적 청구가 가능하다. (○, ×) *2016 국회직 8급*

⑮ 관련 기출
11. 경찰공무원이 전투·훈련 등 직무집행과 관련하여 순직을 한 경우에는 전투·훈련 또는 이에 준하는 직무집행뿐만 아니라 일반직무집행에 관하여도 국가나 지방자치단체의 배상책임이 제한된다. (○, ×) *2019 경행경채 2차*
12. 경찰공무원이 낙석사고 현장 부근으로 이동하던 중 대형 낙석이 순찰차를 덮쳐 사망한 사안에서 국가배상법의 이중배상금지 규정에 따른 면책조항은 전투·훈련 또는 이에 준하는 직무집행뿐만 아니라 일반직무집행에 관하여도 국가나 지방자치단체의 배상책임을 제한하는 것으로 해석하여야 한다. (○, ×) *2019 국회직 8급*

13. (대법원 판례에 의하면) 민간인과 직무집행 중인 군인 등의 공동 불법행위로 인하여 직무집행 중인 다른 군인 등이 피해를 입은 경우, 민간인이 피해군인 등에게 자신의 귀책부분을 넘어서 배상한 경우에는 국가 등에게 구상권을 행사할 수 있다. (○, ×)

14. 민간인과 직무집행 중인 군인의 공동불법행위로 인하여 직무집행 중인 다른 군인이 피해를 입은 경우 민간인이 피해군인에게 자신의 과실비율에 따라 내부적으로 부담할 부분을 초과하여 피해금액 전부를 배상한 경우에 대법원 판례에 따르면 민간인은 국가에 대해 가해군인의 과실비율에 대한 구상권을 행사할 수 있다. (○, ×)

15. 민간인과 직무집행 중인 군인의 공동불법행위로 인하여 직무집행 중인 다른 군인이 피해를 입은 경우, 민간인이 공동불법행위자로 부담하는 책임은 공동불법행위의 일반적 경우와는 달리 모든 손해에 대한 것이 아니라 귀책비율에 따른 부분으로 한정된다는 것이 대법원의 입장이다. (○, ×)

정답 1. ○ 2. × 3. ○ 4. × 5. ② 6. ○ 7. ○ 8. ○ 9. × 10. ○ 11. ○ 12. ○ 13. × 14. × 15. ○

06

☐☐☐

국가배상법 제5조의 책임에 관한 다음 설명 중 옳은 것을 모두 고른 것은? (다툼이 있는 경우 판례에 의함)

㉮ 영조물 설치자의 재정사정이나 영조물의 사용목적에 의한 사정은 배상책임판단에 있어 참작사유는 될 수 있으나 안전성을 결정지을 절대적 요건은 아니다.

㉯ 집중호우로 제방도로가 유실되면서 그곳을 걸어가던 보행자가 강물에 휩쓸려 익사한 경우, 사고 당일의 집중호우가 50년 빈도의 최대강우량에 해당한다는 사실만으로 국가배상법 제5조상의 영조물의 설치 또는 관리의 하자로 인한 손해배상책임에서의 면책사유인 불가항력에 해당한다고 볼 수 없다.

㉰ 영조물의 설치·관리를 맡은 자와 영조물의 설치·관리비용을 부담하는 자가 동일하지 아니한 경우에 피해자는 영조물의 설치·관리자뿐만 아니라 설치·관리의 비용부담자에게도 선택적으로 손해배상을 청구할 수 있다.

㉱ 지방자치단체장이 설치하여 관할 지방경찰청장(현 시·도경찰청장)에게 관리권한이 위임된 교통신호기의 고장으로 인하여 교통사고가 발생한 경우, 사무귀속주체인 지방자치단체가 손해배상책임을 지고 국가는 피해자에 대하여 배상책임을 지지 않는다.

① ㉮, ㉯, ㉰
② ㉯, ㉱
③ ㉰, ㉱
④ 없음

---

1. 영조물 설치자의 재정사정이나 영조물의 사용목적에 의한 사정은, 안전성을 요구하는 데 대한 참작사유는 될지언정 안전성을 결정지을 절대적 요건은 아니다. (○, ×)

2. 영조물의 하자 유무는 객관적 견지에서 본 안전성의 문제이며, 국가의 예산부족으로 인해 영조물의 설치·관리에 하자가 생긴 경우에도 국가는 면책될 수 없다. (○, ×)

3. 예산부족 등 설치·관리자의 재정사정은 배상책임판단에 있어 참작사유는 될 수 있으나 안전성을 결정지을 절대적 요건은 아니다. (○, ×)

4. 판례는 예산부족은 절대적인 면책사유가 된다고 보고 있다. (○, ×)

5. 판례에 의하면 영조물의 설치의 하자 유무는 객관적 견지에서 본 안전성의 문제이므로 재정사정은 영조물의 안전성의 정도에 관하여 참작사유는 될 수 있을지언정 안전성을 결정지을 절대적 요건은 되지 못한다. (○, ×)

6. 집중호우로 제방도로가 유실되면서 그곳을 걸어가던 보행자가 강물에 휩쓸려 익사한 경우, 사고 당일의 집중호우가 50년 빈도의 최대강우량에 해당한다는 사실만으로도 국가배상법 제5조상의 영조물의 설치 또는 관리의 하자로 인한 손해배상책임에서의 면책사유인 불가항력에 해당한다. (○, ×)

7. 영조물의 설치·관리를 맡은 자와 영조물의 설치·관리비용을 부담하는 자가 동일하지 아니한 경우에 피해자는 영조물의 설치·관리자 또는 설치·관리의 비용부담자에게 선택적으로 손해배상을 청구할 수 있다. (○, ×)

8. 국가나 지방자치단체가 손해를 배상할 책임이 있는 경우에 영조물의 설치·관리를 맡은 자와 영조물의 설치·관리비용을 부담하는 자가 동일하지 아니하면 그 비용을 부담하는 자도 손해를 배상하여야 한다. (○, ×)

9. 국가배상법 제6조 제1항에 의하면 지방자치단체장이 설치하여 관할 지방경찰청장(현 시·도경찰청장)에게 관리권한이 위임된 교통신호기의 고장으로 인하여 교통사고가 발생한 경우, 지방자치단체가 손해배상책임을 지고 국가는 피해자에 대하여 배상책임을 지지 않는다. (○, ×)

10. 지방자치단체장이 설치하여 관할 지방경찰청장(현 시·도경찰청장)에게 관리권한이 위임된 교통신호기의 고장으로 인하여 교통사고가 발생한 경우, 지방자치단체뿐만 아니라 국가도 손해배상책임을 부담한다는 것이 판례의 태도이다. (○, ×)

11. 지방자치단체의 장이 지방자치단체의 사무로서 교통신호기를 설치하고 그 관리권한을 관할 지방경찰청장(현 시·도경찰청장)에게 위임한 경우에, 국가배상법 제5조(공공시설 등의 하자로 인한 책임)에 의한 배상책임을 부담하는 것은 국가라고 할 것이나 지방자치단체도 국가배상법 제6조 제1항 소정의 비용부담자로서 배상책임을 부담한다. (○, ×)

12. 지방자치단체장으로부터 교통신호기의 관리권한을 위임받은 기관 소속의 공무원이 위임사무처리에 있어 고의 또는 과실로 타인에게 손해를 가하였거나 위임사무로 설치·관리하는 영조물의 하

자로 타인에게 손해를 발생하게 한 경우에는 권한을 위임한 관청이 소속된 지방자치단체가 국가배상법 제2조 또는 제5조에 의한 배상책임을 부담한다. (O, X) 2012 지방직(하) 9급

13. 지방자치단체장이 설치하여 관할 지방경찰청장(현 시·도경찰청장)에게 관리권한이 위임된 교통신호기의 고장으로 교통사고가 발생한 경우에는 국가는 배상책임을 지지 않는다. (O, X) 2010 지방직 9급

정답 1. O 2. O 3. O 4. X 5. O 6. X 7. O 8. O 9. X 10. O
11. X 12. O 13. X

07 □□□

행정상 손해배상에 관한 다음 설명 중 옳은 것을 모두 고른 것은? (다툼이 있는 경우 판례에 의함)

㉮ 공무원의 직무집행이 법령이 정한 요건과 절차에 따라 이루어진 것이라면 특별한 사정이 없는 한 이는 법령에 적합한 것이나, 그 과정에서 개인의 권리가 침해된 경우에는 법령적합성이 곧바로 부정된다.

㉯ 공무원에게 부과된 직무상 의무의 내용이 공공일반의 이익을 위한 것이거나 행정기관의 내부질서를 규율하기 위한 경우라고 하더라도 공무원이 그 직무상 의무를 위반하여 피해자가 입은 손해에 대하여서는 국가가 배상책임을 진다.

㉰ 군(郡)에 의하여 노선인정 기타 공용개시가 없었다고 하더라도 사실상 군민(郡民)의 통행에 제공되고 있던 도로라면 국가배상법 제5조의 '공공의 영조물'에 해당한다.

㉱ 다른 자연적 사실이나 제3자의 행위 또는 피해자의 행위와 경합하여 손해가 발생하더라도 영조물의 설치 또는 관리상의 하자가 공동원인의 하나가 되는 이상 그 손해는 영조물의 설치 또는 관리상의 하자에 의하여 발생한 것이라고 해석함이 상당하다.

① ㉮, ㉯ 　　　② ㉰
③ ㉰, ㉱ 　　　④ ㉱

✅ 기출체크

㉮ 관련 기출

1. 공무원의 직무집행이 법령이 정한 요건과 절차에 따라 이루어진 것이라도, 그 과정에서 개인의 권리가 침해되면 법령위반에 해당한다. (O, X) 2018 서울시 9급

2. 공무원의 직무집행이 법령이 정한 요건과 절차에 따라 이루어진 것이라면 특별한 사정이 없는 한 이는 법령에 적합한 것이고, 그 과정에서 개인의 권리가 침해되는 일이 생긴다고 하여 그 법령적합성이 곧바로 부정되는 것은 아니다. (O, X) 2018 서울시 2회 7급, 2010 국회직 8급

3. 공무원의 직무집행이 법령이 정한 요건과 절차에 따라 이루어진 것이라면 특별한 사정이 없는 한 이는 법령에 적합한 것이나, 그 과정에서 개인의 권리가 침해된 경우에는 법령적합성이 곧바로 부정된다. (O, X) 2017 경행경채

㉯ 관련 기출

4. 공무원이 고의 또는 과실로 그에게 부과된 직무상 의무를 위반하였을 경우라고 하더라도 국가는 그러한 직무상의 의무위반과 피해자가 입은 손해 사이에 상당인과관계가 인정되는 범위 내에서만 배상책임을 진다. (O, X) 2021 지방직·서울시 7급

5. 국가배상책임에 있어서 국가는 직무상의 의무위반과 피해자가 입은 손해 사이에 상당인과관계가 인정되는 범위 내에서만 배상책임을 지는 것이고, 이 경우 상당인과관계가 인정되기 위해서는 공무원에게 부과된 직무상 의무의 내용이 전적으로 또는 부수적으로 사회구성원 개인의 안전과 이익을 보호하기 위하여 설정된 것이어야 한다. (O, X) 2021 지방직·서울시 9급

6. 공무원에게 부과된 직무상 의무의 내용이 순전히 행정기관 내부의 질서를 유지하기 위한 것이거나 전체적으로 공공일반의 이익을 도모하기 위한 것인 경우, 국가 또는 지방자치단체가 배상책임을 부담하지 아니한다. (O, X) 2019 서울시 2회 7급

7. 공무원에게 부과된 직무상 의무의 내용이 공공일반의 이익을 위한 것이거나 행정기관의 내부질서를 규율하기 위한 경우에도 공무원이 그 직무상 의무를 위반하여 피해자가 입은 손해에 대하여서는 상당인과관계가 인정되는 범위 내에서 국가가 배상책임을 진다. (O, X) 2019 국회직 8급

8. 공무원이 직무를 수행하면서 그 근거법령에 따라 구체적으로 의무를 부여받았어도 그것이 국민 개개인의 이익을 위한 것이 아니라 전체적으로 공공일반의 이익을 도모하기 위한 것이라면 그 의무에 위반하여 국민에게 손해를 가하여도 국가 또는 지방자치단체는 배상책임을 지지 않는다. (O, X) 2019 국가직 7급

㉰ 관련 기출

9. 사실상 군민(郡民)의 통행에 제공되고 있던 도로라고 하여도 군(郡)에 의하여 노선인정 기타 공용개시가 없었던 이상 이 도로를 '공공의 영조물'이라 할 수 없다. (O, X) 2020 국가직 7급

10. 노선인정 기타 공용지정을 갖추지 못하였으나 사실상 군민의 통행에 제공되고 있던 도로(는 국가배상법 제5조에 의한 영조물에 해당한다) (O, X) 2010 경행특채

㉱ 관련 기출

11. 다른 자연적 사실이나 제3자의 행위 또는 피해자의 행위와 경합하여 손해가 발생하였더라도 영조물의 설치·관리상의 하자가 공동원인의 하나가 된 이상 그 손해는 영조물의 설치·관리상의 하자에 의하여 발생한 것이라고 보아야 한다. (O, X) 2008 국가직 9급

정답 1. X 2. O 3. X 4. O 5. O 6. O 7. X 8. O 9. O 10. X
11. O

「공익사업을 위한 토지 등의 취득 및 보상에 관한 법률」상 손실보상에 관한 다음 설명 중 옳은 것을 모두 고른 것은? (다툼이 있는 경우 판례에 의함)

㉮ 토지에 대한 보상액은 가격시점에서의 현실적인 이용상황과 일반적인 이용방법에 의한 객관적 상황을 고려하여 산정하되, 일시적인 이용상황과 토지소유자나 관계인이 갖는 주관적 가치 및 특별한 용도에 사용할 것을 전제로 한 경우도 고려하여 산정한다.
㉯ 판례는 손실보상이 인정되기 위해서는 재산권에 대한 침해가능성이 아니라 침해가 현실적으로 발생하여야 한다고 보지만 공익사업과 손실 사이에 상당인과관계가 있을 것은 요구하지 않는다.
㉰ 공익사업으로 인하여 영업을 폐지하거나 휴업하는 자는 「공익사업을 위한 토지 등의 취득 및 보상에 관한 법률」상 재결절차를 거치지 않더라도 사업시행자를 상대로 영업손실보상청구소송을 제기할 수 있다.
㉱ 수용재결에 대해 취소소송으로 다투기 위해서는 먼저 중앙토지수용위원회의 이의재결을 거쳐야 한다.
㉲ 수용재결에 불복하여 이의신청을 거쳐 취소소송을 제기하는 때에는 이의재결을 한 중앙토지수용위원회를 피고로 해야 한다.

① ㉮, ㉰　　　　② ㉯, ㉱
③ ㉱, ㉲　　　　④ 없음

✅ 기출체크

㉮ 관련 기출

1. 토지에 대한 보상액은 가격시점에서의 현실적인 이용상황, 일반적인 이용방법에 의한 객관적 상황, 일시적인 이용상황 및 토지소유자나 관계인이 갖는 주관적 가치 및 특별한 용도에 사용할 것을 전제로 한 경우 등을 고려한다. (○, ×) 　2020 국회직 8급

2. 수용대상 토지에 대한 손실보상액을 평가함에 있어서는 수용재결 당시의 이용상황, 주위환경 등을 기준으로 하여야 하는 것이고, 여기서의 수용대상 토지의 현실이용상황은 법령의 규정이나 토지소유자의 주관적 의도 등에 의하여 의제되어야 한다. (○, ×) 　2016 경행경채

3. 토지에 대한 보상액은 가격시점에 있어서의 현실적인 이용상황과 일반적인 이용방법에 의한 객관적 상황을 고려하여 산정한다. (○, ×) 　2010 국회속기직 9급

㉯ 관련 기출

4. 구 공유수면매립법상 간척사업의 시행으로 인하여 관행어업권이 상실된 경우, 실질적이고 현실적인 피해가 발생한 경우에만 공유수면매립법에서 정하는 손실보상청구권이 발생한다. (○, ×) 　2021 국가직 7급

5. 공유수면매립면허의 고시가 있다고 하여 반드시 그 사업이 시행되고 그로 인하여 손실이 발생한다고 할 수 없으므로, 매립면허 고시 이후 매립공사가 실행되어 관행어업권자에게 실질적이고 현실적인 피해가 발생한 경우에만 구 공유수면매립법(1999. 2. 8, 법률 제5911호로 전부개정되기 전의 것)에서 정하는 손실보상청구권이 발생한다. (○, ×) 　2020 경행경채

6. 공유수면매립면허의 고시가 있는 경우 그 사업이 시행되고 그로 인하여 직접 손실이 발생한다고 할 수 있으므로, 관행어업권자는 공유수면매립면허의 고시를 이유로 손실보상을 청구할 수 있다. (○, ×) 　2019 지방직·교육행정직 9급

7. 손실보상이 인정되기 위해서는 재산권에 대한 실질적이고 현실적인 피해가 발생해야 한다. (○, ×) 　2015 경행특채 2차

8. 손실보상이 인정되기 위해서는 재산권에 대한 침해가 현실적으로 발생하여야 하는 것은 아니다. (○, ×) 　2015 경행특채 1차

㉰ 관련 기출

9. 공익사업으로 인하여 영업을 폐지하거나 휴업하는 자는 「공익사업을 위한 토지 등의 취득 및 보상에 관한 법률」상의 재결절차를 거치지 않은 채 곧바로 사업시행자를 상대로 손실보상을 청구하는 것은 허용되지 않는다. (○, ×) 　2020 군무원 7급

10. 공익사업으로 인하여 영업을 폐지하거나 휴업하는 자는 구 「공익사업을 위한 토지 등의 취득 및 보상에 관한 법률」에 규정된 재결절차를 거치지 않은 채 곧바로 사업시행자를 상대로 영업손실보상을 청구할 수 없다. (○, ×) 　2019 국회직 8급

㉱ 관련 기출

11. (甲의 토지는 공익사업의 대상지역으로 「공익사업을 위한 토지 등의 취득 및 보상에 관한 법률」에 따라 사업인정절차를 거쳐 甲의 토지에 대한 수용재결이 있었다) 甲이 수용재결에 대해 항고소송으로 다투려면 우선적으로 이의재결을 거쳐야만 한다. (○, ×) 　2016 서울시 7급

12. 중앙토지수용위원회의 재결에 이의가 있는 자는 중앙토지수용위원회에, 지방토지수용위원회의 재결에 이의가 있는 자는 해당 지방토지수용위원회를 거쳐 중앙토지수용위원회에 이의를 신청할 수 있다. (○, ×) 　2015 국회직 8급

13. 수용재결에 대해 취소소송으로 다투기 위해서는 중앙토지수용위원회의 이의재결을 거쳐야 한다. (○, ×) 　2013 국회직 8급

㉲ 관련 기출

14. 토지소유자 등이 수용재결에 대해 이의신청을 거친 후 취소소송을 제기하는 경우에 그 대상은 이의신청에 대한 재결 자체에 고유한 위법이 없는 한 수용재결이다. (○, ×) 　2022 소방간부

15. 중앙토지수용위원회의 이의재결에 불복하여 취소소송을 제기하는 경우에는 원처분인 수용재결을 대상으로 하여야 한다. (○, ×) 　2019 국회직 8급

16. (「공익사업을 위한 토지 등의 취득 및 보상에 관한 법률」상 토지수용에 따른 권리구제에서) 수용재결에 불복하여 이의신청을 거쳐 취소소송을 제기하는 때에는 이의재결을 한 중앙토지수용위원회를 피고로 해야 한다. (○, ×) 　2017 사회복지직 9급

17. 토지수용위원회의 수용재결에 불복하여 취소소송을 제기하는 때에는 이의신청을 거친 경우에도 원칙적으로 수용재결을 한 지방토지수용위원회 또는 중앙토지수용위원회를 피고로 하여 수용재결의 취소를 구하여야 한다. (○, ×) 　2016 지방직 9급

18. 수용재결에 불복하여 이의신청을 거친 후 취소소송을 제기하는 경우 취소소송의 대상은 수용재결이 아니라 이의재결이다.
(O, X) 2014 국회직 8급

09   □□□

재결의 기속력에 관한 다음 설명 중 옳은 것을 모두 고른 것은? (다툼이 있는 경우 판례에 의함)

㉮ 피청구인인 행정청이 처분이행명령재결에도 불구하고 처분을 하지 아니하는 경우에는 행정심판위원회는 직권으로 기간을 정하여 서면으로 시정을 명하고, 그 기간 내에 이행하지 않는 경우에는 행정심판위원회가 직접 당해 처분을 할 수 있다.

㉯ 정보공개명령재결은 행정심판위원회에 의한 직접처분의 대상이 될 수 없다.

㉰ 행정심판법에서는 거부처분에 대한 취소심판에서 인용재결이 내려진 경우 재결의 취지에 따라 다시 이전의 신청에 대한 처분을 해야 할 재처분의무에 관한 규정을 두고 있다.

㉱ 행정심판위원회는 피청구인이 거부처분의 취소재결이 있었음에도 불구하고 처분을 하지 아니하는 경우에는 당사자가 신청하면 기간을 정하여 서면으로 시정을 명하고 그 기간에 이행하지 아니하면 직접처분을 할 수 있다. 다만, 그 처분의 성질이나 그 밖의 불가피한 사유로 행정심판위원회가 직접처분을 할 수 없는 경우에는 그러하지 아니하다.

① ㉮, ㉯   ② ㉮, ㉱
③ ㉯, ㉰   ④ ㉰, ㉱

✔ 기출체크

㉮ 관련 기출
1. 피청구인이 처분의 이행을 명하는 재결에도 불구하고 처분을 하지 않는다고 해서 행정심판위원회가 직접처분을 할 수는 없다. (O, X) 2019 경행경채 2차
2. 처분청이 처분이행명령재결에 따른 처분을 하지 아니한 경우에는 행정심판위원회는 당사자의 신청 여부를 불문하고 직권으로 직접처분을 할 수 있다. (O, X) 2019 서울시 1회 7급, 2011 국가직 7급
3. 행정심판위원회는 피청구인이 처분이행명령재결에도 불구하고 처분을 하지 아니하는 경우에는 당사자가 신청하면 기간을 정하여 서면으로 이행을 명하고 그 기간에 이행하지 아니하면 직접처분을 할 수 있다. (O, X) 2015 국회직 8급

4. 행정심판위원회는 처분의 이행을 명하는 재결에도 불구하고 피청구인이 처분을 하지 않는 경우에는 당사자의 신청 또는 직권으로 기간을 정하여 서면으로 시정을 명하고 그 기간에도 이행하지 않으면 직접처분을 할 수 있다. (O, X) 2013 국회속기직 9급

㉯ 관련 기출
5. 정보공개명령재결은 행정심판위원회에 의한 직접처분의 대상이 된다. (O, X) 2021 국가직 7급

㉰ 관련 기출
6. 재결에 의하여 취소되거나 무효 또는 부존재로 확인되는 처분이 당사자의 신청을 거부하는 것을 내용으로 하는 경우에는 그 처분을 한 행정청은 재결의 취지에 따라 다시 이전의 신청에 대한 처분을 하여야 한다. (O, X) 2021 지방직·서울시 9급, 2019 국가직 7급
7. 행정심판법에서는 거부처분에 대한 취소심판에서 인용재결이 내려진 경우 재결의 취지에 따라 다시 이전의 신청에 대한 처분을 해야 할 재처분의무에 관한 규정을 두고 있다. (O, X) 2021 국회직 8급
8. (행정심판법상) 심판청구를 인용하는 재결은 청구인과 피청구인, 그 밖의 관계행정청을 기속한다. (O, X) 2019 국회직 8급
9. 당사자의 신청을 거부하거나 부작위로 방치한 처분의 이행을 명하는 재결이 있으면 행정청은 지체 없이 이전의 신청에 대하여 재결의 취지에 따라 처분을 하여야 한다. (O, X) 2019 경행경채 2차
10. 당사자의 신청을 거부하는 처분에 대한 취소심판에서 인용재결이 내려진 경우, 의무이행심판과 달리 행정청은 재처분의무를 지지 않는다. (O, X) 2019 지방직·교육행정직 9급

㉱ 관련 기출
11. 피청구인이 거부처분을 취소하는 재결의 취지에 따라 다시 이전의 신청에 대한 처분을 하지 아니하는 경우에 행정심판위원회는 직접처분을 할 수 있다. (O, X) 2021 경행경채
12. 의무이행심판의 청구가 이유 있다고 인정되는 경우에는 행정심판위원회는 직접 신청에 따른 처분을 할 수 없고, 피청구인에게 처분을 할 것을 명하는 재결을 할 수 있을 뿐이다. (O, X) 2021 군무원 7급
13. 당사자의 신청을 거부한 처분의 이행을 명하는 재결(은 행정심판법에 의해 행정청이 행정심판위원회의 재결의 취지에 따라 재처분을 할 의무가 있음에도 그 의무를 이행하지 않은 경우에 행정심판위원회가 직접처분을 할 수 있는 재결이다) (O, X) 2020 국가직 9급
14. 당사자의 신청을 거부하는 처분을 취소하는 재결(은 행정심판법에 의해 행정청이 행정심판위원회의 재결의 취지에 따라 재처분을 할 의무가 있음에도 그 의무를 이행하지 않은 경우에 행정심판위원회가 직접처분을 할 수 있는 재결이다) (O, X) 2020 국가직 9급
15. 당사자의 신청을 거부하는 처분을 부존재로 확인하는 재결(은 행정심판법에 의해 행정청이 행정심판위원회의 재결의 취지에 따라 재처분을 할 의무가 있음에도 그 의무를 이행하지 않은 경우에 행정심판위원회가 직접처분을 할 수 있는 재결이다) (O, X) 2020 국가직 9급

10

행정쟁송에 관한 다음 설명 중 옳은 것을 모두 고른 것은? (다툼이 있는 경우 판례에 의함)

> ㉮ 행정청이 처분을 하면서 행정심판절차에 대한 고지 규정을 위반하였다면 그러한 사유만으로도 행정심판의 대상이 되는 행정처분은 위법하다.
> ㉯ 행정소송법상 기관소송이란 국가 또는 공공단체의 기관 상호 간에 있어서의 권한의 존부 또는 그 행사에 관한 다툼이 있는 때에 이에 대하여 제기하는 소송이다. 다만, 헌법재판소법에 따라 헌법재판소의 관장사항으로 되는 소송은 기관소송의 대상에서 제외된다.
> ㉰ 「민주화운동 관련자 명예회복 및 보상 등에 관한 법률」에 따라 보상금 등의 지급신청을 한 자가 '민주화운동 관련자 명예회복 및 보상심의위원회'의 보상금 등 지급에 관한 결정을 다투고자 하는 경우에는 곧바로 보상금 등의 지급을 구하는 소송을 당사자소송의 형식으로 제기할 수 있다.
> ㉱ 「광주민주화운동 관련자 보상 등에 관한 법률」에 의거한 손실보상청구소송은 당사자소송으로 보아야 한다.

① ㉮, ㉯
② ㉮, ㉰
③ ㉯, ㉱
④ ㉰, ㉱

✔기출체크

㉮ 관련 기출

1. 행정청이 처분을 하면서 고지의무를 이행하지 않은 경우 또는 잘못 고지한 경우 당해 처분은 위법하다. (O, X) 2012 국회직 8급
2. 불고지나 오고지는 처분 자체의 효력에 직접 영향을 미치지 않는다. (O, X) 2011 국회직 8급

㉯ 관련 기출

3. (행정소송법상 기관소송은) 국가 또는 공공단체의 기관 상호 간에 있어서의 권한의 존부 또는 그 행사에 관한 다툼이 있을 때에 이에 대하여 제기하는 소송을 말한다. (O, X) 2019 경행경채 2차
4. (행정소송법상 기관소송에서) 헌법재판소법에 따라 헌법재판소의 관장사항으로 되는 소송은 제외된다. (O, X) 2019 경행경채 2차
5. 지방자치단체의 장의 재의요구에도 불구하고 지방의회가 조례안을 재의결한 경우 단체장이 지방의회를 상대로 제기하는 소송은 기관소송이다. (O, X) 2018 교육행정직 9급
6. 기관소송이란 국가 또는 공공단체의 기관 상호 간에 있어서의 권한의 존부 또는 그 행사에 관한 다툼이 있는 때에 이에 대하여 제기하는 소송이다. 다만, 헌법재판소법 제2조의 규정에 의하여 헌법재판소의 관장사항으로 되는 소송은 제외한다. (O, X) 2017 경행경채

7. 국가기관 상호 간의 권한의 존부에 관한 다툼이 있는 경우 행정소송인 기관소송을 제기할 수 없다. (O, X) 2010 국회속기직 9급

㉰ 관련 기출

8. 「민주화운동 관련자 명예회복 및 보상 등에 관한 법률」에 따른 보상심의위원회의 결정을 다투는 소송(은 공법상 당사자소송에 해당한다) (O, X) 2015 지방직 7급
9. 「민주화운동 관련자 명예회복 및 보상 등에 관한 법률」의 규정들만으로는 바로 법상의 보상금 등의 지급대상자가 확정된다고 볼 수 없고, 심의위원회에서 심의·결정을 받아야만 비로소 보상금 등의 지급대상자로 확정될 수 있는 경우의 보상금지급을 구하는 소송(은 당사자소송으로 다루어야 한다) (O, X) 2014 국회직 8급
10. 「민주화운동 관련자 명예회복 및 보상 등에 관한 법률」상의 보상심의위원회의 보상금지급결정(은 공법상 당사자소송의 대상이다) (O, X) 2011 국회직 8급

㉱ 관련 기출

11. 「광주민주화운동 관련자 보상 등에 관한 법률」에 의거한 손실보상청구소송(은 판례에 따를 때 당사자소송에 해당한다) (O, X) 2015 서울시 9급
12. 광주민주화운동 관련 보상금지급에 관한 소송(은 당사자소송이다) (O, X) 2015 국회직 8급
13. 광주민주화운동 관련자 보상금지급신청에 대한 결정 및 보상청구에 관한 소송은 항고소송이다. (O, X) 2011 서울시 9급
14. 「광주민주화운동 관련자 보상 등에 관한 법률」에 의하여 관련자 및 유족들이 갖게 되는 보상 등에 관한 법리(는 공법상 당사자소송의 대상이다) (O, X) 2011 국회직 8급

정답 1. X 2. O 3. O 4. O 5. O 6. O 7. X 8. X 9. X 10. X 11. O 12. O 13. X 14. O

11

당사자소송에 관한 다음 기술 중 옳은 것을 모두 고른 것은? (다툼이 있는 경우 판례에 의함)

> ㉮ 「도시 및 주거환경정비법」상의 주택재건축정비사업조합이 같은 법 제48조에 따라 수립한 관리처분계획에 대하여 관할행정청의 인가·고시가 있은 후라도 항고소송의 방법으로 관리처분계획의 취소 또는 무효확인을 구하여야 하는 것은 아니며 그 관리처분계획안에 대한 총회결의의 무효확인을 당사자소송으로 구할 수 있다.
> ㉯ 사업시행자가 환매권의 존부에 관한 확인을 구하는 소송은 당사자소송으로 다투어야 한다.
> ㉰ 공무원연금공단의 인정에 의해 퇴직연금을 지급받아 오던 중 공무원연금법령 개정 등으로 퇴직연금 중 일부 금액에 대해 지급이 정지된 경우, 미지급퇴직연금의 지급을 구하는 소송은 당사자소송이다.

⠣ 당사자소송에 대하여는 행정소송법상 집행정지에 관한 규정이 준용되지 아니하므로, 이를 본안으로 하는 가처분에 대하여는 민사집행법상의 가처분에 관한 규정이 준용되어야 한다.

⠤ 계약직 공무원 채용계약해지의 의사표시의 무효확인을 구하는 당사자소송은 권리구제를 위한 다른 직접적인 구제방법이 있더라도 제기할 수 있다.

① ⑦, ⑭, ⑩   ② ⑭, ⑭, ⑩

③ ⑭, ⑭   ④ 없음

✅ **기출체크**

⑦ 관련 기출

1. 「도시 및 주거환경정비법」상 주택재건축정비사업조합을 상대로 관리처분계획안에 대한 조합총회결의의 효력 등을 다투는 소송은 행정소송법상 당사자소송에 해당한다. (○, ×)
   2019 국가직 9급, 2016 국가직 7급

2. 「도시 및 주거환경정비법」상 주택재건축정비사업조합을 상대로 관리처분계획안에 대한 조합총회결의의 효력 등을 다투는 소송은 관리처분계획의 인가 · 고시가 있은 이후라도 특별한 사정이 없는 한 허용되어야 한다. (○, ×)
   2019 지방직 7급

3. 「도시 및 주거환경정비법」상 관리처분계획안에 대한 조합총회결의의 효력을 다투는 소송(은 판례가 민사소송의 대상이라고 판단하고 있다) (○, ×)
   2018 서울시 9급

4. 관리처분계획에 대한 관할행정청의 인가 · 고시 이후 관리처분계획에 대한 조합총회결의의 하자를 다투고자 하는 경우에는 관리처분계획을 항고소송으로 다투어야 한다. (○, ×)
   2016 국가직 7급

⑭ 관련 기출

5. 사업시행자가 환매권의 존부에 관한 확인을 구하는 소송은 민사소송이다. (○, ×)
   2018 서울시 2회 7급

6. 구 「공익사업을 위한 토지 등의 취득 및 보상에 관한 법률」상 환매금액의 증감청구(는 당사자소송의 대상이다) (○, ×)
   2017 사회복지직 9급

7. 「공익사업을 위한 토지 등의 취득 및 보상에 관한 법률」상 환매권의 존부에 관한 확인 및 환매금액의 증감을 구하는 소송(은 행정소송으로 청구할 수 있다) (○, ×)
   2017 국가직 7급

⑭ 관련 기출

8. 공무원연금공단의 인정에 의해 퇴직연금을 지급받아 오던 중 공무원연금법령 개정 등으로 퇴직연금 중 일부 금액에 대해 지급이 정지된 경우, 미지급퇴직연금에 대한 지급청구권은 공법상 권리로서 그의 지급을 구하는 소송은 항고소송이다. (○, ×)
   2021 지방직 · 서울시 7급

9. 공무원연금법령 개정으로 퇴직연금 중 일부 금액의 지급이 정지되어서 미지급된 퇴직연금의 지급을 구하는 소송(은 당사자소송에 해당한다) (○, ×)
   2015 국회직 8급

10. 공무원 퇴직자가 미지급퇴직연금에 대한 지급을 구하는 소송(은 당사자소송에 해당한다) (○, ×)
    2015 국가직 9급

11. 공무원연금공단의 법령개정사실 및 퇴직연금 수급자가 일부 금액의 지급정지대상자가 되었음을 통보한 사안에서 미지급퇴직연금

의 지급을 구하는 소송(은 당사자소송으로 다루어야 한다) (○, ×)
   2014 국회직 8급

12. 미지급된 공무원 퇴직연금의 지급청구(는 공법관계에 속한다) (○, ×)
   2013 국회직 8급

⑭ 관련 기출

13. 당사자소송에는 항고소송에서의 집행정지규정은 적용되지 않고 민사집행법상의 가처분규정은 준용된다. (○, ×) 2021 국가직 7급

14. 당사자소송에 대하여는 행정소송법 제23조 제2항의 집행정지에 관한 규정이 준용되지 아니하므로, 이를 본안으로 하는 가처분에 대하여는 민사집행법상의 가처분에 관한 규정이 준용되어야 한다. (○, ×)
   2019 경행경채 2차

15. 당사자소송에 대하여는 행정소송법의 집행정지에 관한 규정이 준용되지 아니하므로, 민사집행법상 가처분에 관한 규정 역시 준용되지 아니한다. (○, ×)
   2018 지방직 7급

16. 민사집행법상 가처분은 당사자소송에서 허용된다. (○, ×)
   2017 사회복지직 9급

17. 당사자소송을 본안으로 하는 가처분에 대하여는 행정소송법상 집행정지에 관한 규정이 준용되지 않고, 민사집행법상 가처분에 관한 규정이 준용되어야 한다. (○, ×)
   2016 국가직 7급

⑩ 관련 기출

18. 계약직 공무원 채용계약해지의 의사표시의 무효확인을 구하는 당사자소송의 경우 즉시확정의 이익이 요구된다. (○, ×)
   2022 소방간부

19. 공법상 계약의 무효확인을 구하는 당사자소송의 청구는 당해 소송에서 추구하는 권리구제를 위한 다른 직접적인 구제방법이 있는 이상 소송요건을 구비하지 못한 위법한 청구이다. (○, ×)
   2017 국가직 7급

정답 1. ○ 2. × 3. × 4. ○ 5. ○ 6. × 7. × 8. × 9. ○ 10. ○
11. ○ 12. ○ 13. ○ 14. ○ 15. × 16. ○ 17. ○ 18. ○ 19. ○

12

원고적격과 소의 이익에 관한 다음 기술 중 옳은 것으로만 모두 묶인 것은? (다툼이 있는 경우 판례에 의함)

⑦ 가중요건이 법령에 규정되어 있는 경우, 업무정지처분을 받은 후 새로운 제재처분을 받음이 없이 법률이 정한 기간이 경과하여 실제로 가중된 제재처분을 받을 우려가 없어졌다면 특별한 사정이 없는 한 업무정지처분의 취소를 구할 법률상 이익이 없다.

⑭ 행정처분의 취소를 구할 이익은 원칙적으로 불이익처분의 상대방뿐만 아니라 수익처분의 상대방에게도 인정된다.

⑭ 처분의 근거법규 또는 관련법규에 그 처분으로써 이루어지는 행위 등 사업으로 인하여 환경상 침해를

받으리라고 예상되는 영향권의 범위가 구체적으로 규정되어 있는 경우, 그 영향권 내의 주민들은 특별한 사정이 없는 한 환경상 이익에 대한 침해 또는 침해우려가 있는 것으로 사실상 추정되어 원고적격이 인정된다.

㉣ 환경상 이익에 대한 침해 또는 침해우려가 있는 것으로 사실상 추정되어 원고적격이 인정되는 사람에는 단지 그 영향권 내의 건물·토지를 소유하거나 환경상 이익을 일시적으로 향유하는 데 그치는 사람도 포함된다.

㉤ 개발제한구역 안에서의 공장설립을 승인한 처분이 위법하다는 이유로 쟁송취소되었으나 그 승인처분에 기초한 공장건축허가처분이 잔존하는 경우, 인근주민들은 여전히 공장건축허가처분의 취소를 구할 법률상 이익이 있다.

① ㉮, ㉯
② ㉮, ㉰, ㉤
③ ㉯, ㉣, ㉤
④ ㉰, ㉣

✅ 기출체크

㉮ 관련 기출

1. 가중요건이 법령에 규정되어 있는 경우, 업무정지처분을 받은 후 새로운 제재처분을 받음이 없이 법률이 정한 기간이 경과하여 실제로 가중된 제재처분을 받을 우려가 없어졌다면 특별한 사정이 없는 한 업무정지처분의 취소를 구할 법률상 이익이 인정되지 않는다. (○, ×) 2019 국가직 9급

2. 건축사 업무정지처분을 받은 후 새로운 업무정지처분을 받음이 없이 1년이 경과하여 실제로 가중된 제재처분을 받을 우려가 없게 된 경우, 그 처분에서 정한 정지기간이 경과한 이상 특별한 사정이 없는 한 업무정지처분의 취소를 구할 법률상 이익이 없다. (○, ×) 2017 지방직 9급, 2016 국가직 7급

㉯ 관련 기출

3. 행정처분에 있어서 불이익처분의 상대방은 직접 개인적 이익의 침해를 받은 자로서 취소소송의 원고적격이 인정되지만 수익처분의 상대방은 그의 권리나 법률상 보호되는 이익이 침해되었다고 볼 수 없으므로 달리 특별한 사정이 없는 한 취소를 구할 이익이 없다. (○, ×) 2017 국가직 9급, 2008 국가직 7급

4. 행정처분의 취소를 구할 이익은 불이익처분의 상대방뿐만 아니라 수익처분의 상대방에게도 인정되는 것이 원칙이다. (○, ×) 2011 국가직 9급

㉰ 관련 기출

5. 처분의 근거법규 또는 관련법규에 그 처분으로써 이루어지는 행위 등 사업으로 인하여 환경상 침해를 받으리라고 예상되는 영향권의 범위가 구체적으로 규정되어 있는 경우, 그 영향권 내의 주민들에 대하여는 특단의 사정이 없는 한 환경상 이익에 대한 침해 또는 침해우려가 있는 것으로 사실상 추정된다. (○, ×) 2019 국가직 7급

6. 행정처분의 근거법규 등에 그 처분으로써 이루어지는 행위 등 사업으로 인하여 환경상 침해를 받으리라고 예상되는 영향권의 범위가 구체적으로 규정되어 있는 경우에는, 그 영향권 내의 주민들의 환경상의 이익은 주민 개개인에 대하여 개별적으로 보호되는 직접적·구체적 이익이다. (○, ×) 2012 지방직(하) 7급

7. 행정처분의 근거법규 또는 관련법규에 그 처분으로써 이루어지는 행위 등 사업으로 인하여 환경상 침해를 받으리라고 예상되는 영향권의 범위가 구체적으로 규정되어 있는 경우에도 환경상 이익에 대한 침해 또는 침해우려가 있는 것을 입증하여야만 원고적격이 인정된다. (○, ×) 2012 지방직(하) 9급

㉣ 관련 기출

8. 환경상 이익에 대한 침해 또는 침해우려가 있는 것으로 사실상 추정되어 원고적격이 인정되는 사람에는 환경상 침해를 받으리라고 예상되는 영향권 내의 주민들을 비롯하여 단지 그 영향권 내의 건물·토지를 소유하거나 환경상 이익을 일시적으로 향유하는 데 그치는 사람도 포함된다. (○, ×) 2012 지방직(상) 9급

9. 환경상 이익에 대한 침해 또는 침해의 우려가 있는 것으로 사실상 추정되어 원고적격이 인정되는 자는 환경상 침해를 받으리라고 예상되는 영향권 내의 주민들을 비롯하여 그 영향권 내에서 농작물을 경작하는 등 현실적으로 환경상 이익을 향유하는 자도 포함된다고 할 것이나, 단지 그 영향권 내의 건물·토지를 소유하거나 환경상 이익을 일시적으로 향유하는 데 그치는 자는 포함되지 않는다고 할 것이다. (○, ×) 2012 경행경채

㉤ 관련 기출

10. 개발제한구역 안에서의 공장설립을 승인한 처분이 위법하다는 이유로 쟁송취소되었다면 인근주민들의 환경상 이익이 침해될 위험이 종료되었다고 할 것이므로 인근주민들이 더 나아가 그 승인처분에 기초한 공장건축허가처분에 대하여 취소를 구할 법률상 이익은 없다. (○, ×) 2022 소방간부

11. 개발제한구역 안에서의 공장설립을 승인한 처분이 위법하다는 이유로 쟁송취소되었다면, 설령 그 승인처분에 기초한 공장건축허가처분이 잔존하는 경우에도 인근주민들에게는 공장건축허가처분의 취소를 구할 법률상 이익이 없다. (○, ×) 2019 지방직·교육행정직 9급

12. 공장설립승인처분이 위법하다는 이유로 쟁송취소되었다고 하더라도 그 승인처분에 기초한 공장건축허가처분이 잔존하는 이상, 인근주민들은 여전히 공장건축허가처분의 취소를 구할 법률상 이익이 있다. (○, ×) 2019 서울시 2회 7급

정답 1. ○ 2. ○ 3. ○ 4. × 5. ○ 6. ○ 7. × 8. × 9. ○ 10. × 11. × 12. ○

항고소송에 관한 다음 기술 중 옳지 않은 것은? (다툼이 있는 경우 판례에 의함)

① 대한의사협회는 국민건강보험법상 요양급여행위, 요양급여비용의 청구 및 지급과 관련하여 직접적인 법률관계를 갖지 않고 있으므로 보건복지부 고시인 「건강보험요양급여행위 및 그 상대가치점수」 개정으로 인하여 자신의 법률상 이익을 침해당하였다고 할 수 없으므로 위 고시의 취소를 구할 원고적격이 없다.

② 학교법인에 의하여 임원으로 선임된 자는 자신에 대한 관할청의 임원취임승인신청 반려처분 취소소송의 원고적격이 없다.

③ 4급 공무원이 당해 지방자치단체 인사위원회의 심의를 거쳐 3급 승진대상자로 결정되고 임용권자가 그 사실을 대내외에 공표까지 하였다면 그 공무원은 승진임용에 관한 법률상 이익을 가진 자로서 임용권자에 대하여 3급 승진임용신청을 할 조리상 권리가 있다는 것이 판례의 입장이다.

④ 보건복지부장관의 약제의 상한금액 인하고시의 경우 관련된 약제를 제조·공급하는 제약회사는 처분의 취소를 구할 원고적격이 있다.

☑ 기출체크

① 관련 기출

1. 대법원은 대한의사협회는 국민건강보험법상 요양급여행위, 요양급여비용의 청구 및 지급과 관련하여 직접적인 법률관계를 갖지 않고 있으므로 보건복지부 고시인 「건강보험요양급여행위 및 그 상대가치점수」 개정으로 인하여 자신의 법률상 이익을 침해당하였다고 할 수 없다는 이유로 위 고시의 취소를 구할 원고적격이 없다고 보고 있다. (○, ×)　　　2013 국회직 8급

2. 「건강보험요양급여행위 및 그 상대가치점수」 개정 고시의 취소소송에서 사단법인 대한의사협회는 원고적격이 있다. (○, ×)
　　　2012 국회직 8급

② 관련 기출

3. 학교법인에 의하여 임원으로 선임된 B는 자신에 대한 관할청의 임원취임승인신청 반려처분 취소소송의 원고적격이 있다. (○, ×)
　　　2016 지방직 9급

③ 관련 기출

4. 4급 공무원이 당해 지방자치단체 인사위원회의 심의를 거쳐 3급 승진대상자로 결정되고 임용권자가 그 사실을 대내외에 공표한 경우 그 공무원에게 승진임용신청권이 있다. (○, ×)　2014 서울시 7급

④ 관련 기출

5. 약제를 제조·공급하는 제약회사는 보건복지부 고시인 「약제급여·비급여목록 및 급여상한금액표」 중 약제의 상한금액 인하 부분에 대하여 그 취소를 구할 원고적격이 있다. (○, ×)
　　　2019 지방직·교육행정직 9급

---

6. 제약회사가 보건복지부 고시인 「약제급여·비급여목록 및 급여상한금액표」의 취소를 구할 때(에는 판례가 원고적격을 인정하고 있다) (○, ×)　　　2015 경행특채 1차

정답　1. ○　2. ×　3. ○　4. ○　5. ○　6. ○

다음 중 판례가 원고적격 또는 소의 이익을 인정한 것으로만 모두 연결된 것은?

> ㉮ 교도소장의 접견허가거부처분에 대해 구속된 피고인
> ㉯ 대학입학고사 불합격처분의 취소를 구하는 소송계속 중 당해 연도의 입학시기가 지난 경우
> ㉰ 개발제한구역 중 일부취락을 개발제한구역에서 해제하는 내용의 도시관리계획변경결정의 취소를 구하는, 개발제한구역 해제대상에서 누락된 토지의 소유자
> ㉱ 쾌적한 환경에서 생활할 수 있는 환경상 이익을 침해받는다면서 공유수면매립목적 변경승인처분의 무효확인을 구하는 경우의 재단법인

① ㉮, ㉯　　　　　② ㉯, ㉰

③ ㉯, ㉱　　　　　④ ㉰, ㉱

☑ 기출체크

㉮ 관련 기출

1. 제3자의 접견허가신청에 대한 교도소장의 거부처분에 있어서 접견권이 침해되었다고 주장하는 구속된 피고인(은 행정소송의 원고적격을 가지는 자에 해당한다) (○, ×)　　　2019 국회직 8급

2. 교도소장의 접견허가거부처분에 대하여 그 접견신청의 대상자였던 미결수(는 판례가 취소소송의 원고적격을 부정한다) (○, ×)
　　　2018 소방직 9급

㉯ 관련 기출

3. 서울대학교 불합격처분의 취소를 구하는 소송계속 중 당해 연도의 입학시기가 지난 경우에도 불합격처분의 취소를 구할 법률상의 이익이 있다. (○, ×)　　　2014 지방직 7급

4. 국립대학교 불합격처분의 취소를 구하는 소송계속 중 당해 연도의 입학시기가 지난 경우(는 판례에 의하면 취소소송에서 협의의 소의 이익이 부인된다) (○, ×)　　　2009 세무사

㉰ 관련 기출

5. 개발제한구역 중 일부취락을 개발제한구역에서 해제하는 내용의 도시관리계획변경결정에 대하여 개발제한구역 해제대상에서 누락된 토지의 소유자가 위 결정의 취소를 구하는 경우(에는 항고소송의 원고적격이 인정된다) (○, ×)　　　2021 국가직 9급

6. 개발제한구역 중 일부취락을 개발제한구역에서 해제하는 내용의 도시관리계획변경결정에 대하여, 개발제한구역 해제대상에서 누락된 토지의 소유자는 그 결정의 취소를 구할 법률상 이익이 있다. (○, ×)　　　　　　　　　　　　　　　　　　　2018 지방직 9급

7. 개발제한구역 중 일부취락을 개발제한구역에서 해제하는 내용의 도시관리계획변경결정에 대하여, 개발제한구역 해제대상에서 누락된 토지의 소유자가 도시관리계획변경결정의 취소를 구할 때(에는 판례가 원고적격을 인정한다) (○, ×)　　　　　2015 경행특채 1차

8. 개발제한구역 중 일부취락을 개발제한구역에서 해제하는 내용의 도시관리계획변경결정에 대하여, 개발제한구역 해제대상에서 누락된 토지의 소유자는 위 결정의 취소를 구할 법률상 이익이 없다. (○, ×)　　　　　　　　　　　　　　　　　　　　2011 경행특채

② 관련 기출

9. 재단법인인 수녀원 D는 소속된 수녀 등이 쾌적한 환경에서 생활할 수 있는 환경상 이익을 침해받는다면 매립목적을 택지조성에서 조선시설용지로 변경하는 내용의 공유수면매립목적 변경승인처분의 무효확인을 구할 원고적격이 있다. (○, ×)　　2016 지방직 9급

정답　1. ○　2. ×　3. ○　4. ×　5. ×　6. ×　7. ×　8. ○　9. ×

15
□□□

항고소송의 피고와 관련한 다음 기술 중 옳은 것은? (다툼이 있는 경우 판례에 의함)

① 공무원 등에 대한 징계, 기타 불이익처분의 처분청이 대통령인 경우에는 법무부장관이 피고가 된다.

② 중앙노동위원회의 처분과 공정거래위원회의 처분의 경우, 각각 중앙노동위원회와 공정거래위원회가 피고가 된다.

③ 국회의장, 대법원장이 행한 처분에 대한 피고는 각각 국회사무총장, 법원행정처장이 된다.

④ 지방의회의원에 대한 징계의결이나 지방의회의장선거의 경우 공포권자인 지방자치단체장이 피고가 된다.

✔ 기출체크

① 관련 기출

1. 국가공무원법에 따른 처분, 그 밖에 본인의 의사에 반한 불리한 처분이나 부작위에 관한 행정소송을 제기할 때에 대통령의 처분 또는 부작위의 경우에는 소속 장관을 피고로 한다. (○, ×)
　　　　　　　　2019 지방직·교육행정직 9급, 2018 서울시 9급

2. 행정소송과 그 피고에 대한 연결이 옳은 것만을 모두 고르면?
　　　　　　　　　　　　　　　　　　　2018 지방직 9급

> ㉠ 대통령의 검사임용처분에 대한 취소소송 – 법무부장관
> ㉡ 국토교통부장관으로부터 권한을 내부위임받은 국토교통부차관이 처분을 한 경우에 그에 대한 취소소송 – 국토교통부차관

> ㉢ 헌법재판소장이 소속 직원에게 내린 징계처분에 대한 취소소송 – 헌법재판소사무처장
> ㉣ 환경부장관의 권한을 위임받은 서울특별시장이 내린 처분에 대한 취소소송 – 서울특별시장

① ㉠, ㉡　　　　　　　　② ㉢, ㉣
③ ㉠, ㉢, ㉣　　　　　　④ ㉠, ㉡, ㉢, ㉣

3. 공무원에 대한 징계·면직, 기타 본인의 의사에 반하는 불이익처분에 있어서 그 처분청이 대통령인 때에는 법무부장관을 피고로 하여야 한다. (○, ×)　　　　　　　　　　2008 국회직 8급

② 관련 기출

4. 개별법령에 합의제 행정청의 장을 피고로 한다는 명문규정이 없는한 합의제 행정청 명의로 한 행정처분의 취소소송의 피고적격자는 당해 합의제 행정청이 아닌 합의제 행정청의 장이다. (○, ×)
　　　　　　　　　　　　　　　　　　　2021 군무원 9급

5. 노동위원회법상 중앙노동위원회의 처분에 대한 소송은 중앙노동위원회 위원장을 피고(被告)로 하여 처분의 송달을 받은 날부터 15일이내에 제기하여야 한다. (○, ×)　　　　2020 경행경채

6. 합의제 행정청의 처분에 대하여는 합의제 행정청이 피고가 되므로 부당노동행위에 대한 구제명령 등 중앙노동위원회의 처분에 대한 소송에서는 중앙노동위원회가 피고가 된다. (○, ×) 2020 국가직 7급

7. 중앙노동위원회의 처분에 대한 행정소송은 중앙노동위원회 위원장을 피고로 한다. (○, ×)　　　　　　　2017 경행경채

8. 항고소송에서 처분과 피고가 옳게 연결된 것은?　2015 국가직 9급
① 교육·학예에 관한 도의회의 조례 – 도의회
② 지방의회의 지방의회의원에 대한 징계의결 – 지방의회의장
③ 내부위임을 받은 경찰서장의 권한 없는 자동차운전면허정지처분 – 지방경찰청장(현 시·도경찰청장)
④ 중앙노동위원회의 처분 – 중앙노동위원회위원장

③ 관련 기출

9. 대법원장이 한 처분에 대한 행정소송의 피고는 대법원장이다. (○, ×)　　　　　　　　　　　　　　　　　2017 경행경채

10. 헌법재판소장이 한 처분에 대한 행정소송의 피고는 헌법재판소사무처장으로 한다. (○, ×)　　　　　　　2017 경행경채

11. 국회의장이 행한 처분에 대한 행정소송의 피고는 국회부의장이 된다. (○, ×)　　　　　　　　　　　　　　2017 경행경채

12. (판례에 의하면) 국회의장이 행한 처분의 경우 국회사무총장이 피고가 된다. (○, ×)　　　　　　　　　　　2014 지방직 7급

④ 관련 기출

13. 지방의회의원의 징계의결에 대해서는 지방자치단체장이 피고가 된다. (○, ×)　　　　　　　　　　　　　　　2009 세무사

14. 지방의회의원에 대한 지방의회의 제명징계의결에 대하여 항고소송을 제기하는 경우 지방의회가 피고가 된다. (○, ×)
　　　　　　　　　　　　　　　　　　　2006 국회직 8급

정답　1. ○　2. ③　3. ×　4. ×　5. ○　6. ×　7. ○　8. ④　9. ×　10. ○
　　　11. ×　12. ○　13. ×　14. ○

□□□

다음 중 우리 판례가 처분성을 인정한 것을 모두 고른 것은?

㉮ 장관의 소속 공무원에 대한 서면에 의한 경고
㉯ 행정청이 토지대장의 소유자명의변경신청을 거부한 행위
㉰ 지적공부 소관청의 지목변경신청 반려행위
㉱ 친일반민족행위자재산조사위원회의 재산조사개시결정
㉲ 국세환급거부결정
㉳ 구「민원사무처리에 관한 법률」제19조 제1항에서 정한 사전심사결과 통보
㉴ 구 도시재개발법상의 관리처분계획
㉵ 국가공무원법상 당연퇴직의 인사발령
㉶ 지적공부 소관청이 토지대장을 직권으로 말소하는 행위
㉷ 무허가건물을 무허가건물관리대장에서 삭제하는 행위
㉸「표시·광고의 공정화에 관한 법률」위반으로 인한 공정거래위원회의 경고의결

① ㉮, ㉰, ㉲, ㉶, ㉷
② ㉯, ㉰, ㉱, ㉲, ㉸
③ ㉰, ㉱, ㉴, ㉶, ㉸
④ ㉱, ㉳, ㉵, ㉷

✓ 기출체크

㉯ 관련 기출

1. 행정청이 토지대장상의 소유자명의변경신청을 거부한 행위(는 판례상 항고소송의 대상으로 인정된다) (○, ×) 2020 지방직·서울시 9급
2. 지적공부 소관청이 토지대장상의 소유자명의변경신청을 거부한 행위(는 항고소송의 대상이 되는 처분에 해당한다) (○, ×)
   2019 서울시 9급, 2014 서울시 7급
3. 토지대장상의 소유자명의변경신청을 거부하는 행위는 실체적 권리관계에 영향을 미치는 사항으로 행정처분이다. (○, ×)
   2019 서울시 2회 7급
4. 토지대장의 기재는 토지소유권을 제대로 행사하기 위한 전제요건으로서 토지소유자의 실체적 권리관계에 밀접하게 관련되어 있으므로 토지대장상의 소유자명의변경신청을 거부한 행위는 국민의 권리관계에 영향을 미치는 것이어서 항고소송의 대상이 되는 행정처분에 해당한다. (○, ×) 2016 국가직 9급

㉰ 관련 기출

5. 지목은 토지소유권을 제대로 행사하기 위한 전제요건이므로 지적공부 소관청의 지목변경신청 반려행위는 항고소송의 대상이 되는 행정처분에 해당한다. (○, ×) 2019 지방직 7급
6. 지적공부 소관청의 지목변경신청 반려행위(는 행정소송법상 '처분'에 해당한다) (○, ×) 2019 서울시 1회 7급, 2018 서울시 7급
7. 지적공부 소관청의 지목변경신청 반려행위는 행정사무의 편의와 사실증명의 자료로 삼기 위한 것이지 그 대장에 등재 여부는 어떠한 권리의 변동이나 상실효력이 생기지 않으므로 이를 항고소송의 대상으로 할 수 없다. (○, ×) 2017 국가직 9급

㉱ 관련 기출

8. 친일반민족행위자재산조사위원회의 재산조사개시결정(은 판례상 '행정청이 행하는 구체적 사실에 관한 법집행으로서의 공권력의 행사 또는 그 거부와 그 밖에 이에 준하는 행정작용'에 해당하지 않고, 이 경우 그 불복을 다투는 소송의 유형은) 민사소송이다.
   (○, ×) 2013 지방직 9급

㉲ 관련 기출

9. 국세기본법에 따른 과세관청의 국세환급금결정(은 항고소송의 대상이 되는 처분에 해당한다) (○, ×) 2019 서울시 9급
10. 국세환급금결정신청에 대한 환급거부결정(은 항고소송의 대상이 되는 행정처분이다) (○, ×) 2016 서울시 9급
11. 납세의무자의 국세환급금결정신청에 대한 세무서장의 환급거부결정은 취소소송의 대상이 된다. (○, ×) 2014 지방직 7급
12. 납세자가 세무서장에게 국세환급금 지급청구를 한 경우 세무서장의 환급거부결정은 판례에 의하면 항고소송의 대상이 되는 처분에 해당한다. (○, ×) 2009 세무사

㉳ 관련 기출

13. 구「민원사무처리에 관한 법률」에서 정한 사전심사결과 통보는 항고소송의 대상이 되는 행정처분에 해당하지 않는다. (○, ×)
   2019 지방직·교육행정직 9급

㉴ 관련 기출

14. 도시재개발법에 의한 재개발조합의 관리처분계획은 토지 등의 소유자에게 구체적이고 결정적인 영향을 미치는 것으로서 조합이 행한 처분에 해당한다. (○, ×) 2019 서울시 1회 7급
15. 재건축조합이 행하는 관리처분계획은 일종의 행정처분으로서 이를 다투고자 하면 재건축조합을 피고로 하여 항고소송으로 이를 다투어야 한다. (○, ×) 2016 국회직 8급
16. 재개발조합이 조합원에게 한 관리처분계획에 대한 다툼은 공법상의 당사자소송을 제기하여 그 위법성을 다툴 수 있다. (○, ×)
   2015 국회직 8급
17. 재개발조합의 관리처분계획에 대하여 조합원은 취소소송을 제기할 수 있다. (○, ×) 2014 경행특채 2차
18. 도시재개발법상의 관리처분계획은 처분성이 없다. (○, ×)
   2012 지방직 9급

㉵ 관련 기출

19. 국가공무원법상 당연퇴직의 인사발령(은 취소소송의 대상이 된다) (○, ×) 2021 지방직·서울시 7급

㉶ 관련 기출

20. 지적공부 소관청이 토지대장을 직권으로 말소하는 행위는 항고소송의 대상이 되는 행정처분에 해당한다. (○, ×)
   2019 지방직 7급, 2014 서울시 7급, 2014 지방직 7급

㉷ 관련 기출

21. 무허가건물을 무허가건물관리대장에서 삭제하는 행위는 다른 특별한 사정이 없는 한 항고소송의 대상이 되는 행정처분에 해당한다. (○, ×) 2019 지방직 7급, 2019 국회직 8급

㉸ 관련 기출

22.「표시·광고의 공정화에 관한 법률」위반으로 인한 공정거래위원회의 경고의결은 당해 표시·광고의 위법을 확인하되 구체적인 조치까지는 명하지 아니하는 것으로 사업자의 자유와 권리를 제한하는 행정처분에 해당하지 아니한다. (○, ×) 2022 소방간부

23. 구 「표시·광고의 공정화에 관한 법률」 위반을 이유로 한 공정거래위원회의 경고의결은 당해 표시·광고의 위법을 확인하되 구체적인 조치까지는 명하지 않은 것이므로 행정처분에 해당하지 않는다. (○, ×) 2016 국회직 8급

정답 1. × 2. × 3. × 4. × 5. ○ 6. ○ 7. × 8. × 9. × 10. ×
11. × 12. × 13. ○ 14. ○ 15. × 16. × 17. ○ 18. × 19. ×
20. ○ 21. × 22. × 23. ×

17

○○○

행정소송상 가구제제도에 관한 다음 설명 중 옳은 것을 모두 고른 것은? (다툼이 있는 경우 판례에 의함)

㉮ 처분의 효력정지는 처분의 집행 또는 절차의 속행을 정지함으로써 목적을 달성할 수 있는 경우에도 허용된다.

㉯ 행정소송법 제8조 제2항은 "행정소송에 관하여 이 법에 특별한 규정이 없는 사항에 대하여는 법원조직법과 민사소송법 및 민사집행법의 규정을 준용한다."고 규정하므로 민사집행법에 따른 가처분은 항고소송에서도 인정된다.

㉰ 취소소송과 달리 무효확인소송에서는 집행정지가 인정되지 않는다.

㉱ 취소소송에 있어 집행정지신청은 민사소송상 가처분과 달리 본안소송과 별도로 독립하여 신청할 수 없다.

㉲ 집행정지결정은 당사자의 신청이 있는 경우뿐만 아니라, 법원의 직권에 의해서도 행해질 수 있다.

㉳ 집행정지의 결정 또는 기각의 결정에 대하여는 즉시항고할 수 있으며 집행정지의 결정에 대한 즉시항고에는 결정의 집행을 정지하는 효력이 없다.

㉴ 과징금을 납부하기 위하여 무리하게 외부자금을 차입할 경우 자금사정이 악화되어 회사의 존립 자체가 위태롭게 될 정도의 중대한 경영상의 위기를 맞게 될 우려가 있다는 사정은 집행정지요건인 회복하기 어려운 손해로 볼 수 없다.

㉵ 회복하기 어려운 손해예방의 필요 등 집행정지의 적극적 요건과 공공복리에 중대한 영향을 미칠 우려가 없을 것 등 집행정지의 소극적 요건에 대한 주장·소명책임은 모두 신청인에게 있다.

㉖ 집행정지결정을 한 후에 본안소송이 취하된 경우에도 그 집행정지결정의 효력이 당연히 소멸하는 것은 아니고, 별도의 취소조치를 필요로 한다.

① ㉮, ㉯, ㉰, ㉴, ㉖   ② ㉯, ㉰, ㉱, ㉵
③ ㉰, ㉱, ㉲   ④ ㉱, ㉲, ㉳

☑ **기출체크**

㉮ 관련 기출
1. 처분의 효력정지는 처분의 집행 또는 절차의 속행을 정지함으로써 목적을 달성할 수 있는 경우에는 허용되지 아니한다. (○, ×)
2021 지방직·서울시 9급, 2019 사회복지직 9급, 2016 지방직 9급

㉯ 관련 기출
2. 항고소송의 대상이 되는 행정처분의 효력이나 집행 혹은 절차속행 등의 정지를 구하는 신청은 행정소송법상 집행정지신청의 방법으로만 가능할 뿐 민사소송법상 가처분의 방법으로는 허용될 수 없다. (○, ×) 2022 소방간부, 2019 경행경채 2차
3. 행정소송법 제8조 제2항은 "행정소송에 관하여 이 법에 특별한 규정이 없는 사항에 대하여는 법원조직법과 민사소송법 및 민사집행법의 규정을 준용한다."고 규정한다. 이에 관한 다음의 설명 중 옳지 않은 것은? (단, 다툼이 있는 경우 판례에 의함) 2017 사회복지직 9급
   ① 행정소송 사건에서 민사소송법상 보조참가가 허용된다.
   ② 민사소송법상 가처분은 항고소송에서 허용된다.
   ③ 민사집행법상 가처분은 당사자소송에서 허용된다.
   ④ 행정소송으로 제기해야 할 사건을 민사소송으로 잘못 제기한 경우에 수소법원이 행정소송에 대한 관할이 없다면 특별한 사정이 없는 한 관할법원에 이송하여야 한다.
4. 민사집행법에 따른 가처분은 항고소송에서도 인정된다. (○, ×) 2016 국가직 9급
5. 취소소송을 제기한 경우 법원은 당사자의 신청이나 직권으로 민사집행법상 가처분을 내릴 수 있다. (○, ×) 2016 지방직 9급

㉰ 관련 기출
6. 무효확인소송에서는 집행정지가 인정되지 않는다. (○, ×) 2021 군무원 7급
7. (행정소송법상) 본안소송이 무효확인소송인 경우에도 집행정지가 가능하다. (○, ×) 2018 서울시 2회 7급
8. 집행정지결정은 취소소송에서만 인정되는 것은 아니다. (○, ×) 2010 서울시 9급

㉱ 관련 기출
9. 처분의 효력정지결정을 하려면 그 효력정지를 구하는 당해 행정처분에 대한 본안소송이 법원에 제기되어 계속 중임을 요건으로 한다. (○, ×) 2021 지방직·서울시 9급
10. (행정소송에서) 집행정지는 본안사건이 법원에 계속되어 있을 것을 요건으로 한다. (○, ×) 2016 서울시 9급
11. 적법한 본안소송이 법원에 계속되어 있을 것을 요하지만, 본안소송의 제기와 집행정지신청이 동시에 행하여지는 경우도 허용된다. (○, ×) 2015 사회복지직 9급

12. 취소소송에 있어 집행정지신청은 민사소송상 가처분과 마찬가지로 본안소송과 별도로 독립하여 신청할 수 있다. (○, ×)

2009 관세사

13. 행정소송은 민사소송과는 달리 본안소송이 법원에 계속되어 있음을 요하므로 행정소송 제기와 동시에 집행정지를 신청할 수 없다. (○, ×)

2008 선관위 9급

⑭ 관련 기출

14. (행정소송법상) 집행정지는 본안이 계속되어 있는 법원이 당사자의 신청에 의하여 한다. 처분권주의가 적용되므로 당사자의 신청 없이 직권으로 하지 못한다. (○, ×)　　2018 서울시 1회 7급

15. 집행정지결정은 당사자의 신청이 있는 경우는 물론, 법원의 직권에 의해서도 행해질 수 있다. (○, ×)　　2015 교육행정직 9급

16. 법원의 직권에 의해서도 집행정지를 할 수 있다. (○, ×)

2010 서울시 9급

⑯ 관련 기출

17. 집행정지의 결정에 대하여는 즉시항고할 수 있으며, 이 경우 집행정지의 결정에 대한 즉시항고에는 결정의 집행을 정지하는 효력이 없다. (○, ×)　　2018 국가직 7급

18. (행정소송법상) 집행정지의 결정에 대한 즉시항고에는 결정의 집행을 정지하는 효력이 있다. (○, ×)

2018 서울시 2회 7급, 2010 서울시 9급

19. 집행정지결정에 대한 즉시항고에는 결정의 집행을 정지하는 효력이 없다. (○, ×)　　2016 사회복지직 9급

⑰ 관련 기출

20. 과징금을 납부하기 위하여 무리하게 외부자금을 차입할 경우 자금사정이 악화되어 회사의 존립 자체가 위태롭게 될 정도의 중대한 경영상의 위기를 맞게 될 우려가 있다는 사정은 집행정지요건인 회복하기 어려운 손해에 해당한다. (○, ×)　　2022 소방간부

21. (행정소송법상 집행정지제도와 관련하여) 외부자금의 신규차입이 사실상 중단된 상태에서 고액의 과징금 납부로 인하여 사업자가 중대한 경영상의 위기를 맞게 될 것으로 보이는 경우도 회복하기 어려운 손해에 해당한다. (○, ×)　　2012 국회(속기 · 경위직) 9급

⑱ 관련 기출

22. 회복하기 어려운 손해예방의 필요 등 집행정지의 적극적 요건에 관한 주장 · 소명책임은 원칙적으로 신청인에게 있으나, 공공복리에 중대한 영향을 미칠 우려가 없을 것 등 집행정지의 소극적 요건에 대한 주장 · 소명책임은 행정청에 있다. (○, ×)　　2022 소방간부

23. 공공복리에 중대한 영향을 미칠 우려가 있어 집행정지를 불허할 경우의 입증책임은 행정청에게 있다. (○, ×)　　2021 군무원 7급

24. 집행정지는 공공복리에 중대한 영향을 미칠 우려가 있을 때에는 허용되지 아니한다. (○, ×)　　2019 사회복지직 9급

25. 집행정지의 요건으로 규정하고 있는 '공공복리에 중대한 영향을 미칠 우려'가 없을 것이라고 할 때의 '공공복리'는 그 처분의 집행과 관련된 구체적이고 개별적인 공익을 말한다. (○, ×)

2018 경행경채

26. 집행정지의 소극적 요건에 대한 주장 · 소명책임은 행정청에 있다. (○, ×)　　2016 서울시 9급

⑲ 관련 기출

27. 집행정지결정을 한 후에라도 본안소송이 취하되어 소송이 계속하

지 아니한 것으로 되면 집행정지결정은 당연히 그 효력이 소멸되고 별도의 취소조치를 필요로 하는 것은 아니다. (○, ×)

2022 소방간부

28. 집행정지결정 후 본안소송이 취하되면 집행정지결정의 효력도 상실한다. (○, ×)　　2021 군무원 7급

29. 집행정지결정을 한 후에라도 행정사건의 본안소송이 취하되어 그 소송이 계속하지 아니한 것으로 되면 이에 따라 집행정지결정은 당연히 그 효력이 소멸되며 별도의 취소조치가 필요한 것은 아니다. (○, ×)　　2018 경행경채

30. 집행정지결정을 한 후에 본안소송이 취하되더라도 그 집행정지결정의 효력이 당연히 소멸하는 것은 아니고, 별도의 취소조치를 필요로 한다. (○, ×)　　2016 서울시 9급

31. 집행정지결정을 한 후에라도 본안소송이 취하되어 소송이 계속하지 아니한 것으로 되면 집행정지결정은 당연히 그 효력이 소멸된다. (○, ×)　　2010 서울시 9급

정답　1. ○　2. ○　3. ②　4. ×　5. ×　6. ×　7. ○　8. ○　9. ○　10. ○
　　　11. ○　12. ×　13. ×　14. ×　15. ○　16. ○　17. ○　18. ×　19. ○
　　　20. ○　21. ○　22. ○　23. ○　24. ○　25. ○　26. ○　27. ○　28. ○
　　　29. ○　30. ×　31. ○

18　□□□

사정판결에 관한 다음 설명 중 옳은 것을 모두 고른 것은? (다툼이 있는 경우 판례에 의함)

⑦ 사정판결을 하는 경우 처분의 위법성은 사실심변론 종결시를 기준으로 판단하여야 한다.

⑭ 당연무효의 처분은 존치시킬 효력이 있는 행정행위가 없기 때문에 사정판결을 할 수 없다.

⑮ 사정판결을 하는 경우 법원은 그 판결의 주문에서 그 처분 등이 위법함을 명시하여야 한다.

⑯ 사정판결을 하는 경우 법원은 원고의 청구를 기각하는 판결을 하게 되지만, 소송비용은 패소한 원고가 아니라 피고의 부담으로 한다.

① ⑦, ⑭　　　　　　　② ⑦, ⑮, ⑯
③ ⑭, ⑮　　　　　　　④ ⑭, ⑮, ⑯

✅ **기출체크**

⑦ 관련 기출

1. 사정판결을 하는 경우 처분의 위법성은 변론종결시를 기준으로 판단하여야 한다. (○, ×)　　2016 국가직 9급

2. (사정판결에서) 처분의 위법 여부는 처분시를 기준으로, 처분을 취소하는 것이 현저히 공공복리에 적합하지 아니한지 여부는 변론종결시를 기준으로 판단하여야 한다. (○, ×)　　2016 국가직 7급

3. 사정판결의 대상이 되는 처분의 위법 여부에 대한 판단은 처분시를 기준으로 하고, 사정판결의 필요성 판단은 판결시를 기준으로 하는 것이 일반적 견해이다. (○, ×)　　2014 서울시 7급

4. 사정판결이 필요한가의 판단의 기준시는 판결시점(변론종결시)이
   된다. (○. ×)   2013 지방직(하) 7급

5. 사정판결의 요건으로 옳지 않은 것은? (다툼이 있는 경우 판례에
   의함)   2012 지방직 9급
   ① 처분이 위법하여야 한다.
   ② 처분을 취소하는 것이 현저히 공공복리에 적합하지 아니하다
   고 인정되어야 한다.
   ③ 사정판결의 경우 처분 등의 위법성은 판결시를 기준으로 판단
   하여야 한다.
   ④ 공공복리를 위한 사정판결의 필요성은 변론종결시를 기준으로
   판단하여야 한다.

Ⓝ 관련 기출

6. 사정판결은 항고소송 중 취소소송 및 무효등확인소송에서 인정되
   는 판결의 종류이다. (○. ×)   2021 지방직·서울시 9급

7. 원고의 청구가 이유 있다고 인정하는 경우에도 처분의 무효를 확
   인하는 것이 현저히 공공복리에 적합하지 아니하다고 인정하는 때
   에는 법원은 청구를 기각할 수 있다. (○. ×)   2017 지방직 7급

8. 행정소송법상 취소소송에 대한 사항으로 무효등확인소송의 경우에
   준용되는 것은?   2016 사회복지직 9급
   ① 행정심판전치주의의 적용
   ② 취소소송의 대상
   ③ 제소기간
   ④ 사정판결

9. 당연무효의 행정처분을 대상으로 하는 행정소송에서도 사정판결을
   할 수 있다. (○. ×)   2015 국가직 9급

10. 판례는 당연무효의 처분은 존치시킬 효력이 있는 행정행위가 없
    기 때문에 사정판결을 할 수 없다고 하여 부정적이다. (○. ×)
             2014 서울시 7급

Ⓓ 관련 기출

11. 사정판결을 하는 경우 법원은 처분의 위법함을 판결의 주문에 표
    기할 수 없으므로 판결의 내용에서 그 처분 등이 위법함을 명시
    함으로써 원고에 대한 실질적 구제가 이루어지도록 하여야 한다.
    (○. ×)   2020 소방직 9급

12. 사정판결의 경우에는 처분의 적법성이 아닌 처분의 위법성에 대
    하여 기판력이 발생한다. (○. ×)   2019 서울시 9급

13. 사정판결시 법원은 그 판결의 주문에서 그 처분 등이 위법함을
    명시하여야 한다. (○. ×)   2017 경행경채, 2013 서울시 7급

Ⓠ 관련 기출

14. 사정판결을 하는 경우 법원은 원고의 청구를 기각하는 판결을 하
    게 되나, 소송비용은 피고의 부담으로 한다. (○. ×)
             2016 국가직 7급

15. 사정판결에서의 소송비용은 패소한 원고가 부담한다. (○. ×)
             2013 서울시 7급

16. 행정처분에 대한 취소청구가 사정판결에 의하여 기각된 경우에
    소송비용은 피고가 부담한다. (○. ×)   2008 지방직 9급

정답 1. × 2. ○ 3. ○ 4. ○ 5. ③ 6. × 7. × 8. ② 9. × 10. ○
    11. × 12. ○ 13. ○ 14. ○ 15. × 16. ○

취소소송의 판결의 효력과 행정심판법상 간접강제에 관한 다
음 설명 중 옳은 것을 모두 고른 것은? (다툼이 있는 경우 판례
에 의함)

㉮ 과세처분취소소송에서 청구가 기각된 확정판결의
기판력은 그 과세처분의 무효확인을 구하는 소송에
미치지 않는다.

㉯ 주택건설사업 승인신청 거부처분에 대한 취소의 확
정판결이 있은 후 행정청이 재처분을 하였다 하더라
도 그 재처분이 종전 거부처분에 대한 취소의 확정
판결의 기속력에 반하는 경우라면, 간접강제신청에
필요한 요건을 갖춘 것으로 보아야 한다는 것이 판
례의 입장이다.

㉰ 간접강제결정에서 정한 의무이행기한이 경과한 후
에라도 확정판결의 취지에 따른 재처분의 이행이 있
으면 더 이상 간접강제결정에 기한 배상금의 추심은
허용되지 않는다.

㉱ 취소확정판결의 기속력에 대한 규정은 무효확인판
결에도 준용되므로, 행정청이 무효확인판결의 취지
에 따른 처분을 하지 아니할 경우 제1심 수소법원은
간접강제결정을 할 수 있다.

㉲ 취소판결의 기속력에 위반하여 한 행정청의 행위는
당연무효라는 것이 판례의 입장이다.

㉳ 행정심판법상 간접강제는 행정심판의 재결의 기속
력에 따른 재처분의무를 이행하지 않은 경우에 재결
의 실효성을 확보하기 위하여 행정청에 일정한 배상
을 명령하는 제도이다.

㉴ 행정심판법에 의하면 행정심판위원회는 사정의 변
경이 있어 당사자가 신청한 경우에도 간접강제결정
의 내용을 변경할 수는 없다.

㉵ 행정심판법에 의하면 청구인은 간접강제에 관한 행
정심판위원회의 결정에 불복하는 경우에도 그 결정
에 대하여는 행정소송을 제기할 수 없다.

㉶ 행정심판법에 의하면 간접강제결정의 효력은 피청구
인인 행정청이 소속된 국가·지방자치단체 또는 공공
단체에 미치며, 결정서 정본은 간접강제결정에 불복
하는 행정소송의 제기와 관계없이 민사집행법에 따른
강제집행에 관하여는 집행권원과 같은 효력을 가진다.

① ㉮, ㉯, ㉰, ㉵   ② ㉯, ㉰, ㉲, ㉳, ㉶
③ ㉯, ㉱, ㉴, ㉶   ④ ㉰, ㉱, ㉲, ㉴, ㉵

㉮ 관련 기출

1. 처분의 취소소송에서 청구를 기각하는 확정판결의 기판력은 다시 그 처분에 대해 무효확인을 구하는 소송에 대해서는 미치지 않는다. (○, ×)   2021 국회직 8급

2. 취소소송에서 기각판결이 확정된 경우에는 처분이 적법하다는 점에 기판력이 발생하므로, 패소한 당사자는 해당 처분에 관한 무효확인소송에서 그 처분이 위법하다고 주장할 수 없다. (○, ×)   2021 변호사

3. 과세처분의 취소소송에서 청구가 기각된 확정판결의 기판력은 그 과세처분의 무효확인을 구하는 소송에는 미치지 아니한다. (○, ×)   2014 지방직 9급

4. 과세처분취소소송에서 청구가 기각된 확정판결의 기판력은 그 과세처분의 무효확인을 구하는 소송에 미친다. (○, ×)   2011 국회직 8급, 2011 경행특채

㉯ 관련 기출

5. 처분청이 재처분을 하였는데 종전 거부처분에 대한 취소확정판결의 기속력에 반하는 경우에는 간접강제의 대상이 될 수 있다. (○, ×)   2021 국가직 7급

6. 甲은 관할 A행정청에 토지형질변경허가를 신청하였으나 A행정청은 허가를 거부하였다. 이에 甲은 거부처분취소소송을 제기하여 재량의 일탈·남용을 이유로 취소판결을 받았고, 그 판결은 확정되었다. 이에 대한 설명으로 옳은 것은? (다툼이 있는 경우 판례에 의함)   2019 국가직 9급

  ① A행정청이 거부처분 이전에 이미 존재하였던 사유 중 거부처분 사유와 기본적 사실관계의 동일성이 없는 사유를 근거로 다시 거부처분을 하는 것은 허용되지 않는다.

  ② A행정청이 재처분을 하였더라도 취소판결의 기속력에 저촉되는 경우에는 甲은 간접강제를 신청할 수 있다.

  ③ A행정청의 재처분이 취소판결의 기속력에 저촉되더라도 당연무효는 아니고 취소사유가 될 뿐이다.

  ④ A행정청이 간접강제결정에서 정한 의무이행기한 내에 재처분을 이행하지 않아 배상금이 이미 발생한 경우에는 그 이후에 재처분을 이행하더라도 甲은 배상금을 추심할 수 있다.

7. 주택건설사업 승인신청 거부처분에 대한 취소의 확정판결이 있은 후 행정청이 재처분을 하였다 하더라도 그 재처분이 종전 거부처분에 대한 취소의 확정판결의 기속력에 반하는 경우, 행정소송법상 간접강제신청에 필요한 요건을 갖춘 것으로 보아야 한다. (○, ×)   2018 지방직 9급

8. 처분청이 재처분을 하였더라도 기속력에 위반하는 경우에는 간접강제의 대상이 된다. (○, ×)   2016 국회직 8급

9. 거부처분에 대한 취소의 확정판결이 있음에도 행정청이 아무런 재처분을 하지 않는 경우뿐만 아니라 재처분을 하였더라도 그 재처분이 취소판결의 기속력에 반하는 경우에는 간접강제의 대상이 된다. (○, ×)   2016 국가직 7급

㉰ 관련 기출

10. 특별한 사정이 없는 한 간접강제결정에서 정한 의무이행기한이 경과한 후에라도 확정판결의 취지에 따른 재처분의 이행이 있으면 더 이상 배상금의 추심은 허용되지 않는다. (○, ×)   2021 국가직 7급

11. 간접강제결정에서 정한 의무이행기한이 경과한 후에라도 확정판결의 취지에 따른 재처분의 이행이 있으면 처분 상대방이 더 이상 배상금을 추심하는 것은 특별한 사정이 없는 한 허용되지 않는다. (○, ×)   2016 국가직 7급

12. 간접강제결정에 기한 배상금은 확정판결에 따른 재처분의 지연에 대한 제재 또는 손해배상이라는 것이 판례의 입장이다. (○, ×)   2013 국가직 7급

㉱ 관련 기출

13. 취소확정판결의 기속력에 대한 규정은 무효확인판결에도 준용되므로, 무효확인판결의 취지에 따른 처분을 하지 아니할 때에는 1심 수소법원은 간접강제결정을 할 수 있다. (○, ×) 2021 국가직 7급

14. 거부처분의 무효확인판결에 따른 재처분의무를 이행하지 않는 경우에는 법원은 간접강제결정을 할 수 있다. (○, ×)   2021 국회직 8급

15. 거부처분에 대하여 무효확인판결이 확정된 경우, 행정청에 대해 판결의 취지에 따른 재처분의무가 인정될 뿐 그에 대하여 간접강제까지 허용되는 것은 아니다. (○, ×)   2019 지방직·교육행정직 9급

16. 거부처분에 대해서 무효확인판결이 내려진 경우에는 당해 행정청에 판결의 취지에 따른 재처분의무가 인정됨은 물론 간접강제도 허용된다. (○, ×)   2017 국회직 8급

17. 甲은 공동주택 및 근린생활시설을 건축하는 내용의 주택건설사업계획승인신청을 하였으나 행정청 乙은 거부처분을 행하였고, 당해 거부처분에 대해 甲은 행정소송을 제기하여 거부처분취소판결이 확정되었다. 이에 대한 설명으로 옳지 않은 것은? (다툼이 있는 경우 판례에 의함)   2011 지방직 7급

  ① 乙이 판결의 취지에 따른 재처분의무를 이행하지 않는 경우 甲은 제1심 수소법원에 간접강제결정을 신청할 수 있다.

  ② 대법원은 확정판결의 취지에 따른 재처분이 간접강제결정에서 정한 의무이행기간이 경과한 후에 이루어진 경우에도 배상금의 추심은 허용되지 않는다고 보았다.

  ③ 만약 甲이 乙의 거부처분에 대해 무효확인소송을 제기하여 무효확인판결이 행해진 경우, 취소판결에 있어 재처분의무에 관한 규정은 준용되나 간접강제에 대한 규정은 준용되지 않는다.

  ④ 乙이 취소판결의 기속력에 반하는 재처분을 하여 당연무효라고 하더라도 이는 아무런 재처분을 하지 않은 경우라 볼 수 없으므로 행정소송법상 간접강제신청요건을 갖추지 않은 것으로 본다.

㉲ 관련 기출

18. 취소판결의 기속력에 위반하여 행해진 행정처분(은 무효인 행정처분에 해당된다) (○, ×)   2014 사회복지직 9급

19. 취소판결의 기속력에 위반하여 한 행정청의 행위는 당연무효이다. (○, ×)   2014 지방직 7급

20. 취소판결이 확정된 후에 그 기속력에 위반하여 같은 사유에 의한 동일한 내용의 처분은 그 하자가 중대하고도 명백하여 당연무효이다. (○, ×)   2010 국가직 9급

㉳ 관련 기출

21. (행정심판법상 간접강제는) 행정심판의 재결의 기속력에 따른 재처분의무를 이행하지 않은 경우에 재결의 실효성을 확보하기 위하여 행정청에 일정한 배상을 명령하는 제도이다. (○, ×)   2022 소방간부

22. 피청구인이 당사자의 신청을 거부한 처분의 이행을 명하는 재결에도 불구하고 이전의 신청에 대하여 재결의 취지에 따라 처분을 하지 아니하는 경우에 행정심판위원회는 간접강제를 할 수 있다. (○, ×)
2021 경행경채

23. (행정심판법상 의무이행심판에서) 행정심판위원회는 처분의 이행을 명하는 재결에도 불구하고 처분을 하지 아니하는 피청구인에게 배상을 할 것을 명할 수 있다. (○, ×)
2019 경행경채 2차

24. 행정심판위원회는 피청구인이 의무이행재결의 취지에 따른 처분을 하지 아니하면 청구인의 신청에 의하여 결정으로 상당한 기간을 정하고 피청구인이 그 기간 내에 이행하지 아니하는 경우에는 그 지연기간에 따라 일정한 배상을 하도록 명하거나 즉시 배상을 할 것을 명할 수 있다. (○, ×)
2018 국가직 7급

25. 행정심판위원회는 재처분의무가 있는 피청구인이 재처분의무를 이행하지 아니하면 지연기간에 따라 일정한 배상을 하도록 명할 수는 있으나 즉시 배상을 할 것을 명할 수는 없다. (○, ×)
2018 서울시 2회 7급

(사) 관련 기출

26. 행정심판위원회는 사정의 변경이 있는 경우에는 당사자의 신청에 의하여 간접강제결정의 내용을 변경할 수 있다. (○, ×)
2022 소방간부

(아) 관련 기출

27. 청구인은 행정심판법상 간접강제에 관한 행정심판위원회의 결정에 불복하는 경우 그 결정에 대하여 행정소송을 제기할 수 있다. (○, ×)
2022 소방간부

28. 청구인은 행정심판위원회의 간접강제결정에 불복하는 경우 그 결정에 대하여 행정소송을 제기할 수 있다. (○, ×)
2019 지방직 · 교육행정직 9급

29. 행정심판청구인은 행정심판위원회의 간접강제결정에 불복하는 경우 그 결정에 대하여 행정소송을 제기할 수 없다. (○, ×)
2018 서울시 2회 7급

(자) 관련 기출

30. 간접강제결정의 효력은 피청구인인 행정청이 소속된 국가 · 지방자치단체 또는 공공단체에 미치며, 결정서 정본은 간접강제결정에 불복하는 행정소송의 제기와 관계없이 민사집행법에 따른 강제집행에 관하여는 집행권원과 같은 효력을 가진다. (○, ×)
2022 소방간부

31. 인용재결의 기속력은 피청구인과 그 밖의 관계행정청에 미치고, 행정심판위원회의 간접강제결정의 효력은 피청구인인 행정청이 소속된 국가 · 지방자치단체 또는 공공단체에 미친다. (○, ×)
2021 국가직 7급

정답 1. × 2. ○ 3. × 4. ○ 5. ○ 6. ② 7. ○ 8. ○ 9. ○ 10. ○
11. ○ 12. × 13. × 14. × 15. ○ 16. × 17. ④ 18. ○ 19. ○
20. ○ 21. ○ 22. ○ 23. ○ 24. ○ 25. × 26. ○ 27. ○ 28. ○
29. × 30. ○ 31. ○

무효등확인소송과 부작위법확인소송에 관한 다음 설명 중 옳지 않은 것은 모두 몇 개인가? (다툼이 있는 경우 판례에 의함)

㉮ 무효인 처분에 대하여 무효선언을 구하는 취소소송을 제기하는 경우, 취소소송의 제소기간을 준수하여야 한다.

㉯ 동일한 행정처분에 대하여 무효확인소송을 제기하였다가 그 후 그 처분의 취소를 구하는 소송을 추가적으로 병합한 경우에 주된 청구인 무효확인소송이 적법한 제소기간 내에 제기되었다면, 추가로 병합된 취소소송도 적법하게 제기된 것으로 볼 수 있다.

㉰ 무효확인소송을 제기하였는데 해당 사건에서의 위법이 취소사유에 불과한 때, 법원은 취소소송의 요건을 충족한 경우 취소판결을 내린다.

㉱ 대법원은 판례를 변경하여 종래 무효확인소송에서 요구해 왔던 보충성을 더 이상 요구하지 않는다.

㉲ 부작위법확인소송에서 소제기의 전후를 통하여 판결시까지 행정청이 그 신청에 대하여 적극 또는 소극의 처분을 함으로써 부작위상태가 해소된 때에는 소의 이익을 상실하게 되어 당해 소는 각하된다.

㉳ 행정청의 거부처분이 있는 경우에는 행정청이 당사자의 신청에 대하여 일정한 처분을 하지 아니함으로써 위법상태가 야기된 것이므로 이를 제거하기 위한 부작위법확인소송도 허용된다.

㉴ 행정청의 부작위에 대하여 행정심판을 거치지 않고 부작위법확인소송을 제기하는 경우에는 제소기간의 제한을 받지 않지만 행정심판 등 전심절차를 거친 경우에는 제소기간의 규정이 적용된다.

㉵ 지방자치단체가 조례로써 노동운동이 허용되는 사실상의 노무에 종사하는 공무원의 구체적 범위를 규정하지 않고 있는 것에 대하여, 공무원이 부작위법확인의 소를 제기하였으나 상고심 계속 중에 정년퇴직한 경우라도 소의 이익이 상실되는 것은 아니다.

㉶ 국회의원이 대통령에 대하여 특임공관장에 대한 인사권 행사 등과 관련하여 지위변경 등의 요구를 할 수 있는 법규상 또는 조리상 신청권은 인정되지 않는다.

① 없음　　　　② 1개
③ 2개　　　　④ 3개

㉮ 관련 기출

1. (甲은 중대·명백한 하자가 있어 무효인 A처분에 대해 소송을 제기하려고 한다) 甲이 A처분에 대해 취소소송을 제기하는 경우 제소기간의 제한을 받지 않는다. (○, ×)　　2021 국회직 8급

2. 행정처분의 당연무효를 선언하는 의미에서 그 취소를 구하는 행정소송을 제기하는 경우에는 취소소송의 제소기간을 준수하여야 한다. (○, ×)　　2019 국회직 8급

3. 무효선언을 구하는 의미의 취소소송에 있어서는 제소기간이 준수되어야 한다. (○, ×)　　2018 교육행정직 9급

4. 무효인 처분에 대하여 무효선언을 구하는 취소소송을 제기하는 경우 제소기간을 준수하여야 한다. (○, ×)　　2015 사회복지직 9급

㉯ 관련 기출

5. 동일한 행정처분에 대하여 무효확인소송을 제기하였다가 그 후 그 처분의 취소를 구하는 소송을 추가적으로 병합한 경우에 주된 청구인 무효확인소송이 적법한 제소기간 내에 제기되었다면 추가로 병합된 취소소송도 적법하게 제기된 것으로 보아야 한다. (○, ×)
2021 경행경채, 2021 국가직 9급, 2017 지방직 7급

6. (甲은 중대·명백한 하자가 있어 무효인 A처분에 대해 소송을 제기하려고 한다) 甲이 A처분에 대해 무효확인소송을 제기하였다가 그 후 그 처분에 대한 취소소송을 추가적으로 병합한 경우, 주된 청구인 무효확인소송이 적법한 제소기간 내에 제기되었다면 추가로 병합된 취소소송도 제소기간을 준수한 것으로 보아야 한다.
(○, ×)　　2021 국회직 8급

7. (甲은 단순위법인 취소사유가 있는 A처분에 대하여 행정소송법상 무효확인소송을 제기하였다) 무효확인소송이 행정소송법상 취소소송의 적법한 제소기간 안에 제기되었더라도, 적법한 제소기간 이후에는 A처분의 취소를 구하는 소를 추가적·예비적으로 병합하여 제기할 수 없다. (○, ×)　　2019 지방직 7급

㉰ 관련 기출

8. (甲은 단순위법인 취소사유가 있는 A처분에 대하여 행정소송법상 무효확인소송을 제기하였다) 무효확인소송에 A처분의 취소를 구하는 취지도 포함되어 있고 무효확인소송이 행정소송법상 취소소송의 적법요건을 갖추었다 하더라도, 법원은 A처분에 대한 취소판결을 할 수 없다. (○, ×)　　2019 지방직 7급

9. 행정처분의 무효확인을 구하는 소에는 특단의 사정이 없는 한 그 취소를 구하는 취지도 포함되어 있다고 보아야 한다. (○, ×)
2019 서울시 2회 7급

10. 무효확인소송을 제기하였는데 해당 사건에서의 위법이 취소사유에 불과한 때, 법원은 취소소송의 요건을 충족한 경우 취소판결을 내린다. (○, ×)　　2017 국가직(하) 7급

11. (판례에 따르면) 행정처분의 무효확인을 구하는 소에는 원고가 그 처분의 취소를 구하지 아니한다고 밝히지 아니한 이상 그 처분이 만약 당연무효가 아니라면 그 취소를 구하는 취지도 포함되어 있는 것으로 보아야 한다. (○, ×)　　2012 국회직 8급

㉱ 관련 기출

12. (甲은 중대·명백한 하자가 있어 무효인 A처분에 대해 소송을 제기하려고 한다) 甲이 A처분에 대해 무효확인소송을 제기하려면 확인소송의 일반적 요건인 즉시확정의 이익이 있어야 한다.
(○, ×)　　2021 국회직 8급

13. 무효인 과세처분에 의하여 세금을 납부한 자는 납부한 금액을 반환받기 위하여 부당이득반환청구소송을 제기하지 않고 곧바로 과세처분무효확인소송을 제기할 수 있다. (○, ×) 2019 서울시 9급

14. 대법원은 종래 무효확인소송에서 요구해 왔던 보충성을 더 이상 요구하지 않는 것으로 판례태도를 변경하였다. (○, ×)
2018 교육행정직 9급

15. 무효인 과세처분에 의해 조세를 납부한 자가 부당이득반환청구소송을 제기할 수 있는 경우에도 과세처분에 대한 무효확인소송을 제기할 수 있다. (○, ×)　　2016 지방직 9급

16. 무효확인소송은 즉시확정의 이익이 있는 경우에만 보충적으로 허용된다는 것이 판례의 입장이다. (○, ×)　　2015 교육행정직 9급

㉲ 관련 기출

17. 허가처분 신청에 대한 부작위를 다투는 부작위위법확인소송을 제기하여 제1심에서 승소판결을 받았는데 제2심 단계에서 피고행정청이 허가처분을 한 경우, 제2심 수소법원은 각하판결을 하여야 한다. (○, ×)　　2019 국가직 9급

18. 소제기의 전후를 통하여 판결시까지 행정청이 그 신청에 대하여 적극 또는 소극의 처분을 함으로써 부작위상태가 해소된 때에는 소의 이익을 상실하게 되어 당해 소는 각하를 면할 수가 없다.
(○, ×)　　2018 국회직 8급

19. 부작위위법확인소송의 변론종결시까지 행정청의 처분으로 부작위상태가 해소된 때에는 부작위위법확인소송은 소의 이익을 상실하게 된다. (○, ×)　　2012 국가직 7급

20. 부작위위법확인소송을 제기한 뒤에 판결시까지 행정청이 그 신청에 대하여 적극적 또는 소극적 처분을 하였다면 소의 이익을 상실하게 되어 당해 소는 각하된다. (○, ×)　　2010 국회속기직 9급

㉳ 관련 기출

21. 행정청이 당사자의 신청에 대하여 거부처분을 한 경우에는 부작위위법확인소송의 원고적격이 없거나 위 항고소송의 대상인 위법한 부작위가 있다고 볼 수 없어 그 부작위위법확인의 소는 부적법하다. (○, ×)　　2022 소방간부

22. 당사자의 신청에 대한 행정청의 거부처분이 있는 경우에는 행정청이 당사자의 신청에 대하여 일정한 처분을 이행하지 아니함으로써 위법상태가 야기된 것이므로 이를 제거하기 위하여 부작위위법확인소송도 허용된다. (○, ×)　　2016 서울시 7급

㉴ 관련 기출

23. 부작위위법확인소송도 행정심판 등 전심절차를 거친 경우에는 제20조(제소기간)의 규정이 적용된다. (○, ×)　　2021 경행경채

24. 부작위위법확인의 소는 부작위상태가 계속되는 한 그 위법의 확인을 구할 이익이 있다고 보아야 하므로 원칙적으로 제소기간의 제한을 받지 않는다. (○, ×)　　2020 군무원 7급

25. 행정청의 부작위에 대하여 행정심판을 거치지 않고 부작위위법확인소송을 제기하는 경우에는 제소기간의 제한을 받지 않는다.
(○, ×)　　2019 지방직·교육행정직 9급

26. 부작위위법확인의 소는 부작위상태가 계속되는 한 그 위법의 확인을 구할 이익이 있다고 보아야 하므로 제소기간의 제한이 없음이 원칙이나 행정심판 등 전심절차를 거친 경우에는 제소기간의 제한이 있다. (○, ×)　　2019 국회직 8급

27. 행정심판을 거친 후 부작위위법확인소송을 제기하는 경우에는 제소기간이 적용되지 않는다. (○, ×)   2016 지방직 9급

ⓐ 관련 기출

28. 조례를 통하여 노동운동이 허용되는 사실상의 노무에 종사하는 공무원의 구체적 범위를 규정하지 않고 있는 것에 대하여 부작위위법확인의 소를 제기하였으나 상고심 계속 중에 정년퇴직한 경우에 소의 이익은 인정되지 않는다. (○, ×)   2022 소방간부

29. 처분의 신청 후에 원고에게 생긴 사정의 변화로 인하여, 그 처분에 대한 부작위가 위법하다는 확인을 받아도 종국적으로 침해되거나 방해받은 원고의 권리·이익을 보호·구제받는 것이 불가능하게 되었다면, 법원은 각하판결을 내려야 한다. (○, ×)   2020 국가직 9급

ⓐ 관련 기출

30. 국회의원에게는 대통령 및 외교통상부장관의 특임공관장에 대한 인사권 행사 등과 관련하여 대사의 직을 계속 보유하게 하여서는 아니 된다는 요구를 할 수 있는 법규상 또는 조리상 신청권이 인정되지 않는다. (○, ×)   2022 소방간부

정답   1. ×   2. ○   3. ○   4. ○   5. ○   6. ○   7. ×   8. ×   9. ○   10. ○
11. ○   12. ×   13. ○   14. ○   15. ○   16. ×   17. ○   18. ○   19. ○
20. ○   21. ○   22. ×   23. ○   24. ○   25. ○   26. ○   27. ×   28. ○
29. ○   30. ○

박준철 교수

약 력

고려대학교 법과대학 법학과 졸업
고려대학교 법과대학원 행정법 전공
現. 공단기 행정법 전임 강사
　　소방단기 행정법 전임 강사
前. 남부고시학원 7·9급 행정법 전임 강사
　　KG패스원(웅진패스원) 7·9급 행정법 전임 강사

주요 저서

써니 행정법총론(도서출판 지금)
7급 써니 행정법각론(도서출판 지금)
7·9급 써니 행정법총론 기출문제집(에스티유니타스)
써니 행정법총론 소방 기출문제집(에스티유니타스)
7급 써니 행정법각론 기출문제집(에스티유니타스)
7·9급 써니 행정법총론 SOS(도서출판 지금)
7·9급 써니 행정법총론 판례특강(에스티유니타스)
7·9급 써니 행정법총론 단원별 모의고사(에스티유니타스)
써니 행정법총론 소방 단원별 모의고사(도서출판 지금)
7·9급 써니 행정법총론 실전동형 모의고사(도서출판 지금)
써니 행정법총론 오답노트(에스티유니타스)
써니 행정법총론 오답노트 하프모의고사(에스티유니타스)
7·9급 써니 행정법총론(웅진패스원)
코드에 맞는 행정법총론(이끌림)
7급 써니 행정법각론(좋은책 출판사)
7·9급 써니 행정법총론 기출문제집(도서출판 지금)
7·9급 써니 행정법총론 단원별 모의고사(도서출판 지금)
7·9급 써니 행정법총론 판례집(도서출판 지금)
7·9급 써니 행정법총론 최종 마무리(웅진패스원)
9급 최종모의고사 일반행정직(공편저, 웅진패스원)
9급 서울시 최종모의고사 일반행정직(공편저, 웅진패스원)
7·9급 실전모의고사 써니 행정법총론(웅진패스원)

2022
써니 행정법총론 문제
소방 단원별 모의고사

1판 1쇄 발행 2022년 3월 2일

편저자 　박준철
발행인 　김지연

등 록 　제319-2011-41호
발행처 　(주)도서출판 지금(http://www.papergold.net)
주 소 　06924 서울특별시 동작구 장승배기로 128, 305호(노량진동, 동창빌딩)
교재공급처 　(02)814-0022　FAX (02)872-1656
학습문의 　cafe.naver.com/sunnylaw(써니 행정법)
ISBN 　979-11-6018-318-4 14360

정가 13,000원(전 2권)